Vacances anglaises

JOSEPH CONNOLLY

Vacances anglaises

Traduit de l'anglais par Alain Defossé

ÉDITIONS DE L'OLIVIER

L'édition originale de cet ouvrage est parue
chez Faber and Faber en 1998, sous le titre : *Summer Things.*

ISBN 2-87929-232-8

À une magnifique paire de Michael,
BOOTH et DILLON

PREMIÈRE PARTIE

AVANT LES VACANCES

CHAPITRE I

« Lèche », fit-il d'une voix sonore, dans le vide. « Lèche-moi. »
Norman Furnish était assis à son bureau, dans la salle relativement vaste et parfaitement vieillotte qu'il partageait avec sa supposée collègue, Katie ; pas à proprement parler un bureau – non, pas vraiment. Sa table de travail elle-même était tout à fait dans la note – plaquée d'acajou, possiblement récupérée lors d'une vente de l'Administration ; recouverte d'un sous-main de vieux cuir vert plein de cicatrices, les motifs repoussés à froid quasiment effacés : la corbeille du courrier arrivé, la corbeille du courrier à partir, un téléphone, voilà.

« Lèche-moi », dit-il, le regard fixé sans ciller sur le calendrier que leur adressait chaque putain d'année, avec une belle ténacité, un bureau de métreur vérificateur. Cette fois, c'était le Cottage de Ann Hathaway : cela changeait drôlement des coquelicots de Monet.

À cet instant, un rire bas, gargouillant, émanant de la fille installée sous son bureau et entre ses genoux, le fit délicieusement frissonner, mais ce n'était rien en comparaison de la vague de fourmillements qui le parcourut entièrement, tandis que ses sourcils bondissaient soudain, dans une tentative éperdue pour s'échapper de son visage.

« Aaargh ! Oh, *aaargh*, bon Dieu ! », voilà ce que proférait Norman à présent, tandis qu'un tambour se faisait entendre, rythmant l'ordre des choses – le battement régulier des souliers à brides et talons très, très hauts de Katie contre le panneau de son bon vieux bureau, si pratique et si spacieux. Katie mettait du cœur à l'ouvrage, bien que se cognant régulièrement le crâne contre le dessous du tiroir central, et le regard de Norman parcourait désespérément la pièce, comme pour demander grâce ou assistance à quelque coursier invisible et, tout en emmagasinant des fragments accolés de classeurs marron et beige, de philodendron rongé par la maladie et de bouilloire électrique consciencieusement cabossée, il se sentait encore plus exalté que la dernière fois, et en même temps au bord de l'attaque cardiaque – sur quoi sa respiration s'altéra, effectivement, puis cessa presque, comme la porte du bureau s'ouvrait largement, et Norman n'eut plus que la sensation d'une cavité obstruée, là où, quelques secondes auparavant, palpitaient ses organes les plus intimes ; il regarda fixement, l'œil hagard, l'homme qui se tenait devant lui dans le rai de lumière – et qui regardait aussi Norman, simplement, Norman qui s'agrippait à son bureau, les yeux en bille de loto.

« Vous êtes toujours là, Norman ? fit l'homme. Je pensais que vous aviez levé le camp depuis longtemps.

– Moi ? s'enquit Norman. Oh oui – oui je suis encore là. Encore là, Mr. Street. Howard. Deux trois trucs à finir, vous voyez. »

Avait-il l'air normal, Norman ? La sueur sur son visage, sur ses lèvres, le trahissait-elle, ou bien l'absence de toute vie dans ses yeux ? Car ces yeux s'agrandissaient encore (Mr. Street – Howard – ferait bien de se préparer à bondir pour les attraper, se dit vaguement Norman, car ils étaient programmés pour gicler bientôt hors de sa tête comme les balles de ping-pong d'un jouet de môme).

« Vous irez jeter un coup d'œil à cette propriété, demain matin, d'accord, Norman ? » fit tranquillement Mr. Street –

Howard –, comme s'il n'était pas évident que tous les vaisseaux sanguins de l'organisme de Norman étaient à présent bandés, prêts à prendre leur élan et à exploser de manière spectaculaire, projetant de l'hémoglobine dans les quatre coins de la pièce. « Et *rentrez chez vous*, pour l'amour de Dieu, mon garçon. Tout pour le boulot, hein ? Enfin, la semaine prochaine, ce sont les vacances, il me semble ? Amusez-vous bien, si je ne vous revois pas d'ici là. »

Mr. Street – Howard – laissa tomber un dossier jaune clair sur le bureau d'infamie, adressa un bref sourire à Norman, et sortit nonchalamment de la pièce, refermant sans bruit la porte derrière lui, tandis que Norman exhalait brusquement, comme le fait un petit garçon tout rouge, tout fier, heureux jusqu'au vertige d'avoir battu son propre record d'apnée sous l'eau. Car voyez-vous, Katie ne s'était pas interrompue une seconde – pas même une petite pause : elle s'occupait à présent de lui avec une vigueur inaccoutumée, même chez elle – et le grand frisson montait comme une marée puissante, superbe, du tréfonds de lui-même, avant d'envoyer des signaux fulgurants dans tout son corps, au-delà même du bout de ses doigts, et Norman se souleva puis s'affaissa en meuglant comme quelque créature inférieure, avant de s'abandonner lentement à une défaite reconnaissante, physique et morale.

Il soupira un « bon Dieu » saturé de soulagement, pour diverses raisons. « Katie, vraiment, fit-il d'une voix implorante, tandis qu'elle rampait de sous le bureau et se redressait face à lui, mais à *quoi* tu joues ? Bon Dieu, mais là, c'était moins une. Tu sais, un jour, il va nous *coincer*. Un de ces jours, il va nous coincer, putain, c'est sûr. Je croyais que tu m'avais dit qu'il était *parti*. »

Katie se léchait les lèvres. Sans vouloir faire appel à des comparaisons excessives, comme celle du chat devant un bol de crème, il faut reconnaître que la lubricité se lisait à livre ouvert

13

sur son visage, dansant main dans la main et en cadence avec une santé grossièrement primitive, dans le rougeoiement d'incendie que fait monter aux joues un triomphe sans partage.

« Ben je croyais, répondit-elle simplement. De toute façon, j'ai été très discrète. Il n'a *rien* pu entendre, ni rien. Ça t'a plu ? Moi, j'ai bien aimé.

– Mais tu imagines la *tête* que je devais faire ! protesta Norman dans un beuglement plus proche en vérité du chuchotement – car il ne tenait pas à voir Mr. Street – Howard – débarquer à nouveau, hein ?

– Oh, ne t'en fais pas pour ça. Il ne voit *rien*, jamais. Et de toute façon, enchaîna-t-elle avec une parfaite insouciance, je ne vois pas pourquoi tu te mets dans un état pareil – c'est *papa*, après tout. »

Norman recula son fauteuil, leva les yeux sur les cheveux noirs et doux de Katie, sur ses yeux étincelants, et la conscience du danger lui revint. Pour elle, c'était peut-être juste « papa », mais pour Norman, c'était le patron, le propriétaire de toute l'agence – et, plus précisément, le garant d'une référence professionnelle dont il aurait certainement besoin un jour ou l'autre. Voire même tout de suite, s'ils continuaient leurs bêtises.

Mr. Street – il avait l'air d'un brave type, vraiment, et complètement gâteux devant Katie, sa fille unique âgée de dix-sept ans – avait régulièrement insisté pour que Norman l'appelle Howard mais, mon Dieu – Norman ne savait pas trop pourquoi, il n'arrivait pas à mettre le doigt dessus, mais enfin… ça *n'allait pas.*

« Pourquoi sors-tu ces verres ? » demanda Howard à son épouse, qui parut ne rien entendre. Elle continua d'extraire avec précaution un service de verres à pied relativement joufflus de leurs couches de papier protecteur, crissant et rose bonbon.

14

« Elizabeth ? insista-t-il, pourquoi ces verres-là, franchement ? Ce n'est que Brian et Dotty, non ?

– La question n'est pas là », répondit enfin Elizabeth, posant le dernier verre sur le plan de travail de granit moucheté, immédiatement à l'ouest du splendide triple évier d'émail rouge vif. Les doubles éviers ? On voyait ça partout. Mais celui-là – et Elizabeth vous prenait à témoin – était quand même relativement splendide, *non** ? « La question n'est pas de savoir *qui* vient, reprit Elizabeth, optant pour un vague sourire – et transmettant un peu de savoir à un esprit probablement inférieur, expliquant aimablement le pourquoi et le comment de la chose, somme toute assez simple quand on en démontait les rouages. C'est une question d'*effort*. Il s'agit de faire en sorte que tout soit aussi agréable que possible. Tu veux être fier de ton foyer, n'est-ce pas Howard ? Et fier de moi ? »

Howard se versa un whisky, tendit brièvement le goulot de la bouteille en direction d'Elizabeth, tout en levant un sourcil interrogateur, ce à quoi Elizabeth, pour sa part, répondit en fermant brièvement les yeux.

« Évidemment. Évidemment que je veux, dit Howard, prenant une bonne rasade. Que je *suis* fier. Évidemment. Naturellement.

– Melody sera là, aussi.

– Melody ? Vraiment ? Je ne savais pas.

– Je te l'ai pourtant dit.

– J'en suis sûr – sûr que tu me l'as dit. Un jour, je finirai par oublier ma propre, euh… Oh, juste ciel, tu sais bien, ce truc, là… ma tête. Katie est rentrée ?

– Je croyais qu'elle devait rentrer avec toi.

– Oui, mais je suis resté un peu plus tard, tu sais bien. Elle a dû aller faire du shopping. Pour ses vacances. »

* En français dans le texte. *(N.d.T.)*

Elizabeth leva les yeux et lança un regard mauvais à Howard qui l'intercepta et accusa le coup, mais bon, ce n'était pas *son* problème, cette histoire de vacances, si? On n'avait pas à lui coller ça sur les bras, comme ça, débrouille-toi, si?

« Moins on parlera de Katie et de ses prétendues "vacances", et mieux ce sera, dit Elizabeth d'une voix dure. Mais j'imagine qu'on ne va faire que discuter de ça pendant toute la soirée.

— C'est l'époque de l'année qui veut ça, s'autorisa à commenter Howard, sachant pertinemment que ce n'était pas du tout ce qu'elle voulait dire. Tu es bien impatiente de prendre les tiennes, n'est-ce pas? Enfin, les nôtres? »

Elizabeth hocha la tête. « Honnêtement, je n'en peux plus. Jamais je n'en ai eu *à ce point* besoin – tu sais? Je sens vraiment qu'il faut que je fasse un break. »

Howard hocha la tête. Un break, mais par rapport à *quoi*, voilà ce qu'il pensait : qu'est-ce que tu *fais* exactement, Elizabeth? Je me suis souvent posé la question. Il attira une chaise à lui et s'assit, tout en prenant une nouvelle gorgée de whisky. Elizabeth, le dos tourné, assez loin (c'était une grande cuisine – les gens faisaient souvent des commentaires : tant de placards qu'on n'arrive même plus à les compter), s'accroupissait, exhibant des hanches qui avaient eu, jadis, le pouvoir de faire se rétrécir ses pupilles et saliver Howard, dans un état de rare concupiscence. C'était avant que le temps, en passant, ne change tout cela.

« Mais c'est drôle, non, fit Elizabeth, s'adressant aux tiroirs coulissants du lave-vaisselle doucement embué, pour Brian et Dotty? » Elle se redressa, chargée d'assiettes, se baissa de nouveau, la main tendue. « Je veux dire – le monde est-il si petit, franchement? »

De nouveau, Howard hocha la tête – très brièvement, cette fois. Non que tout ça le laissât totalement indifférent (quoique *raisonnablement* indifférent, d'accord), mais simplement, Eliza-

16

beth avait déjà dit cela, fait cela, ils avaient déjà parlé de cela : d'ailleurs, la dernière fois, c'était hier soir, non ? Ou bien avant-hier, peut-être ; en tout cas, il n'y avait pas si longtemps pour qu'il puisse de nouveau supporter ça.

« Tu ne devineras jamais, pour Brian et Dotty », c'est ainsi qu'Elizabeth avait ouvert le débat – et c'était vrai, Howard n'au-rait jamais deviné : il était marié depuis assez longtemps pour ne plus avoir grands doutes sur ce point. Donc il n'avait rien dit – peut-être ouvert de grands yeux – et Elizabeth avait continué : « Eh bien ils ont trouvé le moyen de prendre leurs vacances exactement au même endroit que nous !

– Sans blague, avait répondu Howard. Note bien qu'on en avait parlé, non ? Tu sais bien, quand on était allés chez eux, le week-end, manger cette ratatouille infâme. Tu te souviens ? Quand Dotty avait fait brûler son riz. On avait dit – tu ne te souviens pas ? – qu'on laissait un peu tomber le Portugal, et qu'on donnait une nouvelle chance à l'Angleterre – ça te revient ? Ils ont repris l'idée. Il y a des gens… aucune originalité. Ils par-tent quand ?

– Mais c'est ça, le truc ! s'était exclamée Elizabeth. Ils ont loué pendant la *même* semaine que nous !

– Oh, grands dieux non, c'est *vrai* ? Et qui va surveiller la maison, alors ? La seule chose réellement valable, chez Dotty et Brian, c'est qu'ils habitent tout à côté – comme ça, ils jettent un œil. Et qui va arroser le jardin ? Bon Dieu, si ce taré de laitier va raconter partout que les *deux* maisons seront vides en même temps, ce n'est même pas la peine de rentrer – on ne retrouvera plus que les fondations, et encore. »

C'était il y a des semaines, tout ça. Depuis, Elizabeth et Howard avaient plus d'une fois discuté de la probabilité d'une *réelle* coïncidence – ce n'est *pas* possible, affirmait Elizabeth ; rien à foutre, pensait Howard – mais après y avoir réfléchi un moment, il en arrivait à la conclusion que, coïncidence ou pas, cette perspective était carrément insupportable. L'idée, quand on prend des vacances, c'est bien de partir *ailleurs*, non ? Pas d'emporter les chieurs de voisins dans ses bagages. Il avait même tenté de changer les dates de leur propre réservation, mais c'était apparemment impossible, pour toutes sortes de raisons qui lui échappaient en grande partie. Et Elizabeth avait à cœur ces vacances en Angleterre, au bord de la mer – je n'ai plus connu ça depuis que j'étais *petite*, disait-elle (quelle horreur). En tout cas, continuait-elle, ce sera sympa d'avoir Dotty sous la main, pour mettre en valeur toutes mes nouvelles affaires d'été. Parce que Dotty, elle, on dirait qu'elle n'a simplement rien de nouveau à se mettre depuis des *siècles* : j'ai l'impression que Brian est dans une mauvaise passe. Mais pour l'amour de *Dieu*, Elizabeth, s'était exclamé Howard, essayant de la ramener à la raison, toute une semaine avec Brian et Dotty ! Bon, une soirée de temps à autre, ça passe, je veux bien, mais toute une putain de semaine ! Du matin au soir !

Bref, c'était comme ça, et il n'y avait apparemment rien à y faire. Et ce soir même – à deux jours de ce séjour sur la côte – Brian et Dotty se pointaient pour un de ces fameux petits dîners chez Howard et Elizabeth (réputés, ces petits dîners, vous pouvez demander à n'importe qui dans le quartier), et Melody, l'amie d'Elizabeth, venait aussi apparemment – plutôt agréable cela dit, cette jeune Melody (si je me souviens bien) – et Katie, naturellement, si elle voulait bien se donner le mal de montrer son nez. Cette fille, oh là là. Elle venait de rater son bac scientifique (alors que personne dans sa classe n'avait fait de meilleure année qu'elle), et n'avait strictement aucune idée de ce qu'elle allait faire maintenant, de sorte que Howard lui avait trouvé un vague de poste de dactylo à l'agence : *pro tem*, avait-il déclaré. Mais papa, avait-elle vagi en retour (voilà tout le remerciement qu'on pouvait en attendre), je n'ai *jamais* voulu devenir agent immobilier ! Non, j'imagine bien que non, pensait Howard, et

18

moi non plus, mais voilà, c'est comme ça et pas autrement. Quoi qu'il en soit, Norman avait l'air de savoir l'occuper, avec des notes à taper et tout ça. Brave gars, ce Norman – il avait de l'avenir, aucun doute (quoique – quel avenir existait-il, pour un agent immobilier ?).

En y réfléchissant maintenant, bien sûr, Howard comprenait qu'Elizabeth ait levé le pont-levis à la simple allusion aux vacances de Katie, tout à l'heure (il y a deux grands scotches de cela, pour être précis). Katie, voyez-vous, avait immédiatement manifesté, pour la première fois, sa répugnance à passer les vacances en famille. Cette répugnance s'était muée en refus pur et simple, sur quoi Elizabeth avait déclaré non sans malice que, en fait, Katie ma *chérie*, ce n'est simplement pas un sujet de *discussion*, parce que tu n'as que dix-sept ans, tu n'es pas encore *totalement* adulte, tu es encore une petite fille, et que de toute façon il est hors de question de te laisser seule dans cette maison – c'est *beaucoup* trop dangereux –, tu mettrais probablement le feu et tu laisserais toutes les fenêtres grandes ouvertes, alors Katie avait dit Très bien, dans ce cas je programme quelque chose avec Ellie pour la même semaine, c'est parfait, et comme Elizabeth ouvrait la bouche pour protester Katie avait enchaîné aussitôt Franchement, maman, papa, ça, on l'a déjà fait, alors ça marche, c'est OK? Emballé c'est pesé.

Était-il inévitable que ce projet de vacances d'été dresse sa tête sablonneuse et doucement hâlée au cours du dîner? Howard l'aurait presque parié, voyez-vous. Bon. Au moins, cette vacherie ne durerait qu'une semaine – grands dieux, il lui avait fallu des heures, des années pour que cela ne dure qu'une semaine.

« Une semaine! avait bramé Elizabeth. Mais une semaine, ça ne ressemble à rien, Howard – même toi tu devrais t'en rendre compte. Il faut déjà presque une semaine pour *décompresser*. Une semaine, mais ce n'est même pas la peine de défaire les bagages. »

19

Howard, pas totalement pris au dépourvu, avait alors pris une profonde inspiration, comme souvent depuis quelque temps, et s'était lancé, sans reprendre souffle, dans l'énumération des raisons quasiment irréfutables pour lesquelles, en fait, et contrairement à l'opinion d'Elizabeth, une semaine constituait la durée des vacances *idéales* :

« Déjà, tu vois, le trajet est complètement dérisoire, de sorte que les vacances commencent tout de suite. *En outre*, comme tu le sais, nous avons réservé dans le cinq étoiles le plus chic de la station, et nous allons vraiment faire les choses *bien*. » Enfin, l'argument qui tue : « Et comme cela, ça te laissera tout le temps et tout l'argent que tu veux pour faire du shopping en rentrant – histoire de t'occuper un peu de ta garde-robe d'hiver. »

Cela s'était révélé relativement décisif. Mais la vraie raison pour laquelle Howard n'aurait pas pu supporter plus d'une putain de semaine d'absence (il n'était même pas question de Brian et Dotty, à ce moment-là), c'était la profonde consternation de Zouzou quand il lui avait annoncé la nouvelle de son départ. Et à présent – tandis qu'Elizabeth vérifiait silencieusement quelque chose dans le super-four multifonction AGA – Howard reniflait ses doigts, et retrouvait le parfum, la présence de Zouzou, à peine une heure auparavant. *Super*, s'était-il dit en déposant le dossier devant Norman Furnish – puisqu'il est encore là, il fermera la boutique, et moi je peux passer vite fait voir Zouzou, avant de rentrer pour affronter cette saloperie de foutaise de dîner de guignols.

Au même instant – tandis qu'Elizabeth Street, parfaitement maquillée et coiffée, vissait des boucles d'oreilles en or et perles, pas trop vilaines ma foi, dans le lobe percé de ses oreilles – Dotty Morgan, pour sa part, était toujours assise sur le lit défait, fixant d'un œil hagard le contenu de la garde-robe dont la

double porte coulissante de miroir fumé s'ouvrait sur le désespoir absolu et, mon Dieu, cela devait faire une heure à présent,
et le temps s'accélérait encore, la menant au seuil d'une angoisse
panique, à vous faire venir les larmes aux yeux.

« Je ne peux pas », fit-elle dans un souffle. Puis, plus fort : « Je
ne peux pas – ça n'est pas possible. Je ne peux *rien* mettre de
tout ça. Que veux-tu que je – je ne peux *rien* porter de tout
ça, je ne peux pas, ce n'est pas possible. Brian, tu y vas. Tu y vas
sans moi. Je ne peux pas encore porter ce truc bleu – Elizabeth
le connaît *par cœur.*

– Ne sois pas sotte, amour, lança Brian depuis la salle de
bains. Et le petit tailleur rouge ? Tu es toujours très mignonne
avec.

– Mais c'est justement *ça* l'horreur – je suis *toujours* très
mignonne avec… oh, grands dieux, Brian, il me faut absolument des affaires neuves, sinon je *meurs.* »

Là, pas de réponse.

« Tu as *entendu* ? »

Si je continue à me taire, elle va se mettre à hurler, et c'est
tout ce que j'aurai gagné, se dit Brian.

« Tu connais la situation », dit-il d'un ton posé. Inutile de se
lancer dans une joyeuse tyrolienne sur le mode allons-remets-
toi-ma-grande-ça-va-aller, car Dotty, les yeux relativement
humides, l'avait déjà rejoint dans la salle de bains.

« Ce que vous, les hommes, n'avez *jamais* l'air de comprendre, Brian, c'est que – oh, non, mais *regarde-toi* ! Regarde-
toi ! Mais qu'est-ce que tu *fais*, là ? »

Brian brandissait de la main gauche un petit miroir circulaire
en chrome (une face normale, une face grossissante), et sa main
droite, armée de ciseaux, piochait sur sa nuque, tandis qu'il
essayait d'entrevoir ce qu'il pensait faire dans le miroir de la
porte entrouverte de la pharmacie.

« Je rafraîchis un peu tout ça, dit-il.

– Oh non, dire qu'on en est *là*! gémit Dotty. Tu te coupes les cheveux *toi-même*, maintenant. Mais pourquoi tu te coupes les…? Regarde ce que tu as fait! Regarde ça! Il y a un trou énorme, là…!

– Derrière, c'est un peu difficile, pour ne rien te cacher.

– Mais Brian, tu n'es pas *coiffeur*, si? Tu n'es même pas capable de couper un morceau de *bois* d'équerre, alors des *cheveux*! J'ai failli me casser le poignet, en essayant d'ouvrir ce placard pourri que tu as inventé. »

Brian plissa les yeux, puis les ciseaux fondirent sur un petit épi de cheveux qu'il avait localisé, très probablement, au-dessus d'une de ses oreilles (laquelle, c'était dur à dire, avec les miroirs et tout ça), mais sa main avait bougé (le miroir rond devenait un peu lourd au bout d'un moment) et Dotty occultait partiellement la glace de la pharmacie, de sorte que, bordel de bordel, il ne se voyait plus et faillit se poignarder la tête.

« Bon, écoute, fit-il, ses yeux effectuant une quasi-révolution dans leurs orbites, mort d'angoisse de voir dans quel état était sa raie à présent car, s'il avait déjà fait ce côté-là, il voulait bien se faire sodomiser s'il ne lui paraissait pas quand même plus long que cette touffe qu'il n'avait pas encore réussi à sacrifier. Je te l'ai *déjà* dit, Dotty, amour – à partir de maintenant, c'est "économies", le maître mot.

– Mais je ne suis pas *douée* pour les économies – je *hais* les économies : je ne sais pas comment on *fait*, vagit Dotty. Oh, Brian, je t'en *prie* – on ne peut pas faire une petite pause? Il me faut de nouveaux vêtements, absolument – enfin, je ne veux pas dire pour *ce soir*, même si ce soir, c'est déjà l'horreur – mais est-ce que tu as pensé aux vacances? Je ne peux pas porter toujours les mêmes vieux trucs – et surtout pas devant Elizabeth. Oh, écoute – rien que l'idée me donne envie de *hurler*. »

Enfin, à quoi bon *discuter* avec Brian, je vous le demande. Dotty s'élança hors de la salle de bains et se jeta sur le lit, parmi les monceaux effondrés de tenues jadis à-peu-près-mettables et à présent juste bonnes pour faire des chiffons.

Brian, lui, continuait de couper un petit peu ici, un petit peu là (c'est plus chiadé qu'il n'y paraît, ce truc) en essayant de ne pas entendre le gémissement sourd, viscéral qui émanait de Dotty. Pauvre Dotty – pauvre fille. Elle n'y pouvait *rien*, n'est-ce pas ? Elle n'y pouvait rien, si tout ce à quoi ils avaient été habitués avait à présent disparu. Jamais elle n'avait pensé – ni lui d'ailleurs – devoir un jour vendre la maison. Jamais cette idée ne leur avait traversé l'esprit. Juste ciel, tant d'efforts, tant d'argent engloutis dans cette maison. Ils avaient été obligés de retirer Colin de la pension – c'était peut-être cela qui faisait le plus mal. Il se débrouillait bien, ce petit gars – et il n'y avait passé qu'*un an*, ou guère plus ; il s'était donné tant de mal pour son examen d'entrée, et voilà : à dégager, retour au collège du coin. Il ne s'y plaisait pas, ça se sentait : il broyait du noir ces derniers temps, et la mélancolie, ça n'avait jamais été son truc, à Colin. Quant à Dotty, elle ne s'imaginait même pas que le pire était à venir – oui oui, le pire –, et Brian n'avait ni le cœur ni le courage de le lui annoncer. Il avait même commencé par opposer un « non » formel à ce projet de vacances – il avait blêmi d'horreur quand Dotty avait déclaré qu'elle voulait, qu'il lui fallait, qu'elle ne pourrait se passer de bonnes vieilles vacances au bord de la mer, à l'ancienne, comme Howard et Elizabeth. Pourquoi ne comprenait-elle pas (Dieu sait qu'il le lui avait expliqué et réexpliqué) que les vacances, c'était une idée complètement hors de propos, et cela pour… eh bien, pour *toujours*, disons ?

Il avait fini par céder – bien obligé, elle en avait déjà parlé à Colin, n'est-ce pas ? Et Brian ne pouvait pas, n'est-ce pas (comment aurait-il pu, vous pourriez, *vous* ?), le priver encore de quelque chose. Donc, on verra, peut-être, on s'arrangera peut-être pour les vacances (une semaine pas plus, hein – une semaine, c'est parfait), mais ensuite, ce sera ceinture, hein, et bien, bien serrée, je vous préviens, c'est comme tu préfères Dotty, décide, et Colin, je suis désolé de la manière dont les choses... la manière dont les choses... mais ça s'arrangera, je ferai le nécessaire, je vous le jure. Parce que je vous aime tous les deux, même si ça vaut ce que ça vaut.

« Je n'avais vraiment *pas* l'intention de prendre le sac, affirma Elizabeth, arquant les sourcils pour bien illustrer sa touchante impuissance – puis pinçant les lèvres dans la moue d'acceptation contrite du clown triste. Mais finalement, j'ai été *obligée*, parce que la couleur était simplement parfaite. Tu me trouves *très* vilaine ? Mais franchement, c'était trop beau, Howard – tu adoreras quand tu verras ça avec l'ensemble, tu vois – le tout coordonné. Tu *adoreras*.

– J'en suis sûr », dit Howard. Avec quoi elle venait, maintenant ? Une histoire de sac, c'est cela ? Elle avait parlé de sac ?

« Je pense qu'ils vont arriver d'un instant à l'autre, reprit Elizabeth. Ils ont toujours exactement dix minutes de retard – c'est tellement charmant. »

Elle froufrouta jusqu'au couloir.

« Katie ! Est-ce que tu descends ? Howard, ça va, cette robe, de dos ? Je la sens un peu... Howard ? Tu m'entends ?

– Désolé, ma chérie », dit Howard, la tête complètement ailleurs, ne souhaitant qu'une chose, être avec, avec, *avec* Zouzou.

« Je la sens un tout petit peu juste au niveau des hanches...

– Non, elle est superbe, commenta Howard, saisissant plus ou moins le sens général. Fabuleuse.

– Tu en es sûr ? Quel amour... sourit Elizabeth – sourire suscité soit par la gentillesse de Howard, soit par sa propre, adorable sottise. En tout cas, elle *peut* être fabuleuse, parce qu'elle a coûté un… Katie! Ne fais pas semblant de ne pas entendre! Descends, maintenant!

– J'arrive!» fit la voix étouffée de Katie, deux ou trois étages plus haut. Pfffu, pensa-t-elle, j'arrive juste. Je descends dans une minute, il faut que je finisse de fourrer tous ces trucs là-dedans, pfffuuu, et je ne suis même pas sûre de réussir à *tout* faire tenir. C'est rien difficile de préparer ses affaires pour partir en ville, en été parce que, naturellement, il va faire chaud là-bas – il fait toujours une chaleur d'enfer à Chicago à cette époque de l'année, *tout le monde** sait ça – mais il y avait aussi toutes les soirées et tout, et presque toutes ses tenues allaient avec des chaussures différentes, et c'étaient elles qui prenaient le plus de place – regardez-moi ça. Et si elle laissait tomber les escarpins orange? Elle ne les porterait qu'une fois – ils n'allaient qu'avec une seule robe – mais oh pffffu, j'en sais rien, ils sont quand même assez superbes, et j'aurais fait *n'importe quoi* pour les avoir… Bon, ça suffit, je les prends – après tout, je pourrai toujours faire un autre sac si nécessaire. Mon passeport. Ne pas oublier mon passeport. Vous savez quoi, je suis presque sûre qu'il est encore dans cette espèce de serviette de voyage que je me suis achetée au printemps dernier, quand papa, maman et moi, pour je ne sais quelle raison totalement absurde et démente, avons été à Euro Disney, chose parfaitement *atroce*. Surtout quand papa a mis ces oreilles débiles: la *hooooonte* totale. Oh, pffffuuu, si maman pouvait arrêter de crier dans l'escalier! J'arrive. *J'arrive.* Tout ça pour Brian et Dotty, je ne vois pas de quoi se faire chier comme ça. Bon, je laisse tomber pour l'instant. Les ceintures et les foulards, je verrai plus tard. Je sens que je vais *effectivement* avoir besoin d'un autre sac, rien qu'à voir la tête de celui-là, mouais – je ne me suis même pas occupée de tous les trucs de maquillage. Oh *noooon*, j'ai oublié d'acheter le fameux lip-gloss!

* En français dans le texte. (N.d.T.)

25

Merde alors, j'aurais pu l'acheter avec tous les autres trucs, mais je n'y ai pas pensé, voilà. Bon, c'est pas grave, j'en achèterai à Heathrow, ouais, ce sera aussi bien. Bon, alors maintenant, le dîner de guignols. Mais pourquoi papa et maman font-ils tous ces *trucs-là*? C'est toujours d'un *ennui*... Pffffu, ça doit être carrément pénible d'être vieux.

« Je t'assure – sans exagérer – j'arrive à peine à *marcher*! » s'écria Dotty d'une voix fêlée, tout en faisant une embardée dans le salon d'Elizabeth, avec un authentique boitement d'infirme, victime de la médecine – une prothèse de hanche mal posée, peut-être – ou ancien combattant avec sa jambe métallique, ou encore, au moins, malheureuse affligée des séquelles d'une paraplégie.

– Mais qu'est-ce qui t'est *arrivé*? roucoula Elizabeth. Tiens – assieds-toi là... Tu y arrives? Là... ça va, tu es bien installée? Qu'est-ce qui t'est *arrivé*, Dotty?

Dotty plia les genoux et s'affaissa en arrière sur les coussins mousseux et moelleux de l'un des immenses divans à motifs férocement floraux.

« Oh, c'est encore un de ces sacrés *trous d'égout* de Brian, hein, fit Dotty d'une voix sifflante.

– Un *égout*? pépia Elizabeth. Tu es tombée dans un...

– Non, non, intervint Brian. Pas dans le *trou* – sur le couvercle. Elle s'est cogné l'orteil contre une *plaque*, c'est tout.

– Cogné l'orteil?! répéta Dotty d'une voix de tête, incrédule devant tant de négligence, piquée au vif par un manque d'attention aussi ostensible. J'ai failli me *tuer*, si c'est cela que tu veux dire.

– Un verre, Brian? » dit Howard, pensant Oh bon Dieu cette bonne femme, toujours à *geindre* sur quelque chose. Dommage qu'elle ne se soit pas effectivement brisé la nuque.

« Oui, merci Howard. Un scotch, si tu as. Elle ne s'est pas vraiment fait mal », reprit-il d'un ton mesuré – car il ne s'adressait qu'à Howard (inutile de déterrer la hache de guerre, n'est-ce pas ?).

Avec un bref hochement de tête, Howard se dirigea vers le bar roulant et, le dos tourné à la compagnie – tout le monde était là, sauf Melody – secoua la tête à son aise. Juste ciel, quelle bonne femme : Dotty. Avec un nom pareil, à quoi peut-on s'attendre, hein ?

« Tu vas boire quelque chose, ça ira *beaucoup mieux*, Dotty – ma *pauvre* Dotty », fit Elizabeth d'une voix tendre et ruisselante de compassion, tel un rôti suintant son jus – le genre de consolation que l'on accorderait peut-être en apprenant que, pendant son absence, le chat d'un ami – tu ne vas pas me croire – s'est coincé une griffe dans une prise électrique, sur quoi toute la famille, soit treize personnes, a formé une chaîne comme pour danser la conga et, à trois, a tiré bravement, mais sans trop avoir réfléchi, pour libérer le félin exténué, de sorte que tous ont été proprement électrocutés, ce quelques secondes avant que la maison n'explose, pulvérisant du même coup une bonne partie des voisins – pour ne pas parler de la boutique du coin qui, comme chacun sait, abritait dans ses combles des nichées de pigeons : enfin, quelque chose dans ce genre.

« Qui d'autre que lui – je vous pose la question, fit Dotty d'un ton suppliant, quel *genre* d'homme faut-il être pour collectionner les *trous* ?

– Les plaques, rectifia doucement Brian, ce sont les plaques que je collectionne.

– Évidemment, les plaques, rétorqua Dotty d'une voix cassante. Évidemment que tu ne – enfin je sais bien que tu ne collectionnes pas les *trous*, pauvre idiot. Un peu de bon sens *minimum*, Brian.

– Tiens, Dotty, prends ça, intervint Howard, quelque peu

vivement, lui fourrant dans la main un gigantesque gin-to, comme d'habitude. Allez, bois. »

Dotty obtempéra, avant de remonter en selle.

« Il y en a plein la maison ! On ne peut plus faire un pas sans – oh, bonsoir Katie, je ne t'avais pas vue, là-bas. Tiens, dis-moi Katie, que penserais-tu d'un homme qui collectionne d'énormes plaques de ferraille ?

– Eh bien, répondit Katie, posément, tu collectionnes bien les dés à coudre, toi ? Et puis les assiettes, et les pots à épices, et tous ces petits cochons en porcelaine. » Et toutes les saloperies qui encombrent ta baraque de merde.

« Mais ce n'est pas *tout à fait* pareil, quand même, ma chérie ? repartit Dotty. En plus, il en arrive chaque mois – et j'oublie toujours d'annuler.

– Mais il *faut* que tu annules, laissa échapper Brian, se disant Oh là là, elle va m'en vouloir à mort. Je pensais que c'était déjà *fait*, ajouta-t-il, l'air effondré, se disant Pourvu que Howard et Elizabeth mordent à l'hameçon, ou au moins qu'ils fassent semblant, pour me sauver. Je croyais que tu avais dit que tu en étais fatiguée ? Que c'étaient des nids à poussière ? »

Dotty jeta un regard mauvais à Brian, et Howard (bon, se dit-il, je ferais bien de trouver *quelque chose*) posa cette question judicieuse :

« Mais en fait, Brian, pourquoi collectionnes-tu les trous de plaque, je veux dire les plaques de trous ? Je me suis souvent posé la question. »

Brian saisit la question comme une perche tendue. « Certaines portent des inscriptions très intéressantes... des poinçons, des initiales. Tu sais, c'est une forme d'*histoire* qui...

– *Juste ciel !* vagit Dotty, ne le pousse pas à parler de *ça* – doux Jésus, mais s'il commence à en *parler*, mais nous en avons pour la nuit. Oh, Elizabeth, j'ai oublié de te dire – Colin nous rejoint dans une demi-heure, quelque chose comme ça – ça ne pose pas de problème, j'espère ? Il avait sa leçon de guitare, alors je lui ai laissé un mot.

— *Bien sûr* que ça ne pose aucun problème, fit Elizabeth avec enthousiasme. Cela fait des siècles que nous n'avons pas vu Colin — n'est-ce pas, Howard ? » Tu aurais peut-être pu me prévenir *avant*, Dotty, tu ne crois pas ? Je veux dire, j'aime *beaucoup* Colin — ne te méprends pas — mais j'ai déjà dressé la table (et de manière assez somptueuse, je dois dire) pour *six*, et maintenant, il va falloir que je foute tout ça en l'air pour mettre un couvert de plus. Heureusement que j'ai fait assez à manger.

« Tu sais, il a pas mal grandi, minauda Dotty. Il a presque quinze ans maintenant. Dire que quand je le revois dans son landau, j'ai l'impression que c'était hier. Oh, mon Dieu — sommes-nous donc si *vieux*, Elizabeth ? Non finalement, n'est-ce pas ? »

Si pensa Katie, si, vous êtes vieux, vachement vieux. Mmmm — j'imagine bien que Colin doit avoir dans les quinze ans à présent : il n'arrête pas de mater mes nichons. Elizabeth, quant à elle, pensait *Toi*, tu es peut-être vieille, Dotty — *toi* : Dieu sait d'ailleurs que tu commences à *faire* vieille.

« Si nous prenions tous un autre verre, hein ? Howard, si tu veux bien... Melody ne devrait pas tarder — elle a dit qu'elle... »

La sonnette de l'entrée l'interrompit, et chacun, excepté Katie, fit « Ah ! », avec un sourire parfaitement radieux.

« Quand on parle du... euh... commença Howard. Quand on parle du... oh, mince alors, du quoi déjà ? Du...

— Du loup, papa, souffla Katie. Mon Dieu, pauvre papa, ta pauvre tête...

— Du loup, oui, c'est ça. Mon Dieu, pauvre Howard, ta pauvre tête... »

On aurait pu croire qu'une vive altercation opposait Elizabeth et Melody dans l'entrée — mais non, c'était juste leur manière habituelle de se saluer : cris et onomatopées suraigus, toute la joie hystérique, extatique et tapageuse de deux sœurs jumelles séparées tôt après la naissance, et à présent réunies sous les lumières aveuglantes d'un plateau de télévision. Bon Dieu, se dit Howard, dire que pas plus tard que mardi dernier, elles ont vidé ensemble la moitié des boutiques de Knightsbridge – Elizabeth, avouons-le, ayant raflé le plus gros du butin et rapporté à la maison la plus grande partie des trophées. Grâce au ciel, on recommençait à vendre des maisons – durant la récession, Howard avait dû non seulement creuser son découvert, mais le forer, le miner jusqu'à l'hypomagma, pour simplement assurer auprès d'Elizabeth – et de Katie, naturellement – parce que Katie ne valait pas mieux, pas une pour racheter l'autre. Et à elles deux – c'était incroyable, la quantité d'*argent* qui pouvait filer! Howard ne comprenait même pas comment c'était possible. Enfin, cela les rend heureuses (j'imagine) et pendant ce temps-là, on me fiche la paix. Je voudrais, pensa-t-il soudain, oh mon Dieu, je voudrais, je voudrais tellement que là, maintenant, tout de suite, tout le monde disparaisse de cette pièce, de cette maison, disparaisse complètement, et que ce ne soit pas Melody qui entre en se pavanant, mais Zouzou. Zouzou n'avait jamais mis les pieds à la maison. Ce serait une drôle de fête, n'est-ce pas? Zouzou, ici? Où poser Zouzou, exactement? Pourquoi pas là-bas – oui, sur le Bokhara doré, que Dotty est présentement en train de froisser avec son pied abîmé. Oui, là exactement. Ce serait adorable.

« Melody! » s'écria-t-il, car celle-ci entrait effectivement en se pavanant (allez, range tes rêves pour ce soir, tu les ressortiras bientôt). « Tu es superbe. Entre, prends un verre. » Et, en geste de bienvenue, Howard tendit le bras comme s'il hélait un taxi.

« Superbe, alors ça, je ne sais pas *comment* – si c'est bien vrai, d'ailleurs, fit Melody avec un petit rire de gorge. Je suis partie en catastrophe – je pensais simplement qu'il était une heure plus tôt. C'est *toujours* comme ça, avec moi. Bonsoir tout le monde, bonsoir, Dotty et Brian. Salut, Katie. »

Tandis que chacun marmonnait une réponse sur le même thème, Melody posa une main, les doigts en éventail, sur sa poitrine (plutôt pas mal, d'ailleurs, ladite poitrine, si Howard pouvait se permettre de juger), et souffla dans ses joues en une parodie d'épuisement, mais peut-être aussi pour bien montrer à l'assemblée qu'elle avait, réellement, couru pendant tout le trajet, afin de ne pas être vraiment *trop* en retard. Puis elle se laissa tomber, comme terrassée, dans le divan immense et moelleux, à côté de Dotty.

« Fais attention à mon pied, dit celle-ci.

– Mmmm ? Ton pied ? Qu'est-ce qu'il a, ton…

– Oh, grands dieux, on ne va pas recommencer ? intervint Howard d'un ton suppliant, avec un geste quasiment théâtral (le dos de la main posé sur le front). Bois quelque chose, Melody – comme d'habitude ? Blanc, c'est cela ? Crois-moi, si tu peux échapper à la saga du pied de Dotty…

– Ne sois pas ignoble, Howard, fit Elizabeth d'une voix dure.

– On voit bien que ce n'est pas *son* pied, marmonna Dotty.

– Comment ça va, Melody ? intervint promptement Brian.

– La grande forme, Brian. Ça va. Et toi ?

– Juste une chose, coupa Dotty, évite de le brancher sur les *trous d'égout*.

– Pardon ?

– Melody ! » fit Katie depuis… où est-elle donc – ah ouais, là-bas. « Laisse tomber – où pars-tu, pour les vacances ? »

Elizabeth jeta un regard éloquent à Katie, qui faillit lui adresser un clin d'œil en retour. Mais voilà que le front de Melody se couvrait de fines rides.

« Ouais, dit-elle d'une voix lente, c'est un problème un peu pénible en fait. »

De nouveau, la sonnette se fit entendre.

« Ah, fit Dotty, ce doit être Colin.

– Je vais ouvrir, d'accord ? suggéra Katie.

– Oh, tu veux *bien*, Katie? supplia Dotty, levant puis baissant des yeux implorants, comme si Katie venait de lui proposer un de ses reins pour une opération de la dernière chance, permettant ainsi à Dotty de continuer à exploiter à fond son air de victime innocente. « J'y serais bien allée, mais avec mon pied… »

Colin ne s'attendait pas à voir Katie lui ouvrir la porte. Il arborait son grand sourire radieux, juvénile et insouciant à l'intention d'Elizabeth (il aimait bien Elizabeth : elle lui donnait parfois de l'argent – ne dis rien à ta mère – et elle sentait toujours vachement bon. Et elle aimait beaucoup son sourire – c'est ce qu'elle lui avait dit). Mais ledit sourire se figea – on pourrait peut-être même dire qu'il se congela. Oh, non, il n'allait pas rougir, une fois de plus? Mais si, mais si – bon Dieu, *comment* apprenait-on à ne pas rougir? Ils lui faisaient une vie d'enfer à l'école, à cause de ça, ces connards, ces salauds de connards. Enfin, dans cette nouvelle école, là, cette saloperie de nouvelle école qu'il détestait, qu'il haïssait, qu'il maudissait : chaque matin, chaque matin c'était l'angoisse absolue. Même pendant le trajet.

« Salut, Colin, fit Katie d'un ton léger. Ça a marché, la guitare?

– Très bien, je te remercie », répondit Colin en entrant dans le hall – et cette pensée le traversa soudain : pourquoi, je vous demande, est-ce que j'ai dit « je te remercie »? Jamais je ne dis je vous remercie, je dis toujours merci, simplement.

« Tu es déjà aussi bon qu'Eric Clapton? sourit Katie. Ou que Jimi Hendrix? »

Colin arbora son demi-sourire ironique, vaguement désinvolte (celui-là aussi, Elizabeth l'aimait bien : elle le lui avait dit).

« Pas encore tout à fait. »

Regardez-moi ça, pensa Katie – il a les yeux carrément scotchés sur mes nibards, et il ne doit même pas s'en rendre compte.

Je lui fais le coup? Est-ce que c'est bien? Ouais, pourquoi pas? Histoire de rire un peu.

Sur quoi Katie se dressa sur la pointe des pieds pour remettre d'aplomb un chapeau accroché au portemanteau de bois tourné, et dans ce mouvement, son sein gauche vint effleurer très légèrement, très brièvement la joue en feu de Colin. Puis elle le suivit dans le salon, un sourire radieux sur le visage, son trajet bien éclairé par l'arrière des oreilles de Colin, à présent d'un mauve phosphorescent. Quel pauvre branleur – il a quoi, deux ans et demi de moins que moi, et il vient peut-être juste de s'apercevoir qu'il y a une différence entre les garçons et les filles. Grands dieux, j'étais à peine plus âgée que lui quand j'ai avorté. Comment s'appelait-il déjà, ce mec? Sais plus. Me souviens pas. Jonathan, peut-être bien? Ou plutôt... non, non ce n'était pas Damien, Damien, c'était après, non? À moins que ce ne *soit* Damien. Sais plus. Vraiment, je n'arrive pas à me souvenir. Mais *si*, je me souviens, évidemment que je me souviens – comment peut-on oublier un truc comme ça. Il s'appelait Martin, et c'était une vraie merde – comme tous les autres d'ailleurs – et je le hais, je le hais pour ça, et quelquefois, je... ouais, quelquefois, je me hais moi-même, aussi, un peu, comme ça, mais c'est surtout Martin que je *hais*, avant tout. Comme tous les autres d'ailleurs.

Et tout en pénétrant dans le salon et en adressant un salut général à la compagnie, Colin, lui, pensait Oh la vache c'est pas vrai c'est pas vrai elle m'a touché avec son nichon et elle ne s'en est même pas rendu compte et j'ai senti sa douceur et sa fermeté là sur moi contre moi et là j'ai carrément de quoi y pen-ser toute la nuit en me tripotant rien qu'à l'idée, c'est fabuleux, et putain qu'est-ce que j'aimerais le faire avec Katie – vraiment le *faire*, vous voyez? Le *faire* avec Katie. Ouais.

« Entre, prends un verre, Colin! » lui lança Howard. « Colin – viens t'asseoir à côté de moi », dit Elizabeth.

Ou avec n'importe qui, en fait. Ouais.

Brian était ravi de quitter le salon (« Allez, venez les enfants, avait lancé Elizabeth, c'est l'heure de la dînette ») car, même depuis la dernière fois – il y avait quoi, quinze jours peut-être –, il y avait là quantité de *nouveaux* objets – et Dotty, soyez-en sûrs, n'aurait pas manqué de les repérer, tous, et de tous les envier. Déjà, la pendule – un énorme machin en cuivre, à moins que ce ne soit de l'or, va savoir (car Howard paraissait disposer de ressources inépuisables ; il est vrai qu'il vendait le bien des autres et prélevait trois pour cent au passage : pas inintéressant). Oh, quelle idée, mon Dieu. Quelle manière de penser à Howard – pas très sympa, n'est-ce pas ? Mmmm ? Enfin je veux dire, Howard avait-il jamais fait de mal à quiconque ? Pas à la connaissance de Brian – alors, pourquoi lui en voulait-il de sa chance ? Il possédait une bonne petite affaire qui marchait bien, c'est tout. Peut-être pas si petite que cela, d'ailleurs. Et il en récoltait les bénéfices. Rien de répréhensible, alors quelle importance s'il achetait, effectivement, des choses nouvelles (lui, ou plutôt Elizabeth, pour être précis ; je doute que Howard, laissé à lui-même, se fût le moins du monde intéressé à tout cela) ?

Mais la pensée, c'est la clef de tout, n'est-ce pas ? Et Brian ne pensait jamais de cette façon, du temps où tout allait bien. Quand il était plein aux as. C'est ce qu'on dit, non ? Plein aux as. Dieu seul sait ce que ça veut dire exactement. Mais bon, laissons tomber, laissons cela – j'en étais où exactement ? Ah oui : Howard, du pognon, moi, pas de pognon. Voilà. En fait, ça irait plutôt pas mal, si je n'étais pas carrément dans la dèche la plus noire. Oui. Mais il y avait les dettes, les dettes gigantesques, et qui grandissaient chaque jour davantage. Si au moins il pouvait vendre la maison – réaliser son capital pour les empêcher de sombrer. Certes, des gens étaient passés la voir –

34

Howard avait été très bien, sur ce coup (il faut rendre à César…) : il lui avait envoyé des masses d'acheteurs éventuels, particuliers, marchands de biens, tout ça – dont certains avaient l'air prêts à signer d'une main, en faisant de l'autre bruire les billets au fond de leur poche. Il avait vu d'autres agents, également, mais jusqu'à présent, macache. Pas même une proposition trop dérisoire pour être envisagée. Si cela existait. Ce dont Brian, dans sa position, doutait. Peut-être les gens flairaient-ils l'échec, peut-être l'échec s'était-il carrément infiltré dans les joints, dans la brique même ? Peut-être ne voyaient-ils pas dans cette maison le confort des tapis, des tentures, mais bien des lambeaux de rêves usés jusqu'à la corde – peut-être ne ressentaient-ils pas la douce chaleur qui émanait des bûches à gaz, dans la cheminée, mais le contact glacé, inhospitalier, du sinistre manteau du désespoir, jeté sur des épaules voûtées par la main gluante et impitoyable de la défaite : c'était peut-être ça.

La moquette. La moquette, ç'avait été la perte de Brian – et non seulement de Brian, mais de Dotty aussi, parfaitement – et de Colin. Il mérite mieux, ce petit gars – un meilleur père, un *vrai* père – un *homme*, quoi : mais que puis-je faire ? Tout ce que j'ai à montrer en exemple à Colin, c'est moi-même, et Dieu seul sait ce qu'il y voit. J'ai toujours considéré la moquette, voyez-vous, comme une mine d'or, rien de moins. Enfin, réfléchissez – depuis quand êtes-vous entré dans une maison sans moquette ? Tout le monde a besoin de moquette, non ? Et pendant des années, je n'ai pas arrêté, je n'arrivais même pas à fournir. Je me suis agrandi, dites-vous ? Eh bien oui je me suis agrandi – et est-ce que les frais occasionnés me tracassaient outre mesure ? Tu parles. Je faisais de l'argent comme s'il en pleuvait – j'avais cinq types et une fille sous mes ordres, plus deux ou trois poseurs-ajusteurs indépendants qui bossaient vingt-quatre heures sur vingt-quatre. Les tarifs s'envolaient, de sorte que je me suis permis de placarder des affiches sur les

vitrines des nouveaux locaux : Pose gratuite ! Molleton gratuit !
Livraison gratuite ! Ouais, tout gratuit, comme ça – sauf la
moquette, qui va vous coûter un maximum.

Donc, arrive la récession, mais moi, je n'y crois pas. Les
classes moyennes voudront toujours de la moquette, retenez
bien ça. Et comme les petits magasins de détail se vendaient
pour une bouchée de pain, j'en ai acheté deux, dites-vous ?
Eh bien oui j'en ai acheté deux – et est-ce que cela m'a empêché
de dormir ? Tu parles. Même quand les ventes ont commencé
de chuter, je n'ai rien vu venir. Le mot de « crise » était sur
toutes les lèvres : je l'utilisais énormément. J'ai baissé les prix ;
rien à faire. Mes fournisseurs ont commencé à réclamer leur
dû, mon banquier à faire une drôle de tête – qu'est-ce que
j'avais à perdre ? Une crise, ça se calme bien un jour, non ?
Par définition. Et j'avais engagé mes propres biens comme
caution, dites-vous ? Eh bien oui j'avais engagé mes biens
comme caution – et m'ont-ils pris au mot ? Tu parles. Ils se sont
tous jetés sur moi, et j'ai plongé. C'est à cause du bois – il a
joué son rôle, le bois. Même ceux qui pouvaient encore s'offrir
de la moquette voulaient tous un parquet en bois, tout d'un
coup. Grotesque, franchement : j'ai passé ma vie à en recouvrir,
des planchers. Donc, il faut que je vende la maison. Et là, je
serai tranquille. Si ce n'est que nous n'aurons plus nulle part
où vivre. Et que je n'ai pas de boulot. À part ça… je serai tranquille. Oh, juste ciel. Vous savez, quelquefois je me dis que si
je n'avais pas le Bricomarché et mes plaques d'égout, je deviendrais fou.

« Brian ! » fit… Elizabeth ? Ouais, Elizabeth, c'est ça.

« Tu pourrais *répondre*, intervint Dotty. Toujours à rêvasser.

– Désolé. Je n'avais pas entendu.

– Je disais, reprit Elizabeth, peux-tu t'asseoir là, à côté de
Melody – et toi Dotty, tu te mets à côté de Howard – non,
de l'autre bord, voilà. Katie, tu veilleras à ce que tout le monde

ait ce qu'il lui faut. Mon petit Colin, tu t'assois là, tu me raconteras tout ce qui t'est arrivé ces derniers temps.

– Alors, Dotty », fit Howard, dépliant sa serviette dans un claquement martial, tout en parcourant des yeux le terrain de manœuvres : une fois de plus Elizabeth a bien fait les choses au niveau de la logistique – plein de petites loupiotes sphériques (à piles, sans doute, parce que je ne vois pas de fil) pour mettre l'argenterie en valeur, et une extraordinaire... bon, je dirais que c'est une composition florale, mais j'aperçois des pêches là-dedans, et si je ne me trompe pas à ce point, il y a aussi des baies et des rameaux – et puis des fleurs, évidemment : renoncules, anémones, et ces trucs-là aussi, je ne me rappelle jamais le nom de ces machins, ce ne seraient pas des gerberas, par hasard ? C'est bien possible – encore que ce n'est pas obligé, évidemment – pffffu, ma pauvre tête. Et puis il y a cette pomme de pin, posée juste au sommet ; mais où trouve-t-elle de pareilles idées ? C'est comme les grands verres à pied – ils ont fière allure, il faut l'avouer, mais Dieu sait pourquoi Elizabeth se donne tant de mal – parce qu'il ne s'agit que de Brian et Dotty, finalement. Ah, Dotty, oui :

« Alors, Dotty, reprit Howard, on prépare déjà son seau et sa pelle ? Vivement les pâtés, et les tours de manège, et les rochers roses étincelants au soleil, et tout et tout ? Le maillot de bain est dans la valise ?

– Je ne pense pas que ce soit *exactement* ce genre de vacances, Howard – d'après ce que j'en sais, c'est une station plutôt chic, vraiment. Enfin je n'en sais rien – je n'y suis jamais allée.

– Non – nous *non plus*, nous n'y sommes jamais allés. C'est Elizabeth qui l'a choisie – quelqu'un, je ne sais plus qui, lui en a dit le plus grand bien, d'après ce que j'ai compris. Mais comment se fait-il, en réalité, que vous ayez choisi exactement le même endroit, Dotty ? C'est vraiment une drôle de coïncidence, n'est-ce pas ? Enfin, je n'y vois *aucun* mal, bien sûr...

– C'est Brian qui a choisi.

– Choisi quoi? s'enquit Brian, de l'autre côté de la table. Qu'est-ce que j'ai choisi?

– Notre lieu de vacances, dit Dotty. Nous parlions des vacances.

– Oh, oui, fit Brian. Eh bien... – on ne peut pas vraiment dire que je l'aie choisi – je cherchais un endroit qui correspondait au genre de vacances dont Dotty avait envie, et celui-là m'a paru offrir ce qui m'a semblé le meilleur arrangement, voilà tout. »

Cela ne s'était pas exactement passé ainsi, en fait : pas exactement. Dotty s'était donné un mal de chien pour extorquer à Elizabeth le lieu et la durée précis de ses vacances, et avait décidé de prendre les mêmes. De cette façon, Elizabeth ne pourrait pas, n'est-ce pas, prétendre après avoir passé, *elle*, de meilleures vacances qu'*eux* – impossible, puisque ce seraient les *mêmes* : même endroit, même semaine (donc, même temps), de sorte que Dotty était tranquille : cela évitait tout un potentiel de vexations à venir.

« Franchement, Elizabeth, intervint Melody, ta terrine de poissons est à *mourir*. » Et de se pourlécher les lèvres avec une énergie louable, tandis qu'Elizabeth répondait d'un simple sourire combinant modestie et désinvolture, entrelardées d'orgueil, au murmure de grognements appréciateurs qui s'élevaient à présent de toute part.

« Il y a dedans sept sortes de poissons différents, en fait, dit-elle. Y compris de la sole.

– Et la sauce ! enchaîna judicieusement Melody. À s'évanouir, non ? C'est un *rêve*.

– C'est une sorte de hollandaise, à la base, dit Elizabeth. Au fenouil, évidemment. Tu te régales, Colin ? Oh, tu es... tu as littéralement nettoyé ton assiette.

– C'est extra, vraiment, approuva Colin, déclenchant à

38

l'usage d'Elizabeth son sourire le plus sympa, un peu de biais, sur lequel on pouvait régulièrement compter pour se faire ébouriffer les cheveux, de sorte qu'il ne fut guère surpris quand elle fit ce geste impulsif.

– L'appétit, c'est une bonne maladie, déclara Elizabeth. Il grandit, ce garçon. Tu grandis, hein, Colin? C'est bien d'avoir de l'appétit, c'est bon signe. Cela fait plaisir de voir des jeunes qui mangent bien. Il n'y a rien de pire, rien de pire, n'est-ce pas, que de les voir chipoter sur une feuille de salade – à moins que ce ne soit du caprice. Et les caprices, il n'y a rien de pire – oh, je n'aime pas *ceci*, et je ne peux pas manger de *cela*. Mais Colin n'est pas comme ça, n'est-ce pas, Colin? Ce n'est pas comme notre Katie.

– Mais je *mange*, pépia Katie, du ton outragé de celle que l'on arrête à tort. Je *mange*, qui peut dire le contraire? Je suis simplement anti-viande, c'est tout – enfin je veux dire, j'ai bien le *droit*, non? Nous sommes dans un pays libre.

– Tu aimais bien la viande, avant, contre-attaqua Elizabeth. Le bifteck et le gigot, c'était ce que tu préférais.

– Je mange toujours du poulet, précisa Katie avec une moue boudeuse. Et de toute façon, je ne vois pas très bien qui ça *regarde*, de savoir ce que je mange. Je mange ce qui me plaît, d'accord?

– Mais oui, c'est bon Katie, déclara Howard sur le mode "bon-maintenant-si-on-se-calmait-un-peu". Passe-nous la bouteille de vin, veux-tu? Dotty – encore une goutte de vin…

– C'est une des choses les plus plaisantes quand on vient chez vous, sourit Dotty. On n'a pas à se soucier du retour. »

Une espèce de rire vague s'éleva brièvement autour de la table : Dotty faisait *toujours* cette même réflexion – à chaque fois.

« Donc, Melody, reprit Katie… oh, navrée, veux-tu encore un peu de vin? Oh, tu es servie. Oui, et tes vacances, au fait – qu'est-ce que tu disais, tout à l'heure? »

Melody s'employait à mâcher énergiquement un bout de pain français préalablement trempé dans le reste de sa sauce (à s'évanouir, non ?), ce dont elle prévint Katie en pointant un index vers sa bouche, les yeux écarquillés, et exagérant son mouvement de mâchoires ; puis elle se donna toute, corps et âme, à cette tâche finale de l'ultime déglutition.

« Ouais, eh bien, c'est un gros problème, réellement, répondit-elle enfin. Parce que j'ai bien l'impression que cette année, ça va être pas de vacances du tout. Ça me fait bien ch… – pardon –, ça m'embête bien, parce que j'ai posé mes dates de congés au boulot et tout ça, mais bon, honnêtement, je ne peux simplement *pas* m'offrir de vacances. Je suis carrément fauchée ! »

Katie observa Melody. Ne pas *pouvoir* s'offrir de vacances ? Qu'est-ce que cela pouvait bien signifier ? Voyant qu'il lui fallait développer sa réponse, Melody ouvrit la bouche pour continuer, mais Brian intervint :

« Ça coûte cher, des vacances. Très cher. » Et peu lui importait le regard de Dotty, semblable à un double rayon laser – cela lui était égal en fait, réellement, parce que c'était vrai, ce qu'il disait, alors pourquoi ne pas le dire ?

« En fait, c'est à cause de *Dawn*, tu vois, reprit Melody. Elizabeth, je peux t'aider à faire quelque chose ?

– Non, c'est bon, répondit Elizabeth, se dressant et commençant de desservir. Katie, peux-tu me passer ça ? Oui, ça… non, ça. Oui.

– J'oublie toujours ta petite Dawn, dit Dotty. Tu ne l'amènes jamais ? »

Si *moi*, j'avais un bébé, pensa Dotty, je l'emmènerais partout avec moi, toujours. Dans mes bras. Comme je l'ai fait avec Colin – et comme je l'ai fait avec Maria, mon petit ange. Jusqu'à la dernière seconde avant qu'elle ne meure, et puis quand elle est morte, j'ai continué quand même à la porter dans mes bras, en la berçant doucement, et à me pencher pour embrasser ses lèvres toutes douces une dernière fois – ses lèvres froides, d'où ne sortaient plus ces petits gargouillements que j'aimais tant.

« Mais c'est *impossible*, non ? s'exclama Melody. Je veux dire, si je l'avais amenée ce soir, je passerais mon *temps* là-haut à m'occuper d'elle – sinon, elle hurlerait tellement qu'on ne s'entendrait plus, ici. Enfin, c'est un amour, le plus adorable bébé du monde, et je l'aime énormément, mais elle me coûte une véritable *fortune* en nounous. Certaines semaines, je dépense plus en nounous que je ne gagne à la boutique.

– Oh, mais Melody, fit Elizabeth d'une voix navrée – de retour de sa brève escapade, et poussant un chariot surchargé de mets aussi appétissants à la vue qu'à l'odeur –, il *faut* prendre des vacances. *Tout le monde* a besoin de vacances – moi, en tout cas, c'est certain.

– Oui, je sais bien », se contenta de répondre Melody. C'est très joli tout ça, Elizabeth – mais tu as Howard. Le père de Dawn, lui, n'a pas traîné dix secondes dans les parages. Et puis, tu n'as peut-être pas entendu : je suis fauchée. À sec. Si toi ou Katie avez la moindre notion de ce que cela veut dire. Ce soir, la seule raison pour laquelle j'ai réussi à trouver du pognon pour la baby-sitter, c'est ton dîner fantastique ; mon Dieu, à chaque fois que je viens dîner ici, ça me fait la semaine. Tu ne sais pas ce que c'est – non, Elizabeth, crois-moi : tu ne peux pas savoir.

– Eh bien, je trouve ça *épouvantable* », affirma Elizabeth, déposant sur la table des soupières couvertes et étincelantes, une saucière à viande en forme de cygne, une gondole de sauce crémeuse et parsemée d'yeux minuscules. « Je parie que Colin, lui, attend ces vacances avec impatience, n'est-ce pas Colin ?

– Oui, vraiment », répondit Colin. Ne plus voir cette horrible école, c'est déjà des vacances, mais ouais, une semaine au loin, ça ne me fera pas de mal. Dommage que ce soit avec maman et papa, cela dit. Mais apparemment, Howard et Elizabeth seraient de la partie, alors il pourrait peut-être se scotcher à eux. À Elizabeth, au moins.

« Maintenant, je vais vous demander de la patience à tous, pendant que Howard *découpe* la bête, annonça Elizabeth. Tiens Katie – le blanc de poulet tout spécialement préparé pour Madame, puisque le filet de bœuf n'est pas assez bon pour elle.

– Je n'ai pas *dit...*

– Oh, laisse-la, intervint Howard. Si elle ne veut pas de bœuf, elle ne veut pas de bœuf. Tiens, Elizabeth – tu veux bien passer l'assiette à Melody?

– Mais surtout, commencez tant que c'est *chaud*, n'est-ce pas? reprit Elizabeth. Howard découpe la viande comme *personne*, mais il est un tout petit peu lent, n'est-ce pas, chéri?

– Tu veux le faire *toi-même*, Elizabeth? » Croyez-vous qu'elle aimerait découper la viande? Non, n'est-ce pas? Alors pourquoi ne la boucle-t-elle pas, pendant qu'il s'en charge?

« Inutile d'être *déplaisant*, mon chéri », sourit Elizabeth – ouvrant grands les yeux et abaissant les commissures des lèvres afin de mieux signifier à ceux de ses convives qui auraient eu tendance à lever un regard intrigué : oh, ne faites pas attention, Monsieur a une de ses *humeurs*.

« Bien, il y a là un excellent petit rosé, pour les amateurs, dit Howard (autant l'ignorer, quand elle commence comme ça), à moins que vous ne préfériez continuer au chablis, ce n'est pas ce qui manque. Ça va, le Coca, Colin? Brian, il prendra une goutte de vin?

– Non, répondit Dotty.

– Ça va très bien », dit Colin. Je peux répondre tout seul, tu sais. Et en fait, je n'aime *pas* le vin, si quelqu'un tient à le savoir, ce qui fait que de toute façon j'aurais refusé par goût, et pas parce que c'est défendu et que je me dégonfle. Et je ne me serais pas non plus précipité pour accepter justement parce que c'est défendu – ça, ce serait carrément nul, pitoyable. Cela dit j'ai déjà goûté du whisky, et je ne déteste pas. Avec du Coca, ça peut même être assez buvable. Je me demande si Katie s'est rendu compte que je la regardais? Sans doute pas. En tout cas, elle ne m'a pas rendu mon regard. Ce n'est pas que j'aie envie d'être impoli – mais je ne peux pas détacher mes yeux de ses nichons. Je me demande ce que ça donne, à toucher. Ça donne quoi au toucher, des nichons, je me demande. Ce n'est pas la première fois. Elizabeth aussi doit avoir de beaux nichons, pas de doute, mais elle ne porte pas des vêtements aussi serrés, alors c'est dur à dire. Évidemment, elle est vachement vieille. Je me demande si c'est différent, des nichons de vieille.

« Finalement, tu n'as jamais passé de vacances en Angleterre, Colin? s'enquit Elizabeth. Ou du moins pas depuis que tu étais tout petit. Vous êtes toujours allés en France, n'est-ce pas, Dotty?

– Nous avons fini par bien connaître la France, répondit Brian. La Bretagne, évidemment.

– C'est là que vous êtes allés, l'an dernier? demanda Elizabeth. J'ai oublié. Colin, je vais être affreusement impolie, mais je vais passer devant toi pour prendre la sauce de viande. »

Colin n'y voyait aucune espèce d'inconvénient, car le geste tendait le tissu de la robe, et il lui apparaissait à présent clair comme le jour que le nichon situé juste à l'est de son nez, celui-là au moins, était vraiment pas mal.

« C'était à Brest, dit-il. Très agréable, comme coin.

– C'est *tout à fait* agréable, renchérit Brian. Enfin – plus que deux jours, et à nous les côtes d'Angleterre!

– Oui, dit Elizabeth, mais je trouve toujours cela terriblement injuste, pour Melody. Parce que nous sommes tous en train de nous balader à droite à gauche, tandis qu'*elle* reste là…

– … avec le bébé sur les bras, conclut Melody en souriant. Oh, je vous en prie, ne vous en faites pas pour *moi* – ça ira très bien. Je rattraperai mon sommeil en retard.

– Quelqu'un reprendra-t-il du bœuf ? Howard, coupe encore un peu de filet.

– Je n'en peux plus, dit Brian.

– Tu manges trop », dit Dotty. Ce qui n'était pas le cas en réalité mais, mon Dieu, pourquoi être aimable, quand une occasion d'être désagréable vous tend les bras ?

« Ce n'est pas de refus, en fait, dit Melody. Il est absolument *merveilleux*, Elizabeth – il fond littéralement dans la bouche.

– Nous avons de la chance d'avoir un excellent boucher dans le quartier, dit Elizabeth. Tu vas toujours chez Turner, Dotty ? C'est vraiment d'un bon…

– Oh oui, bien sûr, répondit Dotty. Je ne vais jamais *ailleurs* que chez Turner. » Cela fait des *mois* que je n'ai pas mis les pieds chez Turner – ni chez n'importe quel bon commerçant au monde. Quand je pense à ce que me donne Brian à présent, c'est hallucinant que nous n'en soyons pas réduits à manger des boîtes pour chat. Avec un peu de patience, on y viendra.

« Mais Katie, dit Melody, et tes vacances, à *toi* ? Tu pars toute seule, cette fois, non ?

– Mon Dieu, intervint Elizabeth, pas *vraiment* seule, non – avec une amie d'école, Ellie, c'est cela ? Eh oui – après avoir laissé tomber la viande, elle laisse tomber ses parents. Inutile de préciser que l'on ne nous a pas demandé notre *avis* – c'est comme ça, aujourd'hui. Et ne me demandez pas quel genre de fille peut être cette fameuse *Ellie*, parce qu'il faudrait l'avoir rencontrée, pour cela. Katie ne l'amène jamais à la maison. Elle doit avoir trop honte de nous, je suppose.

– Ne sois pas sotte, maman, dit Katie en riant. Simplement, elle vit trop loin d'ici, c'est tout. Je te l'ai déjà dit. C'est toujours elle qui a eu le trajet le plus long pour aller en classe. Mais elle est très *sympa*, si c'est ça qui te préoccupe. Pas vulgaire ni rien – et elle ne se drogue pas, ni rien de ce genre. Elle est passionnée d'architecture et de design contemporain, tous ces trucs-là, et c'est pourquoi elle a choisi Chicago.

– Chicago, roucoula Melody. Oh, mais c'est *génial,* Katie – je ne savais pas du tout que tu partais pour Chicago. C'est un endroit fabuleux, paraît-il.

– Et dangereux, ajouta Elizabeth.

– Pas si on fait attention », intervint Howard d'une voix apaisante. Mais ça veut dire quoi, faire attention ? Les gens ne se font pas amocher parce qu'ils prennent des risques, ils se font amocher simplement parce qu'ils sont *là* à ce moment-*là.*

« Quand pars-tu ? s'enquit Melody.

– Demain, fit Katie avec un large sourire. Je suis folle d'impatience.

– Demain ! » brama Elizabeth, les yeux agrandis par une stupéfaction non feinte : pas de cinéma, cette fois. « Demain ! Tu ne pars quand même pas demain ? Après-demain, plutôt, c'est cela ? Nous partons tous après-demain.

– Vous, peut-être, mais moi, je pars demain. Par le vol de dix heures du matin, Heathrow-O'Hare. Je suis folle d'impatience.

– Je ne vois pas bien quelle différence cela fait, renifla Howard. Demain ou après-demain – quelle différence ? »

Elizabeth baissa les yeux. « Sans doute... sans doute aucune. C'est bien. Non, je ne savais pas, c'est tout. » C'est vrai, bien sûr que c'est vrai – quelle différence cela peut-il faire ? Mais simplement, je *supposais* que... Je ne savais pas qu'elle partait demain pour l'Amérique, voilà. Je pensais que c'était après-demain, c'est tout. Elle n'est *jamais* allée en Amérique, et elle est tellement jeune, et mon Dieu, mon Dieu, pourvu qu'il ne lui arrive rien. Je n'aime *pas* la voir partir – je n'aime pas qu'elle ne vienne pas avec nous. Je n'aime pas, je n'aime pas. Je n'aime pas ça du tout. Ce n'est encore qu'une petite fille après tout, et quoi qu'elle puisse penser de moi, je suis sa mère et je l'aime énormément. Enfin, je ferais sans doute mieux de m'habituer à l'idée – Katie fera ce qu'elle veut, quand elle veut. Sans moi.

« Voilà le pudding », dit-elle.

Il y avait tout d'abord des sorbets, pour se décrasser le palais, et Brian – inconscient d'avoir un palais si répugnant qu'il nécessite une telle intervention – bâfra le sien en moins de deux. Bon Dieu, se disait-il, je me demande s'ils mangent comme ça tous les soirs. Sans doute – je les vois mal se mettre en frais juste pour impressionner ces pauvres vieux Brian et Dotty, n'est-ce pas ?

Suivait une tarte Tatin réellement fantastique (chacun le confirma), mais là, Elizabeth refusa les lauriers :

« Elle vient de la plus *fabuleuse* pâtisserie de High Street. Ils ont une vieille Française totalement extraordinaire, là-bas, qui fait tout à l'ancienne, selon les recettes traditionnelles. C'est cher – oui, ce doit être cher – mais vous voyez le résultat. Tu y vas toujours, Dotty ?

– Bien sûr », dit Dotty. Non. Non, vacherie de vacherie, je n'y vais plus.

« Je viens d'avoir une idée de *génie* ! » claironna soudain Elizabeth.

Oh non, pensa Howard : la tuile. Ça va coûter une fortune, quoi que ce soit. Nom d'un chien, vous savez quoi, j'ai l'impression d'avoir descendu tout seul cette bouteille de rosé. Et d'avoir sérieusement attaqué la suivante, aussi. Est-ce que les autres boivent autant que moi ? On ne sait jamais, n'est-ce pas, ce qui est normal et ce qui ne l'est pas. Je veux dire, personne autour de cette table ne doit même s'en approcher – sauf Melody peut-être – mais bon, est-ce que c'est un panel vraiment typique, hein ?

« Dis-nous vite », la pressa Howard. La prendre par l'humour.

« Bien ! » s'exclama Elizabeth, le regard illuminé, irradiant une foi littéralement évangélique. Qu'est-ce qu'elle allait sortir ?

Peut-être que la vieille Française totalement extraordinaire de la pâtisserie avait trouvé le remède magique à tous les cancers imaginables sous la forme – vous-n'allez-pas-me-croire – d'un croissant aux amandes et au chocolat léger comme l'air ? Ou bien son scoop se révélerait-il moins essentiel ?

« Bien, parfait. À l'hôtel – l'hôtel où tu as réservé, Howard. Nous avons bien une suite, n'est-ce pas ?

– Exact », confirma Howard. Quoi maintenant – elle voudrait louer tout l'étage ?

« Bien. D'après mon expérience, ces suites sont toujours immenses – on a toujours beaucoup plus d'espace qu'on n'en a besoin. Bien, le salon, d'accord ? On peut facilement y faire installer un autre lit, n'est-ce pas ? »

Autour de la table, les mines étaient relativement effarées. Où Elizabeth voulait-elle en venir ? Cela semblait un curieux moment pour annoncer que Howard et elle feraient dorénavant chambre à part.

« Mais pourquoi, en fait ? hasarda Howard.

– Parce que *ainsi,* conclut Elizabeth d'une voix triomphante, *ainsi,* Melody pourrait venir avec nous ! Je ne *supporte* pas l'idée qu'elle ne puisse pas partir en vacances. C'est simplement *honteux.*

– Oh, ne sois pas aussi *absurde,* Elizabeth ! hulula Melody. Je ne peux pas ! Je ne vais pas débarquer comme ça au milieu de vos vacances ! Non, ça ira *parfaitement,* je te l'ai dit – je suis habituée à ne pas partir. »

Tant mieux, pensa Howard. Pourquoi devrais-je payer une suite, et me retrouver avec une simple chambre ? Parce que avec Elizabeth, vous pouvez m'en croire, on a *besoin* d'une suite : parfois, il faut bien trouver quelque part où aller.

« Ta-ta-ta », telle fut la réponse d'Elizabeth. C'était son trait de génie, n'est-ce pas – et donc, cela se passerait ainsi, cela allait de soi. Vous pouviez l'en croire – cela allait se passer *ainsi.*

« Mais ne vois-tu pas que c'est un arrangement *idéal*? Tout est *payé* d'avance – ils ne vont pas nous demander plus pour un lit supplémentaire, n'est-ce pas, Howard?

– Je ne pense pas, non », répondit Howard. Cela va se passer *ainsi*, pas vrai? Mouais – il n'y a qu'à regarder Elizabeth : c'est ainsi que cela va se passer.

« Mais ce n'est pas *juste*, protesta Melody. Ce sont *vos* vacances – et c'est *votre* suite. Et de toute façon, ça a l'air plutôt chic, comme endroit – alors la *nourriture* doit coûter une fortune.

– Oh, Melody, pour l'amour de *Dieu*, fit Elizabeth dans un soupir, deux trois choses à grignoter, ça ne peut pas coûter bien cher! Et puis nous nous chargerons de tout ça, évidemment, n'est-ce pas, Howard? »

Et merde. « Bien sûr, dit-il. Aucun problème.

– Oh… je ne sais *pas*, Elizabeth… » hésita Melody. Tu parles que je ne sais pas : des vacances gratos – et plein à bouffer. Miam-miam.

« Bon, alors c'est décidé, déclara Elizabeth d'un ton résolu que Howard avait appris à bien connaître.

– Mais, fit soudain Melody – oh, chiotte, je viens seulement d'y penser –, et Dawn?

– Ah », fit Elizabeth. Je n'avais pas pensé à ça. « Eh bien, elle n'a qu'à venir aussi! N'est-ce pas, Howard? Ce sera adorable, de l'avoir avec nous, cette petite Dawn – et elle a droit à des vacances, elle aussi. »

Merde et re-merde. « Je n'y vois aucun inconvénient », déclara Howard. Que dire? Hein? Dire que la perspective d'être coincé dans une seule chambre avec Elizabeth, tandis qu'à côté un sale môme hurlait à s'en arracher la glotte pendant toute la putain de nuit, lui donnait simplement envie de se tirer à Chicago avec Katie – ou mieux (volupté des voluptés), d'oublier toutes ces salades et de rester ici, à la maison?

Il n'avait jamais été fanatique de ces séjours estivaux, en toute honnêteté. Je veux dire – prenez l'année dernière : La Barbade. Le paradis, pas vrai ? Mon Dieu oui, j'imagine que oui – mais jusqu'à un certain point seulement. D'accord, il y a la mer d'émeraude et le sable d'or. Suis-je installé dans un hamac, à l'ombre d'un palmier oscillant ? Je le suis, aucun doute, avec à la main un immense cocktail joliment coloré et tout hérissé de pailles, de touilleurs, de machins en papier et en plastique. Magnifique. Une heure plus tard ? Je me sens comme un con. Parce que je vais rester comme ça quinze jours accroché à deux arbres, n'est-ce pas, en train de regarder fixement cette connerie de mer et de me torcher avec des trucs dont je ne voudrais même pas dans mon bar, à la maison. On finit toujours par faire des choses qu'on ne veut pas, en vacances. On se lève tôt – pas parce qu'on se réveille frais et dispos, et impatient de la bonne journée qui s'annonce, non, pas du tout. On se lève, soit parce qu'on s'est fait réveiller en sursaut par une bonne femme inconnue qui a pénétré dans la chambre, armée d'un aspirateur, et qui s'excuse avant de battre en retraite, soit parce qu'on est traumatisé par la terreur de manquer le *petit déjeuner* – dont on se passerait volontiers à la maison, bien entendu. Ensuite, on se retrouve, par exemple, à cheval sur un âne bouffé par les mouches ou sur un chameau puant, ou en train de gravir les quelque trois cent soixante *marches* qui mènent à Dieu sait quoi, à rien en général, ou même (ça c'est le pire) de contempler des œuvres d'*art*. On se crame les bras, on abuse des *calamari*, et on chope la courante. Et le dernier jour, on arpente les marchés en marchandant âprement, dans une monnaie inconnue, avec des gens profondément malhonnêtes, des saloperies trop affreuses pour être vraies – avant de déclarer solennellement, au dîner, que le véritable paradis, c'était ici, et que la simple idée de devoir partir vous arrache le cœur.

Howard était déprimé maintenant, en pensant à cette misère des vacances. Et si je… ? Grands dieux, oh là là, pfffou… imaginez un peu ! Quel pied ! Mais Elizabeth allait-elle avaler l'histoire ? Possible, possible – tout est question d'angle d'approche.

« Prenons-nous le café à côté ? proposa Elizabeth.

– Elizabeth, lâcha soudain Howard, j'ai une *meilleure* idée, en fait – pour les vacances, je veux dire.

– Katie, dit Elizabeth, arrête de te gaver de Bittermints. Oui, pour les vacances, Howard ? Mais tout est arrangé.

– Oui, mais tu vois – et là, je suis parfaitement *honnête*, mentit Howard entre ses dents, ça fait un moment que cela me tracasse de prendre des congés maintenant. Norman aussi s'absente la semaine prochaine, tu te souviens, et bon, d'accord, Sam et Phillys peuvent plus ou moins suffire à faire tourner la boîte, avec l'intérimaire que j'ai engagée, mais il y a une ou deux affaires assez délicates et, dois-je le préciser, *intéressantes*, sur le feu en ce moment – n'est-ce pas, Katie ? –, et je me demande vraiment si je ne ferais pas mieux d'être là.

– Mais... commença Elizabeth.

– Non, toi, écoute, écoute-moi. Au lieu de camper dans le salon, Melody pourrait prendre *ma* place, et profiter d'un lit convenable.

– Oh, mais Howard ! protesta Melody. *Jamais* je ne...

– Allons, écoute, insista Howard. C'est parfaitement faisable – je vous emmène là-bas en voiture, évidemment, et ensuite je remonte pour m'occuper de ces affaires – ce sera beaucoup plus confortable pour moi, mentalement, tu sais. Honnêtement, Melody, ce serait un service que tu me rendrais. Et en plus, comme ça, je garde nos maisons. Ça ne me plaît pas du tout, vous savez, cette idée que les deux maisons restent inhabitées.

– Mon Dieu, glissa Brian, pour ce côté-*là* des choses, j'approuve. Moi non plus, ça ne me dit trop rien. »

Elizabeth était déchirée : partir en vacances sans Katie *ni* Howard ? Jamais cela ne lui était arrivé. Et en même temps, c'était assez tentant, d'une certaine manière, parce qu'elle ne serait pas seule, avec Melody. Et la perspective d'une semaine sans entendre Howard râler n'avait rien de si épouvantable.

« Écoute, Howard, intervint Melody, c'est extraordinairement *gentil* à toi et tout ce que tu voudras, mais je me sentirais réellement trop *gênée* – je ne vais pas te voler tes vacances !

– Mon Dieu, fit Elizabeth, si c'est ce qu'il *souhaite*...

– Mais oui, c'est ça que je souhaite, exactement : c'est la solution idéale. Voilà, fin de la discussion. » Sur quoi Howard sourit, se leva et donna le signal de la transhumance. « Comme cela, tout le monde sera content. » Y compris Zouzou, se dit-il en se dirigeant vers la bouteille d'armagnac, ah, Zouzou...

C'était drôle, se disait Brian, à présent de retour au salon, tout en sirotant son cognac, installé dans un confortable fauteuil près de la fenêtre – c'était drôle, n'est-ce pas, cette différence entre les gens, face à ce que l'on considère comme joli ou pas. Ces objets dont les gens choisissaient de s'entourer. En l'occurrence, ces deux miroirs en plein cintre installés dans les alcôves, de chaque côté de la cheminée, au-dessus de petites tables. Brian supposait qu'ils voulaient sans doute évoquer des espèces de fenêtres géorgiennes – avec les montants très ostensibles, et même un soupçon de rebord en bas – mais, tout à fait franchement, il n'en aurait pas donné dix sous, bien que ne doutant pas un seul instant qu'ils eussent coûté une somme assez considérable ; la plupart des objets, dans la pièce, exhalaient une impression de dépense somptuaire.

Brian, dans la maison voisine, avait deux alcôves très semblables à celles-ci (elles auraient pu être jumelles), mais y avait-il collé des miroirs ? Certes non. Non, ce que Brian avait fait, c'était sortir ses outils du garage, brancher ses appareils Black et Decker, faire une petite descente à la scierie, puis s'y mettre sérieusement. L'idée, vous voyez, c'est de construire le coffrage

51

de base en planches de contreplaqué (de vingt-cinq, trente d'épaisseur, selon la solidité désirée), puis de graver une sorte de rainure dans chaque étagère, ceci grâce à un accessoire très spécial qu'il avait été ravi de dénicher au Bricomarché, durant les soldes de janvier, pour trois fois rien par rapport au prix affiché chez les détaillants – une somme ridicule, vraiment. Ensuite, on fore des trous dans les côtés du coffrage, vous voyez, de manière à le boulonner d'une part contre les murs, et d'autre part contre le manteau de la cheminée. On peut se procurer de très fines bandes de placage pour masquer la tranche des étagères (Brian avouait que le contreplaqué, vu de profil, n'a rien de très séduisant) et ainsi, en un minimum d'espace et de temps – tout le samedi et une bonne partie du dimanche après-midi –, vous obtenez deux ravissants présentoirs, enfin, c'est ce que Brian affirmait. Cela dit, il était le *seul* à l'affirmer, parce que quand Dotty rentra ce soir-là (elle avait passé le week-end ailleurs – chez sa sœur, à tous les coups –, elle n'aurait jamais supporté tout ce bruit et toute cette poussière), elle jeta un seul regard sur son œuvre et dit Dieu tout-puissant, Brian, j'espère que c'est une *blague*, n'est-ce pas, parce que si tu crois que je vais garder chez moi deux espèces de cercueils en caisses d'emballage, tu peux immédiatement trouver autre chose – mais *franchement*, Brian, franchement, qu'est-ce que tu as dans la tête, mmmm ? Enfin je veux dire, tu es quoi, *aveugle* ? Colin, Colin, viens ici, viens voir. Regarde ce que ton père vient d'*inventer*, cette fois ! Mais *franchement*, Brian, qu'est-ce qui te prend, de construire des machins avec des *bouts de bois* ? ! Écoute, avait-il répondu d'une voix apaisante, écoute, ça n'a sans doute pas grande allure pour l'instant, mais attends que j'y installe les plaques d'égout ! Voilà, vous voyez ce que je veux dire : la différence de goût entre les gens.

« Je ne sais pas, je ne suis pas trop sûre, disait Dotty à Elizabeth. Je vais demander à Brian. Brian – sais-tu à quel étage se trouve *notre* suite ? Nous serons près d'Elizabeth ? »

Question qui le ramena brusquement à la réalité. Depuis plusieurs jours déjà, il s'attendait à quelque chose de ce genre – incroyable, d'ailleurs, que ce ne soit pas arrivé avant –, mais il n'avait toujours pas trouvé la réponse adéquate. Alors, autant se jeter à l'eau, et à Dieu vat.

« Non. Enfin oui. Je voulais t'en parler. Nous ne sommes pas à l'Excelsior *même*. Pas tout à fait.

– Ah bon ? fit Elizabeth. Mais Dotty, je croyais que tu m'avais dit…

– Mais oui, fit Dotty d'une voix blanche, un frisson de crainte indéfinissable, quelque chose, on ne sait quoi, la traversant brièvement. Brian… ?

– Eh bien, j'ai pensé qu'on pourrait se démarquer un tout petit peu, tu vois. »

Dotty le regarda. Mais qu'est-ce qu'il *a* ? Est-ce que quelqu'un pourrait un jour m'expliquer ce qu'il *a* ? Elle lui avait *dit*, elle lui avait *expliqué*, encore et encore, que l'idée *essentielle*, l'idée fondamentale était que tout devait, mais devait, devait absolument être *pareil*. Eh bien non – non, Brian, puisque tu me le demandes, je ne peux simplement *pas* t'expliquer par des mots pourquoi ce doit être ainsi, je le sens comme ça c'est tout, et si tu fais ça pour moi – ce n'est pas grand-chose, n'est-ce pas, pas grand-chose, si l'on considère tout ce dont tu m'as privée – alors je sais, je sais, je ne peux pas te dire, mais je sais que je me sentirai protégée. Elle le lui avait dit, dit et redit : tout devait être *pareil*.

« Nous démarquer, fit Dotty dans un souffle.

– Le Palace est aussi bien, d'après ce que l'on m'a dit », intervint Howard.

Dotty ne quittait pas Brian des yeux. « Le Palace ? » articula-t-elle.

Brian secoua la tête. « C'est une surprise, déclara-t-il. Je veux te faire la surprise.

53

– Quelqu'un prendra encore une goutte de quelque chose ?
pépia Katie.

– Oh là là, coassa Melody, la voix rauque, je crois que je suis
complètement bourrée, en fait. »

Elle l'était. En principe, je ne bois pas comme ça, je n'en ai
pas les moyens. Et là, bingo ! Des vacances tous frais payés, pour
moi et Dawn. Dawn, ça me gonfle. Je m'amuserais sûrement
vachement mieux *sans* Dawn, mais je peux difficilement exiger
en plus une nounou pour la semaine. Non, pas possible, *exclu*.

« Je crois que nous allons y aller, dit Dotty. Où est Colin ?

– Oh, ne partez pas tout de suite, restez encore un peu », fit
Elizabeth d'un ton pressant.

Déjà, Dotty le percevait dans la voix d'Elizabeth : ils n'étaient
pas encore partis, ils n'avaient même pas encore fait les *bagages*,
sans parler d'être revenus et de comparer leurs séjours – et déjà
Elizabeth savait que ses vacances à *elle* seraient les meilleures. Et
ce n'était que le début – juste une éraflure en passant, mais si
Dotty se laissait aller à dévoiler sa véritable terreur du poignard,
Elizabeth, elle le savait parfaitement, se révélerait insatiable et
la saignerait à blanc, à mort.

« Où est passé Colin ? répéta Dotty.

– Je vais le chercher, dit Katie. Bon, si ça vous embête pas, les
gars, ajouta-t-elle avec un fort accent américain, je vais vous
faire mes adieux et vous souhaiter de super vacances, passe que
j'ai encore pas mal d'affaires à préparer. »

Après un acquiescement général (amuse-toi bien, envoie-
nous une carte), Elizabeth reprit :

« Mais Dotty, je ne t'ai *même* pas dit à quel point tu es ravissante, ce soir. J'ai voulu te le dire à l'instant où tu es entrée,
mais avec toute cette histoire de *pied*...

– Ah », fit Dotty. Parfait. Maintenant, tout le monde se rappelait que Dotty avait complètement oublié son problème de
pied.

« Cet ensemble rouge te va à merveille, sais-tu ? continua Elizabeth (elle avait vraiment l'air de l'aimer, n'est-ce pas ?). Tu as tellement de chance de pouvoir *encore* entrer dedans... »

Plus aucun doute. Le sang avait commencé de couler.

Katie donna un coup violent contre la porte des toilettes du rez-de-chaussée – Colin, je crois que tes parents s'apprêtent à partir – mais la porte s'ouvrit toute seule sur le vide et l'obscurité. Il est *où*, ce petit crétin, alors ? Oh, et puis merde – moi, j'ai mes bagages à faire. Elle ne serait pas allée voir dans la salle de bains de Howard et Elizabeth, mais la porte en était entrouverte, la lumière allumée. Colin était là, immobile devant le lavabo, le nez au-dessus d'un grand flacon de parfum, tenant en l'air le bouchon de verre globuleux.

« Mais qu'est-ce que tu fiches ici ? » s'enquit Katie.

Colin reposa le flacon. « Oh, salut Katie. Je suis désolé – j'ai été aux toilettes, c'est tout. Je viens toujours ici, c'est plus agréable. »

Katie haussa les épaules. Pour elle, cela ne changeait strictement rien, les préférences de Colin en matière de toilettes.

« Il n'est pas mauvais, celui-là, dit Katie, lui prenant la bouteille de parfum. Je l'emprunte quelquefois. Tiens, je vais en mettre un peu. » Sur quoi Katie passa lentement le bouchon humide sur son cou. « Mmm – c'est divin. Tu veux sentir ? »

Elle se pencha, tendant vers Colin toutes les parties de son corps susceptibles de se tendre : hé-hé-hé. Colin s'approcha, et ses narines palpitaient à un centimètre du cou de Katie quand il sentit la douce pression de ses seins contre son épaule, alors il baissa les yeux, bien obligé n'est-ce pas ? Pas le choix.

« Tu peux toucher, chuchota Katie. Enfin, si tu veux. »

Colin eut la sensation que ses globes oculaires se contractaient brusquement sous le choc, puis il leva vers Katie deux yeux fous dans lesquels s'inscrivait la question : Suis-je devenu cinglé ? As-tu bien entendu ce que tu viens de dire ? Je peux *vraiment* ? Il tendit une main de papier mâché, et la sentit se consumer lentement au contact de ce truc soyeux qui gainait Katie, avant de s'enflammer soudain, comme il le pressait dans sa paume. Et brusquement, ses tympans résonnèrent des hurlements de Katie.

« Mais qu'est-ce que tu *fais*, nom d'un chien ? Enlève ta saloperie de main, espèce de répugnant petit merdeux ! »

La panique avait fondu sur Colin à présent – une panique doublée d'humiliation. Oh, doux Jésus, est-ce que je suis *réellement* devenu cinglé ? Cinglé ? Il se détourna et descendit quatre à quatre, cramoisi jusqu'à la racine des cheveux et se jeta sur sa mère dans le couloir, sans un regard derrière lui, sans voir l'immense et humide sourire de joie mauvaise qui demeurait inscrit sur le visage de Katie, tandis qu'elle refermait derrière elle la porte de la salle de bains.

« Oh, noooon, mon *pied* ! vagit Dotty. Espèce de pauvre *idiot* – mon *pied* !

– Mon Dieu, gémit Elizabeth, ma pauvre Dotty – c'est vraiment une sale journée pour ce malheureux pied, n'est-ce pas, ma pauvre chérie ?

– Mon Dieu, confia discrètement Brian à Howard, dans un coin du hall, Dotty n'est pas ravie ravie – c'est clair. Je sens que ça va être pénible, une fois à la maison. »

Howard ouvrit de grands yeux et serra les lèvres en une mimique indiquant à quel point il compatissait, tout en demeurant parfaitement impuissant à l'aider en ce domaine. Et comme Brian demandait à Howard ce qu'il pouvait bien *faire* pour la calmer, celui-ci accentua encore sa mimique d'impuissance, ajoutant même un haussement d'épaules signifiant tout à la fois Ce n'est pas à moi qu'il faut poser la question, ainsi que Laisse-moi en dehors de tout cela.

56

« Elle n'a pas… enfin… chuchota Brian d'un ton parfaite-ment angoissé, *dit* des trucs, à propos de moi, n'est-ce pas ? Enfin, je veux dire, elle ne t'a rien dit à toi, je ne sais pas ?

— *Dit ?* répéta Howard, relativement perplexe – mais avec une nuance de détachement, du genre franchement-qu'est-ce-que-j'en-ai-à-foutre. *Dit* des trucs ? Non, non, elle ne m'a pas dit des trucs – enfin pas à moi en tout cas. Quel genre de trucs ?

— Oh », répondit Brian d'une voix abattue, tout en évaluant la distance qui le séparait de Dotty. Ça allait : elle s'en prenait toujours à Colin. « Des trucs, comme ça. J'ai appris que, au mois de janvier, elle se promenait partout en racontant que j'avais brûlé ses cadeaux de Noël. Ceux qu'elle m'avait faits, je veux dire. Elle disait à tout le monde qu'elle m'avait offert deux cadeaux superbes, magnifiquement emballés, et que j'y avais mis le feu – que je les avais brûlés.

— Et… commença lentement Howard, tout en se disant Dieux du ciel, difficile de dire lequel des deux est le plus atteint, Dotty avec sa collection de névroses parfaitement banales, ou Brian avec sa collection de plaques d'égout…, et tu les as *effecti-vement* euh… brûlés ? »

Brian fixa Howard d'un regard intense, le suppliant à présent de ne pas l'abandonner, de participer :

« Mais *évidemment*. Mais oui, *bien sûr* que je l'ai fait ! Elle m'a bien offert une bougie parfumée, non ? Et un paquet de vingt cigarillos. »

Howard lui rendit son regard, aussi franchement que pos-sible, sentant monter en lui, vaguement, un sourire difficile à réprimer.

« Mais tu ne fumes pas, Brian, si ?

— Mais *non* », fit Brian d'un ton éperdu. Puis, plus calme-ment : « Il faut bien faire preuve de bonne volonté, n'est-ce pas ? J'ai été drôlement malade, avec ces cigarillos. Mais il fallait bien lui faire *plaisir*. »

Howard approuva d'un hochement de tête, tout en essayant de ne pas se focaliser sur la coupe de cheveux spectaculairement affreuse de Brian. C'est pas possible, pas possible – je suis si heureux de ne pas aller à la mer. Zouzou, Zouzou, garde-moi ton lit au chaud, faillit-il chantonner, tandis que la pensée traversait brusquement l'esprit de Brian qu'il pourrait accepter de ne plus être un gagnant, qu'il pourrait supporter cette idée, s'il pouvait simplement récupérer tout ce qu'il avait perdu. Mais là, évidemment, il était forcé de reconnaître, non sans une impuissance aussi lasse que douloureuse, qu'il retombait sur l'essence même de la perte : ne plus rien avoir.

Howard était de retour, après avoir raccompagné Melody ; il se préparait son dernier scotch de la journée, juste une dernière goutte, en répétant à Elizabeth, une fois de plus, qu'il n'avait eu aucun problème pour conduire, merci beaucoup, et que, si elle voulait le savoir, il fallait infiniment plus que deux ou trois verres pour empêcher le moins du monde un homme comme Howard de prendre le volant.

« Mais il n'est pas *question* de deux ou trois verres, franchement, Howard ! Tout ce vin, au dîner – et Dieu seul sait combien de cognacs, après. Et les scotches, avant ? Non, Howard – tu aurais pu vous tuer, tous les deux.

– Eh bien, je ne l'ai pas fait. Comme tu peux voir.

– Et si tu t'étais fait contrôler ? Juste ciel – mais le ballon aurait viré à l'imprimé *écossais*, avec ton haleine ! Comment pourrais-tu *vivre* sans voiture, Howard ? Tu ne pourrais pas, n'est-ce pas ? Tu n'*existerais* simplement pas. Non, ça ne vaut pas la peine de prendre de tels risques.

– Bon, je n'ai *pas* été contrôlé, d'accord ? »

Elle avait raison, évidemment qu'elle avait raison. Il s'était montré complètement crétin – mais il n'y avait pas beaucoup de circulation, ça allait tout seul. En outre, les taxis londoniens refusaient régulièrement de se rendre dans le quartier obscur et pour le moins sinistre où Melody avait choisi d'habiter. Et Howard ne pouvait pas le leur reprocher. Et puis ç'avait été une petite balade non dénuée d'intérêt, à sa façon. À divers égards.

« Merci de te donner ce mal, Howard, avait commencé Melody, une fois tous deux installés dans la Jaguar. Où est l'autre machin, l'autre bout de la ceinture? Ah, là... voilà, je l'ai... c'est bon. Pffffu, je me sens carrément pompette – et c'est à cause de *toi*, Howard. Tu n'as pas arrêté de remplir mon verre. »

Howard recula lentement pour sortir de l'allée.

« Pourquoi ferais-je une chose pareille?

– En tout cas, je sais pourquoi tu le *faisais* », repartit Melody.

Howard sourit. « Je n'ai pas le souvenir que nous ayons eu besoin de ça. Quelquefois, on n'avait même pas le temps d'ouvrir la bouteille... »

Melody poussa un soupir. « Ça me manque, tout ça, Howard. Tu me manques.

– C'est du passé », dit Howard. Puis, d'une voix plus lente : « Les choses sont différentes, à présent.

– Ce n'est pas obligé, fit Melody d'un ton boudeur.

– Oh que si, Melody – si, crois-moi. »

Plus d'un kilomètre de bitume défila sous eux en ronronnant avant que Melody ne trouve un argument : Pourquoi?

« Parce que », répondit Howard. Oh, regardez-moi ça, cette connerie de cycliste, sans feu arrière – j'aurais pu l'écrabouiller, bon Dieu. Ce qui ne serait pas sensationnel, avec tout ce que je me suis enfilé. « Tu as trouvé quelqu'un d'autre – oui ou non? C'était ton choix – moi, je ne voulais pas que tu me quittes.

– Toujours la même histoire – tu reviens toujours sur la même histoire.

59

– Mais on ne peut pas nier les faits, Melody. Tu as bien *vécu* avec cet homme.

– Et toi tu étais *marié*. Et tu n'allais pas quitter Elizabeth, n'est-ce pas ? Jamais tu ne l'aurais quittée.

– Non, en effet – chose que je t'ai répété mille fois, pour que ce soit bien clair. Et de toute façon, c'était censée être ton amie.

– Oui, mais moi, où j'y trouvais mon compte, hein ? Je veux dire… j'allais continuer à vieillir comme ça, et toi tu serais venu me trouver quand tu en aurais eu envie, et…

– Oh, ça *va*, Melody…

– … et pendant ce temps-là, Elizabeth aurait mené la grande vie, tranquille, en se disant qu'elle avait la chance d'avoir un mari *sensationnel.*

– Je ne crois pas qu'elle se dise cela. Quoi qu'il en soit, Melody – j'ai déjà entendu tout ça, je connais tout ça par cœur. Tu as fait ton choix. Tu as rencontré un mec, tu as vécu avec lui, tu as eu un bébé, et le mec s'est tiré. Fermez le ban. C'est seulement depuis qu'il est parti que je te manque. Ou quand il te tombe une grosse facture.

– Mais non, tu me manques *vraiment – vraiment.* Prends plutôt à gauche, aux feux, ce sera plus rapide. Je n'ai jamais *tenu* à lui, tu sais ? C'était vrai, quand je te l'ai dit.

– Il ne t'a pas attachée avec une chaîne, si ?

– Ne sois pas… simpliste, Howard. Oh, regarde – il y a une place juste devant. » Puis, comme sur une soudaine inspiration : « Howard, entre un peu la voiture, sur le côté. »

Howard coupa le moteur et se tourna vers elle. Il détacha sa ceinture de sécurité.

« Pourquoi ? » fit-il.

Melody posa sa main sur sa cuisse, du bout des doigts, et leva vers lui un regard qu'il connaissait bien.

« S'il te plaît.

– Écoute, Melody… (mon Dieu, la sensation de ces doigts,

60

de ces mains minuscules, qui le parcourait de la tête aux pieds, comme autrefois, comme toujours) ... tu n'es pas *sérieuse?* Cela fait des années.

– Et alors? demanda Melody, lui enlaçant doucement la cuisse. Viens, Howard. *S'il te plaît.*

– Je suis à moitié bourré », dit-il, mais déjà ses mains étaient sur elle, sans qu'il pût aucunement se souvenir de l'avoir voulu.

« Howard, répéta Melody d'une voix plus sombre. Gare la voiture. »

Howard laissa échapper un soupir de désespoir – sans très bien savoir pourquoi, ou pour qui –, mit le contact et engagea la Jaguar bleu nuit dans l'ombre également ténébreuse qui régnait au flanc de la maison.

« Je n'y comprends rien, Melody », déclara Howard d'une voix chargée de sombres pressentiments. Mais déjà il était sorti de la voiture et ouvrait la portière arrière, comme s'il avait néanmoins une vague idée de ce qui allait arriver.

Même quand l'appartement de Melody était totalement disponible, ils avaient souvent fait cela. C'était le sentiment d'urgence qu'aimait Melody; et aussi le grincement du cuir.

« Pose ta main comme ça », souffla Melody. Elle le chevauchait, face à lui, et Howard sentit, presque avec angoisse, le flot de chaleur qui émanait de cet endroit charnu, tendre même, tout là-haut, entre ses cuisses. « Tu me manques, soupira-t-elle tout en dégrafant son pantalon et en l'ouvrant largement. Oh, comme tu m'as manqué, comme tu m'as manqué... vraiment. »

À présent, il était en elle, et Melody le fixait du regard, comme stupéfaite, frappée par une soudaine révélation. Elle descendait sur lui, durement – plus durement à chaque fois. Howard avait chaud, avait peur, et s'armait de courage, tandis qu'il plongeait son visage moite et hérissé de barbe entre les seins de Melody, tiraillant et mordillant la couture centrale de son soutien-gorge à petits coups de dents rapides et serrés.

Comme il sentait le flot du plaisir commencer à enfler, à monter, demeurant suspendu au bord du débordement, Melody le bâillonna de ses deux mains et l'écrasa de tout son corps, comme pour le broyer.

« Tue-moi ! fit-elle d'une voix sifflante. Oh, tue-moi tue-moi tue-moi ! »

Un hurlement strident, atroce, perça soudain le silence environnant, et Howard bondit tel un diable, en proie à une terreur sans nom, inondant les entrailles d'une Melody aussi effrayée que ravie, et s'entendant prononcer le mot *chat*, d'une voix rauque : un *chat*, dit-il, c'était juste un chat, refusant de voir l'humour dérisoire de la chose, et s'adonnant à la plénitude douloureuse de l'épuisement. Melody se mit à rire et le serra entre ses bras, puis l'embrassa sur les lèvres.

« Je t'ai toujours aimé, Howard, dit-elle. Et je t'aimerai toujours, je le sais. Mon Dieu, comme je voudrais que ce soit *nous deux* qui allions à la mer, dans la même suite, et pas Elizabeth et moi. C'est *toi* que je veux, Howard – *toi*. »

Mouais, c'est bien possible, pensa Howard tout en reprenant plus ou moins contenance. Mais ce que tu ne sais pas, Melody – ce que ni toi ni Elizabeth ne *pouvez* savoir, c'est que je n'ai plus le moindre désir d'être avec vous, ni l'une ni l'autre, plus jamais. Ça, c'était juste en souvenir du bon vieux temps : même en ce moment, Melody, en ce moment où je respire le parfum chaud, musqué, sucré de tes fluides les plus intimes, c'est à l'autre que je pense, à Zouzou, et je n'attends qu'une chose, c'est de me retrouver avec mon amour.

Bon, se dit Katie, parcourant sa chambre d'un regard critique. Je pense qu'il n'y a plus grand-chose à faire pour ce soir. La brosse à dents, le dentif', tout ça, c'est pour demain matin (il faut que je pense à mettre le réveil à sonner) – et puis les chaussons, etc. Il lui aurait *effectivement* fallu un autre sac, c'était couru d'avance. Elle aurait facilement pu en remplir un cinquième, mais il était absolument exclu de se coltiner cinq sacs, même avec de l'aide.

Elizabeth venait de monter chez Katie, pour voir s'il n'y avait pas de problème. Enfin, précisa-t-elle, tu as bien *tout*, n'est-ce pas ? Ton passeport ? De l'argent ? Tu as tout ce qu'il te faut ?

« Ouais », fit Katie avec une rare désinvolture : à présent que les paquets sont bouclés, je n'en peux *plus* d'impatience. « Je crois que je n'ai rien oublié.

— Tu sais, j'ignorais *vraiment* que tu partais demain, reprit Elizabeth. Je ne sais pas pourquoi, mais je m'étais mis en tête que nous partions tous en même temps, après-demain. Mon Dieu, je ne suis même pas sûre d'avoir envie d'y aller, à présent. Pauvre Howard. Du coup, il va peut-être ne pas prendre de vacances du tout, cette année.

— Mais c'est vrai, ce qu'il a dit à propos du travail, dit Katie. Il y a un boulot fou, en ce moment. Des masses d'argent à se faire.

— Oui, mais ton père a *besoin* de vacances — tout le monde a besoin de vacances. J'espère qu'il s'en sortira bien, tout seul.

— Mais oui », dit Katie. Mais oui, pensa-t-elle, il s'en sortira très bien. Sans savoir pourquoi, sans pouvoir mettre le doigt dessus, ni des mots, elle était certaine que papa s'en sortirait très, très bien ; et peut-être pas seul, d'ailleurs.

« Je pense vraiment que tu devrais passer un coup de fil à cette personne — *Ellie*, c'est cela ? fit Elizabeth. Enfin, bien sûr, elle t'aurait téléphoné, si quoi que ce soit… enfin, si quelque chose n'allait pas, s'il y avait un pépin. Mais je pense que tu devrais quand même l'appeler. »

Katie hocha la tête. « C'est prévu. Je l'appelle tout de suite, et puis je file au lit. Il faut que je sois debout à sept heures — ou plutôt à six heures et demie, pour plus de sûreté.

– Bon, eh bien je me lèverai aussi pour te dire au revoir. Bonne nuit, Katie… et…, ajouta-t-elle sur le seuil, je sais que tu trouves que je fais des *histoires* et tout ça, mais tu seras bien *prudente*, mmmm ? Ne te déplace qu'en taxi. Ne traîne pas tard dans la nuit. Promis ? » Et surtout, ne fais rien avec des *hommes* – je me demande d'ailleurs si ce n'est pas déjà le cas.

Katie eut un sourire : cette bonne vieille maman. « Tout ira *très bien* », dit-elle.

Elizabeth sortie, Katie prit son portable.

« Salut, c'est moi – ça va ? fit-elle dans le combiné, jouant de l'autre main avec le rabat de sa couette. Tout est paré pour le grand jour ?… Ouaaaiiis, okay. Moi ? Je suis morte d'impatience. Et en tout cas, ne sois pas en *retard* ! »

Norman Furnish raccrocha en souriant. « Mais non », avait-il répondu. Non, je ne serai pas en retard – le moment est enfin arrivé, et je suis vraiment impatient de vivre ça. Mis à part l'aspect financier des choses, évidemment. Et la terreur blanche, glacée, que Mr. Street – Howard – ait vent de cette escapade complètement démente. (Au fait, Katie n'avait pas appelé cette fameuse *Ellie*, c'est cela ? – pour la simple et bonne raison qu'Ellie n'existait pas : c'était là un des meilleurs coups de Katie, cette invention d'Ellie. Parce que, hein, comment aurait-elle pu s'en sortir autrement ?)

L'affreuse vérité (et Norman lui-même ne comprenait pas comment cela était possible) est qu'il dormait quand Katie avait téléphoné. C'était à peine croyable – avec des millions de choses à faire, qu'il repoussait depuis des heures, nom d'un chien. Et Dieu sait que je suis pourtant méchamment anxieux à l'idée de ce fameux – attends, attends une minute : anxieux ? J'ai bien dit ça ? J'ai dit que j'étais anxieux ? Eh bien, pas du tout : je suis terrifié. Ce voyage me terrifie complètement (jamais été en

Amérique – jamais été bien loin, d'ailleurs – pas grand-chose d'un pionnier, hein ? Autant regarder les choses en face, quand elles te tombent sur heu... sur la gueule), mais ce qui me terrifie plus que tout, peut-être, c'est – oui, sans doute – Katie. Enfin, je n'ai pas peur d'*elle*, ce n'est pas ça (encore que, parfois, les *risques* qu'elle peut prendre – et qu'elle me fait courir... !), mais de tout ce que je ressens pour elle – comme une espèce de crainte, de timidité, voilà, j'ai l'impression d'être écrasé par l'immensité de mon sentiment pour elle.

Jetons un coup d'œil sur le studio plutôt minable de Norman (plus qu'une seule ampoule qui marche – et je ne pense jamais à passer au... et je ne suis même pas sûr qu'il m'en reste de rechange ; ce sont des soixante watts ? Ou bien des cent ?). Jetons un coup d'œil sur les affaires entassées : les vêtements qu'il a décidé d'emporter *absolument* (enfin, il me semble, il me semble bien – enfin, pour le moment, en tout cas), les vêtements qu'il n'est *absolument* pas question d'emporter (trop chauds, trop vieux, trop franchement dégueu) à part peut-être cette espèce de polo bleu, là-bas, c'est possible, et puis celui du dessous aussi, je ne peux pas totalement l'exclure, comme ça. En outre, une des serrures de la valise paraissait complètement HS, chose étrange car, pour autant que Norman s'en souvient, elle fonctionnait parfaitement il n'y avait pas si longtemps, la dernière fois qu'il l'avait tirée du haut de la penderie, cette vieille valise miteuse – ça ressemble à du carton à moitié gondolé, ce que ce doit être d'ailleurs –, pour y fourrer tous ses vêtements fort usés et fort laids, plus un ou deux petits trucs, quand il avait enfin pu quitter son dernier logement (carrément moche – pas mécontent de refermer la porte pour la dernière fois) pour s'installer dans son logement actuel – pas beaucoup plus sympathique, pas du tout, même – et d'ailleurs, je ne crois pas que je vais y faire de vieux os.

Et voilà, au milieu de tout ça, je m'endors. C'est les nerfs.

Ouais. Ce doit être les nerfs, vous voyez. J'occulte, ce genre de chose. Mais je suis *heureux* de partir, si, si, évidemment que je suis heureux – je n'ai encore jamais passé une nuit, une vraie longue nuit, avec Katie. Une fois – quelques semaines auparavant – Norman lui avait demandé de le rejoindre chez lui. Jusque-là, ça n'avaient été que ces rencontres brèves, purement sexuelles – excitantes au-delà du possible, qu'il n'y ait aucune ambiguïté – et somme toute assez violentes, au bureau. Katie paraissait drôlement apprécier. Et je crois – vous savez ce que je crois ? Je crois que l'autre soir – sous le bureau, vous vous rappelez ? Difficile à oublier, hein – eh bien je crois, je suis presque sûr en fait, que Katie savait que Mr. Street – Howard –, son père, n'était pas parti. Elle *savait* qu'il n'était pas rentré à la maison, et c'est pour cela qu'elle a voulu faire ce qu'elle a fait, j'en suis persuadé. Parce que, vous voyez, c'est là une des nombreuses et immenses différences entre Katie et moi : je croyais *sincèrement* qu'il était parti (pourquoi ? Parce qu'elle me l'avait dit. Voilà. Et Katie ne ment jamais, c'est cela ? Oh, sois un peu *lucide*, Norman. Il faut que je grandisse, et vite, il le faut absolument) parce que, ouais, si j'avais eu le moindre soupçon que Mr. Street – Howard – *pouvait* simplement être encore au bureau, je ne me serais pas approché à moins de cent mètres de Katie – mais Katie, elle, fonctionne autrement, carrément autrement.

Bref, comme je disais, je lui ai demandé de venir ici – cela doit faire une quinzaine de jours maximum, si vous voulez absolument tout savoir –, et, réponse de Katie : Dans quel quartier de Londres habites-tu, en fait, Norman ? Norman le lui avait dit. Réponse de Katie : Mais c'est *où*, putain, ce coin ? Donc, Norman lui avait indiqué les quartiers adjacents, les stations de métro les plus proches, mais elle n'avait pas l'air plus au courant. Il lui avait fallu énormément de persuasion pour l'amener jusqu'ici. Mais on ne peut pas aller à l'*hôtel*, Norman ?

Non – non, on ne peut pas, bordel, on ne peut pas. Chaque sou que j'ai en poche – oh, et puis non, qu'on ne me branche pas sur cette histoire d'argent. *D'accord*, je verrai ça plus tard – rien n'est jamais gratuit, n'est-ce pas ? – mais je ne peux pas me pencher sur cela maintenant, parce que sinon – eh bien, inutile de faire mes valises, inutile de songer aux vacances. Je rampe sous le lit et je reste là tout recroquevillé, me bouchant les yeux, à prier sur tout ce qui me reste encore pour qu'on ne vienne pas me chercher, pour qu'on ne me trouve pas, pour qu'on ne m'extirpe pas de là pour m'obliger à regarder les choses en face, parce que je ne *peux pas*.

Elle est venue, Katie. Elle a jeté un coup d'œil sur la pièce, a dit Je ne le *sens* pas, Norman – et elle est partie. C'est elle qui a choisi ces vacances-là (évidemment que c'est elle) : si tu me veux vraiment, de cette manière-là, alors ce sera à mes conditions. D'accord, a dit Norman : parfait, okay, très bien – tout ce que tu voudras, Katie –, je ferai, j'essaierai de faire tout ce que tu voudras.

Parce que voilà : je l'aime. Je l'aime vraiment, vraiment. Et en fait, je ne la veux *pas* de cette manière-là : ce n'est pas du tout comme cela que je la veux. Dois-je vous dire comment, *moi*, j'envisage les choses ? Dois-je ? Voilà comment je les envisage : « Bien, Mr. Street – Howard » (n'allez pas vous imaginer que je n'ai pas déjà réfléchi à ce scénario, parce que je peux vous affirmer que si). « Voilà, j'ai quelque chose à vous demander, une chose qui, à mon avis, ne vous surprendra pas totalement. » Là, Mr. Street m'adresse un gentil sourire, chose dont il est parfaitement capable – je connais son sourire, il est plein de bonté, vraiment, c'est un brave mec. « Je serais très honoré de prendre votre fille pour épouse, si elle veut bien de moi. » Là, Katie me serre fort le biceps (vous ai-je dit qu'elle est présente, accrochée à mon bras ?) et me pose un baiser sur la joue. Mr. Street – Howard – lui, me saisit fermement par l'épaule et me broie la main en marmonnant quelques mots où je perçois « enchanté, mon cher garçon », puis suggère que nous passions la soirée à son club – « histoire de discuter un peu des choses pratiques, en prenant un ou deux pur malt. Il va vous falloir un lieu pour vivre, et j'aimerais vous donner un coup de main quant à cela, fiston. » Là, je dis « Oh *merci* – merci mille fois, Mr. Street. Howard. *Papa.* »

Et franchement, je ne vois pas ce que tout cela a de si bizarre. Je veux dire, d'accord, Katie est terriblement jeune (dix-sept ans ! J'ai failli avoir une attaque, quand elle m'a dit qu'elle avait tout juste dix-sept ans – vous voyez ce que je veux dire ?), mais bon, je ne suis pas encore complètement croulant, n'est-ce pas ? Vingt-six ans bientôt – ce n'est pas vieux, si ? Alors *pourquoi*, Katie, *pourquoi* ? Pourquoi ne pouvons-nous pas nous aimer, nous aimer purement et simplement, tranquillement ? Pourquoi faut-il en faire un *péché* ?

Et ce que je fais, *moi*, ce n'est pas un péché, alors ? Pas avec Katie, non (ça ne peut pas être réellement mal, quand on est amoureux, n'est-ce pas ? Parce que l'amour est bon – c'est ce que tout le monde dit), mais ce que je fais avec *l'argent*. Avec l'argent de Mr. Street – bon Dieu, ça doit faire une somme considérable à présent : je ne supporte même pas de vérifier le chiffre. C'est infernal – je baise sa fille, je le baise jusqu'à l'os, et il n'en a pas la moindre, pas la moindre idée. Et en plus, je suis sûr qu'il *m'aime bien* ; juste ciel, s'il découvrait quoi que ce soit, il me tuerait – il me virerait, me mettrait un procès au derrière, me briserait, me broierait – et m'interdirait de jamais revoir Katie : ce qui équivaut à tout cela. Et c'est un brave mec, Mr. Street – il est bien, ce type.

Dieux tout-puissants, mais *qu'est-ce* que je m'imagine ? Et combien de temps cela pourra-t-il continuer ainsi ?

DEUXIÈME PARTIE

LES VACANCES

CHAPITRE II

John et Lulu Powers étaient paresseusement allongés dans de confortables transats, le long des cabines de sauna, au sein de ce que la brochure décrivait comme un vaste domaine. Ou du moins aurait-on pu les voir ainsi, l'espace d'un clin d'œil – mais observons les plus attentivement, tous les deux. Pour Lulu, pas de problème : elle était parfaitement satisfaite, pas l'ombre d'un souci en tête. Elle sortait de la salle de massage, ses cheveux entortillés sous une serviette-éponge, et ses dix petits ongles d'orteils rutilants, étincelants au grand soleil, ornant deux pieds aussi doux que des mains à l'extrémité de deux jambes de miel, vous apprenaient tout ce qu'il convient de savoir quant à l'absolue confiance que Lulu accordait aux bienfaits physiques et moraux d'une séance de pédicure à peu près digne de ce nom. Mais John, lui, se sentait moins à l'aise, cela se voyait immédiatement – il n'était que de regarder comment il se tenait : allongé, mais prêt à jeter son numéro de *Hello!* et à bondir sur ses pieds, vraisemblablement animé d'une énergie due au fait qu'en réalité il en avait plus que sa dose de tout cela.

Il semblait bel et bien sur le point de dire quelque chose. Et de fait, un coin de sa bouche se contracta nerveusement tandis que, avec une impatience évidente, il jetait un rapide coup d'œil en direction de Lulu ; impossible de deviner ce qu'elle pensait – ni même si elle était éveillée ou non. Ses lèvres roses, charnues et humides demeuraient tendues vers le soleil, tandis que des lunettes enveloppantes, d'un noir de macadam, occultaient parfaitement tout soupçon d'expression sur son visage. Elle possédait cette capacité à l'immobilité que John admirait sincèrement autrefois – il l'enviait même ; à présent, ça le rendait cinglé. Comment une personne intelligente peut-elle s'adonner à cela, rester comme ça allongée – allongée comme ça, sans rien faire, sans parler, sans lire – allongée, des heures et des heures et des heures, bon Dieu ? Ce n'est pas naturel, non ? Ça ne peut pas être naturel. Et même chose à la plage, aussi. « Mais c'est justement ça, l'idée », répondait-elle quand il l'attaquait à ce sujet, au cours du dîner – chose qu'il avait faite, sans se lasser, chaque soir depuis qu'ils étaient arrivés dans cette Juste-ciel-comment-peuvent-ils-simplement-oser-tenter-de-justifier-de-tels-tarifs putain de prétendue ferme de santé. Six nuits – et sept jours à ne rien, mais ne rien branler – et il restait encore plus d'une semaine à tirer ! Qu'est-ce qui lui avait pris, de réserver pour une quinzaine ? La seule façon – la seule et unique façon de pouvoir rester deux semaines allongé, immobile sur un transat, allongé, immobile dans une cabine de sauna, allongé, immobile sur une table de massage, avant de se coucher tôt pour passer la soirée allongé, immobile sur un lit, c'était d'arriver déjà embaumé, auquel cas, bien sûr, vous n'aviez plus guère le choix.

« Mais ça ne peut *pas* être l'idée, avait rétorqué John, la voix maussade ; Comment cela *pourrait-il* être l'idée ? Juste ciel – si on veut traîner à ne rien faire, on a le *jardin* pour cela. Inutile de venir ici pour dépenser une véritable fortune.

– Juste ciel, Johnny fait sa mauvaise tête, hein ? »

John regarda Lulu et déclara calmement : « Johnny est sur le point de se transformer en tueur en série. Et la première victime sur sa liste, ce sera cette, euh, comment s'appelle-t-elle déjà – ce sont des *infirmières*, ces bonnes femmes, là, qui traînent partout ? C'est quoi exactement ? Quoi qu'il en soit, ce sera celle-là

– celle avec le chignon, tu vois qui je veux dire. À chaque fois que je file discrètement vers le fumoir, elle me regarde, si tu voyais *comment* – si tu voyais le regard qu'elle me lance... Et là, j'ai vraiment envie de lui coller mon poing dans la figure. Quand je craquerai, quand je n'en pourrai plus, je te jure que ce sera la première à y passer.

– Mais pour l'amour de *Dieu*, John, on est censés être ici pour se *détendre*. Détends-toi. Quand tu es comme ça, mais ça me donne envie de hurler! Et puis, ce sont aussi mes vacances, tu sais. J'ai travaillé comme une bête de somme, cette année...

– Oh, parce que *moi* pas, j'imagine, coupa John, le cordeau Bickford maintenant allumé, l'étincelle se propageant. Bon Dieu, mais tu n'as aucune *idée* du nombre de conneries d'articles que j'ai dû enchaîner pour cette bonne femme, rien que dans ces douze derniers mois. Toujours les mêmes imbécillités, année après année – et ça me rend *dingue*, je peux te le dire. Mais là, ce ne sont pas du tout des vacances pour moi – il faut sans arrêt *réfléchir*. Il n'y a rien pour t'empêcher de réfléchir, et moi je n'ai pas envie de réfléchir. J'en ai ma *claque*, de réfléchir. Je veux...

– Mais alors, pourquoi n'écris-tu jamais de *meilleurs* articles, Johnny? Et *qu'est-ce* que tu veux? Dis-moi.

– Si je n'écris pas de *meilleurs* papiers, Lulu, ma pauvre, pauvre Lulu, c'est parce que ma putain de rédactrice en chef ne veut *pas* de meilleurs papiers, vois-tu? Elle veut des papiers qui commencent dans le style – et là, John prit une voix qui lui semblait s'apparenter le mieux possible à celle du débile moyen – "La plupart des gens auraient été découragés par l'état de délabrement de ce vieux presbytère abandonné et envahi par les fougères, mais pour Gideon et – oh, je sais pas, disons, *Nancy*, cette conne, tiens –, ce fut le coup de foudre, alors ils ont retroussé leurs manches et, avec l'aide d'un ami architecte et d'un artisan un peu fou de la région..." Tu vois le genre! Tu vois ! Je peux te réciter ces conneries par cœur. À moins que tu préfères mes mille-et-une-astuces-pour-illuminer-votre-kitchenette-de-merde-pour-Pâques ? Et quant à savoir ce que je *veux* – m'amuser ! Je veux m'amuser un peu, bon Dieu ! Mais regarde – tout le monde ici est vieux ou gros ou les deux, et moi j'en ai marre, marre et marre ! Juste ciel, Lulu, je suis en train de devenir fou d'ennui ! Et pas *toi* ? Ce n'est pas possible – tu ne peux pas avoir *envie* de rester encore une semaine ! »

Lulu laissa échapper un soupir et fit glisser les lunettes sur son nez pour mieux scruter le visage de John. Bon, il n'allait pas laisser tomber. Ça n'allait faire qu'empirer. Et elle, quel bénéfice pouvait-elle bien espérer tirer de ce séjour, s'il devait continuer à râler comme ça, tout le temps ? Au cours du déjeuner – la veille lui semblait-il –, elle avait déclaré, sans le moindre espoir :

« Écoute, John, je *comprends* que tu ressentes ça. C'est la première fois que tu séjournes dans une ferme de santé. Bon, d'accord, c'est peut-être ma faute, j'ai pensé que cela te plairait. Mais alors, pourquoi n'essaierais-tu pas de te trouver un autre endroit pour une semaine, mmm ? Pars, et *amuse-toi*, puisque c'est ce que tu veux. »

Comme il se doit, John était demeuré silencieux.

« Tu sais bien que je ne peux pas faire ça, avait-il enfin articulé.

– Mais pourquoi, John ? pourquoi, franchement ? »

John avait baissé les yeux, avec un soupir. « Tu sais bien pourquoi. »

Et à présent Lulu soupirait également, parce que, oui, elle savait bien pourquoi – et cela planait sur leurs journées, en permanence, depuis presque deux ans qu'ils étaient mariés. John ne la lâcherait jamais parce qu'il était persuadé (il le lui avait même avoué un soir – à demi bourré, certes, mais quand même) que dans la seconde qui suivrait Lulu serait assaillie par des *hommes* à qui elle sourirait, avec qui elle plaisanterait, et

John ne pourrait pas *supporter* cela – il ne le *supporterait* pas, c'est bien entendu ? Je ne supporte même pas cette idée : je t'aime trop pour prendre un tel risque, Lulu.

« Ce n'est pas ça, l'amour, John, avait répondu Lulu.

– Pour moi, si, avait conclu John. C'est la seule sorte d'amour que j'aie à t'offrir. »

Je vais le tuer, pensait Katie, le tuer carrément – s'il arrive. Une fois encore, elle balaya du regard, aussi loin qu'elle put voir, le terminal bondé, grouillant d'une activité obscène, et – ah, attends un peu ; là-bas, peut-être ? Là, là-bas, ce ne serait pas… ? Enfin ? Non – non, ce n'était pas lui. Pas lui. Cela faisait à peu près quatre fois qu'elle inspirait brusquement entre ses dents et suspendait son souffle pour mieux le couvrir d'injures quand il serait tout près – mais non, une fois de plus, ce n'était pas lui, juste un autre pauvre mec hirsute, traînant des valises.

Katie ne s'était encore jamais trouvée dans une telle situation. Elle ne pouvait même pas enregistrer ses bagages et filer à la salle d'embarquement, parce que, évidemment, devinez qui avait les putains de billets ? Parce que c'étaient toujours – déjà, c'était pareil, à l'école : il y avait des choses qui ne changeraient jamais –, toujours les autres qui vous gâchaient la vie. Vous aviez beau préparer soigneusement tel ou tel projet (et vous donner un mal de chien pour cela), s'il impliquait ne fût-ce qu'un seul autre être humain (et ma foi, en y réfléchissant, comment pouvait-on y échapper, dans la vie ?), vous pouviez mettre votre main à couper que ce connard allait tout foutre en l'air.

Tout s'était magnifiquement passé jusqu'à présent – je dis bien *jusqu'à présent* : Katie était là, prête, impatiente, attendant à côté de son chariot, et pourquoi ? Pour rien, pour poireauter depuis une heure, voilà. *En plus*, elle avait pris soin de traîner un peu dans les toilettes, de manière à avoir exactement huit minutes de retard au rendez-vous, pour donner à leur rencontre (c'était peut-être un peu niais, d'accord) un maximum d'allégresse et d'excitation préestivales. Tout d'abord, elle avait été simplement vexée ; la vexation s'était bientôt muée en irritation, puis – passé un vague îlot d'anxiété, aussitôt foulé aux pieds – elle s'était retrouvée carrément hors d'elle, saisie de cette fureur qui n'appartenait qu'à Katie, et ne présageait rien de sensationnel pour Norman Furnish. Où que pût se trouver le susnommé.

Katie s'était effectivement réveillée (clic, d'un seul coup) cinq minutes pile avant la sonnerie du réveil. Cela lui arrivait parfois, quand quelque chose d'heureux s'annonçait. De sorte que tout était prêt quand Elizabeth était entrée dans sa chambre, pour une raison ou pour une autre, comme on fait dans ces cas-là. (Je sais que cela va horriblement agacer Katie, pensait Elizabeth, je sais aussi que je vais m'humilier si je recommence avec mes recommandations et mes mises en garde, mais que peut bien dire une mère, en un tel matin d'angoisse ? Que peut-elle faire, sinon proférer ce qu'elle ressent tout au fond d'elle-même ?)

« Donc, tu en es bien sûre, Katie ? Que tu as tout ce qu'il te faut ? Et tu n'oublieras pas de téléphoner – hmmm ? Dès que tu atterris, d'accord ? »

Katie observait le chauffeur de taxi qui chargeait ses bagages. Dieux du ciel, j'espère trouver un chariot là-bas, sinon, je vais pas être dans la merde. Il y avait bien Norman, évidemment – ouais, Norman pourrait toujours se les coltiner.

« Mais je te l'ai déjà dit, maman, j'ai tout – l'argent, la brosse à dents, mon passeport – et les préservatifs. »

Oh, le *pied* que prenait Katie en voyant le teint crayeux maternel (car sa mère n'avait pas encore mis son visage de jour) pâlir encore avant de se colorer vivement sous le choc, tandis que ses yeux se mettaient à briller.

« Je *plaisante*, maman. Je plaisante – juré ! » fit-elle d'une voix chantante. Sur quoi elle posa un rapide baiser sur la joue de sa mère et s'engouffra dans le taxi, avant d'éclater de rire. Pauvre maman ! Ça va lui gâcher la semaine ! Mais Howard, *Howard*, je te parle – je l'entends déjà –, crois-tu qu'elle plaisantait *vraiment* ? Tu connais Katie, répondra papa – en songeant sans doute : Qu'est-ce que ça peut bien faire ? Et puis de toute façon, se défendit Katie, tandis que le taxi s'éloignait doucement, je *plaisantais* : je n'en ai pas emporté – je n'en utilise jamais. Horreur de ça.

Norman n'arrivait pas à y croire. Vous *plaisantez*, répétait-il sans cesse – mais l'homme en chemise blanche à manches courtes (et épaulettes quelque peu crâneuses) secouait la tête, et ce depuis si longtemps à présent que Norman fut contraint de regarder les choses en face : il n'y avait pas là l'ombre d'une plaisanterie. Comme s'ils pouvaient avoir le moindre *humour*, se dit-il dans une demi-conscience, saisissant ses bagages et filant au petit galop. Quand on demande son chemin à quelqu'un – est-ce la direction qu'il m'a indiquée ? Non, ce n'est pas ça, impossible. Il faut que je traverse une *route* – quand on demande son chemin à quelqu'un – ah ouais, voilà, merci mon Dieu, je vois un panneau, je vois un panneau là-bas – mais bon, est-ce que ça veut dire tout droit, ou par là ? Il n'est pas *clair*, ce panneau, hein ? Quand on demande son chemin à quelqu'un – putain je vais avoir une crise cardiaque, pourquoi s'arrangent-ils pour qu'il fasse toujours tellement *chaud* dans ces endroits-là ? Ah, voilà : Aérogare 1. Dieux du ciel, merci. Quand on demande son chemin à quelqu'un, il ne va pas se mettre à vous raconter des bobards, tout de même ? Et même si l'on dit « vous plaisantez », on sait bien, évidemment, qu'il n'en est *rien* – évidemment qu'on le sait, parce que pourquoi, mais

77

pourquoi plaisanterait-il ? Oh là là, Katie va être... et moi j'ai les mains tellement trempées de sueur que j'arrive à peine à tenir ma... ce n'est pas elle, là-bas ? Nom d'un chien, elle va être folle. Donc, si le type vous répond carrément désolé mon vieux, mais ce n'est pas la bonne aérogare, c'est qu'on est effectivement dans la putain de mauvaise aérogare, d'accord ? Et ça ne va pas, de l'accuser de vouloir *badiner*. Oui, c'est *bien* Katie – je crois que je ferais mieux d'accélérer un peu. Si j'arrive sur elle en galopant comme un cheval emballé, l'écume aux lèvres, et rends le dernier soupir à ses pieds, elle ne sera peut-être pas aussi remontée, et prête à me descendre.

« Katie », fit-il, le souffle court, laissant tomber ses bagages comme du lest et lui présentant deux yeux exorbités et une bouche béante, tel un phoque suppliant. « Katie, je suis *vraiment*...

– Bon Dieu de merde, mais qu'est-ce que tu *fous* ? siffla Katie. Cela fait des *heures* que je poireaute – et on va annoncer l'embarquement d'une seconde à l'autre, espèce de débile !

– Katie ! » Voilà tout ce qui s'échappa des lèvres de Norman. Il avait maintenant la sensation que son cœur s'accrochait à ses tendons, dans une tentative éperdue pour lui remonter jusqu'à la gorge, avant de jouer des coudes entre ses lèvres humides et bredouillantes puis fuser définitivement hors de son corps.

« Oh, on y *va* », fit Katie d'une voix rauque, plus en rage qu'elle ne pouvait le dire – et de le voir n'arrangeait rien, au contraire : à ses yeux, il avait l'allure d'un mendiant passé à la rôtissoire. « On *enregistre*, pour l'amour de Dieu. Et... oh noooon, tu as vu tes bagages ? »

Norman baissa les yeux sur sa valise en carton et son sac en plastique. Mais oui, puisque vous tenez à le savoir, il possédait *effectivement* une autre valise, plus petite – une espèce de fourre-tout en toile – mais il ne savait plus trop où elle avait atterri depuis son dernier passage au Lavomatic, et puis il avait dormi *trop tard*, pour être honnête, et – oh écoutez, c'est une longue histoire, mais pour finir, il avait attrapé le sac Tesco à la toute dernière minute et fourré les trucs dedans à la hâte parce que sinon, sinon, il serait *en retard*, d'accord ? Et en retard, il était tout à fait décidé à ne pas l'être.

« Oh, noooon », gémit à son tour Norman en voyant ce qu'elle voulait dire. Ce n'était pas tant le sac en plastique – encore que Katie ne manquerait certes pas d'émettre quelques légers commentaires à ce sujet, et dans pas si longtemps – non, je pense que ce qui attirait son attention, c'était surtout la ténébreuse valise aux flancs concaves : cette saloperie de serrure avait lâché (il l'avait martelée à coups de chaussure, ce matin, et elle semblait fonctionner) et apparaissaient quelques effets livides et laineux, visiblement aussi impatients d'abandonner Norman que (il y a quelques respirations pénibles de ça) son propre cœur battant – lequel avait retrouvé un rythme humain, et se contentait, bon gré mal gré, de cogner avec mauvaise humeur.

« Oh noooon, répéta Norman. Tu n'as pas un bout de ficelle ? »

Katie lui jeta un simple regard. « Si je n'ai pas...?! *Norman*, on *enregistre*. *Tout de suite*, Norman, tout de suite. Et je te jure que si *j'avais* un bout de ficelle, je te le passerais autour du cou et je *serrerais*. Et tu vas où, là ? L'enregistrement des premières, c'est par ici, andouille. Tu ne sais pas lire ?

– Ah, fit Norman (apparemment soudain fort intéressé par ses chaussures – qu'il avait réellement l'intention de cirer ce matin), mais tu vois... tu vois... euh, en fait... »

Katie ne lui laissa que le temps d'un battement de cœur : « *Norman* ». Le nom étincela comme un morceau d'anthracite, avant de replonger dans les ténèbres.

« Non, fit Norman, levant comme inconsciemment les mains pour se protéger le visage. Je vais t'expliquer. Parce que... euh. *Écoute*, Katie, as-tu vu le *prix* des billets en première classe ? Enfin, mon Dieu, tout ce qu'on fait, c'est de poser ses *fesses*, n'est-ce pas ? Je veux dire, ça ne va pas plus *vite* pour autant, n'est-ce pas ? Et...

— Norman », répéta Katie, très lentement. Ce n'est pas facile, de prononcer un nom court très lentement, mais Katie s'en sortit magnifiquement, elle aurait même pu le prolonger encore : aux oreilles de Norman, il résonna interminablement. « On était bien d'accord. Bien d'accord. On en a parlé. On a mis une croix sur la brochure. Tout ce que tu avais à faire, c'était de *prendre* un putain de billet. Et moi, je ne vais *pas*...

— Katie...

— ... je ne vais *pas* voyager en classe économique, il n'est *pas* question, *pas* du tout. Est-ce bien clair, Norman ? J'espère que c'est bien clair, parce que sinon... » Katie s'interrompit une seconde : « Qu'est-ce que vous avez à *mater* comme ça ? ! » jeta-t-elle à une petit vieille aux cheveux roses, la congédiant d'un « *Casse-toi* » qui la fit s'enfuir en toute hâte en direction du rayon des produits parapharmaceutiques, avant de reprendre son assaut contre Norman : « ... parce que *sinon*, Norman, je quitte cet aéroport dans la seconde, et tu ne me revois plus jamais. Et j'ai bien dit *jamais*. As-tu bien *pigé*, Norman ? »

Ce fut comme un coup de poignard. Un élancement presque semblable à une crampe de faim fulgura en lui, avant de se fondre en une sensation générale de vide douloureux. Qu'elle fût sincère ou non, Norman ne pouvait supporter – sans parler de l'idée –, ne pouvait même pas supporter ces simples mots.

« Mais que veux-tu que je *fasse* ? implora-t-il. J'ai déjà les *billets*. » Sur quoi il les brandit en les faisant claquer en l'air. Je veux mourir, pensa-t-il.

« Oh là là, inutile de pleurer, Norman. » Évidemment qu'il ne pleurait pas, mais il avait l'air prêt à fondre en larmes ; Dieu que les hommes pouvaient être *stupides*. « Tu échanges les billets, Norman. Contre deux billets en classe *supérieure*.

— Ah bon ? » fit Norman. Échanger les billets ? C'était possible, comme ça? «Euh... enfin... je fais comment, Katie? Je ferai tout ce que tu veux. Ça va coûter cher? Parce que je n'ai pas énormément de... à cause de... tout ça, quoi.» Terrible discussion à avoir au beau milieu d'un aéroport – mais où, sinon?

Katie lui expliqua – ils étaient déjà en route vers le comptoir des réservations, Norman poussant le chariot en évitant les Américains et tendant l'oreille – que dans *certains* cas (quand on a la situation requise, le losange de plastique platine accroché au fermoir d'un sac qui, tu peux me croire, Norman, n'a rien à voir avec le tien – et parfois même quand on a simplement les *bons* vêtements et la *bonne* allure), le changement de classe se fait naturellement et gratuitement. Mais franchement, je pense que cela ne changera rien pour toi, Norman. Pour toi, la seule manière, c'est de payer.

Je m'en suis déjà aperçu, pensait Norman. Il s'approcha du comptoir des réservations (« *Dépêche-toi*, cela dit, Norman – je viens d'entendre la première annonce!») et engagea ce qui apparut à Katie, demeurée à bonne distance, comme une âpre discussion avec la femme arborant une curieuse coiffure et un air de placidité fort étudié – elle ne lésinait pas sur le rouge –, sur quoi on manipula, plia, déplia, étudia attentivement diverses feuilles de papiers, et bientôt Norman revenait, son visage défait portant tous les stigmates du deuil.

« Ça ne marche pas, j'en ai peur. Je suis absolument navré, Katie, mais la première classe est complète sur ce vol et sur le suivant. Personne ne peut rien y faire. »

Des rushes passaient à toute vitesse derrière les yeux de Katie, mais inutile de les monter en un film complet, et encore moins de distribuer le film en salle. Sans un mot, elle fit signe à Norman et au trolley de la suivre vers l'enregistrement en classe économique. Ils firent la queue. Katie fulminait. Et Norman, lui, frémissait de soulagement, car au moins, il avait tiré une épingle du jeu : il y avait *effectivement* de la place en première classe (je peux peut-être m'arranger pour nous prendre des sièges si loin à l'arrière que Katie ne s'en apercevra pas – mon Dieu, aidez-moi), mais le supplément l'aurait laissé sans un. Et comment Katie aurait-elle réagi, dans ce cas ? Ce que l'on appelle être coincé.

Norman était cependant rongé par l'anxiété, il faut le reconnaître – et comme nombre de gens en pareille circonstance, la pensée le traversa vaguement que, juste ciel, eh bien vous savez, si je m'en sors, là, je vais vraiment avoir besoin de vacances, de sacrées vacances, pour me remettre de tout ce *stress*.

Brian était à quatre pattes dans le couloir – non, dans le vestibule, comme l'appelait à présent Dotty, après avoir commandé sur catalogue un gros rideau de velours doublé isotherme et entièrement lavable, que Brian avait accroché à une tringle au travers du couloir, à environ un mètre cinquante de la porte d'entrée, de manière à créer cet espace que Dotty appelait à présent son vestibule. *En outre*, elle avait fait l'acquisition de ce fameux rideau après que Brian eut édicté son mot d'ordre, strict et sans ambiguïté : Plus de dépenses personnelles ni pour la maison, sauf ce qui est absolument indispensable, est-ce bien clair, Dotty ? Je te préviens, Brian, avait-elle répondu – en le regardant comme ça, comme si elle ne l'avait jamais vu de sa vie (et en souhaitant peut-être que ce fût le cas) –, je te préviens, Brian, je te le dis tout de suite : je ne *pourrai* pas supporter ça. Je ne supporterai *pas* de vivre ainsi – tu dois *bien* pouvoir trouver encore un peu d'argent, ce n'est pas *possible* autrement. Qu'est-ce qui ne va pas chez toi ? Pourquoi ne t'arranges-tu pas pour trouver de *l'argent* ? Il n'y a qu'une seule et unique manière de faire entrer de l'argent dans cette maison, avait répondu Brian en son for intérieur, et ce serait que tu recommences à travailler,

82

à plein temps, comme secrétaire ou je ne sais quoi, ce que tu faisais avant. Il ne le lui avait pas dit, évidemment : le moment n'était pas encore venu. D'abord les vacances, qu'on en finisse avec ces vacances, et alors, il faudra lui mettre le marché en main, à la pauvre fille. Elle ne va pas apprécier. Une litote, mais Brian ne pouvait pas imaginer plus sans succomber à une crise de tremblements nerveux. Et encore, cela supposait qu'elle puisse simplement *trouver* du boulot ; la dernière fois qu'elle avait bossé, les ordinateurs ne devaient même pas exister.

Économiser, tel était dorénavant le maître mot, comme n'avait cessé de le répéter Brian. Cette tringle qu'il avait installée pour le rideau fournissait d'ailleurs un bon exemple d'économies. Ils ont de superbes tringles en ébène, chez John Lewis, avait déclaré Dotty, avec des espèce de boules très mignonnes à chaque bout : prends-m'en une. Mais non, pas question : Brian faisait à sa manière, d'accord ? Et sa manière, c'était la bonne. Il suffisait, n'est-ce pas, de faire un saut au rayon menuiserie, de choisir une barre cylindrique de bois correct (genre manche à balai – un bois tendre fait très bien l'affaire en l'occurrence, parce qu'il s'agit d'un support central, n'est-ce pas ? Pour ce genre de largeur, c'est ce qu'il faut). Ensuite, se procurer deux simples équerres métalliques – un petit coup de perceuse dans le mur, et tout ça s'installe gentiment –, et enfin, la touche finale, celle de l'artiste : une goutte de colle forte à chaque extrémité de la tringle, pour faire tenir une bête balle de ping-pong – mais non, ce n'est *pas* une plaisanterie, Monsieur Système D – parce que quand on y réfléchit bien : qui va venir *toucher* les boules, hein ? Surtout à cette hauteur. Finir par un coup d'apprêt, puis une belle couche de noir bien brillant et, très franchement, vous pouvez vous la mettre *quelque part*, la fameuse tringle de chez John Lewis : vous avez quelque chose de très sympa, de très contemporain, et pour un sixième peut-être de la somme.

À présent, Brian appliquait de nouveau ce même principe (et c'est pourquoi, si vous vous interrogez, il se trouvait à quatre pattes dans le couloir – ou plutôt le vestibule, comme on vient de nous l'expliquer). Juste une question : savez-vous combien on vous vend une chatière, à l'aube du vingt et unième siècle? Le savez-vous? Et ne vous rendez surtout pas malade en demandant à l'entreprise du coin combien ils vous prendraient pour la poser. Non, ce qu'il faut, c'est le faire soi-même, à la manière de Brian : il va vous expliquer comment (je vous assure – une fois qu'on a attrapé le coup, ce n'est rien à faire – du gâteau).

Bon, je ne vais pas vous le dissimuler – pour ce travail, il faut absolument une scie circulaire, adaptable à votre perceuse. Certes, on *peut* le faire avec une chignole, une scie à métaux et une queue-de-rat, sans aucun doute, mais pour obtenir un résultat propre et une extrême rapidité d'exécution, rien ne vaut la scie circulaire. Tout d'abord, tracer les contours – pas trop bas pour éviter les courants d'air, pas trop haut pour que votre greffier n'ait pas à faire le saut périlleux à chaque fois (et pas trop grand non plus, pour empêcher les intrus – chiens, renards, cambrioleurs, etc. – d'y passer). Une fois que vous avez fait votre trou (bien poncer les bords au papier de verre), il vous faut une plaque de bois à peine plus grande, et une petite bande de vieille moquette ou de vieille tenture, pour faire charnière. Vous *pouvez* la fixer avec des clous, certes, mais pour obtenir un résultat dont vous serez fier, mieux vaut employer de l'Araldite et des vis à tête ronde garnies de caches en plastique – choisir des vis de vingt-cinq par trois, par exemple, c'est parfait. Ensuite, deux petites bandes de mousse adhésive pour que personne n'ait froid au jambes, (et là, le rideau de Dotty aura son rôle à jouer, je ne dis pas le contraire), et voilà mon petit gars, une chatière élégante et fonctionnelle, en deux temps trois mouvements. Coût? Zéro. Tout cela avec des trucs qui traînent dans la maison, n'est-ce pas? Il faut apprendre à tirer parti de tout : c'est ça, le secret. *En outre*, bien sûr, toutes les améliorations de cet ordre constituent une sérieuse plus-value – demandez à n'importe qui. Cela peut même se révéler l'argument définitif, celui qui va toucher au cœur un acheteur éventuel.

Et où était passée Dotty, pendant cette débauche d'artisanat domestique ? Dans la chambre – et au désespoir. Quelqu'un pouvait-il, je vous en prie, lui expliquer pourquoi, s'ils étaient censés partir demain matin, à la première heure, pour une semaine au bord de la mer (et la soirée était à présent bien avancée), pourquoi, réellement, fallait-il que Brian ait choisi ce moment précis pour construire et installer une chatière ? Dotty devait donc s'occuper absolument de tout, alors ? Et puis, les affaires de Colin – elle n'avait même pas commencé d'y jeter un coup d'œil – mais juste ciel, à son âge, on pourrait imaginer qu'il peut s'en charger un minimum, qu'il peut au moins sortir ce qu'il veut emporter. Mais non : et Dotty se noyait parmi les valises et ses affaires d'été (oh, ces fringues, ces mochetés, ces vieux trucs horribles, et toujours les mêmes – cela dit, si elle choisissait des trucs *très* vieux, peut-être Elizabeth ne s'en souviendrait-elle pas ?) tandis que Colin demeurait vautré sur son lit en faisant vibrer toute la maison comme une tête saisie de migraine, avec le boum boum de son dernier et abominable CD. Brian ? Oh, lui, il construisait une chatière. Dotty se disait parfois qu'elle risquait de perdre l'esprit. S'ils avaient eu un chat, encore...

« Mais Howard, *Howard*, fit Elizabeth d'une voix anxieuse, crois-tu qu'elle plaisantait *vraiment* ? Ce turquoise, il ne tire pas trop sur le vert ? »

Howard, installé dans le petit divan de l'alcôve, dans la chambre conjugale, sirotait un whisky tout en contemplant ce spectacle extraordinaire qu'offrait Elizabeth en train de faire des bagages, et en se réjouissant à part lui de ne pas en être.

« Mais *bien sûr* qu'elle plaisantait, répondit-il. Tu connais Katie. Elle dit ça pour te faire marcher. C'est *très* vilain de sa part, mais bon, c'est notre Katie, pas vrai ? Et tu devrais savoir, Elizabeth, que si quoi que ce soit lui arrivait avec un garçon, elle aurait un mal fou à ne *rien* dire. Psychologie de base.

– Enfin, j'espère, fit Elizabeth, à demi rassérénée. Parce qu'elle n'a *que* dix-sept ans – je sais bien qu'on lit beaucoup de choses, mais...

– Elizabeth... détends-toi. Crois-moi, je connais ma propre fille – et toi aussi tu devrais la connaître. S'il lui était arrivé quoi que ce soit de ce genre, je le *saurais*. Quand on vit avec quelqu'un depuis si longtemps, c'est instinctif. »

Elizabeth eut un bref sourire et lui envoya un baiser. « Tu es un amour, Howard. Qu'est-ce que tu en penses – pour le turquoise : il ne tire pas trop sur le vert ? »

Howard sourit également. Dieu merci, il avait réussi à lui faire lâcher prise. Parce que, déjà, cela le perturbait vraiment de penser que Katie puisse... puisse même *envisager*... non, c'était idiot, elle ne pouvait pas. C'était impossible. Et quand il disait qu'il *saurait*, il le pensait réellement – oui, il saurait, la première fois que Katie... il le sentirait, il en était certain, tout au fond de lui – et cette sensation-là, il n'était guère impatient de la connaître.

« Le vert est très joli, dit-il. Mais le turquoise, oui, plutôt – il fait ressortir tes yeux. Prends les deux – ils sont ravissants, l'un et l'autre.

– Tu es un *véritable* amour, Howard. J'aimerais *tellement* que tu puisses venir. Tu es bien *sûr* que tu vas t'en sortir, tout seul ?

– Je vais passer tout mon temps à travailler », sourit Howard.

Elizabeth vint vers lui, chose étrange en soi : quand Elizabeth préparait ses bagages, Elizabeth préparait ses bagages. Elle se pencha, passa un doigt sur sa joue, et lui souleva doucement le menton ; puis elle posa un léger baiser sur ses lèvres.

« Tu ne peux pas travailler tout le *temps* », chuchota-t-elle.

Howard fut ravi en entendant soudain couiner le téléphone sans fil – cela le faisait toujours sursauter, comme si on lui collait un canon de revolver dans le dos, mais coupait court, en l'occurrence, à ce qui aurait pu devenir une situation légèrement problématique, car si, *certes*, il tenait à ce qu'Elizabeth s'en aille heureuse et comblée, il existait malgré tout une limite, on le comprendra. En ce qui concerne cette chose instinctive à laquelle il avait fait allusion, à propos de Katie – eh bien, Howard avait pu constater avec un immense soulagement, des années auparavant, qu'Elizabeth en était totalement dépourvue, et il est des situations, des états de fait, que l'on souhaite de tout cœur voir ne jamais changer – n'est-ce pas ? Je crois que je vais garder le profil bas pour le reste de la soirée.

« Oh, c'est *toi*, Katie, Dieu merci ! criait Elizabeth dans le téléphone (l'Amérique, c'est loin, hein ?) tout en pointant l'index vers le combiné et en articulant silencieusement *Kay-Tee* à l'usage de Howard. Je suis tellement contente que ce soit toi – tu m'entends ? Je dis je suis tellement contente que ce soit toi parce que ça a sonné tout à l'heure le téléphone a sonné tout à l'heure et j'ai dit à ton père Dieu merci c'est elle, c'est Katie, tout va bien – je sais que je suis idiote, je sais – mais tout *va bien*, dis-moi ? Katie ? Tu es *là* ? Bon, je suis si contente ma chérie. Comment s'est passé le voyage…? Ah bon ? Bon… Oh, tu es un amour. Et embrasse aussi Ellie de ma part… oh, c'est si gentil à elle. Je peux peut-être lui dire un petit mot ? Plus de monnaie ? Eh bien, tu n'as qu'à… Katie ? Tu n'as qu'à rappeler en… Katie ? Katie ? » Elizabeth leva les yeux vers Howard et reposa le combiné sur son socle. « C'était Katie, tu t'en doutais. Elle est bien arrivée, et tout se passe bien, apparemment. Elle est tombée à court de monnaie. C'est Katie tout craché, n'est-ce pas ? »

Howard distingua, dans l'œil d'Elizabeth, une larme glacée qui enflait, puis se figeait juste avant de rouler.

« Je vais me resservir une petite goutte, tiens, dit-il avec entrain, filant vers la porte. Je suis certain que Katie va passer un séjour magnifique – arrête de te tourmenter, Elizabeth. Tes vacances à *toi*, c'est demain, non ? Allez, les bagages ! Hop, au travail ! »

Elizabeth eut un sourire conciliant. « Tu es adorable, Howard. Tu as bien dit à Melody à quelle heure nous passions la prendre ? Très bien. » Elle soupira. « Non, je sais *bien* que je vais me plaire là-bas, je sais bien – mais simplement, ça me fait tellement drôle, sans toi, sans Katie... c'est bizarre. Mais j'ai vraiment besoin de faire un break, *vraiment*. »

Un break, mais par rapport à *quoi*, voilà ce que pensait Howard : qu'est-ce que tu *fais* exactement, Elizabeth ? Je me suis souvent posé la question.

« Je suis folle d'impatience », conclut-elle.

Oui, moi aussi, pensa Howard.

Donc, voilà Katie à Chicago, après un voyage sans problème, nous l'avons compris. Quoique. N'y aurait-il pas là quelque imperceptible trémulation ? Dans sa manière de raidir ses épaules, peut-être – à quelques centimètres de celle de Norman – tandis que le taxi s'éloigne de O'Hare et s'avance lentement entre les terrains vagues clôturés de barbelés, avant d'aborder l'autoroute et de prendre de la vitesse.

Ils ne disent rien. Curieux, non, qu'ils ne disent rien ? Je veux dire – ni l'un ni l'autre n'est jamais allé en Amérique, ils sont là à quelques minutes d'une des villes les plus extraordinaires du monde – et pourtant : pas un mot. Katie ne lui fait même pas un reproche, ne dresse pas la liste de ses carences. Non, mais il y a une bonne raison pour cela : elle n'a guère cessé de le démolir depuis la dernière fois que nous les avons aperçus, à Londres, en train de faire la queue devant le comptoir d'enregistrement – ils ont bien avancé un peu, mais pas beaucoup, pas assez – Katie peut vous le *garantir*. Parce qu'ils auraient pu y rester, je ne sais pas, encore un *an*, si leur vol n'avait pas été aussi pathétiquement imminent, et que ces bonnes femmes – Katie ne sait pas comment on les appelle, ces bonnes femmes qui s'occupent de l'enregistrement et tout ça (des enregistreuses ? M'étonnerait...) appelaient à présent en tête de queue tous les passagers du vol 708 pour Chicago O'Hare. Est-il utile de préciser que Katie et Norman étaient les seuls – tous les autres – tous les gens qui ne voyageaient pas avec Norman – étant passés depuis trois siècles et demi, mais ceci n'empêcha pas ceux qui les précédaient de manifester leur mécontentement avec force grognements et claquements de langue – particulièrement une femme relativement anguleuse et couperosée, aux bagages couverts d'autocollants Swissair et El Al.

« Ce n'est pas *juste* », fit-elle d'une voix parfaitement audible, tandis que Norman traînait et hissait péniblement, en se cognant les genoux, une, deux, trois – oh nooon, elle a *quatre* valises, ce n'est pas possible – sur le tapis roulant. « *Des Allemands.* »

Katie répondit rapidement, mécaniquement aux questions d'usage (non, je ne suis pas une terroriste recherchée, ni une droguée, et je n'ai pas la moindre bombe sur moi), tout en présentant vivement les tickets, son passeport, le passeport de Norman (oui, cette pensée avait aussi traversé l'esprit de Katie, mais en fait, Norman avait *bien* songé à se munir de son passeport – et oui, celui-ci était en cours de validité. C'était d'ailleurs aussi bien, parce que mon Dieu, sinon, l'unique destination possible pour Norman aurait été l'enfer – et Katie, soyez tranquilles, aurait elle-même veillé à organiser le voyage). Sur quoi elle se tourna brusquement vers la femme couperosée et dit :

« Allemands ? Comment ça, des *Allemands* ? Nous ne sommes pas allemands, nous sommes en retard, c'est tout.

– Navrés », murmura Norman.

La bonne femme plissa les yeux. « Vous avez *l'air* allemand.

– Excusez-moi, fit l'autre bonne femme d'une voix flûtée – la bonne femme qui s'occupait de l'enregistrement (l'enregistreuse ? Non, ce ne doit pas être ça)–, s'adressant à Norman. Avez-vous fait vous-même ce bagage ?

– Oui, avoua Norman, baissant des yeux contrits.

– Mais apparemment, il s'est défait tout seul, depuis. Vous n'avez pas de ficelle ? Par extrême hasard ? »

C'est alors que l'ultime annonce pour leur vol résonna tel Tannhäuser, et toute une bande de gens se mirent à bondir en tous sens, s'affairant autour des bagages de Katie et Norman – entourant la valise délabrée de ruban adhésif et accrochant une étiquette à la poignée, avant de la laisser avaler par le gouffre obscur garni de pans de caoutchouc – ce qui ne calma nullement l'ire de la bonne femme couperosée, encore nettement plus rubiconde à présent.

« Vous avez *vraiment* l'air d'Allemands, fit-elle, histoire de les sécher.

– Ah ouais ? lança Katie tandis qu'ils filaient dare-dare vers la salle des Départs. Eh bien vous, vous êtes positivement hideuse, espèce de vieille toquée ! Heil Hitler ! »

Ils embarquèrent à temps – juste à temps – mais indescriptible fut la *souffrance* de devoir passer sans s'arrêter devant la boutique Allders en duty free, car Katie devait *absolument* s'acheter du rouge Paloma Picasso. Évidemment qu'elle devait – et puis aussi des trucs de Calvin Klein et Jean-Paul Gaultier, car dans l'avion, elle ne trouverait pas un choix d'articles aussi intéressant – et là ils étaient dans l'avion –, eh oui, déjà dans l'avion, et, ce n'était pas *possible* les regards qu'on leur jetait (les gens qui traversent l'Atlantique en cinq heures et quelque n'ont pas une minute à perdre, n'est-ce pas), et comme par *hasard*, leurs sièges étaient situés tout au fin fond de la cabine – près de la soute et près des chiottes. Le rideau qui les séparait des premières classes, là-bas, était à moitié tiré, donc Katie n'avait peut-être pas remarqué les généreux espaces libres entre les places occupées. Croisons les doigts.

Quant à Norman, croiser les doigts se révéla bientôt plus qu'à l'ordre du jour. Katie elle-même remarqua qu'il avait, peut-être, un léger problème : comme l'avion commençait de rouler sur la piste, il se mit à se tortiller sur son siège. Katie mit fin à ce manège d'une simple réprimande, mais le malaise la gagna derechef quand, enfin, les quatre moteurs se mirent à rugir d'une même voix – ce moment où votre estomac s'échappe et se distend loin de vous, tandis que l'élan de l'appareil transforme l'herbe en bandes vert vif qui défilent sous vos yeux à toute vitesse, jusqu'à ce qu'une soudaine, brutale sensation de légèreté vous cloue les omoplates au dossier, à angle ascendant, et que la banlieue de Londres rapetisse en bas, jusqu'à devenir une carte routière contre votre épaule. Ce malaise provenait sans doute de la manière dont Norman s'accrochait à son siège, avec un tel acharnement que ses phalanges semblaient devoir jaillir soudain, crevant la peau tendue et d'un blanc crayeux, à peine marbrée de rose pâle ; de la manière, aussi, dont il plissait douloureusement les paupières, comme sous la menace d'une bombe lacrymogène – et puis ses dents aussi, regardez comme il serrait les mâchoires, tel le cheval emballé mordant son joug, jusqu'à s'en faire péter la veine jugulaire.

« Bon, je vois, fit Katie d'une voix résignée. Tu as la trouille. Ce fameux truc, là. Peur en avion. Bien, il ne manquait plus que ça, putain. »

Derrière eux (juste derrière – et Katie n'aurait jamais pensé que l'on pouvait s'asseoir si loin à la queue d'un avion), quelqu'un s'agitait derrière un rideau. Ils n'avaient pas encore atteint l'altitude de croisière, et le signal orange obligeant au port de la ceinture était toujours allumé (accompagné, on ne sait pourquoi, de cette espèce de bip-bip grotesque, comme un gong miniature), donc cette personne devait être une des... pffffuuu, Katie ne savait pas comment diable on appelait ces bonnes femmes, en plus : dans le temps, on disait des hôtesses de l'air, mais plus maintenant. (Et pourquoi, franchement, ce boulot a-t-il toujours eu une réputation aussi *prestigieuse*? Parce que je veux dire – elles sont là pour *servir* les gens, non?)

« C'est un verre dont tu as besoin », déclara Katie, se cambrant en arrière pour écarter le rideau d'un gris cendreux et gueuler : « Coucou! Il y a quelqu'un? Mon ami voudrait quelque chose à boire. »

Une femme s'approcha à contrecœur, arborant l'expression classique de l'infirmière de la vieille école demandant à un vieillard en fin de vie, mal rasé et incontinent, ce qu'il fait hors de son lit.

« Le chariot passera tout à l'heure, dit la femme. Nous sommes toujours en pleine ascension. »

C'est pas vrai, pensa Katie, jamais on ne nous dit un truc comme ça, en première classe ; et dieux du ciel, regardez-moi ça : pour un million cash, je ne porterais pas un pareil chapeau.

« Ouais, mais regardez-le – il n'est pas bien : il a besoin d'un verre. »

La femme jeta un regard sur Norman, et frémit imperceptiblement. Peut-être son teint mâtiné de laque Dulux Eau-de-Nil et de coquille d'œuf – la peau comme plastifiée, bien tirée sur les pommettes – réussit-il enfin à la convaincre. Baissant la voix inconsciemment, pour adopter un ton de conspirateur absolument grotesque, sur le mode je-ne-devrais-pas-cela-dépasse-mes-fonctions-mais-c'est-parce-que-c'est-vous, elle murmura à l'adresse de Norman :

« Gin? Whisky, cognac, vodka? Champagne? »

Norman tourna vers elle un visage aux yeux vitreux, comme écartelé d'angoisse et, expirant pour la première fois depuis le décollage, lâcha :

« Oh, oui, – *oui*, je vous en *prie*. »

La femme jeta à Katie un coup d'œil anxieux où se lisait tout à la fois une interrogation gênée et, en bonne proportion, « Dieux du ciel quand je pense que j'en ai pour cinq heures et demie comme ça avec en plus ces deux zozos installés juste à côté de la cambuse ».

« Vous n'avez qu'à nous apporter un peu de tout », suggéra Katie, fort aimablement, lui tapotant quasiment le dos de la main, avec un clin d'œil.

John Powers était à bout, et se moquait bien que cela se voie ou non. La goutte qui avait fait déborder le vase était que, en se réveillant ce matin-là, à cinq heures et demie (normal, évidemment, quand on se couche à neuf heures, après avoir épuisé tout semblant d'activité ou de conversation imaginable, mis à part s'adonner à des séances du farniente le plus crasse, le plus sot et littéralement, le plus suant aussi, ce qui implique, ensuite, la vingtième bonne douche bien fraîche de cette journée de merde, histoire d'être tout propre), il avait, précisément, entendu de légères gouttes de pluie sur les vitres. Bien, se dit-il. *Bien*. Voilà, c'est complet. La seule chose qui lui permettait jusqu'alors de tenir le coup, c'était de marcher (et puis de revenir – crétin, non ?), ou bien de s'asseoir sous un parasol, sur la terrasse la plus proche du fumoir. S'il devait se trouver confiné dans ce complexe hideux et mal conçu de bâtiments victoriens transformés, odieusement flanqués d'annexes de verre, à ne rien faire qu'attendre impatiemment l'heure des repas – alors que les malheureux curistes qui allongeaient trois cents sacs par jour pouvaient se gaver de gravier en enviant l'existence de ces épicuriens tout aussi baisés qui, de l'autre côté des canisses, s'employaient à faire marcher les mandibules, s'attaquant même, parfois, à une cuisse de poulet tout entière –, alors, il n'avait plus qu'à se mettre une balle – ou plutôt leur mettre une balle, à eux. À commencer par celle-là – vous savez, celle avec le chignon, là, qui n'arrêtait pas de le regarder d'un air mauvais. De toute façon, il l'aurait bien tuée pour le simple plaisir : celui de suer un bon coup en la décapitant à coups de hache, avant de prendre une bonne douche bien fraîche, histoire d'être tout propre.

John jeta un regard vers Lulu, à côté de lui – il faisait à peine jour, mais déjà il distinguait les lignes ondulantes de son corps, merveilleuses comme toujours. Elle avait troqué ses lunettes de soleil enveloppantes contre un impalpable masque de sommeil noir – bon Dieu, il se souvenait à peine de la dernière fois où il avait pu voir ses yeux : à chaque fois qu'ils faisaient l'amour (quand ils le faisaient) elle les gardait fermés, serrés (pour occulter quoi, se demandait John : pour ne pas voir quoi ?). Observez la ligne de sa hanche, la manière dont elle arrondissait la couette en une colline absolument parfaite. Elle est à moi, se dit-il : cette femme est à moi. Était-il trop tôt pour la réveiller ? Bon Dieu, *évidemment* qu'il était trop tôt – regardez : six heures moins le quart. Il était carrément trop tôt pour simplement *vivre*, bordel de Dieu. Cela dit, je ne sais pas : je pourrais y aller tout doucement, comme si je la rencontrais pour la première fois. Mais bon, à quoi bon, hein ? À quoi bon. Tout ce qu'elle fera, c'est de gémir, sur le mode je-suis-victime-de-harcèlement-mais-quand-ce-calvaire-prendra-t-il-donc-fin, et m'expliquer comme à un élève de bonne volonté mais un peu balourd que la *raison* de notre présence ici, ne le comprend-il pas, que l'idée de *base*, c'est de se *reposer*. Eh bien non, il ne comprend pas, comme il l'a déjà exprimé : ils pouvaient se reposer à la maison, non ? Ils pouvaient également *baiser* à la maison, non ? (encore que moins souvent qu'autrefois, quand elle était toujours prête à ça, toujours sur lui) – mais quoi qu'il en soit, en cette aube poussiéreuse, abandonnée de Dieu et des hommes, les charmes les plus tentants qu'offrait ce stalag pour ploutocrates étaient les courbes et les creux chauds et moelleux, tendres et veloutés de Lulu. Et c'était à peu près la première fois depuis leur arrivée qu'il avait envie de suer un bon coup, d'évacuer les toxines, avant de prendre une bonne douche bien fraîche, histoire d'être tout propre.

John serra les paupières, comme pour chasser une vision d'horreur. Dodo, dodo, *dodo*, s'ordonna-t-il – s'implora-t-il, plutôt. Ou, sinon : repos, repos, *repos* – puisque, apparemment, c'est l'idée de *base*. Ou bien sinon : crève, crève, *crève*, pauvre con, et de préférence avant que cette lugubre pluie ne redouble. Se tournant sur le côté, il laissa échapper un profond, profond soupir qui venait de loin, comme pour alimenter son apitoiement sur soi-même, et peut-être aussi susciter chez Lulu un demi-réveil progressif et langoureux – elle tendrait les bras, mais peut-être pas vers lui ; non, sans doute pas vers lui. Les yeux de John étaient à présent bien ouverts, fixés sur la porte de la salle de bains entrebâillée, attendant que la pénombre se fasse moins fuligineuse.

Le vrombissement assourdi des moteurs – quoique aidé par un litre d'alcool pur – avait doucement fait plonger Norman Furnish dans un sommeil hydropique et migraineux mais, à présent, des paroles semblaient se superposer à celles qu'il entendait en rêve, et il ouvrit un œil, fixant obstinément la tablette repliable de plastique devant lui ; l'autre, au bout d'un certain temps, à force d'encouragements, se décida enfin à imiter son collègue.

« Je t'aime, Katie », fit-il d'une voix pâteuse. Ai-je bien dit cela, ou l'ai-je aussi rêvé ? se demanda-t-il.

« Oh, tais-toi, Norman. Allez – réveille-toi. Tu veux quelque chose en duty free ? »

Norman secoua sa torpeur, Oh-mon-dieu-j'ai-le-dos-en-capilotade (et la tête alors…), se déplia, et tenta, ne fût-ce que pour l'amour de Katie, de retrouver un aspect vaguement humain. Elle tenait, posée en équilibre sur les genoux, une pile impressionnante de boîtes diverses, enveloppées de Cellophane cristalline : à côté d'elle, le chariot ne transportait plus guère qu'une cartouche de Marlboro. Elle avait pu obtenir son Calvin, sans problème, mais par contre ils n'avaient plus les deux autres (c'est comme ça, quand on est installé à l'arrière), de sorte qu'elle avait fait l'acquisition de quatre autres parfums dont elle avait vaguement entendu parler, ainsi que d'un stylo à bille Mont Blanc qu'elle avait trouvé plutôt sympa.

« Inutile de regarder la liste, continua Katie. Grands dieux, tu as une mine affreuse – comment te sens-tu ? Non, inutile de regarder la liste, Norman, ils n'ont quasiment plus rien.

– Ça, dit Norman, tendant un index. Je vais prendre ça.

– Tu te moques ! fit Katie. Tu *plaisantes*, Norman. »

Norman secoua la tête. « Non, je veux ça. C'est combien ? » demanda-t-il à la femme résignée, les pieds douloureux, épuisée d'avoir tiré et traîné comme un poids mort son chariot tout au long de l'appareil en proposant aux passagers hargneux ou capricieux divers parfums, narcotiques et gnôles également voluptueux – et à présent cela, Dieu me préserve.

« Douze livres, monsieur, si vous payez en livres sterling », répondit-elle, déposant dans la main froide et humide de Norman le petit ours en peluche tout duveteux, avec ses lunettes et son blouson d'aviateur – et regardez cette petite écharpe blanche, n'est-il pas *adorable* ?

« Mais pour l'amour de Dieu… fit Katie d'une voix effarée, une fois le chariot et l'esclave disparus derrière le rideau pour réassortiment, qu'est-ce qui t'a pris d'acheter un machin aussi

96

crétin? Non, franchement, tu m'inquiètes, Norman. Qu'est-ce que je *fais* là, avec toi, à douze mille mètres d'altitude? Tu as l'intention de continuer comme ça pendant toutes les vacances?

– Nous sommes là parce que tu m'aimes, répondit Norman dans un soupir. Et... douze mille mètres, *vraiment*? Oh noooon...

– Ha! Quelle blague, Norman. J'aimerais assez que tu mettes cette histoire d'"amour" dans ta poche. Je te l'ai déjà dit, et tu me l'as dit aussi – "l'amour", ou ce qu'on appelle ainsi, n'a rien à voir là-dedans. »

Oh, la douloureuse, l'insupportable sensation de froid, quand Katie prenait ce ton! Heureusement que je suis à moitié naze. « Non, je t'en prie, ne dis pas cela, Katie. Je ferais tout pour toi, tu le sais bien. J'ai pensé, ajouta-t-il, déposant le petit nounours aviateur entre ses mains, j'ai pensé qu'il te ferait plaisir.

– Ah ouais? fit Katie, le lui rendant sans ménagement. Eh bien, pas *du tout*.

– Il faut que j'aille aux toilettes, déclara Norman, l'air sombre. Je me sens un peu... »

De fait, ayant envoyé en repérage une troupe de scouts éclaireurs, afin d'explorer les nombreuses zones de ce vilain malaise qui ne cessait de le frôler et de le traverser, Norman s'apercevait à présent qu'il avait besoin d'aller aux toilettes *et* qu'il se sentait un peu... ouais, les deux, au moins...

Katie arborait maintenant son masque de chatte – ce qui, selon Norman, n'était pas vraiment judicieux en cet instant.

« Norman...? fit-elle (jouait-elle? Oui, évidemment, elle devait le faire marcher). Écoute-moi bien, Norman. » Elle s'était mise à pianoter légèrement sur sa braguette. Dieux du ciel, se dit-il, heureusement qu'on est dans le fond, sinon, tout le monde pourrait *voir*.

« Non, écoute, fit-il non sans hâte, j'ai *vraiment* besoin d'y aller, non seulement parce que j'ai besoin d'y *aller*, mais aussi parce que je me sens un peu… Oh, noooon, Katie, il faut que j'y aille *tout de suite.*

— Non, *toi,* tu écoutes, insistait Katie — et elle avait saisi sa cuisse dans une étreinte tournante qui évoquait une franche, méchante brûlure indienne plus qu'un élan de désir amoureux. Tu vas aux toilettes, c'est ça… ?

— *Exactement,* approuva Norman avec ferveur, faisant mine de se lever — et, oh, nooon, elle le touchait *là* de nouveau.

— … alors ne verrouille pas la porte. Je te rejoins, d'accord ?

— Mais *Katie,* gémit Norman (enfin, bon Dieu, tu devrais comprendre ; *n'importe* quand, mais pas…).

— Et *Norman,* chuchota-t-elle, un feu de joie dansant littéralement dans ses yeux. Reste dégrafé, pour moi. »

Norman eut un pâle sourire : réellement, ça semblait un peu… Mais au moins, elle l'avait lâché à présent, et il commença de se redresser — mais alors qu'il s'apprêtait à se lever, elle fit cette chose-là, cette chose qu'il n'oublierait jamais, de toute sa vie, dont il aurait toujours du mal à croire que c'était bien arrivé. Elle vida posément, délibérément son verre de Putain-je-n'ai-même-pas-la-moindre-*idée*-de-ce-qu'elle-a-bien-pu-boire sur ses parties, et Dieu sait que cela peut être assez déplaisant en soi, mais quand on porte un pantalon de sergé kaki très pâle et qu'il faut, qu'il faut, qu'il faut y aller… — et qu'en plus on se sent un peu… Eh merde, je ne peux *pas* y aller maintenant, pas dans cet état — regardez de quoi j'ai l'air ! (La tache s'agrandissait.) Mais pourtant il faut que j'y aille, mon Dieu il faut que j'y aille — d'ailleurs voilà, je suis debout, et, oh, la tête de ce type, un Américain sûrement (il porte une casquette de base-ball marquée Coca-Cola, donc il doit être américain, n'est-ce pas ?), sa tête est juste à hauteur de mon entrejambe et… non… si, il a repéré la chose, et il me fixe la bouche ouverte, horrifié (et qui le lui reprocherait ?), et merci mon Dieu, merci que les toilettes soient toutes proches, d'ailleurs voilà la porte, j'entre — je suis entré (est-ce que je m'assois, ou est-ce que je me fourre d'abord la tête dans le trou ? J'ai l'impression que je vais exploser par les deux bouts) et, bon Dieu de bon Dieu, Katie en plus ! C'est dingue les risques qu'elle prend quelquefois – et ceux qu'elle me fait courir !

Ainsi, d'après ce que nous savons, c'est Norman qui aurait dû être relativement furieux contre Katie, dans le taxi qui les menait en ville, plutôt que le contraire – surtout à la lumière de ce qui devait suivre. Entrailles et vessie copieusement soulagées, Norman gardait le regard baissé sur la cuvette métallique (après avoir tiré la chasse – il y a des limites) dont le tuyau d'évacuation conduisait où, en fait ? Sans doute directement sur ses bagages, inutile de se poser la question – c'était ce genre de journée. Il n'aimait pas cette petite cabine, pas du tout. Cela résonnait, cela tanguait, tout à la fois l'emprisonnant de ses parois froides et souhaitant se débarrasser de lui, il le sentait bien. Norman qui, *j'imagine*, devait avoir retrouvé quelque fraîcheur, à présent que la plupart de ses organes s'étaient vus projetés à grand bruit dans le vide sidéral, déverrouilla donc la porte – en fait, tout à coup, cette idée atrocement vulgaire qu'avait eue Katie ne lui apparaissait plus si antipathique – et, en attendant, se passa un peu d'eau sur le visage, ce qui provoqua chez lui cette étrange sensation d'avoir toute la tête comme décentrée de quelques centimètres. Il s'assit, patienta. Katie allait le faire languir, jusqu'à l'intolérable – Norman le savait d'avance et (oui) il adorait ça. Il écarta largement la braguette de son pantalon (vu-la-tête-de-cette-tache-ça-va-être-coton-pour-le-ravoir) et fourragea un petit moment à l'intérieur (histoire de lui préparer un peu le terrain – pourquoi pas ?). D'ailleurs tout cela commençait à manifester une velléité de vie autonome, ce qui est toujours bien agréable (grands dieux, je n'ai jamais été dans cet état en avion – bon, d'accord, je n'ai *jamais* pris l'avion, c'est vrai, mais inutile de le crier partout, hein?), mais maintenant, je me retrouve drôlement excité. Viens Katie, allez, viens – j'ai envie de sentir tes lèvres toutes douces autour de moi. Venait-elle, oui ou non? Pourquoi ne venait-elle pas?

Norman, désœuvré, continua de s'occuper de lui-même pendant – quoi, deux, trois minutes peut-être, et commençait de se dire que si elle ne vient pas, bon Dieu, autant me finir tout seul – tout à fait d'humeur à cela, pour être franc. Sur quoi (ouais, super!) la porte s'ouvrit lentement (viens, viens tout de suite) et Norman, levant les yeux, avec à la main une partie non négligeable de son anatomie, poussa un cri comme son regard rencontrait la tête de ce type, un Américain sûrement (il porte une casquette de base-ball Coca-Cola, donc il doit être américain, n'est-ce pas?), type qui, pour sa part, demeura un instant figé, comme empalé sur un axe, avant de cracher en direction de Norman, de tout son cœur et à gorge déployée, et de sortir d'un pas furieux, laissant Norman aux prises avec des larmes brûlantes s'échappant en gargouillant dans un jet de vapeur du robinet incandescent de l'humiliation, assis là, immobile, tête basse, jusqu'à ce qu'il ne puisse plus supporter ce confinement claustrophobique.

« Ça va, Norman? » Voilà tout ce que Katie trouva à dire, comme il regagnait son siège en rampant tel un lombric.

« Pourquoi tu n'es pas *venue*? » chuchota-t-il avec rage, la bouche tordue.

Katie secoua la tête, arborant un rayonnant sourire de méchanceté triomphante. « Tu as pris ton pied? » ricana-t-elle. Et elle se mit à rire franchement, se pinçant le nez – se contenant un instant, le temps d'un regard en coin vers Norman, avant de hoqueter de plus belle.

Norman, le regard fixé sur le hublot, demeurait perplexe. Apparemment, c'était une vodka cassis que buvait Katie : il y avait des chances. Vous voyez l'idée ? Vous voyez ? Pute borgne, pour couronner le tout, on dirait qu'il s'est laissé surprendre par cette période délicate que nous savons, chose pénible et singulièrement vexante. C'est peut-être pourquoi il était si tendu, depuis ce matin.

Pourtant, tandis que les faubourgs de Chicago enserraient peu à peu le vaste taxi roulant et tanguant de leurs panneaux d'affichage de plus en plus criards et omniprésents, c'est bien Katie qui, ostensiblement, demeurait bouche cousue – et ce, supposait Norman (il ne savait pas vraiment), peut-être parce qu'il avait pleuré toutes les larmes de son corps, comme ils traversaient quelques turbulences avant d'atterrir, de même que la sensation déchirante de l'atterrissage lui-même l'avait fait serrer les mâchoires au point de quasiment se ronger les gencives. En outre, il s'était vu complètement terrassé par les dimensions hallucinantes de l'aéroport O'Hare, avec ses tunnels de verre et ses monorails et ses passerelles et ses Escalator et Dieu sait quoi d'autre encore – de sorte que c'était Katie qui avait dû assurer tous les Par ici, Norman, Par là, Norman, et autres Putain, est-ce que tu te magnes, espèce de pauvre tête de nœud. (On a peine à croire qu'elle n'a que dix-sept ans, n'est-ce pas ? Mais si, mais si, dix-sept ans tout juste.)

Mais bon, si je suis honnête, je pense que ce qui lui a vraiment mis les glandes, c'est ce léger malentendu à l'Immigration. Ils étaient donc là, parqués derrière la ligne jaune – et putain, à des *kilomètres* des guérites, chacune occupée par une femme mi-dragon, mi-fonctionnaire. Quand vint le tour de Norman, celui-ci, paraît-il, posa bêtement un pied au-delà de la ligne, sans s'en rendre compte, et là… ! Un énorme policier noir – je dis bien un policier, pas un employé de l'aéroport en uniforme, pas un agent de sécurité, non, un vrai policier de Chicago, en chair et en os, tout en plaques, ceinturons et véhémence – lui gueula Reculez tout de suite, mon *gars*! Et le *flingue*: on voyait la crosse dépasser de biais, menaçante, vilaine et mauvaise, et Norman n'arrivait pas à y croire – et tout cela était franchement abominable, parce qu'il cherchait, à la base, à ne pas attirer l'attention (le sac de plastique tenu bien serré contre ses parties génitales tachées de baie rouge), et qu'à présent, *tout le monde* le regardait, et que l'autre type, l'Américain (vous voyez qui, vous n'avez sûrement pas oublié – Norman pas, en tout cas) n'avait qu'un mot à dire à l'oreille du policier, sur quoi celui-ci jugerait peut-être qu'il n'y avait pas de temps à perdre en procédures judiciaires, quelles qu'elles fussent dans ce bled, face à un immonde pervers, et lui ferait sauter la tête sur-le-champ (parce que dites, c'est de *Chicago* qu'il s'agit – pensez à Cagney, pensez à De Niro).

Mais le pire était à venir : lorsque finalement, Norman eut été autorisé à s'approcher de la guérite, Katie, elle était déjà passée – c'est-à-dire qu'elle était de l'autre côté, en train de taper du pied et d'*attendre*. Ayant tendu à la femme le formulaire d'immigration qu'il avait rempli dans l'avion, Norman se trouva déstabilisé, pour ne pas dire plus, quand la vieille saloperie, mauvaise, teigneuse, le lui rendit brutalement en hurlant : « L'est pas rempli ! » Pourquoi *tout le monde*, en Amérique, était-il obligé de crier ? Selon Norman, c'était très stressant. Mon Dieu, bien sûr que *si*, il avait rempli le formulaire, et il le dit sans ambages, mais pour toute réponse, la bonne femme prit un visage d'une hostilité encore plus *abjecte*, si possible, et répéta, encore plus fort, avec une agressivité encore accrue : « L'est pas *rempli* ! » – les doigts du policier commençaient d'être animés de crispations nerveuses, à portée de la crosse de son arme – et, non, il ne venait pas par ici, je rêve ? Norman, éperdu, ne pouvait que balbutier, face à la mégère sans nom, qu'il avait bel et bien *rempli* le formulaire, et se sentait à présent si défait que, lorsqu'elle hurla « sexe! », loin de fondre en larmes, il lui répondit sur le même ton de s'occuper de ses fesses! Ce fut une quasi-émeute, et si Katie n'était pas intervenue pour calmer le jeu, un groupe d'agents d'entretien, comme on dit, s'emploierait encore à cet instant (Norman en était persuadé) à laver le sol immense et graniteux de l'aéroport des ultimes et répugnantes traces de son sang et de ses viscères.

« Tu n'as pas rempli la case "sexe", devait lui expliquer Katie un peu plus tard, non sans irritation. J'ai marqué "masculin", à ta place : c'est exact, Norman? »

Et soudain, dans le grondement sourd qui emplissait le taxi, Katie se redressa brusquement avec un cri aigu, faisant sursauter Norman : il n'était pas du tout, du tout certain de pouvoir encaisser, physiquement et moralement, encore beaucoup de chocs de ce genre.

« Oh, *regarde*, Norman – oh, mon Dieu, c'est *magnifique*! »

Norman scruta l'extérieur, au travers des barreaux de prison qui les séparaient du chauffeur, et là, derrière le pare-brise, surgit soudain (aucun doute quant à cela) Chicago. La cité étincelante s'était dressée brusquement devant eux comme le diorama au centre d'un livre pour enfants, le livre le plus magique, le plus gigantesque qui fût au monde.

« Chicago! » fit Katie d'une voix étranglée, le serrant fort par le cou. « Prêts ou pas prêts – à nous deux! »

Norman sourit avec circonspection, en caressant machinalement la tête de son nounours aviateur. Il aurait certes pu y mettre plus de cœur, mais pourquoi, puisque nous tenons à aller au fond des choses, pourquoi fallait-il que ce soit *sa* valise qui ait disparu? Les quatre qu'avait emportées Katie avaient voyagé sans problème, alors pourquoi pas la sienne, toute vieille, déjà à moitié handicapée? Peut-être les chiens renifleurs l'avaient-ils trouvée suspecte? À moins que les porteurs n'aient refusé de la toucher. Quoi qu'il en soit, quand tout ce que l'on possédait (mis à part le sac en plastique qui contenait que dalle) était ce que l'on avait sur le dos – dont le putain de pantalon taché de lie-de-vin qui hurlait à la face du monde Hé, regardez les mecs, mes couilles viennent d'exploser ! –, il n'était pas si facile de se montrer enjoué. En outre, pour être tout à fait honnête, il avait un peu mal au cœur en voiture. Les vacances, se dit Norman, étaient peut-être, en soi, une forme d'art – non ?

CHAPITRE III

« Je pense que vous devez avoir une réservation à mon nom, dit l'homme à la petite réceptionniste installée derrière le vaste comptoir arrondi, dans le hall de l'Excelsior. McInerney.

– Un instant, je vous prie, Mr. McInerney, répondit la fille en chuchotant (allez savoir pourquoi), et en parcourant de l'ongle une liste invisible (peut-être était-elle encore impressionnée par les dimensions du lieu ? Nombreuses colonnes de marbre couronnées de chapiteaux corinthiens dorés, force lambris couleur Viandox – vous voyez exactement le genre d'endroit dont il est question). Ah, oui, fit-elle enfin, d'une voix radieuse, comme si elle venait de gagner au Juste Prix un objet particulièrement convoité. Miles McInerney. Chambre double avec balcon et vue sur la mer – c'est bien cela ? »

Miles McInerney se contenta d'un bref signe de tête, assorti d'un quasi-soupir, non sans jeter un coup d'œil sur le lustre de cristal – il avait déjà vécu mille fois ce genre de situation, n'est-ce pas ?

« Si vous voulez bien remplir la fiche, reprit la fille (arborant cet air las, vaguement distant de celle qui a, également, plus d'une fois vécu ce genre de situation). J'appelle quelqu'un pour s'occuper de vos bagages. Sept nuits – c'est bien cela ?

– C'est bien cela », confirma Miles, gribouillant une signature au bas des cases remplies à la va-vite. (Il m'est déjà arrivé de *signer* des documents, vous savez : je passe mes journées à cela.)

Dans l'ascenseur qui les menait jusqu'à la chambre de Miles, le porteur – mains entrecroisées au niveau des parties, comme s'il priait, ou comme s'il allait s'aligner avec les autres gars de l'équipe pour faire barrage à un méchant penalty – brisa le ronronnement soyeux, régulièrement ponctué d'un coup sourd de la cabine, pour déclarer d'une voix toute ruisselante d'amabilité :

« Vous avez choisi une semaine magnifique, monsieur. Hier, nous avons eu la journée la plus chaude de la saison. »

Miles lui jeta un regard de biais, et s'arracha un demi-sourire contracté, du coin des lèvres : ce sourire qui décourageait les chats de s'asseoir sur ses genoux, tenait à distance les mômes aux doigts poisseux, qui éloignait les fous en plein délire déclamatoire, et faisait renoncer les sans-abri, coincés sous une porte cochère, à lui demander une pièce de monnaie.

Miles demeura immobile, bien campé sur ses jambes, au milieu de la chambre, les mains posées sur les hanches, les coudes saillant en arrière, comme s'il se préparait pour une bonne séance de flexions extensions, mais non, pas du tout : c'était là sa manière de faire le point, dans les moments importants. Puis il se dirigea résolument vers un miroir et passa un doigt sur la corniche – cherchait-il des micros dissimulés ? Non, non, il vérifiait juste qu'il n'y avait pas de poussière. Ça avait l'air d'aller.

« Le minibar, fit le porteur d'un air d'excuse – comme s'il cherchait l'approbation, ou simplement à éviter une taloche derrière l'oreille – se trouve…

– Oui, coupa Miles. Je me débrouillerai. » Il laissa tomber une pièce d'une livre dans la main rose et timide du jeune homme.

« Si vous avez besoin de quoi que ce soit… » ajouta le porteur d'une voix menue : inutile de conclure « vous n'avez qu'à appeler la réception » parce que de toute façon, c'est bien ce qu'il ferait, n'est-ce pas ?

« Mais oui, évidemment », fit Miles, sur un ton plus que légèrement agacé.

Une fois le porteur chassé et la porte verrouillée derrière lui, Miles laissa échapper un immense, profond, guttural soupir de satisfaction – comme brusquement saisi par un orgasme – ce qui n'était pas le cas, bien évidemment, quoique, d'ici la fin de la journée, si tout se passait bien (et tout ne se passait-il pas très bien, généralement ? mais si, mais si)... On ne savait jamais. Qui pouvait préjuger de ces choses ? C'était là tout l'intérêt, toute la jouissance.

Miles tira soigneusement deux costumes de la housse (ganse rouge sombre et initiales « M. M. » brodées en lettres alambiquées). Le premier (italien) était d'un gris perle légèrement irisé – idéal avec une chemise bleu de France et, peut-être, cette cravate jaune en tricot de soie qu'il avait achetée lors des soldes chez Hugo Boss (il ne l'avait pas encore portée). L'autre (également italien) était presque, presque noir, et à boutonnage assez haut – une tenue de chasse irrésistible : il sentait la sophistication à cent mètres (ou plus exactement, affirmait Miles, la sophistication à cent mètres quand il emballe mes deux mètres de bidoche premier choix), et aussi le fric, mais à dix mètres – ce qui, compte tenu de ce qu'il lui avait coûté (un bras et une jambe, ce ne serait rien – là, ça relève minimum de la quadriplégie, mon petit pote), était plutôt une preuve de raffinement, vous ne pensez pas ? Ouais, il aurait dû puer le fric, hurler le fric du... comment dit-on déjà... sur les toits, c'est cela. Évidemment, il avait aussi emporté tout le matos de base, pour l'été : les chemises-polo, les pantalons de coton, les mocassins, les chaussettes en éponge, tout ça, quoi. Mais un costume du soir, ça peut faire des ravages dans un endroit comme ça, savez-vous :

elles viennent te manger dans la main – la plupart des gens, des hommes au moins, ne se changent plus, de nos jours : ils descendent pour dîner avec un truc à rayures, les mains dans les poches d'un pantalon fantaisie, complètement à côté. Que Miles se pointe avec son costard italien, et wwwhhoouuuuaaa ! toutes les filles (et les femmes aussi – les femmes plus âgées, ce sont les plus faciles en fait), toutes se disent tout à coup qu'une aventure de vacances n'est pas une idée si stupide, finalement. Et la moustache, ça aide : pourquoi, à votre avis, s'est-il fait suer à la laisser pousser ? Les bonnes femmes peuvent bien *dire* qu'elles n'aiment pas le poil sur le visage – rien n'est plus séduisant qu'un homme rasé de près –, mais quand on en vient aux faits (et, si l'on prend Miles, on en venait souvent, souvent aux faits), il les entendait rarement se plaindre, pas vrai ? Elles appréciaient, il pouvait vous l'assurer ; elles appréciaient drôlement – ne vous en faites pas.

Parce que les femmes, elles captaient l'odeur de la réussite. À un kilomètre, elles la flairaient. Et si Miles n'était pas un gagneur, alors c'était un gagnant, ou l'inverse – le meilleur commercial de la boîte, depuis trois ans d'affilée : trois ans, du jamais vu. Les autres n'étaient que des gamins, comparés à lui, des mômes dans la cour de l'école. Pour Miles, vendre, c'était une guerre. Chaque matin, il se mettait en condition psychologique, en se disant que s'il ne remportait pas la victoire, aujourd'hui, au-dehors, sur le terrain – sur le champ de bataille –, il se ferait tuer. Parfois, il en arrivait presque à croire que si, à la fin de telle ou telle journée, il avait échoué à atteindre les buts qu'il s'imposait, il en mourrait, littéralement, physiquement. C'était épuisant, ce genre de stress, mais bon Dieu, ça donnait des résultats. De sorte que cela lui avait, une fois encore, valu une semaine de congés dans un hôtel de luxe, tous frais payés (pour Noël, il avait gagné un panier garni de chez Harrod's – même s'il ne raffolait pas des blancs de poulet en gelée, il faut l'avouer), tandis que tous les autres – Peter Brady, Ken Carter, Dave Ridley, cette pauvre bande de loosers – se retrouvaient une fois de plus en voyage organisé minable, dans un bled pourri en Espagne, ce genre, avec la bonne femme et les mômes sur le dos. Miles avait bien une épouse (ouais, elle s'appelait Sheil et c'était une emmerdeuse de première) et deux enfants et tout ça (Damien, six ans, et la petite Marie, qui allait sur ces cinq ans – plutôt sympa, mais putain, impossible de les supporter trop longtemps d'affilée – le bordel qu'ils faisaient, c'était à devenir fou). Donc, ces vacances qu'il avait gagnées comme prime, c'était l'idéal, pour échapper à tout cela – ce sont des vacances pour *une* personne, ma chérie ; mais *évidemment* que j'aimerais t'emmener avec moi – toi *et* les enfants, naturellement –, mais je ne peux absolument pas nous offrir à tous les quatre un hôtel comme l'Excelsior, enfin, pas si tu tiens à ta serre, et à faire refaire l'escalier. Tu comprends ? Hein ? Alors écoute – tu passes les vacances chez ta mère, d'accord, et à l'automne, je vous emmène tous à Euro Disney – promis : qu'est-ce que tu en dis ? Cela fonctionnait comme un charme – du billard. Ouais, c'est ça : tire-toi chez ta mère à la con et laisse-moi faire ce que *moi*, j'ai envie de faire. Et qu'est-ce que j'ai envie de faire ? J'en sais rien – parce que je ne l'ai pas encore rencontrée, hein ? Euro Disney ? Laisse tomber. L'automne arrivé, le stress et les soucis du boulot lui régleront son compte. Il faut savoir planifier, prévoir, anticiper. C'est ainsi que Miles est parvenu jusque-là.

Bon, je pense qu'un verre s'impose. Petit tour au bar, en repérage : c'est une règle d'or. Choisir un fauteuil avec vue sur le hall, de préférence, et garder un œil sur les allées et venues. On en apprend beaucoup sur une femme, quand elle ne se sait pas observée ; dès qu'elles le sentent – à la seconde même où elles interceptent votre regard du coin de l'œil –, c'est quelqu'un de totalement autre que vous avez devant vous : la femme qu'elles veulent que l'on voie. Et à partir de là, ce n'est plus que du théâtre, pur et simple. Mais surprenez une femme qui rentre en vitesse pour échapper à la pluie (elle fait une pause, ébouriffe ses cheveux pour chasser les gouttes), ou qui s'énerve soudain contre la personne avec qui elle est – ou encore (le meilleur) assise seule quelque part, en train d'attendre – surprenez-la ainsi, et vous saurez à qui vous avez affaire. Ce qui rend les approches préliminaires un peu plus aisées.

Bon. Le polo saumon, un Ralph Lauren ; je pense que ça devrait aller. Un petit coup de sent-bon, et en piste. Voilà, celui-là : Chanel – Égoïste, ça s'appelle – que m'a offert Jenny, du bureau, après que je lui eus fait gratos une vidange-graissage-vérification des niveaux à domicile, une fois que son Malcolm était en tournée dans les Midlands. Elle m'a dit que c'était une plaisanterie : je n'ai pas pigé, mais bon, il est fameux, ce parfum. Bien, je vais tout ranger dans les tiroirs, et au boulot. Les chemises, ici, les chaussettes et les slips, là – les cravates sont accrochées –, et en bas, je planque les menottes doublées de fourrure, assez classe quand même, et la cravache que j'ai achetée à un vide-greniers, du côté de Crawley. Il est temps qu'elles prennent un peu d'exercice. Parfait. Un verre, maintenant.

Miles emprunta l'escalier – histoire de repérer les lieux – et traversa le hall avec une aisance fort étudiée (il répétait cette démarche devant le miroir – il avait même songé à s'enregistrer en vidéo en train de déambuler, pour voir si quelque amélioration était encore possible, mais une telle débauche de logistique n'en valait pas la chandelle, pour être tout à fait honnête). Et tiens, tiens, tiens, que vois-je donc là-bas, à la réception ? Deux femmes, accompagnées d'un seul homme : c'est toujours bon signe – les femmes détestent être la troisième roue de la charrette, pas vrai ? Elles détestent cela, plus que tout au monde. Le mec doit être avec la plus vieille, à mon avis – elle ne me branche pas trop, la plus vieille. L'autre est pas mal, cela dit (de chouettes jambes, un bon petit cul – les nichons, je n'arrive pas à voir, elle ne s'est pas encore retournée) ; si je me souviens bien, le bar est par ici, à gauche ? Oh, non, non, c'est pas vrai : elle a un bébé, putain. Oh non, un putain de bébé, c'est bien ma veine. Quelle honte, quel gâchis – et merde, elle a de fameux nichons finalement, maintenant que je la vois de profil : gaspiller des nibards comme ça pour un putain de *bébé*... Allons, ne t'en fais pas, mon petit Miles : tu arrives à peine. Je crois qu'un bon Campari tonic te fera le plus grand bien – et ce ne sera pas du luxe : ce connard de bébé fait ce que font tous les bébés, comme chacun sait : il gueule à s'en péter les poumons.

« Melody, dit Howard, aussi aimablement que possible, comme si le fait de devoir élever la voix n'avait réellement aucune importance, tu ne peux pas la faire taire un peu ? Je n'entends pas un seul mot de ce que me dit la jeune fille.

– Mais *évidemment* que je ne peux pas », repartit Melody, irritée. Qu'est-ce qu'il croit – que ça *m'amuse*, moi ? Je suis obligée de vivre ça *tous les jours*, moi. Nom d'un chien, on vient à peine d'arriver, et déjà ce petit amour commence à hurler. Qu'est-ce qu'elle a ? Qu'est-ce qu'elle a à crier comme ça ? Il est charmant, cet hôtel. Et j'ai bien l'intention de profiter de mon séjour ; enfin, si je peux, avec *Dawn*.

La petite réceptionniste – celle qui avait déjà accueilli Miles McInerney – était passée de l'autre côté du comptoir, et s'employait à faire de gros yeux à la petite Dawn (à présent toute violacée, beuglant à s'en arracher les cordes vocales, la glotte semblable à un punching-ball miniature, toute congestionnée, avec un vibrato si déchirant que sa sincérité ne pouvait être mise en doute).

« Mais chhh'est quoi, hein, chhh'est quoi, un petit bébé qui pleure comme chhha ? », bêtifia la jeune fille, par pur principe : c'était évident. Ça s'appelait Dawn, voilà, c'était clair.

« Ça lui arrive, dit Melody.

— Bon, cria Howard à l'adresse de l'homme qui avait maintenant pris les choses en main, je pense que c'est tout, alors.
Elizabeth — ils envoient quelqu'un prendre les bagages et… Tu
te sens bien, Elizabeth ? Qu'est-ce qui ne va pas ? »

Elizabeth demeurait figée, un doigt posé sur la tempe, l'œil
vitreux, la paupière papillotante. « Je ne suis pas sûre, confia-
t-elle à Howard, d'une voix aussi basse que possible compte
tenu du… enfin du pénible contexte sonore, que c'était nécessairement une si bonne idée de dire à Melody de venir avec
Dawn. »

Howard sourit. *Ça*, ma chérie, j'aurais pu te le dire à la
seconde où tu l'as suggéré. Et le mieux, c'est que moi — contrairement à toi —, je serai bientôt loin, loin d'ici, en train de chanter *Don Giovanni* à pleine voix, sur le super autoradio quadri-
phonique de ma non moins superbe Jaguar, en pulvérisant très
certainement toutes les limites de vitesse dans ma hâte éperdue
de m'éloigner de cette merde de bord de mer pour retrouver
Londres, une maison déserte et un agenda non moins désert,
mis à part, merveille des merveilles, mes rendez-vous avec Zouzou, mon amour. (Les affaires ? deux coups de fil et c'est réglé.)

La jeune fille parlait de nouveau à Dawn.

« Oh, mais on est une vilaine petite fille, alors ? Heeeiiinnn ?
Mais chhh'est quoi ce bébé ? Mais chhh'est un *krès krès* vilain
bébé, ça. *Krès krès* vilain, heeeiiinnn ? » Durant tout ce temps,
elle n'avait pas une seconde cessé de bêtifier comme une innocente, tout en faisant mine d'enfoncer son index tendu dans
le diaphragme de Dawn, ce qui mit celle-ci dans un état plus
affreux encore, à la limite extrême de l'apoplexie. Et soudain, ce
projecteur aveuglant de la sollicitude maternelle se tourna vers
Melody. « Il faudrait peut-être la changer, vous ne pensez pas ? »

Melody hocha la tête. « Ouais, mais je n'ai pas gardé le ticket
de caisse. »

Les paupières de la fille battirent, une fois. « Pardon ?

– Rien », aboya Melody (s'il y avait une seule chose que Dawn ne pouvait se permettre, c'était bien de concurrencer sa mère, au niveau du volume sonore). « Rien, je plaisante ! laissez tomber !

– Et si nous prenions un verre ? » suggéra Elizabeth. De toute évidence, cela ne lui aurait pas fait de mal – d'ailleurs, elle se dirigeait déjà vers le bar. « Vous avez *entendu*, par hasard ? Je disais…

– Ouais, je t'ai entendue, brailla Melody en retour, mais on ne va pas *l'emmener* avec nous. Écoute, on monte un moment pour essayer de la calmer. »

Elizabeth hocha la tête et revint vers Howard (qui, le visage fendu d'un sourire radieux, s'employait avec une énergie féroce à faire tinter ses clefs de voiture). « Bon, je crois que nous nous disons adieu maintenant, mon chéri. » La joue d'Elizabeth vint presque frôler la sienne. « Tu m'appelles quand tu es à la maison, d'accord ? Promis ? »

Howard promit. Elizabeth lui dit adieu encore quatre fois, sur quatre modes totalement différents, sur quoi il put, enfin, s'échapper.

« Bon retour ! » lança Elizabeth une dernière fois, et des relents d'air marin lui parvinrent vaguement tandis qu'il poussait d'un demi-tour la porte à tambour.

Pas de problème, pas de problème, pensa-t-il en se dirigeant vers la voiture. Le retour ne peut pas être pire que l'aller, hein ? Putain, cette saloperie de bébé n'a pas arrêté une seconde de hurler, pendant tout le trajet – tu m'étonnes qu'Elizabeth avait l'air en miettes. En outre, ils avaient dû faire halte deux fois parce que la petite avait vomi partout, plus une troisième fois quand Howard avait dû vomir à son tour, parce que la puanteur là-dedans, je peux vous dire, ppffffuuu – on a beau fermer les narines, ça vous porte au cœur ce truc-là. Ils avaient fini par

faire un usage considérable du déodorant Arpège d'Elizabeth –
vraiment considérable, en fait, parce que cela *aussi* devenait
incommodant, au bout d'un certain temps. Bon, ç'avait l'air
d'aller mieux, maintenant. Je me demande si cette merveille de
petite station balnéaire a un bar correct à offrir ? Deux trois
whiskies, et hop, à la maison !

Brian Morgan également n'aurait pas refusé un ou deux whiskies, en fait, mais cela n'était pas vraiment au programme, pas
pour un bon moment au moins : l'heure était à une délicate
négociation, même si Brian ne pouvait manquer de voir que
toute négociation aboutie – avec Dotty particulièrement –
nécessitait certes plus d'une heure. En réalité, elle semblait si
bien exercée, en ces occurrences précises – comment appelait-
elle cela ? Des *catastrophes*, voilà –, qu'il était bien difficile de
savoir s'il s'en sortirait intact, cette fois. Et puis, pour être honnête, elle n'allait tout de même pas se montrer *ravie* de la situation, n'est-ce pas ? Non, certes non.

Et Howard qui se plaignait de *son* voyage ! Il aurait dû s'imaginer serré à mort dans la Vauxhall Cavalier de louage, avec
Dotty, Colin, et une quantité de bagages franchement déraisonnable – parce que bon, rappelons-nous qu'il s'agit là d'une
semaine au bord de la mer, et non d'un déménagement complet, mais Dieu seul sait ce qu'elles ont en *tête*. D'ailleurs, la
voiture elle-même constituait un premier point de dissension.

« Mais Brian, pourquoi ne prenons-nous pas *notre* voiture ? Je
ne comprends pas.

– Je t'ai déjà dit, Dotty, elle est en révision. Apparemment,
l'embrayage n'en peut plus. Je te l'ai dit, déjà.

– Oui, mais tu aurais dû leur dire que tu partais et que tu en
avais *besoin*, tu ne crois pas ? Enfin, ils ne pouvaient pas se
grouiller un peu ?

– C'est ce que je leur ai *dit*, affirma Brian, partageant largement l'irritation de Dotty. Mais tu sais bien… » reprit-il, sans finir sa phrase. On ne peut simplement pas *discuter* avec ces gens-là, voilà ce qu'il allait argumenter – et que ferait Dotty, à part hausser les épaules ? Leur Volvo était HS, donc ce serait le bord de mer dans cette petite Cavalier pas trop fraîche. Elle allait peut-être laisser tomber ? Non, pas tout à fait – encore un petit coup :

« Et puis cette *couleur* ! Ils n'avaient rien de moins… ?

– C'est tout ce qu'ils avaient.

– On dirait… on dirait un caillot de sang, déclara Dotty. On va avoir l'impression de rouler dans une *croûte*.

– Bon, écoute », fit Brian d'un ton conciliant (je ne vais pas faire une histoire à propos de la bagnole – qu'elle marque autant de points qu'elle veut, qu'elle se réjouisse d'être aussi mécontente de la voiture : ce n'est rien à côté de ce qui nous attend, à tous les coups). « Écoute, ce n'est que pour une semaine, d'accord ? Ça va, pour une semaine – quatre roues, un moteur, ça va, non ? »

Colin laissa tomber son sac à dos à côté du coffre.

« Moi, je n'en ai rien à faire, dit-il, mais maman a raison, tu sais. Elle est affreusement vulgos, cette caisse. »

Merci, merci mille fois, ô mon fils bien-aimé : elle était sur le point d'abandonner l'histoire de la voiture, et il a fallu que tu mettes ton grain de sel.

« De toute façon, je ne vois pas *pourquoi* l'embrayage serait fatigué, grommela Dotty. Une voiture qui n'a même pas un an… »

Je sais, pensa Brian : c'est pourquoi j'en ai tiré un bon prix. Oh, venez-moi en aide, Vierge Marie ! Quand je songe à ce qui m'attend…

« Bref, reprit Dotty d'une voix sèche, puisqu'il faut y aller, allons-y. Au moins, il fait beau. Bon, Brian – tu es bien sûr que tout est *éteint* ? »

Brian hocha la tête. « J'ai tout vérifié et revérifié – pas de souci à se faire. J'ai vidé le réservoir, fermé le gaz, verrouillé la porte de service, annulé le lait et les journaux. Nickel. Et Howard a dit qu'il passerait jeter un coup d'œil chaque soir – il a le double. Donc, pas de problème. Alors on arrête de se *tracasser*, d'accord ? » conclut-il d'un ton implorant. (Ouais, c'est ça, on arrête de *geindre*, putain, on y *va*, d'accord ? Parce que là, tu vas avoir des raisons de gémir.) « Et au fait, avant que tu ne me poses la question, j'ai aussi fermé et verrouillé toutes les fenêtres. » Et ma chatière, bien évidemment. Avec deux petites targettes chromées récupérées sur le placard du palier, quand je l'ai transformé en rangement pour mes outils – et aussi pour ma cuve à faire de la bière, que je venais de recuivrer. Ces petits trucs-là, je les garde tous en vrac dans une vieille boîte de Quality Street, et vous ne pouvez pas savoir, mais c'est dingue, je trouve toujours ce qu'il me faut au moment où j'en ai besoin : il y a de tout là-dedans.

« Tu te mets derrière, Colin, dit Dotty. Ça me serait égal, mais c'est à cause de mon pied. » Elle s'installa sur le siège du passager (tout à fait *inconfortable* à son goût) et, passant soudain la tête par la fenêtre : « Tu sais, Brian, depuis que tu as fait ça, tu ressembles à une *allumette*. »

Brian, quoique habitué à décrypter les dottyïsmes, s'avéra parfaitement perplexe, pour une fois.

« À *quoi*, Dotty ? » demanda-t-il, ouvrant la portière du conducteur et tapotant ses poches, comme il le faisait toujours quand il se préparait à partir quelque part, sans savoir pourquoi. « Et depuis que j'ai fait *quoi*, au fait ?

– Depuis que tu t'es massacré les cheveux. Ça te fait une tête toute ronde, je ne sais pas… et tu es tellement maigre, en plus, ça te donne l'air d'une allumette. Je te jure, tu sais – je ne sais pas si tu as utilisé un bol ou quoi, mais ça change toute la forme de ta tête – ça te fait une tête ronde. »

Brian à la Tête ronde jeta le gant à la Cavalier, et, après un désaccord prolongé sur le choix de la vitesse à enclencher, homme et machine ne firent plus qu'un. Une fois dépassé cet épouvantable réseau de périphériques, au-delà de l'échangeur – mais il n'avait pas encore affronté l'inévitable bouchon à l'embranchement, doté des feux les plus courts que Brian ait jamais vus à Londres (deux, trois voitures maximum à chaque fois – je vous demande un peu…), il se dit qu'il pouvait s'autoriser un peu de frivolité. Oscillant de la tête, et ouvrant de grands yeux afin d'indiquer que ce qui allait sortir de sa bouche ne serait, d'accord, pas forcément *drôle*, mais en tout cas bien dans l'esprit des vacances, Brian se mit brusquement à chantonner d'une voix aiguë, et avec une justesse approximative :

« La mer, qu'on voit danser… »

Pour toute réponse, Dotty, laissant son regard courir sur un alignement d'immeubles sinistres, délavés par la pluie, juste au-delà de l'échangeur, murmura Quand on pense qu'il y a des gens qui *vivent* là-dedans… tandis que Colin continuait de tripoter les boutons rondouillards d'une espèce de jeu électronique qu'il tenait à la main, et qui l'absorbait totalement. Bloup, dit la machine : blip, blap, blop, *bloup*.

Brian laissa échapper un soupir et reprit, plus discrètement, Tidda-di, ta-di pom-pom ; vous savez, pensait-il, parfois, je me demande, réellement, pourquoi je me donne du mal. C'est bien *Dotty* qui a voulu ces vacances, non ? Elle pourrait quand même faire un minimum d'efforts, bon Dieu. Mais, au fur et à mesure que les constructions industrielles basses et les hauts immeubles de bureaux faisaient place à des talus herbeux et fortement pentus, profondément chanfreinés par de larges routes rectilignes, la crainte commença d'envahir Brian. Des images de leur destination ultime commençaient de surgir à présent, ce n'était plus qu'une question de temps, avant que… oh, tiens, voilà que Dotty se tourne vers lui, tout d'un coup. Taisons-nous et observons.

117

« Tu veux un bonbon à la menthe ? » s'enquit-elle.

Donc, ça n'est pas pour maintenant. Bientôt, mais pas encore. Brian secoua la tête.

« Colin ? » Dotty ne désarmait pas. « Un bonbon à la menthe ? »

Tandis que Colin fourrait tout son poing dans le sachet, elle se tourna de nouveau vers Brian.

« Brian, peux-tu m'expliquer une chose, s'il te plaît, juste une petite chose. »

Voilà, c'est maintenant.

« Mmmm ?

— Pourquoi, quand je t'ai demandé... oh, Colin, tu es *obligé* de jouer sans arrêt avec ce sacré truc ? C'est vraiment... tu ne peux pas couper le son ?

— C'est pas drôle, sans le son, se rebella Colin.

— Bon, alors tu n'as rien *d'autre* avec quoi jouer ? »

Si, pensa Colin : les nichons de Katie, mais ils ne sont pas à portée de main, hein ? Pour l'instant, ils habitent Chicago, comme leur propriétaire, cette tarée, cette dégueulasse. « Je vais lire », dit-il.

« Bref, qu'est-ce que je disais, Brian ? Ah oui – j'aimerais bien que tu m'expliques juste une petite chose, si tu peux, c'est *pourquoi*, quand je t'ai dit et redit que je tenais absolument à ce que ces vacances soient les *mêmes* que...

— J'ai cru que tu parlais du *lieu* », coupa Brian. Foutaises, naturellement : Brian avait très précisément saisi les intentions de Dotty, sans les comprendre le moins du monde : il avait été jusqu'à louer une suite à l'Excelsior, juste au-dessous de celle d'Elizabeth – par trouille. Et puis, il avait songé à *l'argent*... et il avait annulé. À peine deux jours avant, si vous ne me croyez pas.

« Mais ce n'était pas ce que je voulais *dire* », insista Dotty, commençant de glapir : chouette, il ne manquait plus que les glapissements pour accompagner notre joyeuse équipée. «Enfin, je comprendrais, si l'Excelsior était complet – je sais, à cette époque de l'année, bon... mais tu me dis que nous n'allons pas *non plus* au Palace – et tu ne veux pas me dire *où* nous allons, c'est ça qui m'inquiète. Pourquoi fais-tu un tel mystère, Brian ? Pffffuuu, tel que je te connais, je sens que tu nous as pris une chambre dans un Bed and Breakfast sordide, à deux kilomètres de la mer, avec une *logeuse* insupportable qui nous dira sans arrêt quoi faire.

– Il n'y a pas de mystère, précisa Brian. C'est une *surprise*. Écoute, Dotty, ce n'est pas un Bed and Breakfast, évidemment non. Promis juré. Et personne ne nous dira quoi faire. Promis juré. »

Dotty lui jeta un regard de biais. «Vraiment ? Tu me promets *vraiment* ? »

Brian hocha la tête. «Si je te le *dis*. »

Mon Dieu, que faire ? Que faire d'autre que retarder ce moment ? Lequel était imminent. Oui, les kilomètres avaient défilé, on arrivait à la station (Regarde, Colin, regarde... la mer... tu regardes ?) puis, à l'immense consternation de Dotty, on traversait ladite station, on la quittait par l'autre côté – et c'étaient des champs à présent, parsemés de maisons plutôt merdiques, selon Dotty, et toutes agrémentées d'un drôle de petit *porche* à toit pointu. Dotty retint son souffle, mais ce lotissement clairsemé s'éloigna aussi, et, repérant un panneau bleu attaché à un arbre (Dotty n'avait pas fait attention – c'était quoi ?), Brian prit à droite une route plus étroite – des buissons d'ajoncs frôlaient les flancs de la voiture, la rumeur de la grande route s'était éteinte –, et Dotty allait dire qu'elle trouvait tout à fait charmante cette petite balade dans la *cambrousse*, quand une vaste clairière s'ouvrit soudain devant eux, et là, fermant les yeux (mais dégageant son col, pour que le bourreau puisse bien prendre ses marques), Brian coupa le moteur. Pendant quelques secondes, on n'entendit plus rien que les trilles joyeux des oiseaux, montant haut, toujours plus haut dans le silence total. Puis s'éleva, encore plus haut, la voix de Dotty :

« Brian… !

— Écoute, Dotty, fit Brian, précipitamment. Honnêtement ce n'est pas aussi terrible que tu le penses, Dotty – il faut avoir l'esprit ouvert. Ça va être super ! Tiens, descends de la voiture et…

— *Brian* !

— Oh noooon, soupira Colin, à l'arrière. Oh nooon, nooon, c'est pas vrai… c'est pas possible.

— Toi, tais-toi », ordonna Brian. Juste ciel, on s'attendrait, quand même, un peu, à un *minimum* de soutien, de la part de son propre fils, n'est-ce pas, de temps à autre – plutôt qu'à des *gémissements* permanents. « Vois ça comme une *aventure*, d'accord ? Dieux du ciel, mais j'aurais été ravi de passer des vacances comme ça, à ton âge.

— Écoute, Brian, dit Dotty d'une voix extrêmement posée, tandis que Colin roulait les yeux dans les orbites en se fourrant deux doigts au fond de la gorge, écoute bien, parce que je ne me répéterai pas. Tu fais demi-tour. Tu mets en route cette saloperie de voiture de *merde*, on rentre directement en ville, et tu nous trouves un hôtel. N'importe lequel. Sinon…

— Mais Dotty, tenta de raisonner Brian, jette au moins un *regard*. Enfin, ça va peut-être te plaire, quand tu auras vu l'endroit, on ne sait jamais. Parce que c'est *spécial*, non ? Je veux dire, les vacances, c'est censé vous faire vivre *autre chose*, d'accord ? Colin, allez, donne-moi un coup de main pour les bagages. Je vous assure, vous allez adorer tous les deux, une fois à l'intérieur. »

Au bout d'un temps considérable, Dotty accepta enfin de sortir de la voiture (qu'elle vomissait) pour visiter l'endroit (qu'elle vomissait) et écouter les derniers encouragements pressants de Brian (qu'elle vomissait, non, qu'elle renvoyait, rejetait, expulsait par tous les pores de sa peau). Elle demeura un instant immobile, regardant fixement, comme si elle ne pouvait en croire ses yeux, la petite caravane rondouillarde bleu œuf-de-pigeon, sommairement amputée de ses roues, les essieux reposant sur quatre cales de briques scellées dans du ciment. Juste à côté, il y en avait une autre, fort similaire. Et aussi loin que le regard portât, d'autres petites caravanes de couleur pastel se déployaient en tous sens, parfois à un bon mètre cinquante de distance l'une de l'autre, formant ainsi des avenues sans arbres et des carrefours. Dotty demeurait là, le regard figé. Puis elle baissa les yeux sur les deux marches de ciment qui menaient à la porte sur laquelle Brian – vu sa taille – ne manquerait pas de se cogner la tête à chaque fois (j'espère qu'il se fracassera le crâne). Puis elle leva les yeux sur les deux petits rideaux bonne femme, en macramé beige, qui se croisaient derrière la fenêtre souillée de traces de pluie. Elle demeurait immobile, les yeux agrandis. Soudain, elle discerna ce qui semblait être un moteur de hors-bord accolé au dos de la caravane, à côté duquel émergeait un gros tuyau de plastique blanc raccordé à une sorte de monticule : elle chassa aussitôt l'idée. Non, elle regardait, simplement, figée sur place. Puis un mouvement, sur la droite, brisa soudain cette espèce de transe horrifiée qui la pétrifiait.

« Brian, dit-elle d'une voix lente – elle dit cela un peu comme on tend les mains, à l'aveuglette, dans une cave obscure –, cette femme, là… Elle remplit un seau à un robinet extérieur.

– Eh bien… mon Dieu, c'est parce qu'elle le veut bien, Dotty. Elle n'est pas obligée. Il y a l'eau courante, et tout – évidemment qu'il y a l'eau. Un réchaud, un chauffage, enfin, tout. Pourquoi n'entres-tu pas, mmmm ? Je pense que tu vas adorer, une fois à l'intérieur. Je pense que vous allez être assez épatés, tous les deux. »

Colin ouvrit brusquement la porte, passa la tête à l'intérieur.

121

Brian le désigna du pouce et leva les sourcils à l'adresse de Dotty.

« Tiens, regarde-le. Il va adorer, tu vas voir. Il ne faut pas se fier aux apparences, n'est-ce pas, Dotty ? Alors, Colin, qu'est-ce que tu en dis ? »

On l'entendit farfouiller un petit moment, puis leur parvint sa voix étouffée :

« Oh c'est pas *vraaaaiii*…

— Brian, fit Dotty, sèchement, tournant vers lui des yeux aussi froids et ternes que ceux d'un merlan douteux à l'étal du poissonnier. C'est une *catastrophe*. Tu sais quoi : j'ai envie – là, tout de suite – envie de te tuer. »

Et avant que Brian ait pu trouver quelque autre insanité à dire, Dotty poussa un hurlement, comme son mauvais pied, lancé vicieusement vers Dieu sait quoi, heurtait en fait le genou de Brian qui exhala brusquement et se plia en deux (il pensait peut-être pouvoir s'en tirer à bon compte – Dieu que ça fait mal) avant de se recroqueviller et de tomber lourdement sur le flanc (je pensais pouvoir éviter tout ça – raté, une fois de plus), à la grande joie de la femme occupée à remplir un seau – chouette alors, voilà enfin quelque chose à *raconter*, dans le coin –, laquelle laissa l'eau déborder et détremper l'herbe à ses pieds, de sorte que Dotty (peut-être avait-elle besoin de s'isoler pour mieux laisser libre cours à ses larmes) gravit fermement les marches et claqua derrière elle la porte de la caravane – qui, remarqua Brian vautré sur le sol, s'ouvrait de nouveau toute grande – mais ce n'était sans doute pas grand-chose : resserrer un peu la charnière, une goutte d'huile, trois fois rien. Un coup de bol que j'aie apporté mes outils.

Elizabeth allait enfin, enfin pouvoir prendre son fameux verre – et à ce propos, elle aurait voulu faire promettre à Howard, sincèrement, de ne pas s'arrêter en route, aussi grande la tentation fût-elle. Tu peux boire tout ton soûl à la maison, Howard, aurait-elle dit, mais quand tu dois conduire, c'est autre chose. Elle savait cependant que c'eût été peine perdue : il se serait contenté de hocher la tête, et aurait fait ce que bon lui semblait. Par contre, à son humble opinion, Elizabeth, elle, *méritait* bien un verre – parce que mon Dieu, outre le trajet interminable, la présence de Dawn s'était largement fait sentir. Bon, ne vous méprenez pas : *j'adore* les bébés, j'ai une immense tendresse pour eux – même si, il faut l'avouer, Katie a été tellement pénible que je n'étais guère pressée de revivre tout cela : cela m'avait pas mal dégoûtée de la maternité. Enfin, ça, et la douleur. Mais la petite Dawn, c'est carrément autre chose ! Je veux dire, on aurait vraiment cru que la gosse n'allait jamais, jamais cesser de hurler : jamais entendu un truc pareil. Je ne sais pas trop qui a été le plus soulagé, quand une nurse de l'hôtel est finalement arrivée : Melody, ou la petite elle-même. Mais en tout cas, le brusque silence était littéralement palpable. Cela dit, Dieu seul sait comment va se passer la nuit. Enfin bref, Melody, descendons au bar, avant d'aller faire un petit tour et de voir à quoi ressemble l'endroit.

Melody, elle était ravie. Elle *adorait* la suite, tout simplement. Honnêtement, jamais vu une chose pareille, à part dans les films de Fred Astaire. Et la vue ! À mourir. Elle *mourait* d'impatience, d'ailleurs, de sortir enfin pour respirer cet air-là. Ainsi, c'était ça, la vie de Howard et d'Elizabeth. À chaque fois (combien de fois ?) que Howard lui disait Écoute, Melody, il faut que je parte quelques jours avec elle, ou quelques semaines (une fois, ç'avait été tout un mois, putain, en Thaïlande), mais je ne cesserai pas de penser à toi, tu me manques déjà, mais je suis obligé, mon amour, il le faut, pour avoir la paix avec Elizabeth. Mes couilles, oui : je suis sûre qu'il adorait ça, qu'il jouissait de chaque instant – et s'ils séjournaient dans des endroits comme celui-ci, comment ne pas apprécier ? Pendant ce temps, Melody devait se contenter d'une pizza vite fait, et d'une baise encore plus vite fait à l'arrière de la bagnole (une Mercedes, à l'époque : la Jaguar était très récente).

En tout cas, maintenant, elle était dans la place – et il était question de lui en donner pour son argent, n'est-ce pas. Je peux même peut-être battre Elizabeth, au niveau dépenses – quoique, rien qu'à voir ce qu'elle a sur le dos, j'en doute fort. Les affaires de Melody était très portables : tout ce que les baby-sitters oubliaient à la maison ; en outre, elle en prenait grand soin. Elle aimait particulièrement sa Jaeger, et son Escada, pour les soirées ; il y avait aussi du Next et du M&S, évidemment, et elle s'arrangeait, d'une manière générale, pour avoir bonne allure, même si elle était la première à l'affirmer (les chaussures, c'était là le seul véritable point faible – mais les soldes de Harrod's le palliaient très bien). Mais bon, jetez un simple coup d'œil sur les magnifiques affaires d'été d'Elizabeth : Joseph, Kenzo, Chanel – et tellement d'Armani que Melody en avait les larmes aux yeux ! Et tout sortait directement du magasin. Jamais Howard ne m'a *gâtée* comme ça.

Miles McInerney parut ne pas remarquer Elizabeth et Melody qui pénétraient dans le bar (c'est un pro, ce mec, d'accord ?) mais évidemment, il les avait tout de suite repérées. Il avait le truc pour observer les gens sans même avoir l'air de les regarder : le fruit d'années d'expérience. Ouais, j'avais bien vu : la vieille ne me botte pas du tout, mais l'autre est *vraiment* pas mal – mais bon, je ne suis pas né de la dernière pluie, et je ne vais pas me coller une pétasse avec un bébé : elles sont toutes à la chasse au mari – parce que, hein, où est le père du môme, à votre avis ? Il s'est tiré, voilà où il est. Et ça, ça veut tout dire.

En commandant un autre Campari, Miles put tout juste jeter un regard discret sur cette femme assise à l'autre bout de la salle ; celle-là, c'était vraiment *quelque chose*. Des jambes interminables, lisses et hâlées, et des mains fines et déliées, aux ongles longs, rouges, brillants : vous imaginez ce qu'elle peut faire avec des mains comme ça (les jambes, Miles s'en occupe, okay ?). L'ennui, c'est qu'elle est avec un mec. Il a de la chance, ce connard : le voilà qui lui touche le bras – et qui la regarde d'une certaine façon, comme ça, et il signifie quoi, ce regard-là ? Miles avait du mal à trouver le mot juste, c'est quoi, ça, putain, comment dit-on – de l'attention ? Ouais, ça ira, de l'attention, de la prévenance, voilà. Et il n'avait pas l'intention de la quitter des yeux, c'était clair. En même temps, ils n'avaient pas l'air de s'être rencontrés hier : ceux-là, on les repérait à un kilomètre. Peut-être le mec se comportait-il ainsi parce qu'il avait déjà rencontré des types dans le genre de Miles : peut-être sentait-il simplement la présence d'un de ces animaux-là. Ouais, ce devait être cela. Et alors ? Où est le problème ? Ça demande un peu plus de temps, c'est tout. Bon, j'écluse mon godet, et je vais faire un petit tour sur le front de mer, pour voir ce qui se trame dans le coin. En passant, je vais faire mon petit show devant la bonne femme, je verrai si elle réagit un tant soit peu.

Le mec lui parlait, tandis que Miles s'approchait, puis s'éloignait de sa démarche royale – et ben ouais, elle réagissait, la bonne femme : elle avait levé les yeux, une fraction de seconde, mais c'était net, quand on savait regarder. Et putain, elle était encore mieux, de près.

« Tu vois bien, disait John Powers, tandis que Miles sortait tranquillement du bar, il y a tout ici, absolument tout ce qu'il y avait dans cette espèce d'horreur de ferme de santé – saunas, piscines, coiffeurs. Salons de massage. Mais au moins, ce n'est pas un trou perdu, un village de zombies au milieu de nulle part. Oh, au fait : il n'y a que des *masseuses* ici, Lulu. »

Parce que ça, ç'avait été la goutte d'eau. Enfin, bien sûr, il avait déjà décidé qu'il lui fallait partir de cet endroit tant qu'il avait encore tous ses esprits – sans avoir la moindre idée de là où

aller, cela dit – lorsque Lulu avait laissé échapper, fort négligemment, que la personne qui s'occupait d'elle pour son massage
quotidien était un jeune gars sympathique prénommé *Paul.* Un
gars, putain! John avait peine à le croire – à croire que depuis
une semaine, tous les jours, pendant qu'il fumait et maudissait
cet endroit, et essayait de retrouver la page de son Frederick
Forsyth, Lulu se trouvait entre les mains (et nue! Doux Jésus, la
simple *idée* lui glaçait les sangs) d'un homme! Une saloperie de
saleté d'homme! *Bon*, avait déclaré John, c'est terminé. Il s'était
jeté sur le guide touristique de la région, avait noté les meilleurs
hôtels des deux ou trois stations balnéaires les plus proches, et
avait décroché le téléphone. Il avait dû tirer un trait à peu près
partout – tous étaient complets, bourrés, saturés. Puis on lui
avait suggéré le Palace, un peu plus loin, et là, la fille lui avait
répondu qu'il était possible qu'il leur reste *effectivement* une
chambre, s'il pouvait patienter un instant. John avait patienté
(un « instant », cela signifiait évidemment cinq bonnes minutes
d'horloge), sur quoi il s'était avéré que c'était une chambre pour
une personne, et miteuse encore, donnant à l'arrière. Avez-vous
essayé l'Excelsior, proposa la fille? Non, il n'avait pas essayé – il
n'avait même pas entendu *parler* de l'Excelsior, d'ailleurs. Il
avait noté le numéro que lui donnait la fille, et appelé sans
grand espoir. Oui monsieur, il nous reste une vaste *suite*, très
luxueuse – vue sur la mer, tout le confort : il s'agit d'une annu-
lation de dernière minute. Parfait, avait dit John, je la prends –
pas le moment de finasser. Il n'avait même pas demandé le prix.
(Bon, d'accord, ça va me coûter la peau des fesses, et après? Je
sors de ce putain de camp de concentration, et leur saloperie de
masseur trouvera la femme de quelqu'un d'autre à tripatouiller.
Et si je le croise par hasard avant de partir, je lui mettrai les
points sur les i.)
  « Oh, par *pitié*, John, soupira Lulu, faisant rouler le pied de sa
flûte de champagne entre deux doigts que Miles avait raison de

trouver fort élégants, ne continue pas, tu veux ? Nous sommes *ici*, à présent, d'accord ? Tu as eu ce que tu voulais, alors laisse tomber. Tu ne fais que parler de Paul, depuis que nous sommes arrivés – et même avant, pendant tout le trajet. »

Tout le visage de John se contracta sous cette gifle.

« Ne l'appelle pas *Paul* ! fit-il, les dents serrées.

– Oh, John, là, tu es franchement puéril, tu sais. Pourquoi ne devrais-je pas l'appeler Paul ? Puisque c'est son *nom*. »

John la suppliait à présent, levant vers elle des yeux implorants de chien battu (ce que je ressens dépasse les mots, cette souffrance est atroce, je ne peux que la supplier d'arrêter). « S'il te plaît, fit-il, très doucement. Arrête, je t'en prie. »

Les paupières de Lulu s'abaissèrent, elle lui sourit avec attendrissement, comme on sourit à un enfant qui vous apporte triomphalement la carte d'anniversaire découpée de travers, décorée de bouts de feutre et de paillettes, toute poisseuse de colle, qu'il s'est levé tôt pour réaliser avec amour, pour vous, rien que pour vous.

« Allez, viens, dit-elle. On va marcher un peu. »

John et Lulu arborèrent leur rictus d'excuse comme ils arrivaient en même temps que deux femmes à la porte du bar, trop étroite pour quatre personnes de front. Lulu les avait déjà remarquées – l'une d'elles portait une robe bain de soleil terriblement chic, beige rosé et d'une divine simplicité – elle ne devait pas venir de chez n'importe qui : Nicole Farhi, peut-être. Et la femme disait à son amie :

« J'espère bien que Katie va appeler ce soir – tu sais qu'elle ne m'a pas donné de numéro où la joindre. J'espère que tout va bien. »

Lulu eut un sourire, tandis que John et elle se dirigeaient vers les portes vitrées, et le grand soleil blanc au-delà. C'était drôle, dans des endroits comme les hôtels, ces minuscules bribes de vies inconnues que l'on surprenait comme ça, au hasard. Qui était Katie, et où était Katie ? se demanda-t-elle. Et est-ce que tout allait bien ?

Mais ouais, ouais, tout allait au petit poil (on dit ça, ici). Elle était complètement pompée, après une journée passée à faire du tourisme à la con – mais grands dieux, Chicago était franchement *génial.* Katie n'aurait jamais cru que les immeubles étaient réellement aussi hauts – les photos ne vous en donnaient aucune idée, et cela ne passait pas, dans les films. Elle avait traîné Norman jusqu'au sommet de la Sears Tower, ce qu'il n'avait pas du tout apprécié.

« On ne peut pas essayer de me trouver *quelque* chose à me mettre sur le dos, pour commencer ? » avait-il demandé, sans grand espoir. Quand Katie rayonnait ainsi – et ce n'était pas seulement une étincelle dans les yeux, son visage *tout entier* paraissait illuminé – il fallait, définitivement, faire une croix sur cette chose : l'espoir. Et mon Dieu – ils étaient rentrés si tard à l'hôtel, la veille au soir, et il avait été si *malade,* et peut-être aussi... oh, je ne sais, pas, *tout...* mais Norman en avait jusque-là. Il n'avait même plus envie d'être en compagnie de Katie, ce qui avait franchement écœuré cette dernière (Dieux du ciel, pensait-elle, si Norman n'assure même plus au lit, il lui reste quoi, à ce type ?), alors il s'était couché tout habillé, et maintenant il se retrouvait dans un ascenseur, apparemment en train de foncer vers le firmament, et toujours vêtu des mêmes fringues puantes et dégueulasses – et je vous prie de croire qu'il faisait *un peu* chaud, dans cette ville. La compagnie aérienne avait présenté ses excuses, et assuré que l'on finissait par retrouver quatre-vingt-dix-huit pour cent des bagages égarés – mais cela supposait que la valise restât fermée pendant toute la durée de son périple autour du monde : Norman récupérerait sans doute la valise, mais qu'il en récupère également le contenu

128

semblait très improbable. En outre, était-il assuré ? Je vous livre la question : à votre avis, l'était-il ?

Arrivé au sommet du building, Norman refusa simplement d'en croire ses yeux. Certes, il avait déjà gravi des bâtiments très hauts – la tour Eiffel était ce qui venait en premier à l'esprit (il y avait d'ailleurs perdu un béret bleu marine assez coquet qu'il venait d'acheter – c'était une vraie tempête, là-haut –, sur quoi il avait abandonné les oignons, parce que sans le béret, ça n'était plus aussi drôle). Mais là, c'était de la pure... enfin, je veux dire *regardez ça*, mais il n'y a qu'en avion qu'on puisse avoir une vue pareille – pensée funeste, parce que d'un seul coup il avait de nouveau la gerbe, et la panique le saisissait, et il éparpillait des troupeaux, des hordes de Japonais, dans sa farouche détermination à rejoindre l'ascenseur et à sortir de là en moins de temps qu'il n'en fallait pour le dire.

« Nous allons visiter le Magnificent Mile », déclara Katie, quand tous deux eurent retrouvé le plancher des vaches – et maintenant encore, savez-vous, Norman ressentait une espèce de vibration dans les orteils : il osait à peine poser franchement le pied sur le sol, de crainte que ce ne fût qu'une illusion, et que ledit sol ne l'avalât (grands dieux, j'aurais peut-être mieux fait de rester à la maison).

« C'est où ? C'est quoi ? s'enquit Norman.

– Ce n'est pas le vrai nom, dit Katie. J'ai lu ça dans l'avion. Je *crois* que cela s'appelle Michigan Avenue, en réalité – il me semble que c'est ça. En tout cas, c'est un endroit absolument hyperconnu, avec plein de boutiques géniales, et donc on va forcément trouver tout ce dont tu as besoin, quelque part là-bas. En plus il y a une boutique Gucci et ça c'est super, parce qu'à Londres on ne trouve pas les mocassins dans toutes les couleurs. Il m'en faut des rose et orange, s'ils ont ma taille.

– Ça n'a pas nécessairement besoin d'être *génial* », marmonna Norman. Et ça ne l'est sûrement pas ; mais tout ce que je veux, c'est quelque chose de *propre* à me mettre. « On y va comment ?

— En Amérique, c'est toujours facile de se repérer dans les villes, parce qu'elles sont entièrement faites d'avenues coupées par des, euh... des trucs qui ne sont *pas* des avenues – et de toute façon, celle-ci est tellement immense que nous ne pouvons pas la rater : c'est près d'un pont. »

Mon Dieu, ils réussirent cependant à la manquer pendant plus d'une heure, largement, et Norman, suant sang et eau, en avait plein les endosses de répéter encore et encore à l'adresse des omoplates de Katie qui filait comme un dard : « Bon, *écoute*, pourquoi on n'achète pas un *plan*, nom d'un chien ?

— Mais parce que nous n'en avons pas *besoin* – et arrête de *gémir*, Norman. Tu passes ton temps à *gémir*, ça me rend cinglée. »

Quarante minutes plus tard, Katie, commençant elle-même d'en avoir assez – putain, ces saloperies de boutiques vont être *fermées*, à ce rythme-là –, s'arrêta à un coin de rue pour demander son chemin à un homme qui lui dit d'acheter un plan, ma petite dame (ce qui n'était pas très aimable). Et soudain, elle aperçut l'enseigne de Bloomingdale's, tout là-haut – elle avait entendu parler de Bloomingdale's (célèbre pour ses grands sacs de papier brun), alors elle s'écria d'une voix flûtée Oh, regarde, nous y sommes, Norman – et c'est immense, chez Bloomie's, ils ont de tout là-dedans ; et, oh, regarde, nous *sommes* dans Michigan Avenue, tu *vois bien*, je t'avais dit qu'on finirait par trouver, et tu ne voulais pas me croire.

Dans ce genre de magasin, Katie devenait la proie d'une véritable transe : Norman l'avait déjà vue entrer chez Harrod's avec sa mère, une fois, et on aurait dit, littéralement, deux Dr. Jekyll en train de se métamorphoser de manière impromptue.

Katie suggéra qu'ils se séparent pour se retrouver plus tard ici même – Ici même, Norman : regarde, prends des repères, mémorise l'endroit, ici exactement, dans, disons, une heure, une heure et demie ? Une heure, ça devrait suffire ; ici même, dans une heure, Norman. Tu as pigé ? *Oui*, Katie, répondit Norman, l'air aussi bovin que possible, sans dépasser la mesure, oui, je pense que j'ai réussi à assimiler cela. Le problème était que, s'il n'en faisait pas assez, elle passait complètement à côté de l'ironie (comme maintenant), et que s'il en faisait trop, elle était fort capable de le mutiler à vie. Que choisir ?

Il était satisfait de cette séparation momentanée, cela dit – impossible d'acheter quoi que ce soit avec Katie en train de surveiller. Un jour (c'était cette fameuse fois, chez Harrod's, d'ailleurs – la première et dernière), elle avait essayé de lui faire acheter une cravate à soixante-cinq livres. À soixante-cinq livres ! Dieu tout-puissant – mais vous faites un tour au Mencap du coin, et pour cette somme-là, vous avez un costume trois pièces, un pardessus, de bonnes chaussures de marche à peine fatiguées et un sac pour mettre le tout (c'était d'ailleurs de là que provenait sa... enfin, sa valise). Les cravates ? Mais les cravates, c'était quasiment gratos, en cadeau. *Soixante-cinq livres ?* Ne le faites pas rire. Qui diable sur terre aurait simplement *l'idée* de dépenser une somme pareille pour une cravate ? Et pourtant, Norman se retrouvait dans un rayon immense, grouillant de gens qui, précisément, avaient ce genre d'idée, et cueillaient de pleines brassées de ce que Norman, à présent, identifiait comme des vêtements très, très chers. Je suppose que le Magnificent Miles n'a pas grand-chose à voir avec une friperie, hein ? Non, je suppose que non. Et inutile de demander, ça ferait tache.

Bon – réfléchissons un peu (mais *vite*, parce qu'il fallait faire fissa s'il devait retrouver Katie dans une heure – c'est-à-dire à peine cinquante minutes à présent). Il acheta une paire de chaussettes – vingt-deux dollars, plus les taxes (bon Dieu, il n'avait plus qu'à en porter une un jour, la suivante le lendemain, et apprendre à se déplacer à cloche-pied). Et puis, il se paya d'audace – jamais il n'aurait osé faire ça à Londres, mais, ho! il était étranger, non? Il n'aurait plus jamais à reparaître devant eux. Il demanda un sac – le plus grand qu'ils aient. Et *oui*, la vendeuse ricana (sans même lui dire qu'elle *adorrrrayyy* son accent – d'ailleurs, personne ne le lui avait jamais dit), mais il obtint ce qu'il convoitait : un de ces célèbres grands sacs bruns (si grand qu'un clodo aurait pu y élire domicile).

Sur quoi Norman sortit de l'immeuble en trombe et fila ventre à terre, empruntant diverses petites rues adjacentes – il y avait sûrement un quartier miteux pas trop loin, dans cette ville? *Tout le monde* n'est pas millionnaire, à Chicago, si? Il finit par dénicher, plus ou moins, ce qu'il appelait de ses vœux – une boutique franchement disgracieuse, apparemment installée à la hâte dans les locaux de quelque précédent commerce à présent en faillite. Il y avait là des piles de sweat-shirts rayés, atroces, de tee-shirts quasiment transparents (les moins chers arboraient la phrase I LOVE HICAGO), de jeans épais et informes, de bombers en acétate portant le mot BULLS dans le dos (pourquoi pas, ma foi? C'est mieux que COWS, en tout cas), de treillis douteux, et toutes sortes de baskets bicolores. Super! Les couleurs prune et turquoise dominaient – ainsi que le gris cendre : pour cent cinquante dollars, Norman put s'offrir trois exemplaires de la plupart des articles (il faillit marchander un peu, mais le mec qui tenait la caisse était bâti comme une benne à ordures, alors bon, je crois qu'il vaut mieux laisser tomber). Il fourra le tout dans le sac de Bloomingdale's (Katie ne songerait jamais à trouver tout cela atrocement moche et ringard – pas si elle pensait que ça venait de Bloomie's). Il lui restait exactement – quelle heure est-il? Bon, presque le quart : neuf minutes pile pour retourner ici même, *ici même*, Norman, tu as pigé?

Et neuf minutes auraient amplement suffi – lui auraient

même laissé le temps d'adopter une pose vaguement alanguie, adossé contre un des piliers plaqués de miroirs, du genre j'ai-failli-attendre, oui, il aurait largement eu le temps, en piquant un sprint dans la bonne direction. Il se disait bon, cette rue, la machin, Michigan, elle est immense, hein ? Je ne peux pas la manquer. Parce que enfin, Bloomingdale's à lui seul fait bien la taille d'une petite ville – et puis aussi cet autre immeuble devant lequel il était passé – avec Wrigley marqué dessus – et des buildings comme cela auraient nécessairement tout dominé, n'importe où ailleurs dans le monde. Mais c'était *l'échelle* du lieu qui posait problème – ça, et le fait de devoir courir tout en gardant les yeux levés vers des gratte-ciel vertigineux, tous dallés de verre, étincelants à vous aveugler – seule manière de, peut-être, repérer quelque chose de vaguement reconnaissable, mais en contrepartie, on ne cessait de se jeter de plein fouet sur les passants, dont certains semblaient alors nourrir des pulsions de meurtre (grands dieux, j'aurais peut-être mieux fait de rester à la maison).

Il finit par discerner, au loin, ce qui lui parut être l'océan. Comment était-ce possible ? Cinq minutes auparavant, il arpentait une avenue qui reléguait Oxford Street au rang de venelle, et tout d'un coup, il se retrouvait au bord de la mer. Comment les gens faisaient-ils pour vivre ici sans devenir fous ? Il demanda à une femme de lui indiquer s'il vous plaît où se trouve le grand magasin Bloomingdale's, mais sa réaction s'avéra stupéfiante : elle s'enfuit à toutes jambes, comme s'il avait brandi une hache. Il posa la même question à un homme, lequel lui répondit : Hey, mon pote, tu trouves que j'ai l'air d'un flic ? Ce à quoi Norman songea sérieusement à répondre (*non*, si vous voulez le savoir), mais l'autre était déjà loin, compte tenu du rythme frénétique que tout le monde semblait adopter ici.

Norman finit néanmoins par trouver quelqu'un qui avait, lui, définitivement l'air d'un flic (oh putain, l'heure – c'est pas vrai l'heure qu'il est!) en ceci qu'il portait des bottes, une arme, et des Ray-Ban noires comme le péché – aussi effrayant qu'on puisse le rêver. Comme si cela ne suffisait pas, il était juché sur un sacré grand fi de garce de cheval, de sorte que de devoir crier pour se faire entendre de l'homme, tout là-haut, ne faisait que torturer davantage la nuque douloureuse de Norman. Le policier lui indiqua son chemin en brandissant une matraque noire et luisante, superbe mis à part le clou long de quinze centimètres qui en traversait l'extrémité, et Norman, qui s'était perdu dans les explications avant même que l'autre en ait terminé, n'osa pas demander un « bis », de peur que l'individu ne lui tire une balle dans la tête, ou au moins ne lui assène un méchant coup de gourdin.

Il était de toute manière trop tard : même s'il avait su où diriger ses pas, il ne pouvait plus arriver à temps, maintenant – et il était exclu que Katie l'attendît. Katie n'attendrait jamais. Norman contempla un moment le *lac*, d'après Darth Vader, le flic (en se disant qu'en Amérique seulement un lac pouvait ressembler à l'océan), et se demanda s'il n'était pas préférable d'épargner tous ces tracas à Katie et de sauter, là, tout de suite, pour en finir. Non – ce serait du gâchis (à présent qu'il avait toutes ces super fringues et tout ça). Non, je vais simplement rentrer à l'hôtel et me préparer pour la scène. Faire face, comme un homme. Voilà. Oh bon Dieu, il est où, ce putain d'hôtel? Sur quoi il faillit fondre en larmes, comme la question suivante lui sautait à l'esprit : et il s'appelle *comment*, ce putain d'hôtel? Il savait que ça commençait par un B, mais après – il allait faire quoi, s'adresser à un autre policier et lui demander poliment le chemin de cet hôtel, là, vous savez bien, celui qui commence par un B? Mauvais plan.

Norman déambula un petit moment par-ci, par-là (je ne vois même pas un seul hôtel au monde dont le nom commence par B, en y réfléchissant bien – le Borchester, le Blaridge, le Bitz : ça ne marche pas, hein ?), puis se retrouva brusquement dans une large avenue bordée d'arbres et, quelques secondes plus tard, carrément devant Bloomingdale's. Il entra, le cœur serré, le grand sac brun à la main (histoire de dire, plus qu'autre chose) et, bien évidemment, ne trouva pas la moindre trace de Katie à ce fameux endroit précis où il devait la retrouver. Mon Dieu, à quoi Norman s'attendait-il donc – il avait quarante-cinq, presque cinquante minutes de retard : un gag. Après tout ce cirque à l'aéroport, Katie avait dû lui accorder dix secondes de délai, puis filer.

C'est alors qu'elle arriva silencieusement derrière lui, et lui ébouriffa les cheveux :

« Salut – je suis un peu en retard. On rentre tout de suite au Sheraton, Norman – j'ai acheté un cadeau assez génial, pour nous deux. »

Norman lui emboîta le pas, et en route. Il se contenta, sagement, de laisser couler le flot de commentaires et d'anecdotes charriant les noms de Gucci et de Prada, sans intervenir outre mesure. Arrivé au Sheraton, il était plus en nage, plus trempé de sueur qu'il ne l'avait jamais été de toute sa vie – et peu importe si sa nouvelle garde-robe était immonde, au moins elle ne puerait pas – donc, une douche tout de suite, puis je me change : la volupté totale.

C'est drôle, cela dit : j'aurais juré que ça commençait par un B. C'était peut-être à cause de ce putain de Bloomie's. Je me demande bien ce que ça peut-être, ce cadeau assez génial. Avec Katie, on ne peut jamais savoir.

« Mon Dieu, je trouve que c'est une idée absolument *charmante*, disait Elizabeth. Absolument charmante. »

Elle se tenait là parmi une douzaine d'autres personnes, dans une salle contiguë au grand hall, sirotant vaguement un verre

135

de champagne, et s'adressait à celui des dirigeants de l'hôtel qui n'était pas vraiment le directeur : sous-directeur, directeur adjoint, assistant manager, enfin quel que soit le titre que ces gens-là se donnent, de nos jours.

« C'est toujours un plaisir, répondit ladite personne – en fait, il portait son nom sur une espèce de badge épinglé à son revers mais, grands dieux, Elizabeth n'aurait jamais pu le déchiffrer à cette distance. Voyez-vous, souvent, les gens partent en vacances, et ne savent pas comment nouer des relations, poursuivit-il. C'est très anglais, cela. Mais nous nous sommes aperçus que nos nouveaux hôtes apprécient énormément ces petites réceptions que nous organisons. Et il semblerait même que des amitiés éternelles y aient vu le jour ! »

À ce ravissement factice, Elizabeth opposa un simple sourire. Tout cela est bien sympathique, se disait-elle, mais il n'y a pas non plus de quoi s'exciter *outre mesure*, n'est-ce pas ? Parce que je veux dire, un verre de champagne avec quelques personnes nouvelles, c'est une chose – d'ailleurs je crois que je vais discrètement filer vers les canapés, pas mauvais du tout ces petits canapés, si j'arrive à me débarrasser de cet homme (tout à fait charmant, quoiqu'un peu assommant) : j'en ai déjà goûté un au saumon, je vais peut-être me laisser tenter par un aux crevettes, cette fois. Oui, comme je dis toujours, un verre avec des gens nouveaux, c'est une chose, mais il ne faut pas non plus que cela tourne à l'agence matrimoniale : je me demande quelle bizarre idée il peut avoir en tête. Et Melody, au fait ? Ah, la voilà, là-bas – à côté du buffet, et en train de discuter avec un homme – évidemment. Vaguement nympho, cette Melody ; Elizabeth ne savait pas pourquoi elle pensait cela, mais c'était ainsi. Et est-ce que Brian et Dotty ne devraient pas être arrivés, maintenant ? Avec Colin ? J'avais bien *dit* six heures.

Ils n'allaient pas tarder, ils étaient en train de se garer. Cela dit, c'était un miracle qu'ils soient venus, car Dotty était littéralement éperdue d'embarras (les yeux hagards, le visage rouge – avec même un peu de bave aux commissures) : que diable allait-elle pouvoir dire à Elizabeth ? Pas la *vérité*, en tout cas. Elle ne *pouvait* pas dire la vérité. C'était offrir sa nuque au bourreau – la tête de saint Jean-Baptiste sur un plateau d'argent. Non, il lui fallait trouver une idée géniale. Dans l'immédiat, un coup de fil – puisqu'elle lui avait fait promettre, sans faute, d'appeler dès qu'ils arriveraient (je veux être absolument certaine que vous êtes *bien* arrivés).

Problème numéro un, avec cette charmante petite bicoque sur roues (enfin, sans roues) : il n'y avait pas de téléphone. Donc, descente au pub du coin avec l'affreux tas de boue (et quant au *pub*, juste ciel, il fallait voir ça – on aurait dit le foyer d'une maison de correction : que des jeunes débiles alignés derrière des rangées de jeux crétins, éructant et sinistres) – pour au moins pouvoir passer un coup de fil (avant, ils avaient un portable, mais Brian a déclaré que l'abonnement revenait trop cher). Oh là là, les merveilleuses vacances qui s'annoncent ! Et *bien sûr* que Dotty songeait sérieusement à rentrer illico à la maison – mais dans ce cas, que *dire* à Elizabeth ? Et Colin, le pauvre Colin – il avait besoin de vacances, le pauvre amour. Quoiqu'il eût déjà dit à son père que, selon lui, cette caravane était vraiment l'endroit le plus merdique où il ait jamais mis les pieds de toute sa vie.

Elle avait sommé Brian de s'expliquer (sommé ? non, assommé, plutôt, cet insupportable petit crevard), mais celui-ci était carrément monté sur ses grands chevaux (vous *imaginez* cela ?) et lui avait mis les points sur les i, c'était ça ou rien : plus de pognon – est-ce clair, Dotty ? Combien de fois avait-elle entendu cela, et sur combien de tons ? Plus de *pognon*. Voilà. Bref, elle avait appelé Elizabeth à l'Excelsior (grands dieux, l'*Excelsior*, c'est pas vrai…) et Elizabeth lui avait dit Écoute, ils donnent une espèce de vague cocktail pour les nouveaux venus, ce soir, donc vous venez (j'y tiens), et puis on ira dîner quelque part; d'ailleurs, le restaurant a l'air assez correct, ici, on peut peut-être l'essayer. Et Dotty avait dit *oui*, évidemment qu'elle avait dit oui – n'importe quoi pour s'échapper de cette misérable boîte de conserve dont Brian semblait penser sérieusement qu'elle pourrait loger trois personnes pendant une semaine. Mais un peu plus tard, autre drame : qu'allait-elle porter? Qu'allait-elle *dire*? Qu'allait-elle porter et qu'allait-elle *dire*? Elle aurait bien rappelé pour annuler, mais l'idée de devoir entrer de nouveau dans cet abominable petit troquet était simplement trop éprouvante.

Quoi qu'il en soit – les voilà arrivés. Colin, viens voir là, Colin – tu as les cheveux qui rebiquent, par-derrière; et franchement, Brian, c'est quoi, cette immonde veste de tweed pour aller à un cocktail – d'ailleurs, je ne la connais pas. Dotty elle-même portait une robe-chemise bleu marine absolument parfaite pour l'occasion – manches courtes, larges revers blancs pour faire contraste, tout cela très nautique, très charmant, vraiment – de plus, le sac et les chaussures étaient presque assortis. Évidemment *le tout ensemble** datait terriblement, mais les affaires d'été, ça ne change jamais à ce point, n'est-ce pas? Et par *pitié* ne dites pas que si, ça peut changer, parce que c'était là l'unique pensée à laquelle Dotty pût se raccrocher. Si seulement Elizabeth ne faisait aucun *commentaire* sur sa tenue, elle pouvait s'en sortir; mais évidemment qu'elle allait en faire – sinon, ce ne serait pas Elizabeth.

En cet instant toutefois, Elizabeth était plutôt concentrée sur le buffet : ce petit truc au poulet n'était pas dégoûtant non plus, mais il faut vraiment que je fasse attention, parce qu'ils ont tous un léger goût de revenez-y, et si je continue à me gaver, je n'aurai plus de place pour le dîner; cela dit, je peux peut-être prendre juste une entrée et un pudding.

* En français dans le texte. *(N.d.T.)*

« Bonsoir, fit une voix à sa gauche. Je m'appelle John. »

Oh, non, quelqu'un me parle. C'est tellement incongru de parler à des gens qu'on ne connaît pas, comme ça... mais bon, j'imagine qu'il faut faire preuve de bonne volonté.

« Elizabeth, dit Elizabeth. Ces canapés sont assez fameux. Je vous recommande ceux aux crevettes. »

John Powers hocha la tête. « Ils sont *vraiment* délicieux. En principe, je ne suis pas très porté sur le grignotage, mais je dois dire que... Êtes-vous ici pour un moment ?

— Une semaine, répondit Elizabeth avec un sourire épanoui — comme si c'était là la chute d'une histoire drôle. Et vous ?

— La même chose. Je viens d'arriver. En fait, ce sont des deuxièmes vacances, en quelque sorte, parce que Lulu, mon épouse — c'est elle, là-bas — nous avait inscrits dans une de ces fermes de santé, vous savez — enfin, vous avez peut-être déjà...

— Non, jamais. Il m'est arrivé d'y songer, mais en fait, je n'ai jamais...

— Eh bien, *évitez*, coupa John, faisant mine de se faire couper le cou. C'est l'enfer. Nous n'en pouvions plus. De sorte que nous nous sommes retrouvés ici de façon totalement imprévue — mais l'endroit semble tout à fait agréable. »

Que font Brian et Dotty ? Pourquoi Melody ne vient-elle pas me parler ? Je n'en ai rien à *faire*, de cet homme et de son imbécillité de ferme de santé, alors pourquoi me bassine-t-il avec ça ?

John s'apprêtait à avaler d'un coup un des canapés aux crevettes qu'on lui avait conseillés, lorsqu'il se figea — bouche ouverte, canapé suspendu —, le regard fixé sur Lulu, là-bas. D'accord... Je vous jure que ça ne va pas durer longtemps ! Elle était en train de discuter avec le mec, là, le mec avec la moustache qu'ils avaient déjà croisé au bar, un peu plus tôt. Et au bar, déjà, elle l'avait *regardé* — si elle s'imagine que je n'ai rien vu, je peux vous dire qu'elle se *trompe*. Simplement, j'ai préféré ne faire aucun commentaire (mets ça dans ta poche avec ton

139

mouchoir par-dessus, laisse-le bien faisander, et tu le lui sortiras plus tard) – et à présent, putain, elle lui *parlait* carrément. Elle ne doute de rien.

« Je vous prie de m'excuser, dit-il à Elizabeth, s'éloignant déjà.

– Mais je vous en prie, répondit Elizabeth tandis qu'il disparaissait. Ah, Dotty! Vous *voilà* enfin – je commençais à penser que vous n'alliez pas venir. Mais tu es superbe, ravissante – ça fait tellement plaisir de revoir cette robe, c'est un peu comme une vieille amie. Colin, mon chéri, viens vite me dire bonjour. Qu'est-ce qui ne va pas, Brian? Pourquoi marches-tu comme ça?

– Oh, laisse-le, dit Dotty avec un vague geste de dénégation, en pensant Eh bien, ça n'a pas été trop difficile, finalement, de lui arracher cette espèce de chiffon immonde : je peux peut-être en faire don au Victoria and Albert Museum.

– Je me suis jeté sur le pauvre pied de Dotty, dit Brian sans sourire. Avec mon genou. Et je crois qu'un verre de champagne ne serait pas du tout contre-indiqué. »

Elizabeth s'employa à faire servir tout le monde (un jus d'ananas, Colin! *J'adorais* le jus d'ananas, quand j'étais petite!), jeta un coup d'œil vers Melody (à présent, elle parlait avec un *autre* type), puis passa aux choses sérieuses :

« Alors, dis-moi, Dotty – ton hôtel. Est-ce loin? Est-il sublime? Je dois dire que notre suite est vraiment très charmante.

– Je t'avoue que je suis littéralement sous le choc, reconnut Dotty d'une voix ravie – tout en jetant un regard lourd de menaces vers Colin (à qui l'on avait fait la leçon, cent fois, dans la voiture, mais mon Dieu, les jeunes ont cette sale habitude, n'est-ce pas, de sortir des trucs malvenus, parfois même la vérité). Brian a eu une idée absolument divine, il a loué une propriété à la campagne – enfin, juste en bordure de la ville. Un endroit véritablement *ravissant*, je te jure… et vraiment, quelle délicatesse d'avoir gardé le secret – c'est une surprise tellement magnifique!

– Oh, Dotty, mais c'est *merveilleux*! roucoula Elizabeth. C'est vraiment adorable – et toi, Colin, tu dois être ravi!

– Ouais, c'est super », fit Colin, les yeux rivés au sol – tandis que Brian, pour sa part, s'employait activement à tirer tout l'intérêt que pouvait receler le plafond. Je pense, se disait-il, que je vais m'en mettre plein la lampe, pour garder la bouche toujours pleine. Si seulement Dotty ne considérait pas son manque d'argent comme une espèce de *maladie* chronique et immonde à voir; cela dit, je ne sais pas – c'est peut-être le cas : il est certain que le paysage a vilainement changé, et ça n'a pas l'air de vouloir s'améliorer.

« Excusez-moi, murmura Brian, comme il frôlait une épaule, devant le buffet.

– Il n'y a pas de mal », répondit négligemment Miles McInerney, qui en cet instant pensait Ouais, ouais, tout à fait intéressant – parce que cette Lulu était franchement pas du tout, du tout dégueu –, et Miles savait reconnaître une femme pas du tout, du tout dégueu quand l'occasion lui en était offerte, vous pouvez l'en croire. Elle restait assez distante, cependant – aucun feu vert à l'horizon. Et pour être honnête, même pas de feu clignotant, pas même le feu sous la cendre – quant à la manière dont elle regardait ce mec, juste ciel... Et tiens, le voilà qui s'amène et dit plus ou moins à Miles de se tirer de là, carrément. Infernal. Comme si j'étais en train de la violer, là, par terre! Idée sympathique, au demeurant. Mmmm. Ça n'est pas joué d'avance, avec celle-là – ça risque de demander du temps, et je n'en ai pas trop. Je ferais peut-être mieux de laisser tomber, non? Pas la peine de foncer dans le mur. Enfin, ça dépend – parce que ça dépend toujours, n'est-ce pas? Ça dépend si quelqu'un d'autre se pointe. Si d'ici demain matin, je n'ai personne d'autre dans le collimateur, j'y vais, parce que je ne suis pas là pour glander. Si vous voyez ce que je veux dire. L'autre, là-bas, n'est pas immonde non plus, hein – elle m'a dit qu'elle s'appelait Melody – mais, ho, est-ce que j'ai *l'air* d'être né de la dernière pluie ? Non, non, je n'ai *pas* oublié le bébé à la con, non non, pas du tout. Bon, je me tire de ce petit thé entre dames de la paroisse ; je bouffe un morceau, puis je fais le tour des boîtes.

« Soir », fit-il à Lulu, d'un ton léger, en passant près d'elle.

En une fraction de seconde, John la fixait de ce fameux regard (et ce regard-là, mon Dieu – combien de fois Lulu avait-elle dû affronter ce regard-là ?) et demandait, de cette voix étranglée qu'il avait en de telles occasions (mélange, à proportions égales, d'incrédulité, de douleur et de rage noire, tout cela bien huilé, lubrifié, un nœud de serpents) :

« Pourquoi t'a-t-il dit *bonsoir* ? Mmmm ? Qu'est-ce qui l'autorise à te dire bonsoir ? Qu'est-ce que tu as *dit* à cet homme ? »

Lulu ferma à demi les yeux : allait-elle pouvoir supporter une nouvelle scène de ce genre ?

« John, fit-elle d'une voix oscillant entre le désespoir et l'effarement, je suppose qu'il a dit "bonsoir" parce qu'il *partait*. Généralement, tu sais, les gens disent bonsoir, quand ils partent.

– Mais toi, qu'as-tu… ?!

– Mais je n'ai *rien* dit, John – je te le répète. Je ne lui ai rien dit. Il m'a raconté qu'il était VRP ou quelque chose comme ça, et qu'il avait gagné ce séjour comme *prime*, il me semble : je n'ai pas fait très attention. Je l'ai trouvé très ennuyeux et très prétentieux, si tu tiens à le savoir. »

John contempla cette bouée avec un espoir mêlé de circonspection – il fallait d'abord faire le tour de l'objet, le flairer, avant de simplement le toucher du doigt.

« Vraiment ? Tu es sûre ? À ce point ? »

Lulu sourit. Elle se pencha vers John, lui posa un baiser sur la joue. « Allez viens, fit-elle, j'en ai assez d'être ici. On va voir à quoi ressemble le restaurant. »

John était parfaitement d'accord. Et merci, merci Lulu, de me secouer, une fois de plus, de m'arracher à ce truc horrible qui me dévore de l'intérieur.

« Soir », fit-il à Elizabeth comme ils sortaient. Puis, comme Lulu le regardait, le sourcil ironique, avec un amusement non feint, il ajouta brusquement : « J'ai été *poli*, c'est tout. »

« Qui était-ce ? demanda Dotty.

– Mmmm ? fit Elizabeth. Lui ? Oh… je ne sais pas trop – il m'a raconté des histoires de ferme de santé, quelque chose comme ça. D'un ennui mortel – et vous qui n'arriviez *pas* ; j'ai cru que j'allais rester coincée avec lui.

– Il a une jolie femme », dit Brian. *Hé hé*, se disait-il – pourquoi pas ? Pourquoi ne pas tenter le coup ? Je n'ai pas tant de satisfactions, dans la vie, hein ? Pas ces derniers temps, en tout cas.

« Ça, elle sait s'habiller », commenta Elizabeth – *évidemment* que Dotty te regarde d'un sale œil, Brian, pauvre petit crevard, avec ta veste miteuse : cela t'étonne, après ce genre de réflexion ? jamais mon Howard n'aurait osé. « Jil Sander, je pense. La dernière collection. »

Bien, pensa Dotty, on passe à autre chose, immédiatement et sans délai. « Bien, dit-elle, on va peut-être tous dîner à présent, non ?

– Mmm-mmm, approuva Elizabeth. Tu as faim, Colin ? Sur quoi aimerais-tu te faire les dents, ce soir ? »

Eh bien, comme je l'ai déjà suggéré tout à l'heure, sur les nichons de Katie, pensa Colin – mais comme cela m'apparaît très nettement impossible, du point de vue de la pure logistique, je ne cracherais pas sur les tiens – qui, vu ce que tu portes ce soir (avec les petits empiècements de dentelle) m'apparaissent

143

plus sympathiques, plus appétissants et plus fermes que jamais jusqu'à ce jour.

Colin haussa les épaules. « M'est égal, répondit-il, avec son fameux sourire, tant que c'est chaud et bon. »

Norman Furnish était vautré de tout son long dans un immense bain parfumé à la pêche, dans la salle de bains dallée de marbre, juste à l'ouest de la chambre, salle de bains dans laquelle on aurait raisonnablement pu organiser un tournoi de rugby. Certes, c'était cher, très cher – et cela pesait lourd sur l'esprit de Norman (ne vous imaginez pas qu'il s'en moquait), dans ces instants où l'effroi le glaçait brusquement, par surprise. Mais pour le moment, il avait d'autres choses en tête – parmi lesquelles, et au premier chef, comment stabiliser le petit Caméscope Sony, et le maintenir dirigé sur les nichons qui faisaient tant rêver le jeune Colin, tandis que Katie écrasait sur lui, de toutes ses forces, son bassin rose et mouillé et clapotant (et n'ayez aucun doute quant à cela : lorsque Katie vous chevauchait, hein, et qu'elle *descendait* enfin, je vous prie de croire que cette adorable, délicieuse créature descendait *dur*).

« Gnnnaahhh ! » voilà, plus ou moins, ce qu'il parvint à articuler, car le dernier coup de reins de Katie avait *vraiment* été efficace, sur quoi l'épicentre de son corps commença de prendre le pouvoir, tandis qu'il se battait toujours pour maintenir le Caméscope stable et hors de l'eau, sans cesser d'obéir aux brèves instructions que Katie lui donnait d'une voix de plus en plus haletante, les yeux semblables à ceux d'un ours en peluche : durs et brillants.

« Mon visage ! lâcha-t-elle d'une voix rauque. Filme mon visage, ma bouche – vas-y – quand je jouis ! Ahhh ! Plus bas maintenant, plus bas – filme-toi – toi dans moi, en train de me baiser ! »

Cela fit à Norman l'effet d'un véritable coup de fouet – je vais le faire, oui je vais le faire, pensait-il – mais il perdait le contrôle de cette saleté d'appareil (car tout cela n'était rien moins que malaisé – pas simple du tout) et maintenant, une onde commençait de circuler en lui, très profonde, plus forte que n'importe quoi, et son regard implorait Katie de participer, de se donner à ce rêve, alors Norman laissa tomber le Camé-scope sur le tapis de bain et s'abandonna aux plaisirs de la chair comblée, et comme Katie, dans un cri de jouissance, se laissait aller en avant, Norman se vit écrasé sous l'eau qui montait brus-quement (noyé de l'intérieur, noyé de l'extérieur) et, avalant tout à la fois deux tétons mouillés, durs et coniques, et un bon litre d'eau, pensa brusquement que, Oh, Dieu tout-puissant, si l'heure était venue d'affronter le spectre de l'oubli, eh bien c'était en cet instant que la divine transmutation devait se faire de la volupté à la béatitude. En fait, il ne pensa pas cela exacte-ment – évidemment non – mais avec du temps et, ma foi, une tournure d'esprit un tant soit peu poétique, qui sait jusqu'à quel point Norman Furnish aurait-il pu traduire au mieux ces quelques instants essentiels de cet orgasme aussi liquide que liquéfiant ?

« La vache », gémit-il, reprenant son souffle, toussant et cra-chant, repoussant le corps doux, à demi échoué de Katie, et ayant définitivement remis à sa place l'Ange de la mort qui déjà lui tendait les bras. « Il y a plus de flotte par terre que dans la baignoire.

– Voilà une réflexion particulièrement romantique », déclara Katie, enjambant la baignoire et en sortant avec de grands bruits mouillés.

Norman hocha la tête, et lissa en arrière ses cheveux ruisse-lants et plaqués sur son crâne. Je sais, je sais, se disait-il : tout ce délire poétique, ça ne dure que le temps du plaisir – et quand c'est fini, c'est fini, voilà comme je suis.

Mais en fait, comment Norman trouvait-il ces fameuses vacances ? Des fringues bon marché, un hôtel de grand luxe, tel était apparemment le programme – et alors ? Howard prenait en charge l'aspect financier des choses, non ? C'est bien lui qui finançait de super vacances pour sa fifille adorée, non ? Mais, et la mythique Ellie, alors ? Il n'aurait pas volontiers mis la main à la poche pour elle, si ? Non. Parce que en fait, la réalité, c'était que Howard ne payait rien, ni pour l'une ni pour l'autre. Mmmm – non, laissons Norman reformuler la situation : Mr. Street – Howard – payait *tout*, en effet simplement, il n'en savait rien. Parce que Norman, lui, n'aurait simplement pas *pu*, n'est-ce pas ? C'était son deuxième boulot depuis qu'il avait quitté cette misère d'université où il avait (juste ciel !) appris l'économie, et quant à Katie, mon Dieu, depuis le premier instant de leur liaison (cela faisait des mois à présent – il n'arrivait plus à concevoir la vie sans Katie : il l'aimait, cette fille, il en était fou), quant à Katie, elle n'avait cessé d'*exiger* des choses, n'est-ce pas ? Et comme on l'a déjà peut-être deviné, au stade où nous en sommes, les exigences de Katie étaient considérables.

Au début, ça allait : dîner dans le dernier endroit branché, pourquoi pas ? – il puisait dans ses économies (l'argent, c'est fait pour être dépensé, non ? C'est du moins ce que tout le monde dit). Mais ensuite, elle commença de vouloir des cadeaux – pas seulement pour son anniversaire, ou des choses de ce genre : d'ailleurs, Norman avait encore un anniversaire de retard – il allait devoir dévaliser Fort Knox, sur ce coup (à moins qu'il ne l'inclût dans ce petit séjour en Amérique). Donc à chaque fois qu'ils se voyaient, à chaque sortie, elle attendait quelque chose – et je ne parle pas d'un *petit* quelque chose, pour le geste, oh que non, pas Katie. Un jour, au bureau, il avait déposé sur son bureau une longue rose rouge. Réaction de Katie : Qu'est-ce qui se passe, Norman, tu as perdu les vingt-trois autres dans la rue, c'est ça ? Mais mon Dieu, le malheureux s'était tellement entiché d'elle qu'il prenait tout au pied de la lettre, et on le vit bientôt acheter des montres, des vêtements, du parfum, toutes sortes de babioles coûteuses provenant des boutiques *ad hoc*; jusqu'alors, il n'avait même *jamais* entendu ces noms-là, pour la plupart, mais il pouvait à présent les réciter par cœur – et on le connaissait également, dans la plupart des magasins : Norman, Dieu ait son âme, était devenu un habitué. Quant aux restaus ! Mon pote, des dîners comme tu n'en as jamais fait... enfin bref, vous voyez l'idée.

Adieu les économies. Cela n'avait pas pris longtemps (il faut dire qu'il n'en avait pas énormément), sur quoi Norman s'était mis à vendre les quelques objets vaguement monnayables qu'il possédait : une bibliothèque fin dix-neuvième qu'il tenait de son grand-père, quelques livres, la montre en or Omega qu'il avait reçue pour ses vingt et un ans. (Ça lui avait fait mal aux seins, réellement – se séparer de cette montre était douloureux, parce que c'était un cadeau de sa mère, voyez-vous, et qu'elle n'avait jamais eu beaucoup de moyens, la mère de Norman : elle avait dû se priver pas mal pour la lui offrir. Et il n'en avait pas tiré grand-chose : juste assez pour un dîner, un taxi, et une bouteille de champ, pour après. C'était assez moche, vraiment.)

Donc, il passa à la vitesse supérieure. Mr. Street – Howard – gardait un fond de caisse au bureau, et Norman s'était dit, bon, si je pique quarante sacs (disons cinquante) pour offrir à Katie ce nouveau parfum de Gaultier dont elle me rebat les oreilles, ensuite, je peux feindre d'avoir un rhume ou quelque chose comme ça, et ne pas la sortir pendant une semaine, ne rien manger du tout, ne pas me servir de l'électricité, ni du téléphone, ni rien, et rembourser Mr. Street – Howard – dès qu'il me verse mon salaire. L'ennui, c'est que je ne *peux* pas faire semblant d'avoir un rhume ou quelque chose comme ça. Parce que cela veut dire que je ne viendrais pas travailler, ce qui signifie que je recevrais, pour ne *pas* travailler, l'argent de quelqu'un à qui je l'ai volé et que je veux rembourser, et tout cela parce que je suis fauché à cause du fait que je suis tombé éperdument amoureux de la fille de cette même personne. Certains jours, je peux vous le dire, Norman avait la tête qui tournait.

Quoi qu'il en soit, il fit ainsi : il prétendit avoir un rhume, demeura prostré toute une semaine dans son abominable petite chambre, pleurant littéralement de faim (il mangeait les haricots un à un, avec un pique-olives, pour les faire durer). Mais cela ne marcha pas, évidemment. Parce que, au bout du compte, Katie insista pour l'emmener dans un endroit absolument génial, histoire de fêter sa guérison et d'oublier ce vilain rhume (le plus drôle, c'est qu'à présent, il couvait vraiment la crève, et Dieu seul savait comment il allait s'en sortir la semaine *suivante*), sur quoi Norman se laissa traîner dans un des restaurants les plus grotesquement chers de tout Londres, sachant pertinemment que c'est lui qui se retrouverait avec l'addition, au dessert, parce que ç'avait toujours été ainsi, alors pourquoi cela changerait-il, hein ? Oh noooon, s'exclamerait Katie, j'ai encore oublié mes affaires à la maison ; tu veux bien régler pour moi, Norman, s'il te plaît ? Je te rembourse plus tard. Jamais elle ne l'avait fait, pas une seule fois (et Norman ne sut jamais quelles étaient ces fameuses affaires qu'elle oubliait toujours à la maison : ç'aurait aussi bien pu être un chasse-neige, par exemple), et pas une seule fois, évidemment, il n'en avait fait mention. Parce que bon, c'est toujours délicat, on n'aime pas ça, n'est-ce pas ? Donc, entre ce fameux dîner et le taxi pour retourner au bureau – oui, ils se retrouvaient toujours au bureau (tu sais, Katie, avait dit Norman, il y a bien ma chambre, ce à quoi Katie avait répondu, franchement, Norman, je préférerais encore un collecteur d'égout à ta chambre, crois-moi), puis l'inévitable *cadeau* (une mini écharpe Hermès, cette fois, que Katie voulait nouer à la poignée de son sac à main : les femmes sont drôles, non ?), puis le taxi qui ramenait Katie chez elle et le taxi qui ramenait Norman chez *lui* (le dernier bus avait le capot froid depuis longtemps), voilà le résultat – et Norman est, à cet égard, on ne peut plus clair et franc : non seulement il était incapable de rembourser les soixante sacs dérobés (eh oui, il avait opté pour soixante, finalement), mais tout son salaire du mois suivant s'était trouvé réduit, d'un seul coup, à une poignée de cendres.

C'est ainsi que Norman s'était mis à inventer des déplacements et des clients inexistants, tout en puisant dorénavant dans la caisse de façon régulière (quelqu'un va *forcément* s'en apercevoir, un jour ou l'autre). Il n'avait plus, en vérité, qu'un pas à franchir, tout naturellement, pour commettre le forfait réellement condamnable. Katie, bien sûr, étant Katie, ne se posa jamais la question de savoir d'*où* provenait tout cet argent (mon Dieu, elle devait bien savoir quel salaire Mr. Street – Howard – lui allouait). Elle se contentait de prendre, et de demander toujours davantage. C'est alors que Chicago vint sur le tapis.

« Je ne sais pas pourquoi, mais c'est Chicago qui me tente, et pas New York, avait-elle déclaré. C'est comme ça. Ça a un côté dangereux, excitant. Et pour le shopping, c'est *génial*. Regarde – regarde toutes ces brochures que j'ai rapportées. Ça, c'est la plus intéressante – et tiens, voilà l'hôtel, j'ai fait une croix. Tu imagines, Norman – toutes ces nuits ensemble, dans cet endroit fabuleux. Fini, la moquette du bureau ! Vas-y, réserve. Je t'ai noté les dates, là. »

Norman contempla le *fait accompli** posé là, devant lui, en quadrichromie, puis son regard descendit peu à peu pour rencontrer soudain le *coût* de la chose. Il n'arrivait pas à croire que Katie parlait sérieusement – parce que ce qu'elle exigeait, là, Norman l'estimait à, quoi, disons huit mois de salaire ? Si ce n'est qu'il avait déjà claqué son salaire des quarante années à

* En français dans le texte. *(N.d.T.)*

venir. Mais par ailleurs, il l'aimait, non ? Et tu imagines, Norman – toutes ces nuits ensemble, dans cet endroit fabuleux. Comme nous l'avons vu, il biffa la mention Première Classe (est-ce que j'ose ? Il le faut, il le faut – ça, je ne peux simplement pas me le permettre), mais pour le reste, il fit exactement ce que le médecin avait prescrit.

Et l'argent, alors ? Pour les vacances ? Ah oui – l'argent. Aujourd'hui encore Norman a peine à y penser, donc il sera bref, si cela ne vous ennuie pas : un matin, il s'était rendu chez un client dont la maison, d'un prix délirant, était à leur catalogue depuis si longtemps que Norman (c'était lui qui gérait cette affaire) l'avait plus ou moins oubliée. Le propriétaire avait demandé un rendez-vous – pour montrer à Norman toutes les améliorations apportées à sa propriété depuis qu'elle était en vente.

« Double vitrage. Et ça n'est pas donné. J'ai aussi repeint l'extérieur – enfin, la façade. Et puis, les bacs à fleur, vous voyez ? De chaque côté de la porte.

– Parfait, dit Norman. Nous allons faire une nouvelle photo. Ça peut aider. » Tu parles que ça m'intéresse, pensait-il.

« Oui, mais cette fois, faites vraiment *tout* votre possible, n'est-ce pas, Mr. Furnish. Mmmm ? Je vais vous dire – je vais être honnête avec vous : mon ex-femme, cette pourrie, avec ses avocats pourris comme elle, ils sont sur mon dos, sans arrêt. Et j'ai un crédit de relais à un taux qui vous ferait dresser les cheveux sur la tête. Non, je vous dis, Mr. Furnish, je suis pris à la gorge. Je ferais *n'importe quoi* pour vendre cette saloperie de maison. À chaque jour qui passe, elle me tue à petit feu. »

Et Norman s'entendit parler, avant même que l'idée lui ait traversé l'esprit.

« Écoutez, fit-il – il plissait un peu les paupières, histoire de montrer au mec qu'il était sérieux –, je suis prêt à faire quelque chose pour vous. Mais d'abord, vous devez bien comprendre qu'il y a certaines conditions à respecter, parmi lesquelles une discrétion absolue. »

Le type était appâté, clairement. Et pour Norman, très au fait de ce que nous appellerons des pratiques déviantes, cela ne faisait aucun doute.

« Dites-moi, fit l'autre, le regard avide.

— Je vais réduire la commission de l'agence à un et demi pour cent. »

L'autre avait les paupières qui papillotaient, à présent : « Vous allez faire *quoi*... ?

— ... et je promets de vous envoyer autant de clients qu'il est humainement possible de le faire. D'accord ? »

L'homme hocha la tête, lentement, sans quitter Norman du regard – presque comme s'il craignait qu'alors Norman ne se liquéfie en un ruisselet glacé, ou même ne quitte le sol pour disparaître dans les airs. Quant à ses yeux, ils brillaient d'attention, rétrécis dans le soleil, comme s'il gardait le guichet de cricket et s'apprêtait à bloquer la balle.

« Lorsque la maison sera vendue – car nous allons la vendre, et vite, je vous prie de me croire, vous me verserez directement la commission, en liquide, de la main à la main. Puis vous informerez officiellement l'agence – et les autres, car vous avez mis d'autres agences sur l'affaire, n'est-ce pas ? Oui – donc vous informerez toutes les agences que vous avez finalement vendu votre propriété de particulier à particulier. D'accord ? Voilà. »

L'homme hocha de nouveau la tête, et un sourire serpenta sur ses lèvres. « Compris, dit-il, renvoyant la balle avec une aisance non dénuée de grâce. Ça marche. »

Et – Norman, aujourd'hui encore, a du mal à y croire – c'est exactement ainsi que les choses se passèrent. Il avait envoyé tous les clients, littéralement, visiter cette maison, qu'elle pût leur convenir ou pas, et, dès qu'il sentait un vague mouvement de suspension – quelque acheteur potentiel – exigeait plus ou moins du propriétaire qu'il baisse son prix de manière significative. Certes, cela diminuait d'autant la part de Norman, mais un tiens vaut mieux, n'est-ce pas…

Norman empocha sa com, et réserva pour des vacances cinq étoiles à Chicago – où nous le retrouvons donc maintenant, s'esbaudissant parmi les fruits non négligeables de son larcin – ou plutôt, si nous tenons à être absolument précis, vautré avec Katie, en cet instant, sur un lit d'environ trois mètres carrés, et absorbé dans une cassette vidéo d'une authenticité réjouissante, quoique le cadrage soit parfois aléatoire (mais le son excellent) le montrant dans une immense baignoire parfumée à la pêche, en compagnie de Katie qui s'amuse à faire des vagues en le chevauchant sans vergogne. (Le crime ne paie sans doute pas – comme on dit – mais qui pourrait douter des compensations qu'on y trouve ?)

Sur la table, à leur gauche, était posée la carte Amex de Katie, toute poudreuse, parmi les traces de deux lignes de coke ; un billet de cinquante dollars s'enroulait sur lui-même, l'air carrément épuisé.

« *Pas question* de ça, avait dit Norman. Tu entends, Katie, pas question, il n'est *pas question* que je prenne de ce truc. Ni toi. Dieux du ciel, mais *où* as-tu trouvé ça ?

– Oh, *allez*, Norman, soupira Katie, roulant le billet de cinquante. J'ai trouvé ça sur leur fameux truc Michigan, là – on peut vraiment se procurer *tout* ce qu'on veut, ici. Et puis c'est un *cadeau*, j'ai cru que tu serais content. Tu as bien apprécié *l'autre* cadeau, n'est-ce pas, Norman ? » Elle eut un sourire diabolique. « Tu as bien aimé le coup de la vidéo, non ? »

Norman sourit malgré lui. « Ouais », admit-il. Puis il se reprit. « Mais cela n'avait rien à voir avec *ça*. Non, franchement, Katie – un peu d'herbe, ça va. Un petit joint, c'est une chose – mais ça… !

– Oh, *arrête*, Norman, explosa-t-elle. On dirait un *vieux*. On est censés être en vacances, d'accord ? Alors profite de tes vacances, putain ! »

Cependant, Norman ne céderait pas : il ne lui passerait pas ça, pas ce truc-là, ni maintenant ni jamais.

« Katie… !

– *Nor*-man », fit Katie, d'une voix grave et lente. D'une main, elle brandissait le petit tube vert, et de l'autre soupesait doucement dans sa paume ses parties génitales, lourdes et douces – et qui commençaient de manifester quelque intérêt.

« Bon », fit Norman avec un haussement d'épaules, avant de sniffer toute la ligne, sans la moindre difficulté.

Il cligna des yeux, puis les ouvrit tout grands, avec un tel visage que Katie s'employa aussitôt à l'imiter, sur quoi tous deux se virent bientôt transformés en créatures aux multiples membres d'acier et de caoutchouc, tout à la fois sur un lit et sur un nuage paradisiaque. Puis, comme l'ambiance évoluait, Katie saisit la télécommande et fit avancer l'image jusqu'aux plans montrant la queue luisante de Norman émergeant un instant de son sexe étroit et presque glabre, juste avant qu'elle ne revienne s'empaler *dur* sur lui – et là, appuya sur Pause : tous deux semblaient soudain pris par un froid éternel, figés, engourdis, et vibrant cependant imperceptiblement. Katie fourra le Caméscope dans la main de Norman, puis se laissa glisser vers son ventre. Elle leva les yeux, le regarda bien en face.

« Filme », fit-elle d'une voix brève. Et baissant les cils pour mieux se concentrer sur son boulot, elle prit dans sa bouche un bon morceau de lui, puis la totalité. Norman s'abandonna à la soudaineté de la sensation, à cette chaleur enveloppante – avant de s'apercevoir brusquement qu'elle s'était retirée (il crut mourir, tant la déception était intense).

« Qu'est-ce que tu fais ? articula-t-il, le souffle court. Pourquoi tu arrêtes ?

– T'inquiète, Norman. Je recommence dans une minute,

répondit Katie avec un petit rire. Il faut que je passe un coup de fil. » Sur quoi elle posa un petit baiser sur l'extrémité toute luisante de Norman, puis composa rapidement un numéro sur le téléphone bleu pâle. « Je sais que c'est un peu vache, pour toi », ajouta-t-elle.

Il ne fallut guère à Elizabeth que deux battements de cœur pour percevoir cette nouvelle agression sonore, perçante, déchirante, comme le téléphone émettait un hurlement strident, à ses côtés – mais ce fut l'immense soupir de désespoir (quelque chose entre oh-non-ce-n'est-pas-vrai-ce-n'est-pas-possible et dégoût total de la vie) émanant de Melody, à quelques dizaines de centimètres de là, qui lui fit prendre pleinement conscience de l'horreur absolue de la chose ; déjà, elle avait bondi hors du lit, luttait dans l'ombre avec Melody qui avait fait de même – maudit téléphone, mais *qui* cela pouvait-il être, quel monstre, quel démon ? – peu importe, il fallait atteindre la porte, éviter le pire, il le fallait, mon Dieu guidez mes pas, faites que… mais non – Elizabeth était encore à plusieurs mètres, et Melody guère plus près, quand le silence nocturne se vit de nouveau déchiré par les hurlements impitoyables de Dawn, braillant à présent de concert avec le téléphone qui continuait de sonner sans trêve. Melody se cognait méthodiquement le front contre le chambranle de la porte, trop à bout pour prononcer un mot ou simplement sangloter, tandis qu'Elizabeth – plus hagarde, plus épuisée qu'elle ne l'avait jamais été dans sa vie, laissa échapper un lourd soupir et fit cesser au moins la moitié de cette cacophonie, en décrochant enfin l'appareil, d'une main résignée.

« Mince, tu en as mis du temps », entendit-elle. C'était Katie, la voix pâteuse.

« *Katie !* exhala Elizabeth, presque en larmes. Mais qu'est-ce

154

qui te prend d'appeler *maintenant* – mon Dieu, il n'y a rien de *grave*, j'espère?

– Non, tout va bien. J'avais envie d'appeler, c'est tout. Tu m'as bien dit d'appeler, alors j'appelle. »

Par pitié, entendit-elle Melody supplier, oh, par pitié, par pitié, *par pitié* arrête de hurler! Je n'en peux plus, je n'en peux plus.

« Mais *Katie* – c'est le milieu de la nuit! »

À des milliers de kilomètres de là, Katie quitta des yeux le membre enfiévré de Norman pour contempler la fenêtre baignée de soleil.

« Oh crotte, fit-elle, vaguement éberluée.

– Mais *juste ciel*, Katie, nous venons seulement de réussir à faire dormir cette horreur de bébé. Il a fallu la *promener*, la *changer*, lui *chanter* quelque chose... Mon Dieu, on ne va plus pouvoir la faire se rendormir, à présent. »

Tu dors maintenant! hurla Melody, là-bas. *Tu dors*, ou je te *massacre!*

« Bon, fit Katie, froissée. Je raccroche, alors.

– Mais ce n'est plus la peine, maintenant, expliqua Elizabeth – chuchotant aussi fort que possible, avec un geste d'impatience dans l'air nocturne. C'est quoi, ces bruits horribles que tu fais? Tu es en train de manger?

– Pas exactement. Non, je suce une friandise. C'est délicieux, franchement, ajouta-t-elle, perfide, tandis que Norman émettait, du fond du cœur, un cocorico aussi imprévu qu'irrépressible.

– Qu'est-ce que *c'était?* s'enquit Elizabeth.

– Ellie. Elle a attrapé un rhume abominable. » À présent, la voix de Katie évoquait le feulement d'un bateau à vapeur, tant elle avait peine à contenir un fou rire d'un goût douteux.

« Bon, Katie – Oh, juste ciel, ce boucan, ça me tue. Je ne vais pas pouvoir passer une semaine comme ça, j'en *mourrai*. Bon,

Katie, on se rappelle, d'accord ? Tu m'entends ? Je dis on se rappelle, mmmm ? Je vais raccrocher maintenant, parce je sens que
ma tête va exploser.

– Très bien, maman. Et, euh… maman ?

– *Oui*, Katie ? »

Là, elle ne *pouvait* plus étouffer ses gloussements ravis. « Fais
de beaux rêves, hein ? »

Elizabeth raccrocha le combiné, et se laissa retomber sur l'immense lit, ramassant les oreillers qu'elle pressa contre ses oreilles,
les poings serrés à mort : Melody, là-bas, se lamentait sur l'in-
justice du sort, d'une voix totalement désespérée – pendant que
les vagissements déchaînés, inhumains, de Dawn les déchiraient
toutes deux, réduisant en lambeaux ce qui restait de la nuit déjà
presque blêmissante.

En lambeaux également, le livre d'images absolument insen-
sées que feuilletait Howard Street dans ses rêves, comme la
sonnerie du téléphone insistait, encore et encore, certainement
depuis un bon moment. Le jour n'était même pas levé ; il ne
faisait pas entièrement sombre, mais le matin effronté n'avait
encore aucunement troublé l'atmosphère lourde, renfermée de
la nuit.

« Elizabeth… » murmura-t-il. Non, elle ne peut pas. Elizabeth ne peut pas décrocher cette saloperie, puisqu'elle n'est pas
là. Il tendit le bras vers le téléphone qu'il brutalisa (l'appareil
émit un bruit de protestation métallique), et enfin le saisit,
l'approcha à tâtons de sa bouche, émit un vague son.

« Howard, dieux du ciel ! » Il tressaillit. « Je te croyais *mort*.

– Elizabeth », murmura-t-il. Elle peut, oui, elle peut. Elizabeth peut me réveiller avec cette saleté de téléphone, puisqu'elle
n'est pas là.

« Écoute, Howard, je sais bien qu'il est *tôt* – Dieu sait que je *sais* qu'il est tôt – mais j'ai l'impression que la nuit a duré des *années*, et il fallait que je parle à quelqu'un parce qu'il est encore trop tôt pour descendre pour le petit déjeuner et je ne *supporte* pas de simplement *voir* ma tête dans le miroir – j'ai l'impression d'avoir cent ans...

– C'est quoi, ce bruit? coupa Howard – ce qui eut pour effet immédiat de modifier le ton d'Elizabeth, laquelle passa sans transition de l'épuisement hagard à l'hystérie la plus débridée :

– Ce *bruit*!? Ce *bruit*, Howard – ce *bruit* que tu entends, et qui vient de la pièce *à côté*, c'est le bruit que fait *Dawn*! Ça a été comme ça toute la nuit! Toute la nuit! C'est *Dawn*!»

À présent, Howard louchait vers la pendule. Ce serait bientôt l'aube.

«Et c'est la faute de Katie, reprit Elizabeth, toute virulence brusquement réduite à un gémissement d'impuissance. Ça y était! On avait réussi! Et Katie a appelé. »

Réussi? Qu'est-ce qui y était? Réussi quoi?

«Katie va bien? fit-il dans un grognement.

– Oh, très bien, très bien. Je ne vois pas pourquoi elle irait mal. Oh mon Dieu, Howard, écoute, je suis *désolée* de t'avoir réveillé, mon chéri – mais je ne savais plus à quel saint me vouer. »

Puisant dans son stock, Howard s'employa machinalement à émettre environ vingt pour cent des petits bruits et petits mots rassérénants à sa disposition (comme autant de décorations de Noël que l'on garde dans une boîte à chaussures), sans pour autant comprendre, en fait, quel était le problème; cependant, au bout d'un moment, cela parut marcher.

«Oui, Howard, oui, tu as raison, finit par admettre Elizabeth, je sais bien que tu as raison. Mais j'ai déjà l'angoisse de ce soir! Et j'ai *vraiment* besoin de ces vacances; j'ai absolument besoin de faire un break. »

Un break, mais par rapport à quoi, Elizabeth? Qu'est-ce que tu *fais* exactement? Je me suis souvent posé la question.

Quand les sons émis par Elizabeth commencèrent de s'affaiblir, de refluer comme ils le faisaient toujours, Howard lui promit, par trois fois, qu'il ferait bien attention à lui, et reposa délicatement le combiné. Il soupira et se laissa aller en arrière sur le lit, remontant la couette sur lui.

« Elizabeth, dit-il d'une voix sans expression.

– J'avais deviné », fit la voix de Zouzou, quelque part au fond du monticule de couvertures, à ses côtés.

Howard sourit et découvrit le lit. C'était peut-être le matin, au petit réveil, qu'il se sentait le plus ému à la vue du corps juvénile, des membres tout à la fois chauds et frais de Zouzou, de ses cheveux noirs et lisses encadrant un visage d'ange, et dessinant une sorte de graffiti ébouriffé sur le blanc des oreillers. Il ferma les yeux, et quelque radar infiniment doux le guida vers les lèvres pleines, d'un rose sombre, irradiant une tiédeur charnelle.

« Sublime, tu es sublime, chuchota Howard, et Zouzou lui embrassa les doigts. Je m'inquiète pour Katie, tu sais. Là-bas, en Amérique. Elle n'a que dix-sept ans, après tout.

– Mon Dieu, soupira Zouzou, encore dans la langueur du demi-sommeil (et un bras mince vint ramper comme une liane sur la poitrine de Howard, se lover contre son cou), c'est tout de même un an de plus que moi. »

Howard tourna la tête, ses lèvres s'étirant en un sourire de connivence. « Je sais. Mais c'est différent, dit-il, avec une sorte de douce autorité, tendant la main pour caresser la douceur soyeuse et éparse des cheveux noirs. C'est tout à fait différent pour toi, Zouzou : tu es un garçon. Et un garçon, ça se débrouille toujours. »

CHAPITRE IV

Dotty prit, dans le petit placard au-dessus du petit évier de la petite caravane (« il faudra s'habituer, avait-elle fait remarquer d'une voix acide, la veille au soir, à laver une fourchette à la fois »), le paquet de thé en sachets qui faisait partie de leur butin, après une expédition particulièrement déprimante au supermarché en bordure de la ville, c'est-à-dire le genre précis de corvée que Dotty comptait éviter, en partant en vacances. Elle referma la porte du petit placard qui aussitôt se rouvrit brusquement et assena une grande claque sur sa petite joue ; il ne lui en fallut pas davantage pour se laisser aller, prostrée sur la petite paillasse, couvrant ses yeux d'une main trémulante. La première fois que la porte avait ainsi réagi, Dotty avait pris cette pose qui signifie bon-je-me-calme-je-respire-et-je-reprends-des-forces – pose que chacun avait pu admirer, pour la simple raison que, dans la caravane, on ne pouvait guère se trouver à plus d'un mètre les uns des autres. Mais à présent, cette saloperie l'avait si souvent baffée (et croyez-vous qu'elle l'aurait vu venir ? Non, jamais) qu'elle était vraiment au bord d'une méchante migraine, et le coup de la main sur les yeux n'était plus seulement, il s'en fallait de beaucoup, une pose esthétisante. Même les meubles, se disait-elle, même les charnières des meubles m'en veulent.

« Ce n'est rien, disait Brian, passant les doigts sur la tranche de la porte en question, comme s'il lissait doucement une surface soyeuse, il suffit d'ajuster un peu la fermeture. Ces trucs magnétiques ne sont pas aussi fiables que les vieux systèmes à boule. Tu sais, Dotty, comme ceux que j'avais utilisés pour la petite armoire de la salle de bains.

— Oh oui, je *sais*, rugit Dotty, avec un élan d'enthousiasme si solide, si bien fixé par les tenons et mortaises d'une ironie ligneuse, que l'on aurait pu l'attaquer à coups de hache sans même qu'il se gauchisse, oh que *oui*, Brian, comment pourrais-je jamais oublier les fermetures *à boule* de la petite armoire de la salle de bains? Ils font partie des souvenirs les plus chers à mon cœur, de toute ma *vie*. Je te jure, Brian, de toute ma vie je ne pourrai oublier les ferme…

— Je vais y donner un petit coup de tournevis, coupa Brian — était-ce là un geste de conciliation? Bouge un peu, pour que je puisse atteindre ce truc.

— De *ma vie*, Brian, je ne te pardonnerai jamais, jamais, jamais tout cela — tu m'entends bien? Et *oui,* puisque tu mets sur le tapis cette saloperie de saleté d'armoire de la salle de bains, oui, Brian, oui, je m'en *souviens,* je m'en souviens même *très* bien. Il fallait une force de cheval pour ouvrir cette ridicule petite porte, et quand on avait enfin réussi, tout se cassait la gueule par terre — c'est comme ça que j'ai perdu cet adorable vaporisateur. Ou alors, c'était la poignée qui te restait dans la main, tu te rappelles? Juste avant que tout le meuble ne s'arrache du *mur*!

— Mon Dieu, reconnut Brian, il fallait refaire la pièce, de toute manière. Non, je trouve que l'avantage, c'est que ces fermetures-là ne s'ouvrent jamais toutes seules. Tu vois ce que je veux dire?

— Brian…!

— Je pense que ça devrait aller, maintenant, déclara Brian, observant son œuvre avec la circonspection satisfaite d'un grand chirurgien. Mais je ferais peut-être aussi bien de remplacer les joints de robinet, puisque j'ai sorti mes outils. D'accord, ils ne coulent pas *pour l'instant*, mais on ne sait jamais, avec ce genre de robinet, c'est imprévisible. »

Et Dotty de le regarder s'atteler à la tâche, comme elle l'avait si souvent fait. Dieux du ciel, d'ici la fin de la semaine, Brian aurait transformé ce tas de boue en véhicule de concours, tandis que Dotty se verrait emmenée, gémissante, dans une camisole de force, et que Colin porterait plainte contre ses parents pour maltraitance à enfant, au moins. *Où* était Colin, au fait? On ne l'avait pas vu depuis – oh, depuis l'aube, quand Dotty avait abandonné tout espoir de se rendormir sur la planche à peine matelassée et presque collée au plafond, sur laquelle Brian lui avait assuré qu'elle dormirait comme une reine. Elle avait essayé de se faire un peu de bacon; elle n'avait pas très faim, en vérité – surtout après ce somptueux dîner de la veille, à l'Excelsior, dîner qu'Elizabeth avait insisté pour leur offrir, ce à quoi Brian n'avait émis aucune objection. Peut-être avait-elle légèrement abusé du vin – mais la confusion qu'elle ressentait pouvait aussi venir du fait qu'elle avait dormi en tout et pour tout vingt-cinq minutes, ou que, depuis qu'elle s'était éveillée, accueillant d'un cœur allègre les promesses d'une journée nouvelle, elle s'était sans relâche fait tabasser par une porte malveillante.

Donc, elle avait mis le bacon dans la poêle, sur quoi la caravane s'était aussitôt emplie d'une épaisse fumée, et Colin avait poussé un vagissement (« Oh *noooon*, maman! » Et pourriez-vous l'en blâmer? Franchement? Un jeune garçon en vacances?), de sorte que Dotty avait brusquement ouvert la porte de la caravane, mais il faisait carrément frisquet dehors, car le soleil n'avait pas encore jugé bon de se lever, donc elle avait refermé la porte, et tous s'étaient mis à pleurer, noyés dans la fumée âcre, jusqu'à ce que la porte s'ouvre à nouveau d'elle-même, alors Brian avait déclaré Mmmm, c'est vraiment curieux, parce que ce gond marchait parfaitement après que je m'en suis occupé, hier : je prends mes outils.

Donc, où était Colin, en fait ? Il était dehors, près d'une autre caravane. Non pas *la* caravane – non pas Home Sweet Home –, mais une autre, assez semblable quoiqu'un peu plus grande peut-être, avec un truc orange à rayures, un... comment on appelle ça déjà, un auvent, c'est ça, qui la prolongeait par-devant. Et pourquoi était-il là ? Pourquoi était-il *là* !? Ne lui posez pas la question : il avait marché, c'est tout. Parce que, quand on regarde bien les possibilités, hein... il ne pouvait pas conduire, n'est-ce pas ? Pfuuuu, si *seulement* il avait su conduire. Pourquoi était-ce si long, de grandir – et pourquoi, une fois grands, les gens se montraient-ils si *puérils* ? Toujours à tout gâcher, tout casser. Enfin c'était leur problème, mais Colin, lui, agirait autrement – parfaitement, monsieur. Mais si seulement il pouvait enfin y *arriver*. Pourquoi était-ce si *long* ?

Qu'est-ce que vous auriez fait, vous ? Vous seriez resté dans cette boîte de conserve toute branlante, avec Brian et Dotty ? Ou bien seriez-vous sorti, pour marcher un peu ? Colin va vous dire très exactement ce que vous auriez fait : vous seriez sorti en *rampant*. Fait n'importe quoi – absolument n'importe quoi – pour vous tirer, d'accord ? Le problème, c'est que, quand on se promène à pied dans un camping, on ne rencontre que des caravanes, d'où parviennent les murmures des occupants (peut-être sont-ils tous enfermés à l'intérieur). Et ces gens-là ne semblent avoir qu'une chose à faire de leurs journées : la queue devant un robinet, comme s'ils cherchaient à récupérer assez d'eau pour pouvoir se noyer. Ce qui serait compréhensible. Et à propos d'eau – ils étaient bien censés être au bord de la mer, non ? Alors, elle était *où*, cette fameuse mer ? Il n'avait même pas vu la mer.

Colin marcha, marcha, arpentant des avenues de bicoques de métal étincelant – on aurait cru que le maire de Toytown, soudain saisi de panique, avait ordonné en toute hâte de faire bâtir une vaste banlieue de maisons préfabriquées, dans des couleurs de bonbon, car la nouvelle lui était parvenue d'un afflux massif de poupées de chiffons, ours en peluche et chevaux de bois descendus vers le sud pour trouver du travail – et même cela ne résoudrait pas le problème de l'immigration des lutins, et de la phénoménale explosion démographique des quilles à vives rayures.

Les caravanes finirent par se disséminer quelque peu, laissant place à une vague clairière, probablement un champ de mines désaffecté, et, au bout d'un quasi-chemin de gravier, à une pente raide, sans garde-fou, qui menait possiblement à une plage, en bas – mais Colin n'avait pas assez confiance en lui pour s'approcher trop près. Super, se dit-il – à présent, je n'ai plus qu'à revenir sur mes pas. Oh, attendez une minute – là-bas : ce n'est pas *vrai*, si ? Colin avait abandonné tout espoir. Pourtant il voyait ce qui semblait être un petit groupe d'êtres humains, l'air plutôt jeune d'ailleurs, à cette distance. Bon, je vais voir de quoi il retourne, se dit Colin.

En approchant, il discerna une masse montueuse au centre du groupe (enfin, je dis groupe, mais ils étaient quatre, cinq à tout casser), qui était cause de ce rassemblement. C'était un adorable vieux camion de marchand de glaces – d'ailleurs il perçut bientôt l'abominable et irrésistible clochette qui excite la gourmandise des enfants, et mon Dieu, Colin se dit qu'il n'aurait pas refusé une bonne glace, en fait, ou une sucette, ou un soda. Histoire, surtout, d'être en compagnie.

Colin descendit précautionneusement la pente – le soleil, dans un ciel parfaitement bleu, commençait de le réchauffer – puis accéléra l'allure, se hâtant presque, car il ne restait plus que deux personnes, et s'il ne se magnait pas, il n'y aurait plus personne, et le camion risquait de s'éloigner, et là, il aurait bonne mine, Colin, hein ?

Il arriva enfin, un peu haletant – plus qu'une fille à servir (je ne vois pas sa tête, mais elle a de jolis cheveux – épais, un peu rouquins), et ouais, je prendrais bien quelque chose à boire – ou bien une sucette, comme ça, c'est quoi, du sucre d'orge aux fruits dur à l'extérieur, avec une espèce de caramel mou dedans, ou bien peut-être... Oh non! Oh non, regardez-moi ça!

« Oh *non*! s'exclama la fille, consternée. Oh mon Dieu, je suis affreusement désolée! »

Bon, voilà... que pouvait dire Colin? Elle avait dû se retourner trop vite, quelque chose comme ça, sans le voir là, juste derrière elle, pressée de retrouver ses parents, ses amis. À moins qu'elle ne soit maladroite de nature, cette pauvre fille, comment savoir? Il venait juste de la rencontrer. Quoi qu'il en soit, résultat des courses, Colin se retrouvait avec, sur sa chemise, une bonne portion de crème glacée blanche agrémentée de divers éclats d'amandes ou autres.

« Je n'ai même pas de Kleenex sur moi, reprit la fille, tapotant les dégâts de deux doigts hésitants.

– C'est pas grave », fit Colin d'un ton assuré (quoi – vous croyez peut-être que c'est la première fois que je me retrouve sur une dune, couvert de crème glacée et de pépites de chocolat? mais ça m'arrive sans arrêt). Puis il passa une main virile sur son torse, un peu à la façon dont Schwarzie effacerait machinalement une blessure béante et quasi mortelle – ce qui s'avéra l'idée la plus crétine qu'il pût avoir, car sa main, son poignet étaient à présent tout englués, et que le pâté, naguère relativement localisé, s'étalait à présent partout, glacé et collant, et sans doute est-ce pourquoi la jeune fille se mit à rire.

« Oh, écoutez, je suis affreusement... j'ai l'air de rire, mais je vous jure que... oh mon Dieu, quelle horreur. Écoutez, ma caravane est juste là, là-bas. Si vous voulez...

– Non, non, il n'y a pas de mal, dit Colin – de toute façon, que pouvait-il dire d'autre, à présent? Je vais vous payer une autre glace.

– Mais…»

Elle devait avoir à peu près son âge – quatorze, quinze ans, quelque chose comme ça – et Colin la trouvait jolie. Jolie? Ouais, jolie. Enfin, pas trop moche. Il n'était pas en situation de finasser, hein? Il se retrouvèrent bientôt assis côte à côte dans un petit creux entre les dunes, s'employant activement à mettre à mal leur cornet de glace, Colin essuyant avec une négligence ostensible le dos de sa main dans l'herbe rêche.

«Et tu es là pour longtemps, Carol?» s'enquit-il. Il avait cru comprendre qu'elle s'appelait Carol.

«C'est ma dernière semaine. C'était chouette au début, mais je commence à m'ennuyer.

– Je suis bien d'accord, dit Colin avec élan. Et je ne suis ici que depuis une journée. Qu'est-ce qu'on peut bien trouver à *faire*, dans un trou pareil?

– Moi, j'ai fait de la voile, presque tous les jours. Mon père a un bateau. Je suis venue avec mon frère et mon père. Mes parents sont divorcés. Et tes parents, ils sont divorcés?»

Colin secoua la tête. «Non. Ils sont juste cinglés.

– Je viens ici, le soir. Presque tous les soirs. Vers huit ou neuf heures. C'est très calme, on entend la mer qui monte. Ou qui descend. Enfin bref – on entend la mer.»

Colin s'apprêtait à dire quelque chose (évidemment qu'il allait dire quelque chose), mais à l'instant où il ouvrait la bouche, une voix de garçon, braillarde, vulgaire (comme toutes celles qu'il entendait à l'école) rugit au-dessus de sa tête:

«Oh, tu es *là*, Carol! Allez, amène-toi – papa t'attend. Allez, bouge de là.» Le garçon baissa les yeux sur Colin. «C'est qui, ça?»

Colin aurait voulu lever la tête, rencontrer le regard du type – vraiment, il aurait voulu – mais il ne s'en sentait pas la force:

c'était un costaud, plus vieux que lui d'un an au moins, et déjà Colin sentait la haine sur lui, comme cela semblait être régulièrement le cas, depuis quelque temps.

« C'est Colin, dit Carol, se levant et tapotant les fesses de son jean. Voilà mon frère, Terry », ajouta-t-elle à l'adresse de Colin, un peu comme si elle annonçait un décès.

Terry émit un ricanement déplaisant tandis que Carol et lui se détournaient, prêts à s'éloigner.

« Ton copain mange comme un porc, dit-il. Ou alors, il perd ses dents de lait, peut-être. »

Soudain, Carol revint rapidement vers Colin, juste le temps de lui chuchoter à l'oreille :

« Je t'aime bien, Colin. Tu as de belles mains. »

Colin la remercia avec un sourire gêné. Elle hésita un instant puis, comme Terry recommençait de beugler, se détourna et rejoignit son frère.

Certes, Colin savait bien qu'il aurait dû lui retourner un compliment quelconque, mais tout ce qu'il aurait pu trouver à dire en réponse à Je t'aime bien, Colin, tu as de belles mains, c'était Je t'aime bien, Carol, tu as de beaux nichons – et comme chacun sait, cela ne se fait pas, de parler comme ça des nichons : ces choses-là, on en parle avec les mains, se disait Colin.

John Powers, n'ayant pu dissuader Lulu d'aller se baigner, s'était vu contraint de se baigner également. Non qu'il détestât nager – tout au contraire : c'était à peu près le seul exercice qu'il prenait – mais simplement, eh bien, même dans un hôtel franchement chic comme celui-ci, même à cette heure de la journée, il y avait peu de chances pour que la piscine soit *déserte*, n'est-ce pas ? Pratiquement aucune chance pour qu'elle ne soit qu'à eux *deux*. Et… bon, John avait du mal à trouver les *mots* pour exprimer cela, vous voyez, mais s'il avait le choix, les choses seraient autres. Vous comprenez. Parce que, bon, si vous tenez vraiment à le savoir, il ne supportait carrément pas que Lulu aille se baigner tant qu'il y avait un *homme* dans les parages. Et d'ailleurs, pour dire la vérité, il ne supportait carrément pas que Lulu *respire* tant qu'il y avait un homme dans les parages. Parce que, rien qu'à la voir fendre les eaux d'un bout à l'autre de la piscine, il se sentait consumé de désir, *lui*, alors quel effet cela pouvait-il avoir sur un inconnu, qui n'avait jamais assisté à ce spectacle ? Et quand elle sortait, qu'elle escaladait l'échelle, son maillot une pièce de Lycra noir, pratique, tout simple et abominablement cher, ruisselant de filets d'eau argentés qui coulaient le long de ses cuisses de miel, tandis qu'elle tamponnait rapidement son visage avec une serviette-éponge, clignait des yeux, rejetant en arrière la vague étincelante de ses cheveux d'or – et son regard s'éclairait soudain, comme elle apercevait John (qui surveillait, épiait) : eh bien, quel homme aurait pu ne pas être terrassé par une telle vision ? Donc, John se devait d'être là, voyez-vous, pour parer à toute éventualité.

Cela allait beaucoup mieux au sauna, après. Enfin, mieux en ceci que dans cette espèce de gros four, ils ne pouvaient se trouver que tous les deux – mais à tout autre égard, c'était un pur enfer. Parce que je veux dire, *franchement*, vous trouvez cela naturel ? Ce n'était pas naturel, de rester assis sur une planche, dans une température à faire réchauffer un feuilleté de chez M&S. John avait les yeux en feu – il les sentait cuire à l'étouffée. Les yeux ne te brûlent pas, toi, Lulu ? Lulu – les yeux clos – secouait doucement la tête, avec aux lèvres un sourire de Joconde. Dieux du ciel, qu'elle était donc belle, mais belle... Mais je pourrais mourir pour cette femme-là, tant je l'aime. Ou tuer, si nécessaire.

Cela dit, je n'en peux plus, de ce truc – j'ai l'impression d'être une bougie : la tête en flammes, et tout le reste qui fond et ruisselle sur le bougeoir à mes pieds (pas mal, tiens – à garder pour un papier à la con, pour que les préparateurs puisse le sucrer). Bon, je file ? Je sors d'ici ? Voilà le loquet de la porte, tout près, attirant – et juste derrière, l'air frais comme la rosée (pour ne pas parler d'une bonne clope), donc je me tire, maintenant, j'y vais. Je ne peux pas. Pourquoi ? Rien à faire. Rien à faire, d'accord, mais pourquoi ? Parce que je ne peux *pas*, c'est tout. Vraiment ? C'est vraiment tout ? Je ne peux pas, ce n'est pas une réponse, ça. Bon. Très bien, très bien (vous ne lâchez pas le morceau, hein ?) : je ne peux pas *partir* parce que, quelquefois, pas pour l'instant mais quelquefois, Lulu perd la petite serviette qui la couvre des seins jusqu'aux hanches ; il arrive que cette ser-viette tombe, comme ça, (s'en rend-elle compte ? Ça, John ne peut pas le dire – impossible à déterminer), et je n'ai nul besoin de vous rappeler, n'est-ce pas, que ces espèce d'abris de jardin préfabriqués, étouffants et fétides, comportent une petite fenêtre ? Bon – je crois que cela se passe d'autre explication, d'accord ? Parce que, même en tenant compte de la vapeur – *n'importe qui* peut passer à ce moment-là, évidemment. Moyen-nant quoi, John devait se forcer à suer comme un porc, pour parer à toute éventualité.

Il aurait préféré prendre sa douche là-haut, dans leur suite, mais pas Lulu ; donc pour ne pas trop avoir l'air d'un garde-chiourme, John soumettait ses plantes de pied – saignantes, mais bien saisies – à l'inconfort visqueux des lattes et s'adonnait à la fine torture d'un jet chétif et aussi glacé qu'il put, honnête-ment, le supporter.

À présent, Lulu avait regagné le grand hall – l'éclat incandes-cent de son visage, la vie même qui s'y lisait, les joyaux les plus précieux du monde, aux yeux de John, encadrés par le givre immaculé d'un turban en éponge, et le grand col châle qu'elle serrait sur ses épaules.

« Je voudrais juste voir s'ils ont un *plan* de la région, mon chéri, dit-elle par-dessus son épaule. Je te rejoins là-haut dans une minute. »

John hésita – jeta un coup d'œil à droite, un coup d'œil à gauche, et fut saisi brièvement d'un accès de bon sens : l'endroit grouillait de monde – il n'allait pas les examiner un par un, n'est-ce pas ?

« Bon », fit-il d'une voix brusque – et il se dirigea à grands pas vers les ascenseurs, se disant Je peux peut-être arriver à *maîtriser* ce truc, finalement ? Vous voyez, je m'en vais, je marche. Seul. Et elle me rejoindra dans une minute. Il n'y a là rien de mal, rien de *bizarre*, John, tu devrais bien t'en rendre compte, non ? Eh bien, oui, je vais essayer. Je vais *vraiment* essayer, vraiment, parce que quelquefois, je perçois l'odeur vague, les traces imperceptibles d'une érosion intérieure, dans ma manière de réagir, et des fondations saines, c'est évidemment essentiel quand on veut, plus que tout au monde, construire quelque chose. Alors il faut que je me protège de tout cela.

« Vous, mieux que n'importe qui, insista Miles en souriant, s'adressant à la réceptionniste qui glissait des cartes postales dans le tourniquet, sur le comptoir, *vous* devez connaître tous les endroits sympa, en ville ? » Il approcha son visage du badge de la jeune femme, comme pour le flairer. « Pauline, reprit-il. C'est un joli nom, Pauline. »

Pauline répondit, approximativement, par ce sourire qu'on leur avait appris à arborer (rappelez-vous que ce sont des clients, mais pas trop de familiarité).

« Ben, ça ne fait pas très longtemps que je suis par ici. Je ne connais pas la ville si bien que ça.

– Mais c'est encore *mieux*, alors, fit Miles avec enthousiasme. On peut la découvrir ensemble. Pourquoi pas, hein, Pauline ? Un petit dîner, cela vous tenterait ? »

Le sourire de Pauline se crispa légèrement, tandis qu'elle s'employait avec une énergie renouvelée à fourrer *trop* de cartes postales dans le présentoir (et… oh, crotte, je les ai mises dans les mauvais râteliers, maintenant). En même temps… il avait peut-être du *pognon* à dépenser et, doux Jésus, je ne sais même plus depuis quand je n'ai pas fait un vrai bon repas à l'extérieur.

« Mmmm ? Oh, je ne sais pas. Ça peut être sympa. Cela dit, je n'ai pas beaucoup de temps libre, Mr. McInerney. Et quand *par hasard* je sors, je ne vais jamais très loin, ni rien.

— Miles », fit Miles à voix basse, comme en confidence.

Pauline le regarda fixement. « Non, juste un petit tour au pub du coin, comme ça. »

Qu'est-ce qu'elle raconte, cette pauvre demeurée, se demanda Miles. Oh, bon Dieu, si rien de mieux ne se présente bientôt…

« Excusez-moi, les interrompit Lulu — qui poireautait et en avait entendu *largement* assez, merci –, je me demandais si vous auriez un plan — un plan de la ville, vous voyez ?

— Oh, mais certainement », répondit aussitôt Pauline, décochant à Miles un coup d'œil qui se voulait peut-être complice — Miles, pour sa part, avait déjà oublié jusqu'à l'existence de cette insignifiante petite réceptionniste : tiens tiens tiens — il suffit de se retourner, et devinez ce qu'on trouve là ? Mais l'adorable petite Lulu (et emballée comme un vrai cadeau, toute prête pour le plumard, a en juger par son allure : très pratique, il faut avouer).

« Re-bonjour », fit-il, levant un sourcil.

Lulu regarda autour d'elle. Elle n'avait pas particulièrement identifié le blaireau bien représentatif de la gent masculine qui faisait son cinéma à côté d'elle, mais elle le reconnaissait vaguement, à présent : c'était le blaireau VRP, c'est bien ça ? Le blaireau qui avait gagné des vacances comme prime de rendement ? Grand bien lui fasse. Elle prit le plan et se dirigea vers les ascenseurs — et Miles n'eut que le temps de se glisser à sa suite entre les deux portes d'acier satiné, qui se refermèrent dans un soupir.

« On aime bien se baigner ? s'enquit Miles.

– Pardon ? répondit Lulu, levant les yeux du plan, avec une imperceptible irritation.

– Vous venez de vous baigner, hein ? »

Lulu baissa les yeux sur sa tenue. « Non, dit-elle. Je viens juste de faire un peu de ski. » Quelle abomination, ce type.

« Ha ! J'adore – *j'adore* ça ! L'humour, chez une femme, j'adore. » L'ascenseur filait comme une fusée. Plus de temps à perdre. « Et encore plus chez une *jolie* femme… » Et pour être jolie – juste ciel, il n'y avait qu'à ouvrir les yeux.

Lulu brancha aussitôt son fameux regard numéro trois, celui qui disait Fous-moi-la-paix-et-va-crever-ailleurs, mais comme la cabine ralentissait, s'immobilisait presque, quelques secondes à peine avant que le numéro de l'étage ne s'allume en orange, Miles, à sa totale stupéfaction, tendit une main vers sa joue et, comme elle reculait brusquement, le turban se défit et le plan tomba au sol, sur quoi elle se pencha d'instinct pour le ramasser, ce qui eut pour effet de dénouer également son peignoir de bain qui s'ouvrit jusqu'à la taille en découvrant un sein, et comme les portes argentées s'ouvraient déjà, son regard rencontra le visage hagard, incrédule, de John qui restait là, les yeux fixes, tandis que Lulu recouvrait prestement sa demi-nudité et sortait de l'ascenseur, ôtant le turban et s'écriant d'une voix fébrile John, John, *écoute-moi,* John – non, John, *non,* ce n'est pas ce que tu crois, écoute John, viens, viens s'il te plaît, viens dans la chambre, hein ? John ? Et il fallut que Lulu entraîne de force son époux sonné, littéralement paralysé devant l'ascenseur dont les portes se refermèrent enfin – mais non sans que Miles ait eu le temps de lui adresser un signe bien connu, pouce et index formant un « O » signifiant « au poil », avant d'ajouter « tchao » – sur quoi son visage faussement candide se vit brusquement réduit dans un sifflement, et disparut de son champ de vision.

171

À peine le verrou de la porte avait-il cliqueté derrière eux que John sortait brusquement de sa transe et lui rentrait dedans ; ses yeux étaient deux braises, ses mains deux boules de doigts crispés. Il semblait hésiter entre se jeter sur elle, hurler, ou se désintégrer.

« John ! » tenta-t-elle de nouveau. Elle était en colère − effrayée aussi (car elle le connaissait), mais surtout furieuse, oui, de cette situation idiote − et contre ce type infâme, ce goujat − parce que voilà, maintenant ! Et c'était John qui aurait dû comprendre la colère de *Lulu* ; il n'avait pas à lui imposer la sienne.

« C'était *quoi*, ça, commença-t-il d'une voix forte, lente − fermant les yeux pour mieux dissuader Lulu de tenter de s'expliquer plus avant −, c'était quoi, d'après toi, ce que je tu faisais là-dedans ? Hein ?

− Comment ça, ce que je *faisais* ? Je ne faisais *rien*, je…

− C'était qui, cette pute de merde que j'ai *vue* là-dedans, alors, hein ? »

Lulu en fut si cruellement blessée que des larmes brûlantes lui montèrent aux yeux. Elle demeurait immobile devant lui.

Les yeux de John, eux, flamboyaient comme il s'approchait d'elle.

« Un coup vite fait, c'est ça ? Un coup vite fait dans l'ascenseur, avec le séducteur de ces dames, c'est ça ? Que… c'est hier soir que tu as arrangé ça avec lui, hein ? C'était quoi, le plan ? Hein ? Qu'est-ce que tu lui as *dit*, espèce de…

− *John !* » s'exclama Lulu, suppliante. Il faut que l'on m'aide, il faut que quelqu'un vienne à mon secours, pensait-elle. Et vite.

« Tais-toi, salope ! Ça a marché tout seul, hein ? "Je me débarrasse de mon mari pendant dix minutes" − c'était ça ? Dis-le ! Un plan ! "Oh, mais mon petit John, je vais juste chercher un *plan*." C'est clair, quel genre de *plan* tu voulais. Je le vois d'ici, ton putain de *plan*. »

Soudain, il fut sur elle. Lulu poussa des gémissements plaintifs, tandis qu'il la traînait par les cheveux, la tirant et la repoussant en tous sens – puis elle alla valser au travers de la chambre, se prit les pieds dans un tapis, et sa tempe vint heurter le rebord d'un tabouret, mais déjà John la maintenait sous lui, les pans du peignoir de bain s'étaient ouverts largement, et John lui serrait le visage, aux pommettes, d'une poigne terrible, la forçant à garder la bouche et les yeux grands ouverts, déformés, et à présent il tendait la main vers une bouteille de Moët à demi pleine, l'ôtait, ruisselante, du seau à glace, et le champagne jaillissait et se répandait en pétillant sur la poitrine, le ventre de Lulu dont la bouche tordue laissa échapper un gargouillement de douleur, d'angoisse, d'horreur, tandis qu'il approchait le goulot de la bouteille de ses cuisses, prêt à la violer ainsi.

« C'est… ça… que… tu… voulais… hein ? » fit John dans un grognement, les doigts qui écrasaient le visage de Lulu à présent souillés de salive et de larmes. Puis, brusquement, il se détourna, et fracassa la bouteille contre le mur du fond.

« Tu ne mérites même pas ça », lâcha-t-il d'une voix rauque, presque inaudible.

Lulu se recroquevilla sur elle-même, ses épaules hâlées saisies de soubresauts convulsifs, puis plus lents et réguliers, entrecoupés de brefs frissons. John jeta un regard sur ces épaules, et vit le fin duvet doré dans lequel jouait la lumière, à chaque spasme qui secouait sa Lulu adorée – Lulu, oh, Lulu ! Il eut la sensation que sa propre poitrine allait l'écraser, tandis qu'il étouffait de rage et de douleur, sanglotant jusqu'à en suffoquer. Lulu… mon Dieu, Lulu, je t'aime plus que la vie elle-même. Je *t'aime*, Lulu, ma chérie – je pourrais *mourir* pour toi, tu sais, tu sais que je ferais n'importe quoi pour te garder, mon amour, mon amour chéri. Il n'y a pas de fin, pas de limite à ma passion pour toi. Comment *peux-tu* me faire une chose pareille ? Tu ne vois donc pas à quel point je t'aime ?

« Ça fait *mal*? » s'enquit Elizabeth d'une voix hésitante, agitant doucement les doigts devant le visage de Dotty.

Dotty était au bord des larmes – non seulement à cause de la douleur que lui causait son nez, mais également, et sans doute surtout, à cause du spectacle qu'il offrait. Elle venait, à l'instant, de refermer son miroir de sac à main, parfaitement incapable de croire à la réalité de ce qu'il lui avait révélé.

Ils étaient tous assis ou allongés sur des serviettes – Dotty et Elizabeth, mais également Melody et Colin –, à l'abri d'une petit crique discrète, juste à la pointe sud de la ville – pas trop de monde, une plage de sable fin et, en effet, doré, comme l'affirmait la brochure. En arrivant, ils avaient bénéficié moitié de l'ombre, moitié du soleil, mais à présent celui-ci se faisait impitoyable, d'où, par exemple, la teinte extraordinaire, d'un rouge écarlate presque miraculeux, du nez de cette pauvre vieille Dotty.

« Mais tu n'as *rien* mis dessus? insista Melody. Moi, je suis recouverte de produit – pas toi, Elizabeth? »

Elizabeth hocha la tête. Si, tout à fait. Juste après que Dotty, puis Melody eurent sombré dans le sommeil, Elizabeth avait demandé à Colin s'il voulait bien lui rendre un énorme service. Tu veux bien Colin? Juste pour moi? Tu veux bien me mettre de la crème, là, sur le dos et sur les épaules. Attends, je dégrafe l'attache. D'ailleurs, tu devrais en mettre toi aussi, tu sais – il va faire vraiment très chaud, tout à l'heure. Colin avait fait pénétrer la crème dans chaque pore – et vous savez quoi? C'est très très mal, enfin Elizabeth se disait que c'était très très mal de sa part, mais à un certain moment, elle avait eu envie que Colin glisse ses mains plus en avant, autour d'elle, et saisisse ses seins dans sa paume, comme pour les protéger et les soupeser à la fois. Ça, je vous avais *dit* que c'était très très mal! Parce que, bon : c'était quand même le Colin de *Dotty*, grand dieux! Mais il n'y a rien de vraiment comparable aux doigts d'un jeune garçon – voilà ce que se disait Elizabeth. La pression ferme, insistante d'une main d'homme – bien sûr cela existait, c'était indéniable ; le toucher délicat d'une femme, léger comme une plume – cela aussi pouvait être délicieux ; mais un jeune garçon, c'était autre chose. Après, Elizabeth avait vigoureusement enduit le dos de Colin, mais celui-ci avait refusé de se retourner pour qu'elle s'occupe également de sa poitrine – il ne voulait pas, c'est tout ; peut-être à cause de la chaleur, tout simplement, mais Elizabeth aurait bien aimé – elle avait une envie folle de vérifier.

« Bien *sûr*, répondit-elle. J'en mets *toujours*, à présent, parce que mon Dieu, ça peut donner des choses épouvantables, sinon. Mais pourquoi n'as-tu rien *mis*, Dotty ?

– Mais si, j'ai mis quelque chose », protesta Dotty. Et c'était bien le cas. Elle s'était enduite comme un poulet au four : à la louche, littéralement.

« C'est quelle marque ? » s'enquit Melody.

Dotty lui jeta un regard embarrassé. « Max Factor, il me semble bien.

– Mais c'est lequel ? Le meilleur ?

– Mon Dieu, il n'était pas *donné* », répondit Dotty – pensant, avec *quoi* elle vient, maintenant ? C'est *moi*, pauvre conne, qui ai l'air d'un clown, et elle me bassine avec des histoires de *marque*. Et vraiment, je me plaisais bien, ici, jusqu'à maintenant. Il faisait un temps superbe – aussi beau qu'en Italie ou je ne sais où –, de sorte que lorsque la veille, au cours du dîner, Elizabeth avait suggéré qu'ils aillent tous ensemble à la plage, le lendemain, Dotty s'était montrée enthousiaste : Oooh, oui, quelle *bonne* idée, c'est vraiment la chose à faire, par un été aussi radieux. Colin avait haussé les épaules en signe de soumission. Quant à Brian, on ne l'avait simplement pas consulté. Mais le lendemain matin, il avait décidé de ne pas venir (si je me fais coincer et que je dois payer le déjeuner pour tout le monde, je suis foutu), et Dotty avait dû inventer à l'usage d'Elizabeth et de Melody quelque fable selon laquelle Brian préférait découvrir les mystères et la variété de la flore et de la faune peuplant leur propriété (laquelle, à l'entendre, était à présent devenue l'équivalent balnéaire de Blenheim Palace), tout en surveillant d'un œil plein d'appréhension Colin qui, impassible et suprêmement magnanime, s'employait à faire voler du sable à grands coups de pied. En vérité, elle avait abandonné Brian à quatre pattes devant la minuscule table à abattant de la minuscule caravane, cherchant à comprendre pourquoi elle s'obstinait à se rabattre dès que l'on y posait ne fût-ce qu'un paquet de biscuits pour chien.

Ils étaient arrivés assez tôt, pour trouver une bonne place (« Au moins, on n'a pas à supporter les *Allemands*, ici, avait déclaré Elizabeth. Je doute même que les Allemands aient jamais entendu *parler* de cet endroit. »), et Colin, somme toute, avait apprécié de voir Elizabeth s'étendre dans son bikini Liza Bruce, sans toutefois cracher sur Melody qui exhibait un string High Street de la toute dernière collection, — les trois parties de son corps les plus intéressantes se trouvant à présent rehaussées d'un blanc de chaux. Melody était déjà bronzée comme un pain tout doré (Clarins, leur avait-elle confié d'une voix sonore).

Dotty avait levé les yeux vers un soleil blanc et fort brouillé, derrière ses Wayfarer en écaille de tortue (relique de jours meilleurs — démodées à présent, mais au moins c'était une *marque* identifiable : et ça, c'était déjà *quelque chose*, non ?).

« Vous savez, avait-elle déclaré, le soleil chauffe à tel point que je ferais bien un petit somme.

— Je suis complètement claquée, marmonna Melody.

— Pourquoi ? Tu n'as pas dormi ? »

Melody fit une tête de labrador et se tourna d'abord vers Elizabeth puis, dans un mouvement très lent (les épaules voûtées, comme si sa tête était de plomb) vers Dotty.

« Ne m'en *parle* pas, dit-elle.

– En fait, expliqua Elizabeth avec une ironie complice, nous n'avons pas exactement passé une nuit de *rêve*. Ce n'est pas sa faute, la pauvre petite chérie, mais Dawn a été un tout petit peu…

– Elle a gueulé à casser la baraque, marmonna derechef Melody, l'air déprimé. Désolée, Colin », ajouta-t-elle. Parce que l'on s'excuse, n'est-ce pas, quand on parle ainsi devant un jeune – et bordel, va savoir pourquoi. « Toute la nuit.

– Oh, pauvre petite *Dawn*, fit Dotty, avec une sincère compassion. C'est peut-être le fait de se retrouver dans un lieu inconnu, tu ne crois pas ? »

Melody secoua la tête (Mmmm – c'est divin, ce soleil : je vais m'étendre et me faire griller). « Naaan, dit-elle. Elle est toujours comme ça. Toujours, putain.

– Laisse-moi la prendre, tu veux ? » fit brusquement Dotty – et certes, elle se rendit compte que Colin avait carrément quitté des yeux les nichons d'Elizabeth pour la fixer d'un regard aigu. Elle ne comprenait pas elle-même pourquoi elle avait suggéré cela. La proposition avait soudain jailli de tout ce bleu immense, intense. Peut-être n'était-ce rien d'autre que la brève vision d'une toute petite fille qui pleurait, pleurait, pleurait lamentablement, toute la nuit, comme Maria, mon petit ange, dans ses derniers, terribles derniers jours, et nous tous, atrocement accrochés à chacun de ses cris comme à un radeau de sauvetage dévalant des rapides, sachant tous que quand cette horreur prendrait fin, ce serait également la fin pour la petite Maria.

« Comment cela ? » s'enquit Melody d'une voix douce – mais l'espoir en elle montait comme le mercure en enfer. Elizabeth également était tout oreilles.

« Eh bien, reprit Dotty avec vivacité (qu'est-ce que j'ai voulu dire *exactement* ? On va bien voir), je veux dire que – nous pour-

177

rions la prendre avec *nous*. Pour une nuit. Histoire de vous permettre de dormir. Moi, ça m'est égal. J'adore ça. »

Melody jeta un bref regard à Elizabeth, prête à hurler Youpi ! – je pense qu'on en a ferré un gros, là ; vas-y mollo, donne du mou, sinon, il se barre – et prépare l'épuisette.

« C'est une *fameuse* idée, approuva Elizabeth avec chaleur – et sans la moindre précaution.

– Ouais, ajouta Melody, enthousiaste. Tu pourras l'installer dans l'aile est, ou dans l'office, si tu ne la supportes plus. »

Dotty sourit. Il ne faut pas que je croise le regard de Colin – déjà je le sens qui me brûle – comme son nez, plus tard. Sur quoi elle s'était royalement abandonnée au sommeil – la serviette, le sable étaient tellement plus confortables que cette saloperie de planche rembourrée collée contre le plafond. Melody également ne tarda pas à somnoler, et un peu plus tard, Colin eut effectivement l'occasion de *toucher* Elizabeth, de toucher, du haut en bas, son dos tiède et doux, et lisse, et il lui fallait mille chevaux harnachés pour retenir ses élans – mais, oh, pouvoir juste glisser mes mains plus en avant, autour d'elle, et saisir ces deux super nichons, bien serrés dans mes mains. Plus tard encore – suintant de plaisir, tandis qu'elle l'enduisait de crème, à plat ventre et raidi à mort – il avait littéralement baisé la plage.

À Londres aussi, il faisait beau et chaud – *trop* chaud, d'ailleurs, se dit Howard en raccrochant le combiné du téléphone principal – le noir – posé sur son vaste et vieux bureau. Il plissait un peu les yeux, faisait saillir sa lèvre inférieure, comme sur le point de déclarer à voix haute : intéressant, *très* intéressant. C'était d'ailleurs, plus ou moins, son sentiment ; mais non – non, ça n'était pas vrai, c'était impossible, n'est-ce pas ? Pas Norman Furnish. Non – c'était un brave gars, Norman,

Howard l'avait toujours dit. Il avait de l'avenir, aucun doute (cela dit, quel avenir existait-il, pour un agent immobilier?). Mais le coup de fil qu'il venait de recevoir – enfin, les derniers mots, en fait, comme une espèce de post-scriptum – lui laissait entendre que, selon certaines sources, Norman empochait frauduleusement des commissions. C'était un agent concurrent qui l'avait appelé (à propos d'une proposition pour une affaire qu'ils géraient conjointement), et avait glissé l'information comme ça, juste avant de raccrocher. Howard avait étouffé un rire, par politesse. Et puis, il s'était mis à examiner les registres – et même les relevés des fonds de caisse (chose qu'il ne faisait jamais). Mmm-mmm. Apparemment, deux des maisons dont s'occupait Norman avaient été vendues directement par le propriétaire. Et Norman semblait, de fait, avoir effectué nombre de déplacements, ces derniers temps – et pas des petits trajets. Parce que, juste ciel, l'agence ne couvrait qu'une partie limitée, quoique rentable, de Londres, et certaines de ces notes de frais vous auraient carrément payé le taxi jusqu'à Inverness. Cela dit, Norman obtenait de fameux résultats, soyons honnête – comme la semaine dernière, quand il avait vendu cette baraque semi-mitoyenne de Norwich Avenue (Howard pensait qu'ils ne s'en débarrasseraient jamais : le mauvais côté de la rue), et Dieu savait que Howard ne lui allouait pas un salaire bien généreux. Dommage qu'il soit en vacances, parce que je lui en parlerais directement : j'ai horreur des mystères – je déteste les trucs obscurs, dont on ne sait jamais si c'est vrai ou pas. Encore que, bien sûr, on ne puisse jamais réellement savoir ce qu'une personne donnée avait en tête, ni ce qu'elle trafiquait : il n'y avait qu'à voir Howard et Zouzou.

C'était complètement imprévu, vous savez : il n'avait jamais rien fait de ce genre, jusqu'alors – enfin, de vagues touche-pipi à l'école, mais bon, ça n'a rien d'exceptionnel. Non, pour être honnête, la première fois que ce genre de chose s'était manifesté, ce devait être pendant les vacances en Thaïlande, avec Elizabeth. Un enfer, ces vacances, d'ailleurs : tout un mois (Melody en était devenue cinglée – elle ne cessait de le harceler : oui, moi, *jamais* tu ne m'emmènes nulle part, etc., sans arrêt ; finalement, c'était parfait qu'elle ait rencontré cet autre mec, oui je pense que oui, somme toute : elle commençait tout doucement à devenir *pénible*). Bref… j'en étais où ? Pfffu, ma pauvre tête… Je n'arrive jamais à retrouver le fil de… ah oui, voilà : la Thaïlande. Ouais. Oui, comme je disais, je n'ai rien *fait* là-bas, en réalité, rien, mais je me suis effectivement attardé sur tous ces jeunes (des corps, des membres adorables – et certains même se maquillaient et *oui* Howard avait trouvé cela extrêmement excitant, en fait). Donc, quelque chose de cet ordre devait préexister en lui, depuis toujours, et attendait son heure. En fait, j'y pense à l'instant – si, j'ai *fait* quelque chose, à Bangkok : j'ai ramassé une ravissante hôtesse de bar, pendant qu'Elizabeth était quelque part à acheter encore toute une cargaison de je ne sais quoi. Et grands dieux, elle était carrément prête à *tout*, cette petite coquine : une véritable contorsionniste – adorable. Bref, je… euh… oh, ça y est, j'ai encore perdu le fil. Ma pauvre, *pauvre* tête – je le tenais il y a une seconde, et voilà que ça m'a complètement… oh, non, voilà, voilà : les garçons, en Thaïlande, c'est ça. Mmmm. Non – ça m'était complètement sorti de l'esprit (c'est drôle comme on oublie les choses !) ; je n'y avais plus jamais pensé. Et puis un jour, j'engage cette nouvelle équipe de femmes de ménage, à l'agence. Des Philippines – je me suis dit qu'il fallait leur donner une chance. Bon Dieu, elles ne pouvaient pas être pires que la bande d'avant – des vieux croûtons, toujours à se plaindre, régulièrement en retard, souvent malades, et parfaitement incapables de toute façon. Donc, elles ont débarqué – parfois deux femmes, parfois trois (des sœurs, je crois, mais je n'en suis pas sûr), et une fois, l'une d'elle est venue avec son fils ; il avait terminé l'école, il ne trouvait pas de travail – le truc habituel. Donc j'ai dit Écoutez, on a toujours un peu de paperasses à faire, ici – ramasser les dossiers qui traînent, les classer, ce genre. Je ne peux pas vous proposer grand-chose, mais si ça intéresse le petit…

Et voilà. C'était mon Zouzou. Je l'appelle comme ça, parce que ça lui va trop bien : c'est la forme de ses lèvres, on a toujours l'impression qu'il va dire « Zouzou ». Je lui ai acheté des perruques qu'il porte quand il est avec moi – j'adore les cheveux longs –, et je lui donne un peu d'argent, évidemment. Mais je pense qu'il y a une réelle affection de sa part, cela dit – enfin je pense. En tout cas, il déteste me voir partir. En fait, on ne fait pas grand-chose, physiquement – si vous tenez à entrer dans les détails. Parce que, moi pas : je n'ai pas envie d'entrer dans les détails, si vous voyez ce que je veux dire – ce n'est pas mon truc, pas du tout. Non, j'aime simplement le toucher, caresser ses membres minces et musclés, j'aime qu'il me serre fort contre lui. Bizarrement, j'ai l'impression que je ne souhaite rien d'autre, en fait. Vous savez, je n'ai jamais été complètement heureux dans la vie commune – même si je suis un animal fort bien domestiqué –, je n'ai jamais trouvé que gérer un foyer était une chose bien palpitante. Melody – c'est comique –, Melody croyait vraiment, autrefois, que je quitterais Elizabeth pour elle. Il y a de quoi se bidonner, parce que, si je devais quitter Elizabeth (chose impossible maintenant – dans le temps, peut-être, mais plus maintenant : quel intérêt ?), si, donc, je devais quitter Elizabeth, ce ne serait certes pas pour vivre avec quiconque. Non, je suis très heureux tout seul. Et, dans les moments de tendresse, avec mon petit Zouzou, aussi.

Cela dit, je ne ressens aucune honte, aucune culpabilité : pourquoi ? Encore que, euh… évidemment, il n'est pas question de… enfin vous voyez, de me mettre à *ça*. De devenir une espèce d'horrible caricature, vous savez. Parce que Zouzou ressemble tellement à une fille – j'aimerais bien que vous puissiez

181

le rencontrer. C'est vraiment curieux, n'est-ce pas ? Je veux dire, je peux me tromper (je suis prêt à accepter les remarques), mais selon moi, si un gars est attiré par un autre gars qui ressemble *vraiment* à un gars (grand, costaud, barbu, avec des bottes, vous voyez le genre), eh bien alors, euh, là, il y a sans doute un vrai problème. Mais moi, ce n'est pas le cas, c'est autre chose entre mon Zouzou et moi.

Bon – trêve de bavardages. Juste ciel, vous avez vu l'heure ? J'ai intérêt à me magner un peu. J'ai une maison à faire visiter à un acheteur éventuel (pas de repos pour les forçats) ; c'est celle de Brian, du reste. Je vais peut-être réussir à le ferrer, celui-ci – parce que Dieu sait que le pauvre mec a besoin d'un coup de main. Un petit whisky, rapide ? Non, pas vraiment le temps. Je verrai ça après. Bon – les clefs, les clefs, où sont passées les clefs ? Ah, voilà. Non. Pas les bonnes. Voilà, les voilà. Allez, je file. Mais en attendant, ma *pauvre tête*, hein, vraiment…

Lorsque, enfin (fort tard), ils regagnèrent péniblement l'hôtel, c'est Melody, et elle seule, qui suscita réellement des regards admiratifs : elle était superbe – les cheveux nullement crêpés par le sel, et sans un grain de sable –, et plus mince, plus lisse encore, si possible, que le matin. Son bronzage était profond, uni (« Je vous ai dit, riait-elle, c'est Clarins qui a tout fait – moi, *rien* »), et son déhanchement parfaitement étudié. Colin n'y trouvait pas son compte, cela dit, pour la simple raison – vous voyez le coup venir, non ? – que, malgré sa sensualité ostensible, Melody n'était guère gâtée, du point de vue nichons. Et quand on s'appelle Colin, hein, eh bien il faut du monde au balcon. Elizabeth aussi avait grande allure – et se sentait en pleine forme (tonifiée ? Tonifiée, tonique ? Enfin, cette nuance-là), après avoir pris tant de soleil, et dormi tout son soûl. Et Dotty ? Mon Dieu, Dotty, avec sa face de radis et son nez luisant, ponctué de

pâtés de cold-cream – eh bien, Dotty évoquait surtout un remplaçant de dernière minute dans quelque très ancien rite sacrifi-
ciel, probablement maori. Colin la tira par le bras, ce qui la fit
hululer – Oh nooon, oh nooon. Elle avait la sensation d'avoir
été écorchée vive puis passée au grill.

« Mais qu'est-ce qu'il y a, Colin – mon Dieu, ne me *touche*
pas comme ça.

– Mais *écoute*, maman, c'est quoi, cette histoire, ce que tu as
dit à Melody ? Déjà qu'on n'arrive pas à dormir, dans cette
espèce de saloperie de poubelle, alors avec un bébé qui *hurle*... »

Dotty se mordit un coin des lèvres. C'était vrai, *évidemment*
que c'était vrai. Elle n'avait même pas eu une pensée pour Colin,
quand elle avait proposé à Melody de prendre Dawn (je suis
folle d'impatience de la voir, de la tenir dans mes bras, de la
garder) ; quant à Brian, il ne lui avait même pas traversé l'esprit.

« Bon, d'accord, Colin, chuchota-t-elle pour le faire taire. Je
vais trouver quelque chose, d'accord ?

– Moi, j'aimerais bien loger *ici*, fit Colin, l'air sombre.

– Eh bien, peut-être que... » – une étincelle s'était soudain
allumée dans les yeux de Dotty, la faisant quelque peu ressembler à une pomme de terre fonctionnant sur pile – « c'est peut-
être possible. On va voir. Elizabeth ! Viens, écoute ça ; les enfants
sont incroyables, tout de même !

– Je file au bar, Dotty, annonça Elizabeth. Allez, venez tous,
on va prendre un verre. Juste ciel, mais il y a foule ici, ce soir.
Oh, là-bas, tiens, je pense qu'on doit pouvoir se caser là, en se
serrant un peu. Excusez-moi », fit-elle, s'adressant à la femme
assise, les yeux baissés, à une table assez grande pour cinq personnes (on n'a qu'à prendre un autre siège quelque part), « cela
vous dérangerait-il affreusement, si nous...

– Oh, non, bien sûr que non », répondit Lulu. Des voix. Elle
était partie loin, à des années, des siècles, des millénaires. Surtout,
ne pas me remettre à pleurer. « Installez-vous, je vous en prie. »

Elizabeth se souvenait avoir croisé Lulu la veille au soir – enfin, elle se souvenait du ravissant Nicole Fahri, sans doute, qu'elle portait; ce soir, c'était un pantalon plus que pas mal, avec un superbe chemisier de coupe militaire en soie épaisse, tirant sur le roux. De toute évidence, cette femme connaissait son affaire – mais n'était-elle pas avec cet abominable casse-pieds, avec ses histoires de ferme de santé? C'était fou, les bonshommes qu'on devait se coltiner, quelquefois.

« Eh bien, vous, je ne sais pas, déclara Elizabeth, s'installant confortablement et conviant les autres à prendre place, mais pour ma part, je boirais bien un coup de champagne – ça convient à tout le monde? Après tout, nous sommes en *vacances*. Melody, tu veux bien prendre cette chaise, là-bas? »

Divers murmures d'approbation s'élevèrent, bien que Dotty fît signe à Elizabeth, désignant Colin – mais Elizabeth ne voulait rien entendre : absurde, déclara-t-elle, tout le monde peut boire un peu de champagne, un peu de champagne, ce n'est pas *boire*. Le serveur prit la commande, s'éloigna, et Elizabeth le rappela. « S'il vous plaît pourrions-nous aussi avoir quelques olives? Noires. Et puis des cacahuètes, des petits trucs comme ça. Magnifique.

– Colin me disait justement... commença Dotty sur un ton léger.

– ... et ton *pauvre* nez, ça va mieux, Dotty? s'enquit Elizabeth avec sollicitude.

– Mmmm? Oh, ça va très bien, très bien. Enfin, pas *très* bien, évidemment, mais ça va s'arranger, je le sens – franchement. Non, écoute – parce que ça, c'est typique, ça ne s'invente pas. Nous avons cette maison de campagne absolument incroyable, n'est-ce pas?

– Ouais, fit Melody d'un ton froid. Tu nous l'as déjà dit.

– *Bien*, reprit Dotty, décidée à ne pas se laisser détourner (si on la laissait faire, elle pouvait se montrer assez caustique, cette

184

Melody), eh bien, Colin est en train de me dire Oh là là, qu'est-ce que *j'aimerais* loger ici, avec Elizabeth, c'est le plus bel hôtel que j'aie jamais vu! Voilà! Les enfants ne sont jamais contents de ce qu'ils ont, n'est-ce pas? »

Colin baissa les yeux en rougissant, comme Elizabeth se tournait brusquement vers lui. Parce que ce n'était *pas* ça qu'il avait dit, hein? Pas du tout; je pourrais tuer maman, quelquefois. Et papa, aussi (presque toujours).

« Mais *bien sûr* que tu peux, Colin! s'exclama Elizabeth avec élan. Quelle idée magnifique – puisque nous avons un lit tout prêt dans le salon, n'est-ce pas, Melody? Oh oui, c'est trop sympathique: on échange les enfants pour la nuit, oh que c'est drôle! Encore que, reprit-elle, grave soudain, je suppose que tu ne dois pas apprécier du tout de te faire traiter d'*enfant*, Colin. Parce que tu es déjà un jeune homme, c'est vrai. Et plus adulte que la plupart des adultes. »

Bon, cela valait bien que Colin se fende d'un de ses fameux sourires d'une malice électrisante, fabriqués à la commande. Oui, en effet – excellent investissement; et Elizabeth savait apprécier, aucun doute.

« Cela te *plairait*, Colin? » lui demanda Elizabeth.

Colin la regarda. « Oui », dit-il.

Elizabeth battit des mains. « Superbe! Alors, c'est conclu. Ah, voilà le champagne – splendide. Dotty, tu l'emmèneras plus tard chercher ses affaires et tout ça – et Brian peut-il le ramener?

– J'en suis sûre. Mmmm – délicieux, délicieux. Cela fait des *siècles* que je n'ai pas bu de champagne. Enfin, se reprit-elle, pas des *siècles*, j'exagère. »

Lulu essayait de ne pas écouter, non sans difficultés – elle avait un peu l'impression de tenir la chandelle, mais où aller, sinon? Pas là-haut en tout cas – non. Elle regarda la bouteille de Moët que le serveur inclinait, puis détourna les yeux.

« Donc, reprit Elizabeth avec un claquement de langue, reposant sa flûte, qu'est-ce qu'on prévoit pour demain ? Tu apprécies, Colin ?

— C'est très bon, vraiment. J'aime bien les bulles.

— Moi, *j'adore* les bulles ! renchérit Elizabeth dans un rire.

— Demain, c'est *demain*, intervint Melody d'une voix chantante. Qu'est-ce qu'on prévoit pour *ce soir* ? »

Dotty se laissa aller en arrière, feignant l'épuisement total, et étendit bras et jambes — de sorte qu'elle évoquait à présent une pomme de terre posée sur tout un sac de ses congénères.

« Tu veux *rire*, fit-elle, soufflant dans ses joues. Moi, je n'en *peux* plus — et de toute façon, je m'occupe de la petite Dawn, n'est-ce pas ? » Mmmm, que le temps me semble long…

« Et toi, Elizabeth ? s'enquit Melody. Tu serais partante pour sortir en boîte, quelque chose ?

— Mais j'en suis *incapable*, Melody — complètement incapable. Dieu sait d'où tu tires ton énergie.

— De l'envie d'exhiber son bronzage, sourit Dotty.

— Ouais, fit Melody avec un rictus. C'est exactement ça. Bon, qui pourrait me renseigner sur les bons endroits, dans le coin, à votre avis ? Je sais — je vais demander au barman — il doit les connaître. »

Sur quoi elle vida d'un trait sa flûte et se dirigea vers le bar d'un pas allègre, tandis qu'Elizabeth levait les sourcils comme pour dire : La sacrée gamine — regardez-moi cette allure.

« Est-ce qu'il y a des boîtes fréquentables, par ici ? » s'enquit Melody auprès du barman, petit, trapu, possiblement italien, ou grec, avec sa moustache très noire ; espagnol peut-être, ce n'était pas exclu.

« Des boîtes ? » répéta-t-il, comme si c'était là une idée nouvelle, et peut-être vaguement douteuse.

« Il y a une très bonne boîte, pas très loin d'ici, fit une voix, à côté de Melody. Le Meridiana — clientèle très correcte, excellents cocktails, et ouverte tard.

– Ouais ? fit Melody, se retournant. Oh, *salut* ! Il me semble qu'on a discuté, hier, au truc, là, au cocktail. »

Miles hocha la tête. « Miles, dit-il.

– Ouais, Miles, voilà. Moi c'est Melody. Donc, vous dites que c'est un bon endroit ? »

Bon, alors là, gaffe, mon petit père. Tu ne vas pas te fourrer là-dedans. *Certes*, cette nana vaut toutes les autres réunies – mis à part cette salope qui m'a repoussé dans l'ascenseur (je ne pense pas qu'elle m'ait aperçu, là) – mais bon, c'est bien elle qui a une connerie de *bébé*, hein ? Et mon vieux, tu connais les règles : pas touche aux mères de famille – parce que putain, comme si je n'avais pas assez de ça à la maison, avec Sheil et ses deux mômes ? Nos deux mômes.

« Je pensais que vous seriez restée à vous occuper de la petite, sourit Miles. Et pas que vous aviez l'intention d'aller vous éclater en boîte. »

Juste ciel, Melody avait horreur, mais *horreur* de ça, des gens, des hommes qui supposaient que, parce qu'elle avait eu un putain de gosse, elle n'était plus *femme*, tout d'un coup.

« Quelle petite ? fit-elle, l'air sincèrement surprise. Oh, vous voulez parler du *bébé* ! Oh non, ça n'est pas le mien. Non, je m'en occupais un peu, comme ça, pour une amie. Vous voyez, là-bas ? Non, pas celle-ci, l'autre, là. »

Miles se tordit le cou dans la direction indiquée. Ouais, je vois : on dirait une crème brûlée.

« Eh bien, le bébé est à *elle* », reprit Melody, pensant bon Dieu, j'aimerais bien, quelquefois, qu'il soit *effectivement* à elle ; ou à n'importe qui, pour tout vous dire.

Le visage de Miles s'éclaira d'un large sourire de soulagement déjà mêlé de concupiscence.

« Eh bien, dans ce cas… cela vous dirait-il de… ? Enfin, je serais ravi de…

– Super, approuva Melody. On se retrouve dans l'entrée, là, le hall, dans, disons… une heure ?

– Dans une heure, acquiesça Miles, inclinant la tête. Votre carrosse vous attendra. »

Oh, *génial,* se dit Miles, ravi, tandis que Melody filait raconter la dernière à ses amies. Parce que bon, d'accord, l'après-midi n'avait pas été totalement foutu : il s'était avéré que c'était la demi-journée de repos de la petite réceptionniste – comment déjà ? Pauline, ouais, c'est ça. Donc, pas de problème, deux trois verres, deux trois blagues, et hop, dans la chambre – même si ça n'a pas été de la tarte pour la décider. Et là, bon, elle avait été correcte – pas la classe internationale, mais correcte, vous voyez ? Histoire d'occuper l'après-midi, ce genre. Mais celle-là, cette Melody – alors là, c'était autre chose. Ouais, mon petit Miles – on dirait bien que ça commence à rigoler pour toi, mon gars : allez, encore un petit Bacardi tonic.

« Je ne vois pas du tout, mais alors pas du tout ce qu'elle peut bien lui trouver, renifla Elizabeth, quand Melody eut disparu d'un pas léger.

– Mon Dieu, dit Dotty, c'est un homme, et il est *là,* voilà tout. » Mais, juste ciel, se disait-elle, comment peut-on avoir envie de sortir avec un parfait étranger, pour se trémousser dans quelque antichambre de l'enfer, alors que l'on pourrait être si heureuse, si douillette, à s'occuper de son adorable petite fille à soi ? D'ailleurs, je vais immédiatement aller chercher des affaires à la nursery. Je n'en peux plus d'impatience. Ils vont me donner plein de vêtements de bébé, tous blancs et doux et duveteux – Dawn agrippera mon petit doigt, et je respirerai l'odeur du talc sur elle.

« Elizabeth – j'y vais. Merci mille fois pour cette journée. Viens, Colin, on va passer chercher la petite, et nous ferons appeler un taxi.

– Pourquoi n'appelles-tu pas Brian ? » suggéra Elizabeth.

Parce que nous n'avons pas le téléphone, au château, ma chère Elizabeth. Parce que nous n'avons *foutre rien*, au château – mais bientôt, bientôt nous aurons quelque chose, nous aurons la petite Dawn, dans mes bras.

« Oh, je n'ai pas envie de le déranger. Le taxi, ce sera parfait – ce n'est pas très loin.

– Mais Dotty, protesta Elizabeth, il reste encore du champagne !

– Eh bien *finis-le*, fit Dotty en souriant. Allez, viens, Colin, on y va.

– Dis-moi, Colin, lança Elizabeth, tandis que tous deux s'éloignaient déjà, je ne sais pas trop où je serai quand tu reviendras – sans doute dans la chambre, mais sinon, tu demanderas à la réception que l'on t'ouvre la porte. »

Colin fit un geste signifiant « Reçu 5 sur 5 », et Elizabeth se versa une nouvelle rasade de Moët. Puis, se tournant vers Lulu, comme traversée par une inspiration fulgurante :

« *Vous*, vous allez bien m'aider à la finir, n'est-ce pas ? J'ai l'impression que tout le monde m'a laissée tomber ! »

Lulu leva les yeux. Oh, merci, *merci* de me parler. J'ai tellement besoin de parler, moi aussi.

« C'est très aimable à vous », accepta Lulu. Oui, cela faisait un changement bienvenu : du champagne dans l'estomac, au lieu de champagne sur l'estomac, pourquoi pas, hein ?

« Où est votre époux, ce soir ? Santé.

– Santé. Oh, John… Ce soir, nous avons décidé de, disons, aller un peu chacun de son côté. On n'a pas besoin d'être *toujours* collés l'un à l'autre, n'est-ce pas ?

– Vous savez, c'est drôle que vous disiez cela, répondit Elizabeth, se penchant en avant, intéressée. Parce que *mon* époux – Howard, il s'appelle Howard – était censé venir en vacances avec moi, comme nous le faisons toujours, et – mon Dieu, ce serait un peu long et compliqué de vous expliquer en détail pourquoi il n'est finalement *pas* venu, mais franchement, je pensais que ce serait assez triste, sans lui – même si, bien sûr, j'ai Melody et Dotty : je ne vous ai pas présentées, si ? Non ? Oh mon Dieu je suis *affreusement* désolée – enfin, ce sera pour la prochaine fois. Donc – qu'est-ce que je disais ? Ah oui – Howard. Eh bien, en fait, j'apprécie beaucoup. Cette liberté, là. J'aime bien, vraiment. »

Lulu sourit. La liberté. C'est cela.

« Vous savez ce que nous devrions faire ? » proposa Lulu avec des yeux de mauvaise gamine qui prépare une petite sauterie nocturne dans le dortoir, en tendant le bras pour tripoter machinalement le goulot de la bouteille. Nous devrions en commander une autre – c'est pour *moi*, cette fois. D'accord, Lizzie ? C'est bien Lizzie, c'est cela ?

– Euh, mon Dieu, oui… enfin, Elizabeth, oui. Personne ne m'a jamais appelée Lizzie, mais je trouve ça plutôt marrant. Ma foi… oui, Lizzie. Appelez-moi Lizzie. »

Comme Lulu se détournait vers le bar pour commander, Elizabeth se dit Vraiment, c'est incroyable les choses que l'on peut faire, les choses que l'on peut dire à de parfaits étrangers, dans un endroit inconnu. J'aime bien Lulu. Vraiment, je l'aime bien, cette femme.

John Powers avait verrouillé sur son désarroi la porte de sa suite trop vaste, trop luxueuse : sans signification, vide et morte, à présent que Lulu était partie. Il l'avait suppliée de ne pas s'en aller, il l'avait suppliée tout en sachant qu'elle sortirait quand même – et qui aurait pu l'en blâmer ? L'horreur, l'horreur absolue – dieux du ciel, mais cela me *bouffe* vivant – c'est que maintenant, je ne sais vraiment plus *où* elle peut bien être – ni avec qui, avec qui. Parce que, hein, ça peut être avec n'importe qui.

Absolument n'importe qui – et n'importe où. Il lui avait promis de ne pas la suivre – elle était restée d'acier, tandis que le visage de John ruisselait de larmes –, et après son départ, il était demeuré assis là, pendant, oh, quelques minutes au moins, avant de se ruer vers la porte, d'injurier l'ascenseur, puis de dévaler les escaliers quatre à quatre – avec des yeux qu'il aurait voulu thermosensibles, des yeux aux rayons X, tandis qu'il tendait un visage angoissé contre chaque porte. Il avait bafouillé, raconté n'importe quoi au concierge (il a dû penser que j'étais cinglé – et c'était le cas : j'étais, je *suis* cinglé), lequel pensait, en effet, avoir vu Mrs. Powers partir en taxi, à l'instant. En taxi ! En taxi ! Un taxi, cela vous emmène n'importe où – pour retrouver n'importe qui, absolument n'importe qui. Où était-elle à présent ? Où était-elle allée ? Est-ce qu'elle riait, en cet instant ? Est-ce qu'elle éclatait de ce rire musical, ce rire miraculeux, les yeux au ciel, comme ça, avec quelqu'un d'autre ? Et qui était l'autre, quel salaud, quel séduisant salaud ? Quels yeux se repaissaient de ce qui appartenait à John, et à lui seul ? Allait-il avancer une main, la toucher ? *Non* ! Non, non, non ! Je ne peux pas supporter ça, je ne peux pas, je vais devenir *fou*. Peut-être étaient-ils plusieurs – peut-être était-elle entourée d'hommes attirants, pleins d'un charme ombrageux, vêtus de sombre, avec des voix profondes et mâles, et une étincelle amusée au fond des prunelles. Et s'ils la prenaient – là, brutalement, là où ils la trouvaient – avec cette rudesse, cette prestesse des hommes à profaner ce qui est la tendresse même. Il faut boire, boire – boire encore. Oh mon Dieu, la bouteille est presque vide. Il faut en commander une autre, en commander une autre, voilà ce qu'il faut faire, voilà – et elle reviendra, bientôt elle reviendra. La porte va s'ouvrir, d'une seconde à l'autre, et Lulu sera là, et elle lui dira qu'elle l'aime, et il mourra à ses pieds, il offrira son âme à sa Lulu – Oh Lulu, ma Lulu, il n'y a pas de fin, pas de limite à ma passion pour toi. Comment *peux-*

tu me faire une chose pareille ? Tu ne vois donc pas à quel point je *t'aime* ?

Du point de vue de Brian, la journée n'avait pas été totalement gâchée. Il avait passé un temps fou sur cette saloperie de table – ces trucs-là se révèlent souvent plus vicieux qu'il n'y paraît à première vue : des heures de boulot, sans blague. Puis il avait donné un bon coup de propre à toute la caravane ; il avait dû faire la queue pour obtenir deux seaux d'eau (ce qui est une excellente façon de faire connaissance avec les voisins : des gens plutôt sympa, somme toute), et s'était mis au travail, armé de deux chiffons. Ce n'était certes pas du tout nécessaire, mais bon, il faisait un temps magnifique et cela occupait la journée. Puis il avait mangé un gâteau au pub – je ne vois pas ce que Dotty a contre cet endroit : il est parfaitement correct. En tout cas, leurs pintes valaient le déplacement ; Brian avait pas mal discuté avec le gérant, notamment des diverses bières blondes (la blonde, ça gonfle – on n'a plus qu'à jeter tous ses pantalons), puis celui-ci lui avait indiqué le meilleur trajet pour Londres, si l'on voulait éviter points noirs et embouteillages – chose pas évidente à cette époque de l'année, il pouvait vous le dire.

Il avait déniché dans un placard une sorte de vase assez joli (sans être, de son propre aveu, expert en décoration, Brian le trouvait vraiment pas mal : en porcelaine orange, un truc comme ça, avec des espèces de vibrions noirs). Il avait donc acheté quelques fleurs au garage – histoire de faire plaisir à Dotty, quand elle rentrerait, une tache de couleur pour lui remonter le moral. Il avait également rapporté des gâteaux du pub – il suffit de les réchauffer un peu. Donc voilà, tout est prêt, parfaitement prêt pour leur retour. (En outre, j'ai réussi à tenir l'angoisse à distance ; je ne me suis pas tourmenté à

propos de ma situation totalement, définitivement sans espoir
– et de la situation impossible dans laquelle j'ai mis ma famille.)

Laquelle, si je ne me trompe, arrive enfin. C'était bien une
portière de voiture, non ? Jetons un coup d'œil : oui, en effet,
les voilà (ils doivent être crevés). Oh non... Dotty n'a quand
même pas encore *acheté* des trucs, ce n'est pas vrai... je lui ai
dit et répété, sur tous les tons, jusqu'à plus soif... et voilà, voilà
qu'elle... ah non, ce n'est pas ça, pas du tout, c'est... ce n'est
pas possible, tout de même ? Mais si, pourtant, c'est bien cela –
et juste comme Dotty ouvrait la bouche pour dire quelque
chose, il baissa les yeux sur ce qu'elle tenait dans ses bras, et
sentit une lame le transpercer. Un limon brûlant de souvenirs
impossibles à contenir se mit à clapoter en lui.

« Bon, je sais ce que tu penses, Brian, déclara Dotty d'une
voix brève (et Brian pensait Non, Dotty, en réalité tu ne sais
pas, mais continue, je t'en prie), mais je te promets qu'elle ne
nous posera aucun problème – n'est-ce pas, ma petite Dawn ? »
Le visage de Dotty s'illuminait, tandis qu'elle parlait au bébé.
« Pas de problème du tout, *du tout*, parce que tu es une gentille,
gentille petite fille, hein ? Oh oui, oh oui tu es une gentille
petite fille. » Elle leva les yeux : « Oh, mais *bouge-toi*, Brian,
pour l'amour de Dieu. Tu es toujours dans le chemin. »

Dotty gravit précautionneusement les deux marches, pénétra
dans la caravane. « Je suis vraiment désolé, mon bébé, de t'emmener dans cet endroit horrible, mais c'est la faute d'oncle
Brian. Mais ne t'inquiète pas, nous allons bien nous amuser, toi
et moi, hein ? Oh oui, oh oui. Oh que *oui*.

– C'est... marmonna Brian à voix basse, à l'adresse de Colin,
enfin... tu sais pourquoi... enfin, pourquoi elle est comme
ça ? »

Colin hocha la tête. « Oui. »

C'était là une chose dont ils ne parlaient jamais. Comme tant
d'autres choses.

Brian hocha la tête à son tour. « Et en plus, son pif doit la faire souffrir le martyre, vu la tête qu'il a.

– C'est *quoi*, cette odeur ? fit soudain Dotty d'un ton accusateur, comme si elle avait détecté, non les fragrances d'un gâteau que l'on réchauffe, mais des relents de trahison parmi les rangs de ses serviteurs les plus fidèles et les plus dévoués.

– Des gâteaux, répondit Brian. Des pâtisseries. Je suis en train de les faire réchauffer, pour nous. Que fait Dawn ici, Dotty ? Melody a un problème ?

– Eh bien, tu peux te les manger tout seul, tes gâteaux *pourris*, Brian – parce que moi, je n'ai pas faim, et que Colin retourne à l'Excelsior, où Elizabeth, j'en suis sûre, lui offrira un dîner nettement plus appétissant que ce truc-*là*. Et d'ailleurs, peu importe en fait pourquoi Colin retourne là-bas – je te demande juste de le conduire, si tu veux bien.

– Ouais, intervint Colin, mais pas tout de suite, papa. Je vais d'abord faire une petite balade. Genre une demi-heure, d'accord ?

– D'accord, mon vieux Colin. Comme tu voudras. »

Une fois Colin parti (drôle d'heure pour faire une *balade*), Dotty déclara : « Bien, Brian, rends-toi utile, pour une fois : rassemble les affaires de Colin – tu trouveras un pyjama propre dans une des valises, et ses affaires de toilette sont dans le panier tressé, là. On a faim, ma petite Dawn ? Il a faim le bébé ? Oh mais oui, mais oui il a faim ! Brian, passe-moi ça – non pas ça – ça, *ça*, là-bas ! Voilà. Bien, on va réchauffer le biberon du bébé. Et le bébé, il va être gentil et patient, parce qu'il faut lui préparer un biberon, et que le biberon, il doit être bien chaud, mais pas trop chaud, pour le bébé ! Mais oui mais oui, c'est comme ça ! »

Brian posa le biberon dans une casserole à demi pleine d'eau et recula imperceptiblement comme la flamme jaillissait avec un « plop » (il avait déjà fait ces gestes-là – il y avait longtemps, bien longtemps) puis se mit à réunir les affaires de Colin.

« Dis-moi, Dotty, pourquoi Colin s'installe-t-il là-bas, tout d'un coup ? Et tu n'as pas répondu à ma question : que fait Dawn ici ? Tout cela est un peu bizarre, non ? enfin je veux dire – c'est un peu *drôle*, n'est-ce pas ? J'ai du mal à... »

Dotty leva les yeux. Tant pis pour lui, se dit-elle.

« Si tu veux vraiment savoir pourquoi Colin retourne à l'hôtel, Brian, c'est parce qu'il m'a suppliée – *suppliée*, tu entends – pour ne pas passer encore une nuit dans cette... je crois bien qu'il a appelé ça une "saloperie de poubelle". Et bien sûr, ce n'était possible que si, moi, j'emmenais Dawn. En outre, j'en avais envie. Cela répond à toutes tes questions ? »

Brian hocha la tête. Pas grand-chose à y faire, n'est-ce pas ? Comme d'habitude. Il déposa le sac de toilette de Colin sur la table qui se rabattit aussitôt dans un claquement métallique, projetant le vase orange (avec des espèces de vibrions noirs) contre la porte sur laquelle il explosa, et tandis que Dawn commençait de pousser des hurlements à vous envoyer du larsen jusqu'à la moelle, Brian resta là, à contempler les pétales de fleurs déchiquetés éparpillés, ponctués de lambeaux de fougères en vrac dans l'eau qui s'étalait rapidement vers le (mauvais ?) pied de Dotty.

« Oh *non*, regarde ce que tu as fait, espèce de pauvre, pauvre *abruti* ! Elle était parfaitement *calme*, et... Tchu-tchu-tchu, allons, ma petite Dawn, allons, mon petit bébé, ce n'est rien, c'est juste ce pauvre bêta d'oncle Brian... rien du tout... elle était parfaitement *calme* jusqu'à ce qu'elle arrive ici et qu'elle te *voie*. »

Mais déjà, les sanglots de Dawn s'apaisaient ; Dotty effleurait du bout du doigt les lèvres roses, chaudes et douces du bébé, qui s'était tu et souriait à présent, puis se mettait à gargouiller de contentement, de satisfaction. Brian avait déjà assisté à cela : Dotty avait le truc, c'était en elle.

« Bien, fit-il (autant prendre les choses du bon côté), nous voilà donc avec une petite Dawn !

– Passe-moi plutôt le biberon, Brian. Et puis nettoie un peu ce fouillis. »

Non, pensait Dotty : tu te trompes. Pas une petite Dawn, non. Ce que j'ai là, ce que je tiens là dans mes bras, contre mon cœur, au fond de mon cœur, déjà, ce que je regarde et ce que je sens contre moi, c'est une nouvelle petite Maria.

« Salut », fit Colin, aussi négligemment que possible, quand enfin – c'est elle ? Est-ce que c'est elle ? Difficile à dire – mais oui, c'est elle – Carol arriva, marchant lentement, au sommet de la dune (super, son jean). Il lui avait paru préférable de faire comme s'ils se croisaient par hasard – peut-être aimait-elle la solitude ? Il ne voulait pas s'imposer, ni rien. En fait, cela faisait vingt minutes qu'il traînait dans le coin, et il commençait vraiment à faire frisquet. La mer montante ou descendante faisait un clapotis froid, désagréable ; vaguement effrayant, aussi.

« Salut, fit Carol en retour, avec une indifférence étudiée. C'est sympa ici, la nuit, non ?

– Oui, approuva Colin – bien qu'en fait, depuis le temps qu'il attendait, il n'eût rien trouvé de particulièrement sympa à cet endroit. Parce que je veux dire, en *quoi* pouvait-il être sympa ? On n'y voyait presque rien, d'ailleurs il n'y avait rien à y voir, et l'herbe vous grattait les fesses – pas *franchement* sensationnel, hein ? Mais il lui apparut que Carol devait être ce genre de nana qui lit de la poésie, ce style. Peut-être même *écrivait*-elle de la poésie, qui sait ? Et lui, tout ce qu'il savait, c'est que, mon Dieu, elle m'a bien dit que j'avais de belles mains, n'est-ce pas ? Elle a même tenu à me dire vers quelle heure à peu près elle venait se balader par ici. Si ça n'était pas une proposition voilée, je ne vois pas ce que c'était. Mais on ne savait jamais,

196

avec les filles – elles se comportaient si bizarrement. Enfin, c'est ce que se disait Colin. Et au moins, si je fais quelque chose de vraiment moche, il fera trop sombre pour qu'elle me voie rougir.

Carol s'assit relativement près de lui et se mit à ramasser de pleines poignées de sable qu'elle jetait devant elle, la plus grande partie retombant en une pluie sèche sur les broussailles, tandis que le reliquat lui revenait dans les yeux – Aïe, ouhhh – de sorte qu'elle cessa bientôt son petit jeu.

« Quel âge as-tu, Colin ? demanda-t-elle, simplement.

– Quinze ans. Presque. J'ai l'impression d'en avoir – arrkkk – plein la bouche.

– Moi, j'ai seize ans », dit Carol. Puis, après un silence : « Non, en fait – j'ai quinze ans aussi, mais je n'en suis pas loin. Alors quelquefois, je dis seize. »

Colin hocha la tête. *Pourquoi* ? se disait-il.

« Qu'est-ce que tu *aimes*, comme trucs ? » s'enquit-elle.

Oh là là, ça n'était pas facile, ça. Qu'est-ce que j'aime ? Qu'est-ce que j'aime ? Eh bien – plein de trucs. Pas la peine de lui répondre ça, parce qu'elle va me répondre Bon, mais quels trucs, alors autant être, comment dire, plus précis dès le départ. Mais en même temps, je ne vois pas, là, un seul truc que j'aime – à part... ouais, bon, je ne peux pas lui répondre *ça*.

« Je veux dire, reprit Carol (subodorant de toute évidence, et à juste titre, qu'elle risquait fort de se retrouver blanche et chenue, si elle attendait que Colin se décide), est-ce que tu aimes faire de la voile, par exemple ? Du bateau ?

– J'adore les bateaux, déclara Colin avec force. J'adore le bateau. » En fait, il n'avait jamais posé le pied sur un bateau, mais au cinéma, ça avait l'air super.

« Mon père m'a dit que je pouvais t'inviter à faire un tour en bateau un jour, si ça te dit. D'ailleurs, on en a prévu un demain.

– Oh, ouais ! fit Colin, enthousiaste. Génial !

– Tu as ton équipement, hein ?

– Ouais, – bien sûr. » Quel équipement ?

« Super, fit Carol avec un large sourire. Alors, on se donne rendez-vous ici, demain ? À dix heures ? »

Colin hocha la tête avec énergie. « Super. Tu es bien sûre que ton père sera d'accord ?

– Mais oui – il est génial, mon père. Terry est un peu pénible, mais papa, il est extra. »

Ah, Terry. Ouais. Je l'avais oublié, celui-là.

« Moi, mon père, il n'est *pas* extra, se contenta-t-il de répondre.

– Mon pauvre vieux ! Bon, écoute, Colin – il faut que je rentre, okay ?

– Ouais, d'accord. Il faut aussi que j'y aille, en fait. »

Ils étaient debout à présent et Colin tremblait. C'était l'heure poignante, douce et triste de la séparation, n'est-ce pas ? Que faire ? Que devait-il faire ? Carol traînait un peu, histoire de voir, sans doute. Et ce qu'il avait *vraiment* envie de faire, c'était... – oh mon Dieu, mon Dieu – il avait l'impression que ses poignets étaient comme attirés par un aimant, avec une force irrésistible, démoniaque, il les sentait tressaillir malgré lui, sentait ses doigts se tendre. Mais il se contenta, finalement, de pencher son visage vers celui de Carol – fit une pause (juste le temps de voir si elle allait le tabasser ou non) puis (j'ai le feu vert, apparemment, mais qui sait ?) continua de se pencher jusqu'à ce qu'elle détourne brusquement la tête, à la dernière seconde.

« Non ! » fit-elle.

Colin eut l'impression que son crâne explosait, victime d'un coup de sang comme il n'en avait jamais connu.

« Oh, je suis *désolé* ! s'exclama-t-il, presque les larmes aux yeux, se sentant phosphorescent tant il rougissait. Je ne voulais pas...

– Mais non, précisa Carol. Sur la joue, je veux bien. Tu peux m'embrasser sur la joue.

– Oh. Ah bon », fit Colin. Il l'embrassa sur la joue, c'était déjà ça (pas franchement l'orgie romaine, hein ?).

« … enfin, jusqu'à ce qu'on se connaisse *mieux*, fit Carol d'une voix chantante, s'éloignant vivement. Mais tu sais, tu as vraiment de belles mains, Colin. »

Colin hocha la tête en la regardant disparaître.

« À demain ! » lança-t-il – et sa voix lui parvint en retour, vaguement. Colin crut entendre « à dix heures ».

Il soupira. C'était à devenir fou. Mais les filles vous rendaient fou, n'est-ce pas ? Elles étaient bien connues pour ça. Colin fit demi-tour. De belles mains, ça te fait une belle *jambe*, se dit-il, si tu n'arrives jamais à les poser sur un truc un peu *valable*.

En arrêtant la voiture à la grille de sa propre maison, Howard voyait déjà, derrière la haie, les acheteurs potentiels qui traînaient autour de celle de Brian, comme le font tous les acheteurs potentiels : et de se pencher pour essayer de voir à l'intérieur par les fenêtres, la main en visière au-dessus des yeux, et de se tordre le cou pour observer le toit – pourquoi, ils n'auraient pas pu le dire. Là, le couple commençait de contourner la maison, s'arrêtait à mi-chemin (c'est un tuyau d'écoulement, ça ? Mmm-mm) et, en effet, revenait sur ses pas, vers la façade. Howard avait vu mille fois ce manège – c'était, en plus élaboré, l'attitude de l'acheteur d'une voiture d'occasion, qui donne un coup de pied dans les pneus, ou inspecte d'un regard aigu les entrailles ténébreuses et impénétrables de la bête. Cela dit, c'était la barbe, qu'ils soient arrivés si tôt, parce que Howard avait pensé faire d'abord un saut chez lui pour se prendre un petit coup de scotch, plaisir qui se voyait différé.

Howard s'élança dans l'allée, irradiant, en justes proportions, le mélange d'urgence et de bonhomie qui convenait à sa profession, et arborant un costume bleu nuit par cette chaude journée, ce qui, selon lui, parlait de soi-même.

« Mr. Street », fit l'homme. Ce n'était pas là une question. « Apparemment, il y a pas mal de travail à faire sur les gouttières.

— Mr. et Mrs. Davies, n'est-ce pas ? s'enquit Howard avec un large sourire. Eh bien, entrons, si vous voulez. Les propriétaires sont en vacances, pour l'instant, ce qui fait que nous avons tout le temps pour... sentir, vous voyez, sentir le lieu. »

L'entrée était vaste et ensoleillée, et presque normale, Dieu merci – c'était pour toutes les autres pièces que Howard se faisait du souci. Il n'avait rien voulu dire, mais demeurait persuadé que, si la maison n'était pas si encombrée de tous les reliquats des foucades successives autant que bien intentionnées de Brian, elle aurait depuis longtemps changé de main.

Howard ouvrit toute grande la porte du salon et fit un pas en arrière pour laisser entrer Mr. et Mrs. Davies. Oui, se dit-il – et Dotty aussi porte une grande part de responsabilité : regardez-moi tous ces *trucs*.

« La salle de séjour est d'une dimension peu commune, dit Howard. Et vous avez une pièce de même taille à l'arrière. La surface au sol est beaucoup plus importante qu'il n'y paraît, en fait.

— C'est curieux, non... ? » fit Mrs. Davies (qui jusqu'à présent avait paru perdue dans une sorte de transe – mais Howard avait remarqué que souvent, les gens qui visitaient une maison semblaient décoller et flotter ainsi). « Je veux dire, reprit-elle, les objets qu'ils ont l'air d'aimer. »

Oh que *oui*, bon Dieu – et c'était là tout le problème : les gens ne remarquaient pas la hauteur des plafonds ni les moulures d'époque ni la cheminée en parfait état de marche ni les portes de communication ni les excellents lambris à mi-hauteur, non, ils restaient scotchés sur toutes ces saloperies de *trucs*. Chaque mur était couvert de rayonnages de bois et de mini-bibliothèques exposant comme à la parade toutes sortes de dés à coudre et pots à épices et cuillères à thé et théières miniatures (des théières miniatures!) et dames en crinoline et marchands de ballons et enfants pleurant leurs larmes de porcelaine et chatons penchant la tête et *porcheries* remplies de charmants petits gorets – et puis là-bas encore, juste-là, tenez, l'orgueil du manteau de cheminée, juste à l'est de la pendule-baromètre en forme de chaumière (et qui s'allume la nuit, mais si, mais si, puisque Howard vous le dit), la *pièce de résistance*, l'*objet** qui couronnait tout : une horreur de clown triste, gigantesque, criard, dans le style Capo di Monte, prostré dans les coulisses. Bon, je veux dire : il fait quoi, Howard, avec ça?

« Il faut essayer de voir *au-delà* », déclara Howard, à tout hasard.

Ce à quoi Davies et Davies hochèrent deux têtes perplexes et peu convaincues, et lui firent comprendre, sans ambiguïté, que la visite pouvait continuer. Howard aurait plus que volontiers sauté l'autre salon, mais c'était, à la base, un espace vraiment superbe (que Howard et Elizabeth, chez eux, utilisaient plus que toute autre pièce de la maison). Il présentait une moulure de plafond des plus exquises, et d'origine, et de majestueuses portes-fenêtres donnant, quelques marches plus bas, sur un jardin de trois cents mètres carrés (riche d'essences en pleine floraison, Howard en savait quelque chose).

Cela dit, il présentait également les plaques d'égout de Brian. Howard l'eût-il chatouillé par surprise avec un plumeau, Mrs. Davies n'aurait pas marqué un saisissement plus violent, devant cette masse d'acier menaçante, écrasante.

« Le jardin… commença Howard.

* En français dans le texte. *(N.d.T.)*

201

– Mais qu'est-ce que *c'est*? hoqueta Mrs. Davies.

– J'ai l'impression que ces gens sont un peu loufoques, déclara son époux, l'air sombre.

– Bien évidemment, intervint Howard, si nous concluons l'affaire, nous vous garantissons la jouissance d'une maison totalement vide – enfin, je veux dire que tout cela disparaîtrait, vous voyez, n'est-ce pas? »

Mr. Davies tenta d'ouvrir un placard, mais la porte ne voulut rien savoir. Howard suggéra quelque peu précipitamment de monter à l'étage, fort de ses nombreux démêlés avec les placards de Brian : aucun ne s'ouvrait facilement, cela va sans dire – mais si vous y mettiez trop de conviction, soit vous partiez en arrière, la poignée dans la main, soit la putain de porte venait tout entière, arrachée de ses gonds; quoi qu'il en soit, ce n'était guère un argument vendeur.

« Mais en fait, se reprit Howard (ils avaient l'air plutôt honnêtes), vous préféreriez peut-être vous promener un peu tous les deux, tout seuls? C'est souvent la meilleure façon de visiter. Et si vous désirez le moindre renseignement, je reste en bas, je ne bouge pas. La pièce du haut – la grande pièce, tout en haut, vaut vraiment le coup d'œil, je dois dire. Et puis vous redescendrez, et vous visiterez la cuisine, le garage, etc. »

L'idée fut accueillie avec plaisir (cela marchait toujours), et les Davies gravirent l'escalier d'un pas lourd, tandis que Howard pénétrait dans le petit office qui jouxtait la salle à manger. Elizabeth avait astucieusement transformé le leur en une très agréable pièce pour le petit déjeuner (idéale en été – et d'autant plus charmante depuis que, ce matin même, Zouzou l'avait décorée d'une nappe toute neuve, d'un jaune moutarde très lumineux, agrémentée d'un petit vase de marguerites en son centre). Cependant, difficile de dire quel usage Brian et Dotty faisaient de cette pièce; pour être honnête, Howard avait surtout espéré y dénicher une bouteille de scotch, ou quelque chose de ce genre (il n'y avait rien dans les autres pièces – il avait vérifié), mais là non plus, il ne semblait rien y avoir à glaner. Donc, il traînait sans but, désœuvré : c'est quoi, ça ? Cette énorme boîte en carton ? Jetons un coup d'œil. Des bougies. Blanches. Bon, des bougies : rien de très grave en soi, hein – mais qui pouvait bien acheter les bougies par paquet de trois cents ? (C'est exactement la question que Dotty avait posée à Brian quand il les avait rapportées à la maison, suant sang et eau. Réponse : C'était une offre spéciale.)

Howard farfouilla parmi les objets et débris divers qui jonchaient ce qui avait été un très joli petit bureau (juste ciel, cet endroit était dans un état lamentable – même les moquettes – naguère la fierté et la joie de Brian, sa *vie* même, grands dieux – même les moquettes portaient le deuil, regardez-moi ça).

Tiens, et ça, qu'est-ce que c'était ? Une pièce métallique toute déformée – cela pouvait provenir d'absolument n'importe quoi, de la tondeuse à gazon jusqu'au biréacteur (ou alors une sculpture super contemporaine ? Peu probable). Et puis apparemment, on avait fait un peu de menuiserie, par ici : des chutes de poutres à demi sculptées, puis totalement abandonnées. Au fait, est-ce que Brian serait du genre à dissimuler une goutte de quelque chose dans un tiroir, par exemple ? Je jette un coup d'œil ? Bah, rien à perdre – les Davies étaient partis pour rester des heures là-haut (pas un bruit à l'étage : quelle invention maison les a donc sauvagement agressés ?), donc Howard ouvrit un tiroir, lequel semblait rempli exclusivement de papier journal froissé : il farfouilla un peu, mais il n'y avait rien de plus à y trouver que ce qu'il donnait à voir ; c'en était à peine croyable : du papier journal froissé, et rien, rien de plus. Le tiroir suivant émit un petit tintement, qui redonna un bref espoir à Howard, mais il ne renfermait guère que deux très vieux et très vilains flacons de... voyons... qu'est-ce qui est marqué... ah, d'accord, d'huile pour machine à coudre. Sympa.

Je ferais peut-être mieux d'expédier Davies & Davies, et de rentrer à la maison ; attendez – c'est quoi, ça ? Non – je laisse tomber : de toute façon, je n'ai pas à fouiller comme ça dans le bureau de Brian. Est-ce que j'aimerais ça, *moi* ? Mais bon, quand on tombe sur quatre ou cinq enveloppes tenues par un ruban, c'est toujours relativement tentant, pas vrai ? Ce qui décida Howard à poursuivre ses investigations fut cette inscription en grandes lettres bâtons, sur celle du dessus : NE PAS OUVRIR AVANT LE 1er JANVIER 1998. Bon, la date de péremption est largement passée : ça ne peut plus avoir aucune importance, maintenant. Howard fit glisser l'enveloppe non cachetée d'entre ses congénères mais, avant même d'en avoir ôté l'unique feuille qu'elle contenait, son regard se figea, comme il lisait, sur l'enveloppe du dessous (et de l'écriture de Brian, pas de problème, lettres bâtons ou non) : NE PAS OUVRIR AVANT LE 1er AOÛT 1997. Voyons la suivante : 1er JANVIER 1997. Bizarre. Howard tira donc la feuille de la plus récente (là, c'était l'écriture normale de Brian – encre bleue délavée, lettres soudées), et voici ce qu'il lut : « Quand vous lirez ceci, je serai devenu un poids trop lourd pour vous, et j'aurai fait le nécessaire. Croyez-moi, c'est dur de tout laisser. Je n'ai même pas été assez vite. Avec tout mon amour. Brian. PS : Pardon. » Toutes les lettres étaient identiques, et semblaient avoir été écrites à quelque six mois d'intervalle – à la fin de l'été, et juste après Noël. Eh bien, dieux tout-puissants, jamais Howard ne se serait douté… enfin, certes, la vie n'avait guère été facile pour Brian, ces derniers temps, mais jamais Howard n'aurait imaginé qu'il songeait à… poh poh poh, pauvre vieux. Bon, il n'était pas passé à *l'acte*, évidemment – mais quoi qu'il en soit, vous imaginez dans quel état il faut être, pour simplement *écrire* ce genre de lettre. Et cinq fois, encore.

« Mr. Street ? Mr. Street ? Êtes-vous là ? »

Comme piqué par une guêpe, Howard jeta précipitamment

les lettres dans le tiroir, et se tourna vivement pour faire face à Mr. Davies.

« Alors ! » s'exclama-t-il. Puis, plus calmement : « Alors dites-moi, comment trouvez-vous… »

Mr. Davies hocha la tête. « Nous avons bien examiné les lieux – n'est-ce pas, Edna ? » Sur quoi Mrs. Davies confirma, d'un sourire niais, que oui, ils avaient bien examiné les lieux, et que non, ce n'était pas un mensonge. « Et franchement, Mr. Street, ce que nous avons vu nous a plu.

– *Bien* », fit Howard. *Vraiment ?* Vous en êtes bien *sûrs* ? C'est complètement ahurissant.

« Mais, reprit Mr. Davies, comme on pouvait s'y attendre, ils en demandent beaucoup trop. Je vais vous dire ce qui me plaît dans cette maison, mis à part l'espace et le quartier – et le jardin, je dois avouer, qui présente un réel potentiel, entre de bonnes mains.

– Cyril est un jardinier hors pair, glissa Edna Davies, posant une main sur son bras – sur quoi Cyril à son tour sourit niaisement, visiblement flatté.

– Mon Dieu, corrigea-t-il, radieux, disons que je ne me débrouille pas trop mal. Mais bon, ce que nous recherchons, voyez-vous, c'est une maison très vaste, et totalement en état d'origine – et là, il faudra arracher toutes ces saloperies et repartir de la base. »

Totalement en état d'origine ! Juste ciel, si Brian entendait ça, il se jetterait sur le papier et rédigerait aussitôt un nouveau et poignant message d'adieu – il avait travaillé nuit et jour à *améliorer* quelque chose, ici.

« Eh bien », dit Howard, pensant Vous savez depuis combien de temps je suis dans ce bizness ? Jamais je n'aurais pensé avoir la moindre chance avec ces gens-là, mais on dirait bien que… « J'ai l'impression que vous avez trouvé ce qu'il vous faut !

– Oui, c'est très joli, tout ça, reprit Cyril Davies d'un ton nettement plus dur, mais je n'ai pas besoin de vous expliquer, pas à *vous*, Mr. Street, qu'il y en a pour une petite fortune en travaux – et quand je dis petite…

– Je pense, répondit Howard avec une circonspection toute professionnelle, que le prix demeure négociable, dans une certaine limite…

– Je vais vous dire ce que je vais faire – je vous appelle demain matin. Je vous appelle, moi, demain. D'accord ? Bien. Je vous appelle demain matin, et je vous fais une offre. Une offre définitive, n'est-ce pas ? Je sais que cette maison est en vente depuis un bon moment. Si mon offre est acceptée, j'envoie immédiatement un expert pour une visite approfondie. S'il n'y a pas de problème, nous concluons l'affaire dès que vous le désirez – dans les huit jours, si vous voulez. D'accord ? »

Que pouvait dire Howard ? « D'accord », voilà ce qui lui venait à l'esprit, donc il opta pour « d'accord ».

« Bien », fit Cyril Davies. Puis, sur un ton de conspirateur : « Avec moi, ça ne traîne pas, il faut que ça déménage, vous voyez ? »

Mrs. Davies étouffa un petit rire. « Très drôle, mon chéri. »

Cyril demeura perplexe. « Quoi ? Qu'est-ce qui est drôle ?

– Que ça déménage…

– Oui… Et alors ?

– Eh bien… reprit Edna avec un nouveau petit rire, paraissant regretter son intervention, tu vois, que ça *déménage*, tu comprends bien… ? »

Cyril lui jeta un bref regard. « Non. Navré. Comprends pas. Bref, Mr. Street – je vous appelle demain matin, d'accord ? Disons vers dix heures. Oh, et au fait – vous n'avez aucun renseignement sur les voisins, par hasard ? Je veux dire, quel genre de gens c'est, etc. ?

– Si j'entends parler de quoi que ce soit, je vous le fais savoir, promit Howard.

206

— Quelle *magnifique* journée, s'exclama Edna, enthousiaste, en montant en voiture. Je parie que tu meurs d'envie d'aller t'occuper de ce jardin, avec un temps aussi radieux, n'est-ce pas Cyril ? »

Cyril lui répondit d'un large sourire, puis se tourna vers Howard pour une dernière remarque (en confidence) : « Si nous concluons l'affaire, assurez-vous que toutes ces saloperies auront bien disparu. C'est quoi, franchement, des gens qui s'amusent à collectionner des *plaques d'égout*? »

Bien, se dit Howard, se laissant tomber, non sans soulagement, dans son fauteuil préféré, voilà peut-être une bonne nouvelle pour le retour de Brian, à condition de bien jouer la partie. Mais Dieu seul sait où il va bien pouvoir trouver à se loger, dans ce cas ; Howard ne s'était jamais trop penché sur le passif de Brian, mais il savait qu'il n'y avait pas de quoi se réjouir.

Le téléphone se mit à sonner à l'instant même où Zouzou entrait dans la pièce – aux yeux de Howard, il possédait une démarche fluide de mannequin. Howard se dirigea vers l'appareil tout en désignant, les yeux écarquillés, la carafe de whisky. (Tu veux bien... ?)

« Katie ! Quelle surprise ! Tout va bien ? Tu t'amuses bien ?

— Oui, tout va bien, papa. C'est super, ici. Dis-moi, papa, tu sais, ma carte American Express ?

— Oh *non*, Katie – combien, cette fois ? »

Zouzou fourra dans la main tendue, avide de Howard un grand verre de whisky additionné d'une goutte d'eau. Croisant son regard, Howard lui désigna son épaule douloureuse – elle n'avait cessé de le tourmenter, de toute la matinée.

« Mais tu vois, enfin, la vie est *très* chère à Chicago, et je *sais* – une touche de pommade sentimentale – que tu tiens à ce que je

207

passe un bon séjour, et comme tu es le papa le plus *adorable* que la terre ait jamais porté…

– Oui, bon, d'accord Katie – laisse tomber : combien ? »

Zouzou avait trouvé le point douloureux et s'employait à masser consciencieusement l'épaule de Howard, lequel poussait de légers soupirs tant cela lui faisait du bien, mais déjà Katie avait repris ses couinements à son oreille.

« Pourrais-tu augmenter un peu la limite, papa ? Disons – jusqu'à huit mille ?

– Huit… !

– Oh, *s'il te plaît*, papa… Mon petit daddy d'amour…

– Oh, bon, bon, d'accord, mais tu es infernale, Katie. Qu'est-ce que tu feras quand je ne serai plus là, hein ? Tiens, au fait, je viens de faire visiter la maison de Brian et Dotty – et les gens ont l'air sérieusement intéressés.

– Pffffu, il était temps. Je commençais à penser qu'on ne s'en débarrasserait *jamais*, comme certaines. »

Les doigts de Zouzou avaient à présent rejoint la nuque de Howard, qui réprima avec peine un gargouillement de plaisir.

« Oh, et dis-moi, Katie, puisque je t'ai au téléphone, aurais-tu entendu des rumeurs, à propos de Norman ?

– *Norman !* » lança-t-elle d'une voix grelottante – sur quoi ce dernier se figea en pleine action : Norman s'employait à téter doucement les tétons de Katie, comme elle le lui avait ordonné, en les mordillant alternativement, d'abord celui-ci, ensuite celui-là – parce que c'était comme ça qu'elle aimait, compris ? À présent, il levait vers elle des yeux exorbités par une quasi-terreur – non, d'ailleurs, en y regardant mieux, par une vraie, pure, absolue terreur.

« Mais *quel* genre de rumeur ? » poursuivit Katie, regardant Norman avec un large sourire et se léchant les lèvres sur le mode tu-aimerais-bien-savoir-hein ? – un truc à le tuer. « *Vraiment ?*

Non – je ne savais pas du tout, papa. Oui. Oui, enfin – tu *connais* Norman. »

Ce qui fit bondir sur ses pieds le malheureux, qui se mit à arpenter la chambre en battant des bras, éperdu de frustration muette et articulant à l'adresse de Katie : *Quoi ? Quoi ?* Il connaît *quoi ?*

« En fait, non, pas du tout, reprit Katie d'une voix animée, très dégagée. Sans doute un coin épouvantable, genre Bognor ou Magaluf, tel que je le connais. Mais non, il ne m'a pas dit où il allait. Il va falloir que tu en discutes avec lui quand il rentrera, la semaine prochaine – je suis sûre qu'il y a une explication à tout ça. Bon, papa, Ellie et moi devons sortir, donc… ouais, ouais. Toi aussi, papa – et merci *mille fois* pour le… ouais. Je t'embrasse fort. Bye ! »

Le combiné avait à peine atterri sur son socle que Norman se précipitait sur elle – tu m'étonnes : bon Dieu, c'était peut-être toute sa vie, là, qui était en jeu !

« Alors ? Dis-moi – qu'est-ce qui se passe ? Qu'est-ce qui se *passe ?* À propos de moi ? Qu'est-ce qu'il y a ? Mais *réponds*, bon Dieu ! Il est au courant, pour nous ? Oh non, c'est ça, hein, il est au courant pour nous ? Comment l'a-t-il su ? Ce n'est pas *toi* qui le lui as dit, quand même ? C'est toi, Katie ? Parce que je sais bien que tu es capable de tout. Oh *noooon…* » – à présent, c'étaient les jointures pressées contre les dents, en camaïeu de blanc et de blanc cassé – « Il va me tuer. Tu le sais, hein ? Il va me *tuer*, me *tuer* : il avait *confiance* en moi. Oh mon Dieu. C'est horrible. »

Katie soupira. « Oh, ne sois donc pas aussi *niais*, mon pauvre Norman ! Allez, magne, change-toi – on sort. Ça n'a rien à voir avec *nous* – papa pense que je suis ici avec *Ellie*. » Katie sourit. « C'est drôle – j'ai fini par bien l'aimer, Ellie. Elle me manque. Je vais lui envoyer une carte postale : "Chère Ellie, j'aimerais que tu sois près de moi." Oh *nooon*, Norman – tu ne vas pas mettre *ça*, quand même ?

– Bon, qu'est-ce qu'il t'a *dit*, alors ? Comment mon putain de nom est-il venu sur le tapis ? Hein ? Oh, mais dis-moi, Katie, pour l'amour de Dieu.

– Tout ce qu'il a *dit*, répondit Katie d'un ton conciliant, c'est que Steve Torrington, de Bixby's, lui avait dit que tu saignais la boîte à blanc. Rien de plus. Pas de quoi *s'angoisser*. »

Norman aussi devint blanc, ce qui n'avait rien d'un exploit, dans la mesure où les sept huitièmes de son sang n'avaient cessé de clapoter au niveau de ses chevilles, depuis que – oh là là, depuis qu'il avait entendu prononcer son putain de nom.

« Comme, bien évidemment, ce n'est *pas* le cas, il n'y a pas à s'angoisser, n'est-ce pas ? Allez, Norman – on bouge. Tu es *vraiment* obligé de porter ce truc abject ? »

Norman hocha la tête, lentement, les yeux agrandis – comme si tendre la nuque au bourreau était, par quelque sombre miracle, brusquement devenu la meilleure, l'inévitable solution, parmi tout un éventail d'autres possibilités. « Ce n'est pas *si* horrible », fit une voix venue de nulle part, tandis qu'il baissait les yeux sur le bombers en acétate, avec l'inscription BULLS au dos. Voilà, je suis foutu, se dit-il. « De toute façon, je n'ai pas grand choix. »

Ce qui, même s'il parlait là de vêtements (difficile à dire – le pauvre gars est relativement déstabilisé, en cet instant précis), était assez proche de la vérité : il restait coincé avec les fringues achetées dans la vilaine petite boutique improvisée, et qui avait certainement fermé depuis, car une heure auparavant environ, Norman avait reçu un coup de fil d'une très charmante Américaine travaillant pour la compagnie aérienne, lui annonçant d'une voix radieuse qu'elle avait de bonnes nouvelles et de mauvaises nouvelles :

« Eh bien, Mr. Furnish, votre valise a fini par réapparaître – à Dallas.

– Ah !

210

– Malheureusement, son aspect n'a pas eu l'heur de plaire à la Sécurité, Mr. Furnish – j'ai le rapport quelque part. Bref, j'ai le regret de vous annoncer qu'elle a été détruite, par explosion contrôlée.

– Oh.

– Nous pouvons vous offrir le dédommagement forfaitaire de quarante dollars – d'accord? Mais votre assurance devrait prendre en charge le remboursement total de sa valeur réelle – d'accord?

– Mmmm. »

En raccrochant, Norman avait pensé Bon, au moins, elle ne m'a pas souhaité une bonne fin de journée; et en y réfléchissant, vingt sacs, c'est sûrement plus que la mise, compte tenu de ce qu'il y avait dedans. Pourrais-je les toucher tout de suite, s'il vous plaît?

« Bien, fit Katie – de retour ici et maintenant –, puisque mon petit papa chéri veut bien cracher encore un peu, je pourrais me montrer gentille, et t'acheter quelque chose de vraiment sympa – mais non, finalement, parce que je vais claquer tout ça pour *moi*! Allez, Norman, mets ce que tu veux ou ce que tu peux, mais essaie seulement ne pas avoir l'air *trop* minable. La soirée commence à peine! »

Je ne sais pas si la soirée commence, se dit Norman, mais moi, putain, je suis fini.

Au fur et à mesure que la soirée s'avançait, le bar de l'Excelsior semblait se faire plus vaste et en même temps plus intime, comme les couples et les groupes quittaient peu à peu les tables pour aller dîner. Elizabeth voyait le reflet tacheté de Lulu sous tous les angles dans les piliers de miroir fumé qui renvoyaient également, comme en un clin d'œil allusif, la chaude et profonde lumière des petites lampes laissant deviner un sanctuaire

211

de coussins profonds, d'un rouge sombre. Toutes deux avaient décrété d'un commun accord, quelques bouteilles auparavant, que rien ne les pressait d'aller dîner ; elles avaient effectué de sérieuses ponctions dans les divers raviers posés entre elles, naguère débordant d'olives (noires, oui – mais aussi les petites vertes tout élastiques, un peu aigres et fourrées au poivron) ; il y avait aussi des bretzels – et des noix de cajou semblables à de grosses virgules huileuses et salées.

« Au début, bien sûr, disait Lulu – la veste dégrafée, et vautrée avec une sorte de magnificence sur les coussins généreux et veloutés de la banquette –, j'appréciais *vraiment* son côté possessif. Pour être honnête, j'en avais *besoin*. J'en avais tellement marre des hommes – vous savez bien – des hommes qui, une fois qu'ils ont... enfin, qu'ils vous ont *eue*, disons, se moquent pas mal de savoir qui vous êtes et où vous êtes, du moment que vous êtes là quand *ils* le veulent. Ils disent qu'ils vous *rappelleront*, et vous, vous dites Parfait, Très bien, Okay – *quand* comptes-tu me rappeler ? Alors ils répondent Oh, un de ces *jours*, n'est-ce pas... »

Elizabeth baissa les yeux et secoua la tête avec un mélange de compassion sororale et d'incrédulité ironique et muette devant le comportement de certains hommes.

« Alors *moi*, reprit Lulu, vidant son verre (il est tiède, et à moitié éventé – il n'en reste plus ? Non. On va en reprendre, alors), donc *moi*, je disais Eh bien je suis vraiment désolée, mais "un de ces jours", ça ne me suffit pas comme réponse !

– Bravo, approuva Elizabeth, hochant la tête et faisant mine de claquer des mains, enthousiaste.

– Dis-moi *quand* tu rappelleras, et je m'arrangerai pour être là. Cela n'a rien de *déraisonnable*, n'est-ce pas ? Alors ils donnent un jour et une heure précis, et on se retrouve à attendre comme une cloche, et on attend, et on attend, et la soirée se passe, et on finit en *rage*. Parce que, s'il rentrait simplement plus tard que prévu, hein ? Mais pourquoi rentre-t-il plus tard que prévu ? S'il est avec une autre femme, je le tue. Et puis on se dit *Allons, ne sois pas idiote, il est coincé dans les embouteillages, voilà tout*. Et quand il est carrément trop tard pour que ce soit crédible, on recommence : il est *bien* avec une autre femme, ce porc – à moins que, mon Dieu – il a peut-être eu un problème, il lui est peut-être arrivé *quelque chose*. »

Elizabeth émit un gloussement appréciateur.

« Alors on se dit *Oh mon chéri, mon chéri, pourvu* qu'il ne te soit rien arrivé, *pourvu* que tu rentres, parce que je t'aime, tu sais. Au bout d'un moment, c'est *Est-ce que je ne devrais pas appeler la police ? Que faire ? Qu'est-ce qu'on peut faire ? Qu'est-ce qu'on est censée faire ?* Et personne n'a la réponse. Il s'est peut-être fait agresser, il est peut-être pris dans un carambolage, il est peut-être *mort*, pendant qu'on est là, à le traiter de tous les noms. Stade suivant, on en revient à l'autre femme – on la *voit* déjà, on sent son parfum d'ici. On la hait. On hait ses cheveux, ses yeux, sa manière de bouger, son odeur, on la hait parce qu'elle vous a volé votre homme – et juste ciel, elle n'existe peut-être même *pas*, cette bonne femme, et en attendant on devient littéralement *cinglée*. Alors on finit par se dire *Eh bien, si j'avais le choix, j'aimerais autant que ce salaud soit mort*. Parce que, au bout du compte, ce serait le plus simple, non ? »

Elizabeth ne put réprimer un léger glapissement, tant cela était vrai. « On s'en offre un dernier, qu'en pensez-vous ? Ou bien ce serait abuser ?

— Moi, *j'adorerais* en prendre encore un verre, Lizzie, franchement. Lizzie, je ne vous ennuie pas trop, dites-moi ? Je veux dire… je ne tiens pas à…

— Lulu, dit Elizabeth avec une assurance tempérée de douceur, je ne sais même *plus* quand j'ai passé une aussi bonne soirée. C'est tellement bon de parler avec quelqu'un qui *comprend*

213

les choses. » Puis, d'une voix pensive : « Bien sûr, cela fait si longtemps que je suis mariée que j'ai du mal à me rappeler pourquoi j'ai… enfin, Howard est un *amour*, évidemment, mais…

— Mais ils ne *sentent* jamais vraiment les choses, n'est-ce pas ? Jamais, aucun. »

Lulu attira l'attention d'un serveur et, avec un bref sourire, désigna leurs deux verres en agitant son index tendu, puis revint aussitôt au sujet qui les préoccupait.

« Et puis j'ai rencontré John — et là, mon Dieu, c'était tellement autre chose ! Il m'accompagnait partout — faire du shopping, au théâtre, enfin toutes ces choses pour lesquelles les hommes sont nuls. Il me téléphonait trois fois par jour, me faisait porter des fleurs, comme ça, sans raison particulière — il était toujours à mes côtés. Et moi, j'étais au septième ciel !

— Je comprends ça, sourit Elizabeth. L'homme idéal ! »

Lulu hocha, puis secoua la tête. « Oui, reprit-elle plus doucement, eh bien finalement, pas du tout. Du tout. »

Le serveur arriva avec une nouvelle bouteille de champagne, étincelante et raide de froid dans son seau d'argent, malgré la serviette qui lui couvrait les épaules. Lulu jeta un regard faussement consterné à Elizabeth, roulant de grands yeux, juste ciel, il nous a apporté une *bouteille*, on ne voulait pas une *bouteille*, mais elle n'y vit qu'une expression de fatalisme, les paupières baissées en un à-quoi-bon magnanime, de sorte que, tranquillisée, elle observa placidement le garçon qui remplissait leurs verres.

« Il a un manque de confiance en lui *abominable*, c'est ça le problème. En plus, il déteste son travail, ce qui n'arrange rien. Évidemment, il ne m'autorise plus à aller travailler : je pourrais *rencontrer* quelqu'un. Vous n'allez pas me croire, mais il en arrive à redouter le passage du laitier ! »

Elizabeth laissa échapper un de ces rires brusques comme un

éclaboussement, ce rire incontrôlable comme un jaillissement de bulles de savon qui vous force à plisser les paupières, et qui accompagne d'office trois bouteilles de Moët (comme un cadeau surprise à l'intérieur), et Lulu ne put que l'imiter. L'espace d'un instant, en fermant les yeux pour mieux écouter les sifflements d'air comprimé qui s'échappaient de leurs narines pincées entre le pouce et l'index, on se serait cru transporté à la grande époque de la machine à vapeur. Suivraient les larmes essuyées du poignet (bouche grande ouverte), moult soupirs languides et un « mon Dieu » épuisé, ou quelque chose de ce genre. Puis, l'instant ayant retrouvé une sérénité relative, Lulu vida son champagne d'un trait et reprit les rênes de la conversation :

« Il est journaliste – vous l'ai-je dit ? Enfin bon, *journaliste…* c'est-à-dire qu'il rédige ces espèces d'articles interminables, ni trop bêtes ni trop intello, pour des revues un peu chic – du style « 100 choses à faire avec 100 livres », des conneries de ce genre – et qu'il se laisse coincer dans toutes leurs magouilles promotionnelles, etc. Quel que soit le sujet ou le produit de la semaine, il est obligé d'en dire monts et merveilles. Ce doit être assez épouvantable. Je ne sais pas du tout si c'est un *véritable* écrivain. Je n'ai jamais pu le savoir. Et je ne me suis jamais vraiment posé la question. Enfin voilà. À la fin de l'année, ce sera notre deuxième anniversaire de mariage. Je ne sais pas. Cette… cette *jalousie*, si vous saviez, Lizzie. C'est devenu quelque chose de dingue, à présent. Une vraie folie. Et c'est d'autant plus fou que je n'ai *jamais* envie de quiconque d'autre que John, jamais vraiment. Cela ne m'a jamais traversé l'esprit.

– Mais, fit remarquer Elizabeth, vous n'allez pas pouvoir continuer comme ça. »

Lulu fléchit la nuque, laissant sa tête retomber de tout son poids. « Non, dit-elle doucement. Non.

– Howard, lui, ne semble pas se soucier de ce que je peux

bien faire. Ni de là où je vais. Et je n'ai pas vraiment l'impression que cela me soucie, moi. Je ne crois pas. Enfin, si, peut-être, je ne sais pas. Quand on est marié depuis très, très longtemps, quelquefois, on en arrive à ne plus *savoir* ce que l'on pense. De rien, en fait, de rien. »

Soudain, l'ombre qui passait dans le regard d'Elizabeth fit place à un éclair de lumière, comme elle levait les yeux vers les grandes portes de verre du bar, ouvertes en permanence.

« Colin ! appela-t-elle. Colin, mon chéri ! Viens ! Lulu – je ne vous ai pas… non, je ne vous ai pas… ce charmant leune homme – jeune homme (*leune* homme, juste ciel) – Lulu et moi avons fait les folles, Colin, on a bavassé et on a bu comme des trous. Bref, je vous présente Colin, le fils de mon amie Dotty ; Colin, voici ma *nouvelle* amie Lulu. Elle était déjà là tout à l'heure – tu te souviens ? »

Colin prit son élan et balança un sourire de qualité moyenne en direction de ladite Lulu (il était assez crevé, honnêtement, et en outre, il avait des *choses* en tête – et en plus, il devrait, dès le matin, affronter la haute mer – dieux du ciel, j'espère qu'elle ne sera pas trop mauvaise ; bref, Lulu n'arrivait pas à susciter son intérêt, avec tout cela – Elizabeth, si, toujours, mais ce sont des choses que l'on ne gaspille pas comme ça, avec n'importe qui).

« Veux-tu boire *quelque chose*, Colin ? » s'enquit Elizabeth d'un ton si enveloppant, si généreux qu'il laissait supposer que ce quelque chose pouvait être tout et n'importe quoi, y compris tous les thés de Chine, et qu'il n'avait qu'un mot à dire. « Non ? Vraiment ? Tu en es *sûr* ? Bien, écoute Colin, je vais te donner la… où est passée la… rrrooohhh, j'étais sûre de l'avoir dans mon sac, je me *revois* la mettre dans mon… ah, grands dieux, la voilà – elle me regardait sous le nez, et je… bon Colin, tiens, la clef : tu montes et tu te mets au lit, d'accord ? Si tu as besoin de quoi que ce soit, tu appelles en bas, mmmm ? Je ne te réveillerai pas en montant – silencieuse comme une petite souris, promis. Ne ferme pas à clef, hein. Et fais de beaux rêves. »

Colin se dirigea lentement vers l'ascenseur, en se disant *Tu peux faire autant de bruit qu'il te plaira, Elizabeth – par exemple, tu peux te jeter sur moi en hurlant et en dénudant ton superbe buste de femme. C'est comme tu veux, évidemment. Ce n'était qu'une suggestion. Et à propos d'Elizabeth, je me demande ce que deviennent les nichons de Katie. Où peuvent-ils bien en être ?*

Ils sont en pleine forme, mon petit gars ! En super forme : regarde-les aller et venir, se balancer au rythme de son corps tout entier, dans les profondeurs chaudes et ondoyantes d'un bar de blues blotti au pied d'un grand escalier en spirale éclairé d'un néon rose, au cœur de Chicago. La voix profonde de Muddy Waters montait en vibrant, épousant la courbe du plafond bas et voûté avant de glisser le long des murs de brique brute pour venir se répandre entre les pieds des amateurs ravis, dont le corps absorbait et reproduisait chaque intonation rude, puis charnelle du chanteur. Katie – serpentine en cet instant – était perdue dans un plaisir coupable ; Norman, pour sa part, était simplement perdu.

On l'avait envoyé dans le fond pour chercher d'autres Bud, ce qui n'était guère difficile – il suffisait de se battre pour tracer au milieu de la horde (en souriant d'un air d'excuse, tout en opposant un front d'airain aux regards haineux), sur quoi l'on arrivait à une espèce de coude tout au fond, et là, passé une petite arche, se trouvait le bar. Évidemment, il fallait hurler à s'en faire péter les cordes vocales, car la musique était si forte que le crâne de Norman, par exemple, s'était vu depuis longtemps transformé en colle de pâte par les accents accablants, poisseux du blues. Cela dit, le retour s'avéra une tout autre histoire. Bien qu'il eût pu jurer être revenu sur ses pas, Norman avait atterri dans un lieu parfaitement inconnu – une partie de la boîte qu'il n'avait pas encore vue, avec de grosses lampes de verre coloré qui, au lieu de lancer des éclairs de stroboscope, paraissaient palpiter obstinément, comme des yeux de grenouille. Norman n'éprouvait aucune sympathie particulière pour ce club – il ne se souvenait plus du nom, mais peu importe : ce n'était simplement pas le genre d'endroit qui lui convenait –, et il l'avait dit à Katie dès le départ, franchement et sans détour.

« Katie, ça ne me semble pas *vraiment*... avait-il donc déclaré, doute et répugnance encadrant ses paroles comme les lourdes tentures symétriques d'un lit à baldaquin – évident, pour n'importe quelle personne douée d'un minimum de bonne volonté : pas pour Katie.

– Comment ça, ça ne te semble pas *vraiment* – pas vraiment *quoi*, Norman ? Ils recommandent cet endroit. Il paraît que c'est une des meilleures boîtes de blues de tout l'Illinois. »

Norman observait d'un œil torve la rue sombre et obscure, où seule se reflétait sur la chaussée limoneuse du trottoir la lueur rose, irréelle du bar. Le taxi avait mis des heures pour arriver jusqu'ici, où que ce fût (ils n'avaient toujours pas trouvé de putain de plan) et Norman avait affirmé sans ambages qu'il s'était trouvé parfaitement ravi du *dernier* endroit où ils étaient allés – là où il y avait plein de filles superbes qui servaient les hamburgers et la bière. Jamais Norman n'avait vu un endroit pareil : Hooters, cela s'appelait, et les serveuses portaient, en tout et pour tout, un minuscule, minuscule tee-shirt grossièrement découpé avec une chouette imprimée sur le devant, et la légende « Hooters » – et vous n'aurez aucun, mais alors aucun mérite à deviner à quel niveau exactement se dessinaient les deux yeux immenses et globuleux. Le jeune Colin en aurait fait une syncope. Ajoutez à cette équation capiteuse un short orange, très court et d'une matière très brillante, des baskets et des chaussettes blanches, multipliez par le facteur quarante, disons, et résultat : vous vous retrouvez avec un chat dans la gorge, à tous les coups – et dans un premier temps. En outre, les filles (étant américaines) avaient toutes l'air d'avoir une douzaine d'années – des corps parfaits, lisses, hâlés : évidemment (étant américaines), ce pouvait également être un car entier de retraitées cosmétiquées et retapées à mort – mais qui, dans un tel moment, s'en serait franchement soucié, hein ? Pas Norman, en tout cas – il avait drôlement apprécié cet endroit-là. Certes, il n'avait pas pu tirer tout le plaisir promis de son super hamburger (deux cent cinquante grammes de haché) accompagné d'un double Monterey Jack et d'une Miller Lite bien glacée, et ce parce qu'il n'arrêtait pas de rater sa bouche – mais bon, on peut manger et boire *n'importe où*, n'est-ce pas ? Là, on avait plutôt l'impression d'être au spectacle, carrément.

Katie, elle, n'avait été impressionnée ni par le lieu ni par les filles ; selon elle, toutes étaient difformes. Elle ne cessait de lui désigner chevilles osseuses, grands pieds, oreilles décollées, dents irrégulières, cheveux teints, ongles rongés, nez de boxeur, enfin, toutes sortes d'imperfections qui, aux yeux de Norman, demeuraient parfaitement dérisoires, voire invisibles : il lui apparaissait qu'entre les multiples (et illusoires) dents de lièvre et autres oreilles de lapin d'un côté, et ripatons taille quarante-deux de l'autre, résidait un immense, immense espace de satisfaction compensatoire. Quoi qu'il en soit, ils partirent (Norman n'y tenait pas, Katie, si, donc ils partirent, évidemment) pour s'enfoncer dans les abysses de cette boîte où ils se retrouvaient *maintenant*, quel que fût son nom (Norman n'y tenait pas, Katie, si, donc ils s'y retrouvaient, évidemment), et Norman, submergé par une marée de mecs hypercools et trempés de sueur, accroché à ses deux Bud pétillantes, commençait à paniquer (à paniquer *vraiment*, qu'on ne s'y trompe pas), ne sachant

219

plus où Katie pouvait bien être, et craignant de ne plus jamais, jamais poser les yeux sur elle.

Soudain, Norman eut conscience d'un grand visage tout rouge et luisant qui se penchait vers lui et s'approchait du sien, puis l'homme gronda :

« Tu me *pousses*, mec ?

– Pousse ? » répéta bêtement Norman (bien sûr qu'il avait entendu, bien sûr – mais simplement, quand la cerise de la peur se pose sur le gâteau de la panique, on a tendance à essayer de gagner du temps, n'est-ce pas ? Genre, la dernière cigarette du condamné – autant choisir une king size, et la savourer longtemps, lentement, jusqu'au filtre). « Non, je suis désolé, c'est quelqu'un qui *m'a* poussé. Par-derrière. »

Ce qui était vrai : tout en parlant, Norman résistait du postérieur, aussi fort qu'il l'osait, contre la mystérieuse protubérance qui le poussait dans les bras de Mr. La Fureur – il se sentait tout à fait semblable à ces *bobbies* aussi sympathiques que patients qui, le casque de travers, bras dessus bras dessous, faisaient une chaîne humaine pour retenir le déferlement des gamines prépubères, à la grande époque de la Beatlemania.

« Alors *recule* », fit Mr. La Fureur d'une voix menaçante, épanouissant cinq doigts énormes et les posant en étoile sur la poitrine de Norman, sur quoi il exerça une brève, infime poussée – néanmoins suffisante pour envoyer balader Norman qui partit en arrière, aussi loin que la masse humaine voulait bien le laisser aller, avant de ricocher contre un autre corps tout aussi massif et solide, et de revenir avec élan vers son nouveau petit camarade de jeu, lequel semblait hélas commencer de jouer avec cette idée qu'il serait judicieux, éventuellement, de sortir tous deux un instant pour régler cette affaire d'homme à homme, une fois pour toutes, ce qui en soit n'aurait pas été sot si Norman, en cet instant, ne s'était vu dénué de toute identité spécialement masculine, moyennant quoi nul ne peut vraiment prédire comment la confrontation aurait pu se conclure (mal, on peut l'imaginer) si une voix divinement familière ne lui avait pas soudain éclaté aux oreilles.

« Norman ! brailla Katie. Mais pour l'amour de Dieu, où étais-tu *passé* ?

– Je me baladais ! » hurla Norman qui, venant de laisser tomber une cannette de Bud à un millimètre des pieds de King Kong, n'avait qu'un désir, qu'on l'emmène, qu'on l'entraîne le plus loin possible. Katie le tira par le bras, et le reste du bonhomme suivit avec ardeur.

Elle le conduisit vers un petit coin ombreux qui, dans ce contexte, pouvait passer pour une oasis de paix – Norman avait au moins trois centimètres de battement à sa droite, autant à sa gauche et, pour se faire entendre, n'avait qu'à beugler comme une otarie enrouée.

« Norman, dit Katie, les yeux étincelants, je te présente Rick.

– Ah bon ? » fit Norman, quoique sans raison particulière pour en douter. Il leva les yeux vers ce nouveau truc appelé Rick (peut-être cette boîte était-elle réservée aux fans de blues, à condition qu'ils évoquent un cylindre de muscles et de nerfs supérieur à deux mètres de hauteur, auquel cas Norman était passé au travers par pur hasard ?).

« Rick, reprit Katie, m'a tout dit sur Chicago la nuit. Il paraît que tout est super illuminé, et qu'il y a une espèce de fontaine incroyable, et que les couleurs n'arrêtent pas de changer. Il a sa bagnole dehors.

– Ferrari, précisa Rick.

– Euh... je ne sais pas, Katie », fit Norman, saisi d'un vilain pressentiment. Parce que bon, se disait-il, ce type peut être absolument *n'importe qui*, n'est-ce pas ? Et puis de toute façon, une Ferrari, c'est un peu juste pour trois. Et alors que Katie prenait ses affaires et que tous deux, lui tournant le dos, se dirigeaient déjà vers l'escalier, Norman ressentit la très vague intuition de l'indication de la possibilité qu'il y avait, là, peut-être, comme la menace d'un non-dit qu'il aurait très vraisemblablement manqué dès le départ.

Son cœur ainsi que divers autres organes se bousculant dans sa gorge dans un élan éperdu vers la liberté, Norman posa la deuxième cannette de Bud là où il le pouvait et, plus affolé qu'il ne l'aurait cru possible, se rua à la suite du couple qu'il avait déjà presque perdu de vue, ses lèvres formant, de façon aléatoire, des semblants de paroles avec lesquelles son cerveau refusait d'avoir à faire. Ce n'est que dehors qu'il parvint à les rattraper, non sans s'être par deux fois massacré le tibia sur l'escalier à vis, parce que *d'accord*, il s'était précipité au mépris de toute prudence, mais le néon rose, vous pouvez le croire, c'est peut-être très joli et tout, mais ça n'apporte strictement rien en matière d'éclairage, ce qui s'appelle rien.

« Katie! s'écria-t-il, haletant, l'accrochant par le coude. Katie… tu ne vas pas… enfin, je veux dire… tu n'as pas *l'intention* de…? » C'était à présent la guerre entre son cerveau et son visage, ce dernier devenu aussi élastique que celui d'une marionnette de caoutchouc, dans un effort surhumain pour les convaincre l'un ou l'autre, ou bien l'un et l'autre, que c'était là une plaisanterie à se taper sur les cuisses, la meilleure de l'année. Parce que ce n'était pas (cela ne pouvait pas être) sérieux, tout de même?

« Ça va, Norman, tu t'en sortiras! dit Katie en riant. Tu as le nom de l'hôtel sur un papier, tu as de l'argent, bon…

– Mais *Katie*… Norman ne trouvait rien d'autre à dire, maintenant.

– Tiens, fit Rick, lui agitant un billet de dix dollars sous le nez, tu t'achèteras une sucette pour le voyage. »

Piqué au vif, Norman serra les dents, serra les poings, et fit un pas vers Rick, avant de brusquement revenir à la raison et d'en faire deux autres, en arrière, rapidos.

« Non, Rick, dit doucement Katie, posant une main sur son bras (sur son bras!) À plus, Norman. Ne t'inquiète pas. Bye! »

Déjà Katie se glissait, presque allongée, dans la Ferrari et, l'espace d'un instant, le reflet du néon rose jouant sur la carrosserie d'un rouge étincelant rappela à Norman le plaisir familier du Spaghetto Heinz étalé sur un toast moelleux, puis il chassa cette image et plongea vers la poignée de la portière, implorant à présent :

« *Katie...* ?!

— Bon, écoute, mon vieux... » Les mots dévalaient de cette montagne appelée Rick. « Jusqu'ici, j'ai été sympa, d'accord? Hypercool. Alors toi aussi, tu es sympa, mmmm? » Puis il se baissa et chuchota d'une voix sinistre, à l'oreille de Norman : « Sinon, j'appelle des potes à moi pour te casser la tête, et le cou, et les bras, et le cul : pigé? »

Tandis que la Ferrari s'éloignait dans le rugissement du V12, les feux arrière clignotant méchamment comme pour se moquer de Norman (planté là sur le trottoir), c'est un sentiment de totale incrédulité qui le submergeait. Mais *j'aime* cette fille, moi. Je *l'aime*. Mais ce n'est pas possible, qu'est-ce qu'il lui prend? Et s'il lui arrive *quelque chose*? Et si... ? Mon Dieu. Mon Dieu, elle est partie. Partie. Katie que j'aime tant (d'ailleurs, on est en *vacances* ensemble, bon Dieu, donc on est censés être *ensemble*) vient de prendre le large avec un parfait inconnu — lequel a menacé de me faire du mal, à *moi*.

(Et là, je crains que cela n'eût guère arrangé les affaires de Norman s'il avait su que, bien qu'inconnu de lui, certes, Rick n'était pas vraiment un *parfait* inconnu, puisque Katie et lui s'étaient déjà rencontrés, une seule fois : dans l'avion, en fait, tandis que Norman entretenait une érection pleine d'espoir dans les toilettes d'acier vibrant — lesquelles seraient bientôt le théâtre d'une copieuse expectoration émanant d'un vieil Américain coiffé d'une casquette de base-ball marquée Coca-Cola sur le devant –, donc c'est dans l'avion que Katie avait attiré l'attention d'un jeune Américain vachement sympa en costume Brioni, lequel se trouvait posséder à Chicago un duplex avec vue sur le lac Michigan – Au fait, il faut absolument que tu ailles dans cette boîte géniale, crois-moi, c'est la meilleure de la ville, d'ailleurs si tu veux on s'y retrouve mardi vers dix heures ; tiens, je te laisse ma carte. Tchao, baby.)

Donc, Norman demeurait planté là sur le trottoir. Les gens qui entraient dans la boîte lui jetaient des regards inquiets en passant : dans cette ville, personne, mais personne ne restait jamais *planté là*. Cela dit, que pouvait-il faire d'autre ? Comment tout cela était-il arrivé ? Comment cela avait-il pu se produire ? Comment se fait-il que, quoi que tu fasses, c'est toujours toi qui morfles ? Tu ne veux *pas* souffrir. Tu ne veux *pas*… Et soudain, il perçut distinctement les mots eux-mêmes, tintant dans l'air qui fraîchissait, il les entendit résonner à ses oreilles : Tu ne veux pas souffrir – c'est vrai, je ne veux pas. Je suis peut-être en train de délirer : quoi que je ressente, aussi immense la douleur soit-elle, je n'ai qu'une chose à faire, prendre un taxi, rentrer à l'hôtel, faire le dos rond, et attendre.

« Tu as entendu, mec ? »

Norman se tourna vers la voix doucereuse, mais plus insistante à présent. Un petit homme maigre, avec une sale tête, vêtu d'un coupe-vent noir et luisant, se tenait tout près de lui ; ses poings enfoncés dans les poches de son vêtement faisaient deux protubérances menaçantes. Norman se contenta de le regarder avec une perplexité interrogative.

« Tu as entendu, répéta l'homme, lentement, je t'ai dit "Tu ne veux pas *souffrir*", hein ? Alors tu rentres dans la petite impasse, là, et tout ira bien. »

Avant même d'avoir pleinement saisi la situation, Norman s'était mis à trembler. Il pénétra dans la petite impasse, là – oui, il avait dû y pénétrer, sûrement, puisqu'il se retrouvait maintenant dans l'ombre, entre deux hautes parois.

« Tourne-toi vers le mur, dit l'homme. J'ai un couteau. »

Norman contemplait les briques rugueuses, grossièrement badigeonnées. Voilà peut-être la toute dernière chose que j'aurai l'occasion de voir, se dit-il.

« File-moi tout l'argent que tu as sur toi. Et n'en garde pas, hein : j'ai un couteau. »

Norman fouilla ses poches. Il se disait Il ne faut pas que je sois trop brusque, parce que sinon tout va venir avec, mon peigne, mes bonbons à la menthe, mon mouchoir, et il faudra que je ramasse tout sur le pavé.

Il tendit derrière lui tout ce qu'il avait – environ trois cents dollars, guère plus. Il aurait peut-être mieux fait d'accepter les dix dollars de Rick, finalement.

« Tu es sûr que c'est tout ? demanda l'homme. Okay, je te fais confiance. » Puis, d'un ton plus léger, et gratifiant Norman d'une tape sur le dos de son bombers qui le fit sursauter, comme électrocuté : « Hé, mais tu es supporter des Bulls ! Chouette ! À Chicago, tout le monde adore les mecs qui soutiennent les Bulls ! »

Puis il éleva un objet sombre et lourd, et en assena un coup violent sur la nuque de Norman ; il observa celui-ci qui se cabrait brusquement, avant de s'effondrer contre le mur, puis de glisser au sol.

« Mais moi, conclut l'homme d'une voix sereine, en rangeant sa clef à tube avec un sourire mauvais, moi, je ne suis pas d'ici. »

« Ça fait bizarre, chuchota Lulu, cette chambre est exactement semblable à la nôtre.

— Asseyez-vous, chuchota Elizabeth en retour (Colin, avait-elle rappelé à Lulu, tandis qu'elles empruntaient le couloir en chancelant, dort juste à côté). Juste ciel, je n'en peux plus. Mais c'est agréable, comme fatigue. »

Lulu se posa sur le coin du lit.

« Je vais avoir une gueule de bois abominable, demain, sourit-elle. Mais ça m'est égal. Lizzie, merci mille fois pour... pour tout. J'ai adoré cette soirée. Je n'ai pas vraiment envie de rentrer. L'idée me fait horreur. Il va recommencer, encore et encore.

– Restez! suggéra Elizabeth. Apparemment, on joue aux chaises musicales, ce soir, alors entrez dans le jeu, vous aussi. Telle que je connais Melody, elle ne rentrera pas : il y a un nouvel homme en vue. »

Lulu secoua la tête. « J'aimerais beaucoup. Oh, *qu'est-ce que* j'aimerais... mais ça ne ferait qu'empirer les choses. Dieu sait que la séance d'explications que je vais devoir affronter me suffit comme ça... alors, si je disparaissais toute la *nuit*...

– Il dort peut-être. »

Lulu ne put réprimer un ricanement bref. « Vous plaisantez. Non, soupira-t-elle, se levant et tapotant son ventre creusé. Non, il faut que j'y aille. Bonne nuit, Lizzie, dit-elle se dirigeant vers la porte.

– Vous êtes vraiment sûre ? Parce que ce serait avec plaisir. »

Lulu sourit. « Vraiment », dit-elle, se penchant vers Elizabeth pour poser un baiser sur sa joue – elle eut presque l'impulsion de l'embrasser aussi sur l'autre joue, mais ne le fit pas : elle hésita l'espace d'une seconde, devant son visage. Elle sentit la main délicate d'Elizabeth sur son épaule, et leva les yeux, battant des cils, pour s'assurer que le regard d'Elizabeth était bien posé sur ses paupières baissées, comme elle le devinait. Leurs lèvres s'effleurèrent et, comme elle accentuait imperceptiblement la pression de sa bouche, une chaleur de serre, choquante aussi, envahit brusquement tout le corps de Lulu.

« Bonne nuit », dit-elle très vite, et elle se glissa au-dehors. La porte se referma derrière elle, sans un bruit.

Elizabeth demeura un moment immobile dans le silence, puis, se rendant compte qu'elle ne savait pas ce qu'elle attendait, ce vers quoi elle tendait l'oreille, elle se détourna. Elle traversa la chambre, l'index pressé entre ses lèvres. Très doucement, elle entrebâilla la porte du salon : là, elle discernait à peine la silhouette longue et anguleuse de Colin, dans l'immensité ombreuse de la pièce. Il a l'air encore plus grand, se dit Elizabeth – et infiniment plus élégant – tel un gisant, voilà. Une fois seulement elle l'avait vu allongé, sur la plage tout à l'heure – il lui semblait que des jours s'étaient écoulés depuis ; mais non, quelques heures à peine – quand, de ses doigts agiles et insinuants, elle l'avait enduit de crème, la faisant bien pénétrer dans sa peau. Il n'avait pas voulu se retourner. Elizabeth fit un pas dans la chambre, puis se reprit. Elle se détourna bien vite, et la porte se referma sur elle à peu près aussi silencieusement qu'elle s'était ouverte.

Colin ouvrit brusquement les yeux. Il avait ressenti, avec une conscience aiguë, le froissement des vêtements, le lourd parfum de femme. Mon Dieu, pourquoi était-ce si *long*, de grandir ? Comment était-ce possible, de savoir ce que l'on ressentait, mais sans savoir que *faire* de cela ? Il soupira, leva les yeux vers l'obscurité au-dessus de lui. Une fois encore, sa main descendit comme machinalement le long de son ventre, et vint se nicher entre ses cuisses. Il se caressa, comme il eût caressé l'épaule d'un ami pris de panique et qui a besoin d'être rassuré, qu'il faut absolument calmer. Lorsque Elizabeth, ou Katie, ou Carol se couchent (seules) touchent-elles aussi leurs parties intimes, comme moi ? Oui, peut-être ; peut-être sommes-nous tous les prisonniers de cette chaleur de la nuit, caressant ces endroits dont rêvent les autres.

Dans le couloir, tout le champagne absorbé parut soudain remonter comme une marée qui envahissait Lulu ; elle était rouge, le sang lui montait à la tête ; elle se sentait épuisée, étourdie, et en même temps chargée d'une énergie qui lui donnait le désir de vite retrouver sa chambre, à présent, pour faire face à ce qui l'attendait là, quoi que ce fût. N'était-ce pas idiot de prendre l'ascenseur ? Il n'y avait qu'un étage, après tout (le palier étouffant, où régnait un silence ouaté, sentait la moquette neuve et aussi la lavande : pourquoi ai-je pensé cela ?) Elle décida donc d'emprunter l'escalier, et se détournait à l'instant où les portes de l'ascenseur s'ouvraient brusquement ; elle aperçut du coin de l'œil l'abominable VRP en compagnie de – oui, c'est bien elle, il me semble, Melody, l'amie de Lizzie –, qui ricanait tout contre lui, l'air bien partie. Lulu espérait avoir atteint l'escalier avant qu'ils ne l'aient remarquée.

« Qui était-ce ? fit Melody, appuyée de tout son poids contre Miles.

– Dieu seul le sait », répondit Miles ; et franchement, il n'avait pas fait attention – il avait en tête des choses autrement plus urgentes (parce que cette bonne femme est *carrément* chaude, je peux vous le dire).

« Elle t'a jeté un regard terrible, se contenta de répondre Melody. C'est par où, alors ?

– Par ici, viens », fit Miles avec un grand sourire (vous voyez, je vous l'avais dit, *carrément* chaude).

Miles la soutenait toujours à demi tandis qu'ils arrivaient à sa chambre (je ne pense pas qu'elle soit *trop* bourrée – j'espère que non, putain ; et même, d'ailleurs, même si elle s'endort, qu'est-ce que ça change ? L'idée, c'est de se la *faire*, non ?), en tout cas, pas étonnant qu'elle soit dans un pareil état, après une telle soirée ! D'enfer, la soirée !

Ils avaient commencé par un pub, juste au coin de la rue – Miles s'était dit qu'il était trop tôt pour le Meridiana – encore qu'il faille être prudent, dans ces stations balnéaires : on n'est pas à Londres. Que l'on se pointe un peu *trop* tard, et on se casse le nez. Melody avait fait un sort à deux grands Sea Breeze, sans aucun problème, tandis que Miles s'en tenait à un seul Bacardi tonic (et après ça, du tonic sans rien d'autre : l'idée, c'est de soûler à moitié la nana, hein, pas de se bourrer la gueule) et embrayait bientôt sur tous ces trucs que les bonnes femmes aiment bien qu'on leur dise, va savoir pourquoi. Miles connaissait le baratin par cœur, depuis des années : parlez-moi de vous, vous ne voulez pas ? Je sens qu'il y a chez vous plein de choses, au-delà de la beauté – une profondeur ; quelle robe extraordinaire – très peu de femmes pourraient la mettre en valeur comme vous le faites ; au fait, de quel signe êtes-vous ? Je le savais : il y a quantité d'affinités entre nous ; c'est drôle, vous êtes quelqu'un de totalement imprévu, surprenant, et en même temps, je me sens complètement *bien* avec vous – comme si nous nous connaissions depuis une éternité ; vous n'entrez dans aucun moule, c'est ça que j'aime chez vous : vous êtes unique ; je pourrais me perdre dans vos yeux.

Le temps d'arriver au Meridiana, Melody déclarait que si elle voyait encore simplement passer un verre de jus de mûre, elle allait gerber, à tous les coups, donc à présent, c'était vodka glacée, point à la ligne. Elle n'avait pas à proprement parler dansé, mais plutôt ondulé devant lui – et lorsqu'elle élevait les bras verticalement au-dessus de sa tête, faisant la moue comme pour embrasser de ses lèvres pulpeuses chaque temps de la musique, ses cheveux décoiffés balayant son visage, tous les hommes l'observaient, et leurs paupières mi-closes voilaient à peine des pensées pas vraiment secrètes.

Évidemment, l'avantage de ne pas être à Londres était que, quand la boîte à la mode s'illuminait soudain de spots aussi violents qu'hostiles, et que l'on demandait aux traînards les plus endurcis de se souvenir, je vous prie, que nous sommes dans un quartier résidentiel, et donc d'éviter, je vous prie, de faire trop de bruit et de claquer les portières des voitures en quittant les lieux – eh bien là, il n'y avait réellement plus nulle part où aller, donc, retour obligé à l'hôtel, histoire de voir (il en est fortement question) si tout cet investissement en Smirnoff Black Label en valait la chandelle.

Miles fit jouer la serrure comme un as, et à peine étaient-ils entrés dans la chambre que Melody s'employait à le plaquer contre la porte et à tirer comme une folle sur les petits cheveux, sur la nuque, puis elle attira son visage vers le sien et l'embrassa si brutalement qu'il sentit la pression sur ses dents et que ses lèvres se tuméfièrent. Puis Melody s'écarta et s'avança, sans trop vaciller, dans la chambre vaste et fraîche, plongée dans l'ombre. Elle contempla les rideaux tirés, l'unique lampe, là-bas, et les grandes portes de miroir de la penderie. Elle contempla également la fille nue qui se tortillait sur le lit, les bras levés, suppliants, les mains menottées au chevet, avec des yeux immenses, implorants, et un bâillon noir qui lui écartait les mâchoires et lui faisait un sourire grotesque et baveux. Ne remarquant que le soudain silence de Melody, Miles la rejoignit.

« Oh, mince, marmonna-t-il. Merde. Je l'avais *complètement* oubliée, celle-là. »

Il s'approcha du lit et dénoua l'écharpe de soie, derrière sa tête.

« Bon, alors tu es toujours là, toi ? » fit-il (dans ce genre de situation, autant essayer de mettre un peu d'humour, non ?). Mais la réceptionniste – comment déjà ? Pauline, ouais, c'est ça, Pauline – trouvait cela moyennement amusant, ça se voyait bien. Sa bouche se tordit en une grimace encore plus vilaine qu'auparavant, et ses lèvres parurent se battre âprement pour décider quel mot cohérent allait en sortir le premier ; le gagnant fut :

« Salaud ! Espèce de… détachez-moi, défaites ces putains de… ! »

Miles lui avait déjà dégagé un bras, et Pauline – qui n'osait pas regarder Melody – cherchait frénétiquement, à tâtons, quelque chose pour recouvrir sa nudité. Melody – qui ne pouvait détacher son regard de Pauline – se laissa tomber dans un fauteuil, les yeux brillants de plaisir, incrédule et ravie de cette attraction inattendue.

À présent, Pauline était debout, enveloppée d'un drap dans lequel elle ne cessait de se prendre les pieds, dans l'élan farouche qui la jetait vers la poitrine de Miles, poings en avant, mais celui-ci lui saisit les poignets et se contenta de la regarder, tandis qu'elle braillait :

« Lâchez-moi ! J'ai *mal*, espèce de salaud, j'ai *mal* ! Mais comment avez-vous pu… ?! » Là, elle se détourna brusquement vers Melody et hurla, de toutes ses forces : « Et *arrêtez* de me regarder comme ça, vous ! Qu'est-ce que vous… ?! » Puis, à Miles de nouveau : « C'est quoi, celle-là ? Elle va prendre le *relais*, c'est ça ? Et puis il y en a une autre en train d'attendre dans le couloir, hein ?

– Écoute, dit Miles, je suis navré… euh… ?

– *Pauline*, connard !

– Oui, Pauline, voilà. Je suis juste sorti acheter des clopes, j'ai pris un verre, et ça m'est complètement sorti de l'esprit. Ce sont des choses qui arrivent, hein ? »

Les yeux de Pauline crachaient des flammes de dégoût et de haine qui consumaient Miles jusqu'à la moelle des os – ce qui, si elle avait connu l'homme (et elle était sans aucun doute en train d'apprendre à le connaître, à la vitesse grand V), lui serait apparu comme un pur gaspillage de temps et d'énergie.

« Ça vous est sorti de l'… ?! Cela fait plus de huit heures que je suis ligotée sur ce putain de lit ! » Puis, adressant de nouveau un regard terrible à Melody : « Mais est-ce que vous allez cesser

231

de me *mater* comme ça! Putain, mais j'y crois pas! C'est un cauchemar ou quoi? Oh, je me sens… et en plus, j'ai perdu mon *boulot*, à cause de vous.

– Pourquoi? fit Miles. C'était ton après-midi de congé. Tu n'étais pas de service, ni rien, tu me l'as dit toi-même.

– *Parce que*, reprit Pauline d'une voix blanche, entre ses dents serrées, parce que tout le monde va le *savoir*, et que même si je ne me fais pas virer, ce qui sera le cas de toute façon – ne vous inquiétez pas, ils sont hyperdurs, s'il se passe le *moindre* truc, dans cette boîte –, je serai incapable de regarder les gens en face, et… oh, juste ciel, je voudrais ne jamais avoir posé les yeux sur vous, espèce de salaud. Espèce d'*ordure*. »

Sur quoi Pauline se détourna, défaite, à bout, et commença de rassembler ses vêtements.

« Et vous, cracha-t-elle au visage de Melody, pour la dernière fois, est-ce que vous allez cesser de me *regarder* comme ça!

– J'ai plaisir à vous regarder, répondit doucement Melody. Vous êtes jolie. »

Pauline soutint un instant son regard, incrédule.

« Je n'y crois *pas*! fit-elle d'une voix suraiguë. Ce n'est pas vrai, ce n'est pas possible que ça m'arrive à *moi*! »

Pauline continuait de se battre avec son collant et sa robe et, oh, grands dieux, où est passée cette putain de *chaussure*, tout en marmonnant à présent pour elle-même, ayant renoncé à essayer même de leur faire comprendre quoi que ce soit.

« Et en plus, je suis fauchée, fauchée comme pas possible. Fauchée à mort. J'en avais *besoin*, de cette saloperie de boulot, pour simplement passer l'été; jusqu'à la rentrée en fac… ouais, c'était un job d'été, c'est tout – mais je vais faire *quoi*, moi, maintenant? »

Pauline s'était à présent tant bien que mal habillée, et Melody s'approcha d'elle, posa une main légère sur la sienne.

« Restez », dit-elle.

Pauline lui jeta un bref regard – et Miles aussi ; il n'y avait aucun doute quand à la nature de sa suggestion, qui éclatait, clignotait partout sur son visage. Mmmm, se dit Miles, ça peut être intéressant ; voyons voir si ça va marcher.

« Mais alors, vous êtes une...! Mais bon Dieu, vous êtes *répugnants,* tous les deux ! »

Non, ça ne marchait pas.

Pauline se dirigea vers la porte, mais Miles l'arrêta doucement ; il lui tendait cent livres en billets de vingt.

« Mais pour *qui* me prenez-vous, sans blague ? » fit Pauline, en rage.

Miles leva un sourcil. « Pour une jeune femme fauchée ? »

Elle continua à le fixer, l'air mauvais, puis l'indécision commença de l'emporter ; alors Pauline lui arracha l'argent des mains ; elle n'avait plus qu'une envie, être loin, si seulement elle avait réussi à faire marcher cette saloperie de *verrou.*

Miles vint à son secours. « Écoute, fit-il avec une humanité jusqu'alors et dorénavant inconnue chez lui, je ne vois pas pourquoi quiconque devrait être au courant – je veux dire, personne n'a intérêt à en parler, n'est-ce pas ? Et comme tu n'es pas en retard pour le boulot, ni rien...

– Je vais vous *dire* pourquoi, coupa Pauline. Je vais vous dire *exactement* pourquoi et comment tout le monde va être au *courant,* dans toute cette putain de ville. *Parce que* – et là, le visage de Pauline parut s'affaisser quelque peu –, *parce que,* il y a des heures et des heures de cela, pendant que j'étais *coincée* là, ligotée, bâillonnée, une femme de chambre appelée Clothilde est entrée dans un silence complet, et sans même m'adresser un *regard,* elle a refait la couverture et a déposé deux bonbons à la menthe sur *l'oreiller* ! »

C'était là plus qu'il n'en fallait pour Melody et, bien que ses deux paumes fussent déjà toutes proches de sa bouche (peut-être aurait-il convenu de la bâillonner), le grondement viscéral d'un rire inextinguible commença de monter, puis très vite ce fut un cri aigu, puis un long hululement qui emplissait toute la pièce, et le visage de Miles commença aussitôt de se contracter aussi de biais, puis il se pinça le nez et baissa la tête en émettant un bruit de sirène de remorqueur devant Pauline qui, bouche bée, les fixa l'un et l'autre d'un œil hagard, avant de sortir en trombe, claquant la porte derrière elle. Et avant que leur fou rire convulsif ne se soit totalement calmé (Dieu sait ce que les gens dans la chambre voisine pensaient de tout cela – mais bon, cela dépend de qui c'est, se disait Miles), Melody s'était soudain accrochée à lui d'une jambe passée autour de la sienne, et l'on aurait cru qu'elle allait le dévorer à présent, comme elle pressait ses joues de ses mains blanches pour mieux prendre toute sa bouche dans la sienne. Il fit une vague tentative vers le lit, mais un signe de tête haletant, puis le dégrafage de la jupe lui indiquèrent que ce devait être ici et maintenant et vite et fort, et les mains blanches le palpaient entièrement tandis qu'elle se retournait brusquement et se jetait dos au mur, alors il vint en elle, s'agrippant à ses cheveux, et à chaque grand coup de reins, elle sentait l'air s'échapper de ses poumons et ses épaules heurter violemment le mur, et elle griffait ses mâchoires dans un mouvement d'accroupissement, tout en le soulevant vers elle, en elle, et il commençait de laisser échapper de brefs soupirs étouffés, incontrôlables, et un gémissement au fond de sa gorge luttait contre les battements désordonnés de son cœur, puis le halètement de Melody fit place à de brusques soupirs, puis à de petits cris semblables à une toux, et tous deux ouvraient maintenant des yeux immenses et fixes, figés, attentifs à la petite mort, et enfin la toute-puissante décharge électrique qui envahit soudain Miles fit céder ses genoux, ses cuisses, et Melody s'accrochait à lui désespérément tandis qu'il trébuchait et chancelait sous la violence de sa jouissance à elle, et leurs corps trempés de sueur glissèrent enfin l'un contre l'autre et s'affaissèrent au sol dans un entrelacement de membres épuisés, soulevés par un halètement brûlant – et, n'ayant plus pour se réchauffer que la fragrance lourde de tous ces fluides répandus, ils commencèrent peu à peu de réintégrer chacun son être propre, de se retirer derrière leurs paupières lourdes, damant les dernières braises de cet embrasement frénétique – et pourtant, dans les yeux de Melody, brûlait encore une flamme dansante.

Vous voyez, je vous l'avais dit : *carrément* chaude.

Plus tard, beaucoup plus tard – si tard que le temps en était presque arrivé au bout de lui-même, et demeurait suspendu là, prêt à succomber à un autre temps, neuf, fraîchement éclos –, Miles et Melody gisaient au travers du lit, emmêlés dans le sommeil, elle silencieuse, lui ronflant profondément. Plus loin, après un autre couloir où la lumière tamisée bourdonnait doucement, le poids conjugué de la fatigue et de l'alcool avait finalement eu raison d'Elizabeth, et elle aussi avait rejoint l'oubli ; à une porte de là, Colin s'était vu terrassé dans son combat inégal contre la fièvre de la nuit et l'angoisse du matin, et son corps s'était depuis longtemps rendu au sommeil, tandis que son esprit voyageait au gré des bribes de rêves.

Dotty aurait été ravie de savoir que son fils goûtait au moins le repos – car il en avait besoin, n'est-ce pas ? Oui, il en avait besoin. Tout comme la petite Dawn. Car on paraissait oublier que, quand un bébé hurlait la nuit, enfermé dans sa prison rouge et suffocante, les victimes, ce n'était pas seulement les gens qu'il réveillait – on oubliait le bébé lui-même, finalement. Mais ce n'était pas le cas, ce soir, oh non. Ce soir, la seule à ne pas avoir fermé l'œil, à ne pas avoir même piqué du nez une seconde, c'était Dotty elle-même – et il en serait encore ainsi quand l'aube se lèverait, tiède, et qu'elle se préparerait pour accueillir le réveil délicieux, vif et frais du bébé. Dotty avait passé la nuit à contempler, simplement contempler le petit être, avec une intensité totale, absolue.

Brian le savait : il l'avait observée, se tamponnant les yeux en silence, sans qu'elle s'en aperçoive. Il avait déjà vu Dotty en proie à une telle passion, mais là, il n'y avait nulle inquiétude en elle – sa contemplation béate était dénuée de cette agitation épuisée, de cette angoisse mortelle qui faisaient les nuits atroces et interminables, quand elle se torturait pour l'âme de sa petite Maria. Dotty était amoureuse – et c'est tout ce qu'elle souhaitait au monde – et Brian, dans sa cachette, percevait parfaitement ce qu'elle ressentait. Pour sa part, tout ce qu'il pouvait ressentir faisait obstacle : le sentiment de la perte, qui l'avait totalement envahi. Demain, se disait-il (c'est-à-dire aujourd'hui, en fait), demain, ce sera le bon moment pour régler tout ça – et cette fois, ce devra être définitivement : je ne peux plus faire face à cela, plus maintenant ni jamais.

Finalement, Lulu aussi s'était vue emportée par le sommeil ; celui-ci n'avait cessé de la tarauder, pendant des heures et des heures, mais John n'était pas prêt à lâcher le morceau – il la tenait maintenant, il l'avait récupérée, et n'avait aucune intention de l'abandonner déjà, voire jamais, à un pouvoir supérieur.

« S'il te plaît, John, *s'il te plaît* », avait-elle supplié, et le simple son de sa propre voix, si faible, si brisée, l'accablait de fatigue et de tristesse. « Je te dis et je te *répète* que j'ai juste besoin de *dormir*. Tu m'as dit que tu étais désolé, tu me l'as bien dit, Johnny, et voilà que tu recommences encore et encore – je n'en peux plus, John, je ne peux plus *supporter* ça, pas ce soir.

– Il faut que j'y voie clair », répétait John – toujours debout au milieu de la chambre, parce qu'il ne pouvait pas s'asseoir, ils ne *devaient* pas s'asseoir, ils ne devaient pas. « Il faut que tout ça soit bien clair dans ma tête. »

236

Oui – oh oui, par *pitié* : faites que quelque chose, là, même quelque chose d'infime, devienne clair (pas trop vicié) dans ma tête. Il sentait ses yeux élargis, humides, mais durs comme des blocs de charbon. Les divers états par lesquels il était passé, durant les heures où Lulu avait disparu, l'avaient parfois amené jusqu'à tituber, au bord de la démence – contraste saisissant avec les moments de lucidité presque effrayante qui avaient ponctué cette lamentable perte de soi, des moments où il s'était senti presque en paix, presque satisfait, avec presque un sourire d'autodérision devant les proportions scandaleuses de sa propre folie. Et puis, un nouveau foyer s'allumait en lui, il se dressait, buvait une rasade de whisky au goulot, la bouteille renversée contre ses lèvres, fouillait poches et tiroirs à la recherche d'une cigarette, en allumait une, en tirait une bouffée et se mettait soudain à pleurer, alors il l'écrasait, la broyait dans un cendrier, ou à même la table – une fois même, comme ses pensées meurtrières, lacérées, déchiquetées, semblaient séparées de son corps par des océans, des continents, dans la paume de sa main : il avait contemplé la brûlure, inspiré brusquement entre ses dents, dans un sifflement, non de douleur, mais d'effarement devant ce qu'il venait de faire, car aucune personne saine d'esprit n'aurait jamais eu ce geste, n'est-ce pas ?

C'était la faute de Lulu, s'il en était arrivé là : regardez-le – mais *regardez-le*, pour l'amour de Dieu. Je veux dire, enfin – ce n'est pas *moi*, ça. Je ne suis pas une bête furieuse. J'étais un homme serein – un homme heureux : une femme superbe, un bon boulot – d'où a jailli tout ce tumulte ? D'elle. D'elle. *Évidemment*, cela vient d'elle – parce que, de qui d'autre alors ? Pourquoi ne *reste*-t-elle pas près de moi ? Pourquoi est-elle *partie* ? Comment peut-elle ne pas voir combien je *l'aime* ?

Puis il se disait, voyons. Voyons, voyons, voyons. On se calme. On se *calme*, bon Dieu. Tu as vu quelque chose dans l'ascenseur. Pas grand-chose. Elle t'a expliqué le truc : elle a laissé tomber son plan, elle s'est baissée pour le ramasser, le peignoir s'est ouvert, fin de l'histoire. Tu t'es monté la tête, tu en as fait tout un plat, comme d'habitude. Moyennant quoi, qu'est-ce que tu as infligé à ta merveilleuse, ta merveilleuse Lulu? Tu (juste ciel, c'est insupportable, insupportable – j'ai vraiment fait cela? Eh oui, eh oui) l'as brutalisée et tu l'as… *non.* Non, ça n'est pas possible; mais si tu l'as *fait.* Non je n'ai pas fait ça – jamais je ne pourrais faire ça, jamais. Mais pourtant tu l'as *fait.* Non! Non… non. À partir de maintenant, à partir de cet instant, là (tu m'entends), je ne l'ai pas fait. Je n'ai rien fait, voilà.

Et où est-elle? Pourquoi ne rentre-t-elle pas? Cela fait… oh, juste ciel, où est-elle, cette saloperie de bonne femme? Avec un homme: c'est évident. *Évidemment* qu'elle est avec un homme – parce que, où voulez-vous qu'elle soit, sinon? En train de jouer au *bingo,* peut-être? Non, je ne pense pas, je ne pense pas du tout – avec un homme, c'est là qu'elle est, et elle l'écoute parler, et elle regarde tous les muscles de son visage qui bougent et s'agitent, pendant qu'il la drague. Avec deux hommes peut-être, deux hommes – elle est peut-être entourée d'un cercle d'hommes, un cercle qui se rapproche de plus en plus autour d'elle jusqu'à former une muraille de virilité, dont le cœur battant est Lulu. Lorsqu'elle rentrera (mais va-t-elle rentrer? va-t-elle revenir?), je lui *sauterai dessus.* Non. Non. Non, pas ça: je *l'adorerai,* plutôt: je l'embrasserai tendrement, j'implorerai son pardon, et tout sera réparé entre nous. *Comment!* L'embrasser, alors que sa joue (voire sa *bouche*) sera encore palpitante des baisers de tous les autres? Non, non: je lui *sauterai dessus,* et alors là, peut-être, qui sait, elle *comprendra* enfin qui je suis (parce que pour qui, pour quoi me prend-elle?).

Toujours pas de nouvelles des éditeurs. En aurai-je jamais? Pardon? *Pardon?* C'est quoi, cette idée, tout d'un coup? C'est une de mes pensées parallèles, une pensée qui reste toujours là, dans un coin de ma tête, mais qui surgit soudain pour me sauver des autres pensées. Je suis rongé, rongé de l'intérieur, et donc mieux vaut me reposer sur une angoisse permanente, taraudante, plutôt que de jongler avec des poignards. C'est pour échapper à ça que j'ai écrit ce roman ; j'y ai travaillé des années durant, comme le malheureux oublié dans un sinistre donjon, qui s'acharne sans fin sur un méchant, un précieux bout de fer tordu, avec un clou gauchi et rouillé, espérant un jour réaliser la clef qui lui ouvrira toute grande la vaste porte, et le mènera, sinon quelque part, au moins vers ailleurs. On attend trois mois avant de les appeler ; cela faisait quatre mois, mais John n'osait toujours pas : la simple idée qu'il circule (il le visualisait, volant, planant comme un oiseau) valait mieux que de le voir s'écraser au sol, brisé, mais encore palpitant, imperceptiblement.

Tout cela était un discours de fou. De fou. Il faut que je me calme. Il faut que je sois calme, rationnel, parce que Lulu ne va pas tarder à entrer, là, et je vais la prendre dans mes bras, tendrement, et nos regards vont se rencontrer, se reconnaître et s'aimer – pas un seul mot ne sera prononcé et le lien qui nous unit demeurera aussi fort, aussi magnifique qu'il l'a toujours été. Mais ne tarde pas, Lulu – s'il te plaît, ne tarde pas : je ne peux plus rester seul. Ne tarde *pas*, salope, sinon je te *massacre*.

Et lorsqu'elle était enfin arrivée, quand enfin, enfin, sa Lulu, sa merveilleuse, merveilleuse Lulu avait franchi le seuil de la chambre et s'était dressée là, devant lui, John était tombé en prostration sur le sol, sanglotant, tendant les bras vers elle, et Lulu avait dit Oh mais pour l'amour de *Dieu*, relève-toi, Johnny, mais *relève-toi* – mais qu'est-ce que tu *fais* comme ça ? (Je suis fatiguée, fatiguée, Johnny : laisse-moi me coucher, je t'en prie, et *arrête* ça.)

Alors avaient suivi l'interrogatoire, les accusations en bloc – sans cesse, répétées, tournant comme un manège, les images orgiaques que John se faisait de la soirée de Lulu revenaient, entrecoupées des sursauts d'incrédulité de Lulu – cette reconnaissance de sa folie, de sa bêtise folle, ses supplications d'oublier tout cela, de le pardonner, ce qu'elle avait accepté avant qu'il ne se retourne de nouveau contre elle, la traitant de reine des putes – comment, comment pouvait-elle en arriver à lui faire ça, à *lui* ?

« Alors, son nom ? Il n'y en avait pas qu'un, c'est ça ? Ou bien était-ce le même ? Celui de l'ascenseur ? Ou bien un autre, carrément différent – nouveau, quoi ? Ou *des* nouveaux ? C'est cela ?

– Je te dis et je te *répète* que j'ai juste besoin de *dormir*. Tu m'as dit que tu étais désolé, tu me l'as bien dit, Johnny, et voilà que tu recommences encore et encore – je n'en peux plus, John, je ne peux plus *supporter* ça, pas ce soir.

– Il faut que j'y voie clair, répétait John. Il faut que tout ça soit bien *clair* dans ma tête. Donc, il n'y avait *pas* d'homme, alors – tu me le jures ? Tu me le jures, Lulu ? »

Lulu laissa échapper un soupir proche d'un hululement étouffé.

« Je te le *jure*, Johnny. Je te le jure.

– Pas même… pas même un regard. Ou un baiser. »

Lulu tourna vers lui un regard terne, dur.

« Écoute-moi, John. Le dernier homme que j'ai embrassé, c'était toi. Je n'ai pas embrassé *d'homme*. »

Lulu sombra avant même d'avoir complètement fermé les yeux. John l'observait dans son sommeil. Mon Dieu, Lulu, c'était une fameuse histoire, mais j'espère que tu ne crois pas sérieusement que j'ai pu mordre une seconde à une seule de tes paroles. Donc tu as fait la connaissance d'une femme appelée *Lizzie*, vous avez bu du champagne et vous avez discuté très agréablement de tout un tas de choses : ouais ouais, c'est ça – et moi, je viens juste de recevoir le Booker Prize, ma chérie. Très amusant, Lulu – une super, super plaisanterie.

Ce devait être le mec de l'ascenseur – sûrement, sûrement que c'était lui. Parce qu'il aura bien dû lui courir après, n'est-ce pas? Évidemment – un simple regard, une simple bouffée du parfum de ma Lulu, et aucun homme ne pourrait plus la laisser en paix. Et elle aura cédé. Cela faisait – oh, cela faisait des heures que John avait compris le scénario. Simplement, il lui fallait une confirmation, rien de plus. Il avait également décidé que cet homme ne l'emporterait pas au paradis, qui que ce soit (et dès demain, à la première heure, soyez sûr que John saurait tout, absolument tout ce qu'il y avait à savoir sur cet intrus, ce violeur, ce briseur de couples – ce rat qui charriait toute la boue, toute la puanteur immonde des égouts d'où il était sorti).

Et puis, John s'était dit Non, ça ne peut *pas* être vrai. Tu as dû mal comprendre – c'est un malentendu. Tu ne vas pas *démolir* un homme comme ça, parce que tu imagines que... Ah, mais c'est que je *n'imagine* rien, n'est-ce pas? Pas du tout. C'est un *fait*: dieux du ciel, Lulu l'a reconnu elle-même, la salle petite traînée.

John la regardait: toujours aussi belle, même dans le sommeil. Comment un visage si serein, si gracieux, peut-il recouvrir tout le mal qu'elle m'a fait? Mais voilà que j'ai encore songé à briser cet homme. C'était ma première idée, certes, mais à présent, je vois bien que ce n'est pas la solution – pourquoi chercher à lui nuire? C'est idiot, non? Crétin. Non – si je survis à tout ceci – si Lulu et moi nous en sortons sans *trop* de dégâts –, alors cet homme devra mourir.

CHAPITRE V

La dernière chose que souhaitait Norman était bien d'attirer l'attention sur lui, plus qu'il ne serait, se disait-il, strictement inévitable – donc, peut-être n'aurait-il pas dû se ruer comme ça dans le hall du Sheraton, manquant s'étaler, comme si la rue venait d'exploser en une boule de feu et de napalm et que c'était là l'unique refuge – ce qui, en l'occurrence, eût réellement été, personne le niera, un cas d'extrême urgence. Donc, tout le monde le *regardait*, sans conteste – leur côté je-ne-suis-pas-là se transformait rapidement en une observation attentive, intriguée. Et que voyaient-ils là, devant eux ? Norman, bien sûr, mais Norman avec son tout nouveau sac-poubelle noir dépassant largement de l'ourlet déchiré de son vilain bombers marqué Bulls (à l'hôpital, on lui avait dit que son tee-shirt était foutu, avec le sang et tout ça), couvrant le bas de son visage de ses mains osseuses, tel un litham de fortune, au-dessous de ses yeux rouges, traqués, qui ne cessaient de se tourner, papillotants, vers le nord, comme s'ils cherchaient à distinguer un monde tout autre que celui-ci, un monde que nul ne pouvait peut-être même entrevoir.

Toute la nuit – car en effet, nous étions tôt le matin à présent (le soleil était haut, et chaud) – Norman n'avait eu qu'*une* idée en tête, obsédante, affolante : retrouver Katie. Il ne savait pas combien de temps il était resté là dans l'impasse, comme

242

quelque sac de déchets, avant que l'éclat des lampes de poche, l'eau ruisselant sur sa tête, les hommes qui le secouaient par l'épaule, ne l'arrachent enfin, corps et âme, aux limbes où il semblait devoir végéter – et, tressaillant soudain, grimaçant et plissant les paupières, il reprit conscience, conscience uniquement d'un décalage mental accompagnant la douleur physique.

« Vous pouvez vous asseoir ? » entendit-il lui demander l'homme accroupi à ses côtés. Un policier ? Sans doute. Ce doit être un policier, vu l'allure : tout en cuir noir, et couvert d'insignes, pire qu'un scout ; et puis un écusson sur sa casquette, au-dessus de la visière luisante. Il va peut-être pouvoir m'indiquer le chemin jusqu'à Bloomingdale's. À moins qu'il ne me descende, pour ne pas avoir précisé que j'étais de sexe masculin, à l'aéroport.

« Allez, mon vieux, on va vous laver un peu. Vous pissez le sang, on dirait un puits de pétrole en plein Texas. 'pouvez marcher ? »

Norman se mit sur ses jambes – d'abord, il avait cru que c'étaient ses yeux, mais non, il y avait bien deux flics. Il sentait une drôle, bizarre douleur dans le dos – ce n'était pas vraiment la tête, ni la colonne vertébrale, mais là, diffuse, une douleur sourde, déplaisante.

De l'hôpital, Norman gardait le souvenir d'une froide efficacité : il avait répondu aux questions, tandis qu'on le rafistolait. Il n'avait qu'une chose en tête, appeler Katie – elle devait être cinglée, à cette heure. Peut-être même avait-elle déjà prévenu la police ? Signalé sa disparition ? Naaaan, répondit le flic : on serait au courant. Et comme il était trop tard pour appeler (pouvez-vous simplement me ramener là-bas, s'il vous plaît ?) il avait bondi hors de la voiture de patrouille, et pénétré comme une fusée dans le hall du Sheraton, avec une conscience aiguë de toutes ces heures écoulées – il avait une conscience tout aussi aiguë du bruissement sonore que faisait le sac-poubelle drapé autour de lui en guise de chemise, mais plus que tout, il ne pouvait ignorer le plâtre dur et inconfortable qui compressait ses narines, ni les deux larges bandes plâtrées, d'un rose de corset, qui partaient de son nez et étiraient la peau sur ses pommettes, serrées et adhérant comme des sangsues. Ayant risqué l'ombre d'un demi-coup d'œil dans le miroir, ce qu'il y vit était aussi pénible que ce qu'il craignait d'y voir, et tout à fait dans la note de ce qu'il ressentait de manière générale : un mec cassé et grossièrement réparé, des morceaux qui tenaient à peine ensemble.

Norman était littéralement à bout de souffle en arrivant enfin à la chambre – il dut faire halte à mi-chemin du couloir, alors que la porte était en vue, à un jet de pierre, car ses poumons ne voulaient simplement plus rien savoir : il les voyait comme deux vieux soufflets dont l'accordéon de cuir desséché, craquelé, ne peut plus remplir sa fonction, malmenés par un vieil homme et donnant tout ce qu'ils pouvaient, avec résignation et force sifflements (tout en sachant que cela ne suffirait jamais). Norman pressa ses mains sur son cœur, refusant de ressentir la douleur cuisante qui dardait à présent dans son nez à chaque inspiration.

Il frappa doucement à la porte. Avait-elle sombré dans une sorte de torpeur agitée, cet abandon épuisé qui suit une nuit d'angoisse ? Norman frappa de nouveau, un peu plus fort – *ouvre*, Katie, *ouvre* – j'ai besoin de savoir que tu vas bien ; et toi, il faut que tu voies, de tes yeux, que je suis encore en vie. Et puis il faut que je m'allonge, Katie : j'ai besoin de repos. À présent, il prononçait son nom à voix haute – de plus en plus fort, comme une question. Cognant maintenant contre le panneau, des deux poings, Norman était convaincu qu'elle avait fait une overdose de coke. Alors, la vision de son jeune corps raidi, d'un blanc de craie, de ses yeux déjà vitreux mais encore emplis de surprise, le tétanisa littéralement et il demeura là, pétrifié, figé dans l'immense corridor silencieux, paralysé, complètement à bout de résistance.

Une femme de chambre poussant un chariot (tous deux avaient surgi de nulle part) lui jeta un coup d'œil vague, inexpressif : avec tout ce qu'ils voyaient, tout ce qu'ils entendaient, ces gens-là, comment déchiffrer clairement l'expression sur leur visage ?

« Je ne peux pas entrer dans ma chambre », déclara Norman, l'air parfaitement pitoyable. Ce qui était ni plus ni moins que la stricte vérité, et ses yeux imploraient : je vous en prie, ne m'en demandez pas plus, parce que je n'en peux plus.

Comprit-elle ? Ou bien voulut-elle se débarrasser de quelque chose qui, certainement, n'était pas prévu au programme de sa journée ? Norman ne se donna pas la peine de se poser la question, mais quoi qu'il en soit, à peine avait-elle fait jouer la serrure et rangé dans sa poche le passe-partout accroché à une chaînette qu'il était déjà dans la chambre et refermait précipitamment la porte derrière lui – se contentant de quelques vagues gémissements niais en guise de remerciements (de sorte que la femme de chambre, qui s'était éloignée avec son chariot, ne pouvait en aucune façon les percevoir, eût-elle traîné un peu, histoire de savoir).

La chambre était telle que Norman l'avait laissée : seul le lit avait été fait, sinon, rien n'avait bougé. Il se laissa tomber sur un siège, et porta vivement ses mains à son visage, pour n'y rencontrer qu'une matière dure, inconnue – mais aussi des larmes, brûlantes, irrépressibles : les larmes, il connaissait, et elles jaillissaient de nouveau, ruisselant à flots sur les reliefs de son masque antiseptique. Il les balaya brutalement (et se dit Il n'est pas question de refaire *ça* sans réfléchir– j'ai failli m'arracher le nez en même temps) et s'employa à se forcer, à se forcer, se *forcer* à réfléchir, réfléchir, *réfléchir*. Bon, j'appelle la direction ? Ou bien la police ? Le Bureau des disparitions ? Mon Dieu, mon Dieu –

je ne me le pardonnerai *jamais*, s'il lui est arrivé quoi que ce soit – je ne peux pas vivre sans Katie, je ne peux pas : je suis déjà perdu. Bon, je fais ça, alors. Mais pourquoi ne bougeait-il pas ? Le téléphone était juste là – ce n'était pas une bien grande expédition, alors pourquoi ne bougeait-il pas ? Je n'en sais rien. Je n'en sais *rien* : enfin, je sais peut-être vaguement ce que je devrais faire (quoique) mais pourquoi personne ne le fait-il *pour moi* ?

À peine Norman avait-il sursauté au claquement sourd de la porte, que déjà Katie se dressait devant lui – radieuse, vibrante d'énergie, délicieusement parfumée.

« Salut ! fit-elle d'une voix chantante. Tu es drôlement matinal. Oh là là – mais qu'est-ce que tu t'es fait, Norman ! Tu es absolument *grotesque* comme ça !

– Kadie ! couina-t-il. Oh, berci, *berci* bon Dieu ! »

Et, même s'il était très occupé à reprendre souffle, Norman ne pouvait plus le nier : il ne s'était même pas autorisé une ombre de soupçon, jusqu'à présent – parce que, voyez-vous, il avait déjà largement franchi les limites du supportable, et ne tenait pas à s'exposer davantage, refusant d'imaginer que la douleur pourrait encore s'ajouter à la douleur : erreur, évidemment – ce type de réaction est rarement payant.

« Juste ciel, tu ne vas quand même pas faire ce bruit-*là* tout le temps, Norman ? Qu'est-ce que tu t'es fait au nez ? Il est cassé ? Ça fait mal ? Pffffuuuu, tu es vraiment une *cloche*, Norman.

– Kadie, fit Norman, calmement, où étais-tu *bassée* ? »

Katie se laissa tomber sur le lit comme dans un hamac en plein soleil – au moins dans une pub pour quelque assurance vie, destinée à bien prouver au client potentiel que, maintenant que vous avez contracté votre police, vous n'avez plus qu'à passer le reste de votre existence les doigts de pied en éventail, suspendu entre deux troncs d'arbres.

« Ça a été *gé-nial*, Norman. Cette ville est absolument incroyable, fabuleuse – je suis tellement heureuse qu'on soit venus ici – c'est simplement stupéfiant. » Katie souleva de longues mèches de cheveux emmêlées, puis les laissa lentement glisser entre ses doigts. « Oh, et puis, il paraît qu'il y a des voitures à chevaux qui t'emmènent partout en ville, on pourrait y aller tout de suite – et puis j'ai aussi l'adresse d'un bar underground hypercool, et d'un grill carrément top, où ils servent des steaks épais comme ça, et juteux et tout.

– Je croyais que du de bangeais bas de viande. Bais dis-boi, Kadie – tu as fait quoi, doute la *duit*... ?

– Ça, c'est ce que je dis à maman, parce que ça la rend *cinglée*, dit Katie en riant. En fait, j'adore ça : le steak et l'agneau, c'est ce que je préfère. Oh, allez, remue-toi, Norman – on est en vacances, non ? »

Encore des larmes. Je suis désolé, c'est plus fort que moi. Elles arrivent sans prévenir, quoi que je fasse, et c'est maintenant – oui, je le sens bien.

« *Kadie*... sanglotait doucement Norman. Je *d'aibe* !

– Pourquoi portes-tu un sac-poubelle, Norman ?

– Tu *b'endens* ? Je *d'aibe*. Je d'aibe je d'aibe je *d'aibe* ! »

Avec un gloussement aigu, ravi, Katie bondit du lit et saisit entre ses mains le visage rafistolé, défait de Norman, et fit mine de le câliner, avec une feinte sollicitude, lui pinçant la joue – ce qui lui arracha un cri de douleur.

« Et moi aussi, je *d'aibe*, Norman. Allez, viens – enlève-moi ces fringues pourries, et mets-toi quelque chose de correct. Qu'est-ce que tu as ? »

Norman se dit que passer en pilotage automatique était peut-être la seule solution pour lui – que cela le protégerait de tous ces coups qui le meurtrissaient intérieurement, de toute cette douleur qui bouillonnait en lui.

« Bas grand-chose, dit-il, fouillant vaguement parmi ce qui

247

restait de ce que l'on ne pouvait guère appeler, n'est-ce pas, ses affaires d'été. J'ai ce dee-shirt. C'est *vrai*, Kadie? »

Katie contempla ledit tee-shirt, parfaitement incrédule.

« Juste ciel… murmura-t-elle. C'est vrai *quoi*, Norman? C'est une *horreur.*

– Que tu *b'aibes*. Est-ce que tu *b'aibes* vraibent?

– Bien sûr que *non* – je n'arrête pas de te dire que non. Tu es vraiment lourd, hein. Mais il y a une erreur *d'impression* – enfin, je veux dire, je ne vois pas pourquoi, au départ, tu tiens absolument à te balader partout avec des trucs marqués sur tes fringues – mais alors là, hein, I LOVE HICAGO, je ne pige pas. Du tout. C'est une *blague* ou quoi? »

Norman secoua la tête – il n'arrivait pas à faire coïncider les barres parallèles de l'engourdissement mental et de l'hypersensibilité, tant tout cela se résumait à quelque chose de moche et de triste : il restait là, silencieux, secouant la tête.

« Bon, écoute – prends le feutre, là, nom d'un chien, et colles-y un "C", d'accord? Au moins, ce ne sera pas aussi *gênant* – tu ajoutes un "C", voilà. Et puis magne-toi, Norman – j'ai envie de jouer les princesses, dans mon carrosse tiré par des chevaux! Ensuite, on ira jeter un coup d'œil à ce fameux bar. »

Tandis que Katie se remaquillait devant le miroir, Norman prit le feutre, le tint entre ses doigts. Allait-il réellement se mettre à écrire sur son tee-shirt, simplement parce que Katie le lui avait ordonné? Oui. Apparemment oui. Tout à fait. Les cheveux de Katie paraissaient encore humides, comme au sortir d'une douche; les cheveux de Katie paraissaient encore humides, comme au sortir d'une douche.

À présent, elle le précédait dans le couloir, se dirigeant vers l'ascenseur, traînant dans son sillage un Norman totalement effondré, dont le tee-shirt, sous le bombers souillé de sang, annonçait à présent I LOVE HICAGOC. Mais bon, si cela faisait plaisir à Katie, qu'avait-il à perdre?

« *Les Incorruptibles*, dit Katie, écrasant le fruit au fond de son cocktail à l'aide d'un long mauser transparent. C'est sans doute le plus célèbre – quand la poussette dévale les marches, à la gare, tu te souviens ? »

Norman hocha la tête, suivant du bout du doigt le bord de son verre, de manière quasiment maniaque (et encore un tour, et encore un tour, et encore un tour, et encore un tour... – je n'ai pas vraiment envie de boire ce truc, pas vraiment) : oui, de fait, il se souvenait des *Incorruptibles*; d'ailleurs, c'était peut-être ce qu'il était devenu lui-même : un incorruptible.

« Mais Rick m'a dit qu'ils avaient fait plein d'autres films, là-bas, continuait Katie. Il est au courant de *tout*. Comme *Maman, j'ai raté l'avion* – le truc avec le gosse, tu vois ? Et aussi *La Mort aux trousses* – là où Cary Grant était *carrément* craquant – et puis *Le Fugitif* et puis... oh là là, j'ai oublié tous les autres. Hudsucker, un truc comme ça – c'en est un –, oh oui, et puis le truc-là, *Quand Harry rencontre Sally*, il me semble bien. En fait, j'ai trouvé que c'était idiot, comme film – parce que, c'est *évident* que tu ne peux pas connaître un mec si tu ne fais pas l'amour avec lui, hein ? Quel *intérêt* ? »

Mon Dieu, si Norman s'était jusqu'à présent tenu au bord, à l'extrême bord de l'implosion, cela eut raison de lui : là, ça y est, je suis anéanti, désintégré. Alors maintenant, peu importe ce qui arrive. Plus rien à foutre. Mais bon, il faut bien que je *dise* quelque chose.

« Ébouse-boi, Kadie ! »

Le mauser s'immobilisa au-dessus du cocktail. « *Hein* ? »

Norman se pencha par-dessus la petite table du bar, le visage pressant, le regard tout à la fois éclairé par l'avidité et assombri par la supplication.

249

« *Barions-dous*, Kadie – je d'aibe plus que tout au bonde! De dis bas don, je d'en brie!!»

Déjà Katie avait changé de visage, prête à déverser sur Norman un tombereau de sarcasmes comme elle n'en avait encore jamais réuni – puis quelque chose parut soudain l'arrêter dans son élan, et elle baissa les yeux : « *Écoute* », fit-elle d'une voix lourde de menace. Et Norman écouta, évidemment qu'il écouta – quoique sans appréhension particulière –, simplement parce qu'il fallait ménager une pause, à cet instant, et que le moment du fameux Mettons-les-choses-au-point était arrivé, il était là, planant au-dessus d'eux, reflété par les minuscules vitraux multicolores de la lampe Tiffany accrochée à une lourde chaîne de bronze, et descendant presque au niveau de son pauvre putain de nez à la con.

« Norman, embraya Katie. Mettons les choses au point, d'accord? Je ne *t'aime pas*. Je ne t'ai jamais aimé, et je ne t'ai jamais *dit* que je t'aimais. Si? Mmmm? Je ne suis même pas sûre d'avoir *su* ce que c'était que l'amour, avant de… et quant à se *marier* – mon Dieu, je pense que tu *plaisantes*. Je suis jeune – j'ai plein de choses à *voir*, à *faire*, d'accord? Et même si je *voulais* me marier – me *ranger*, juste ciel, me *ranger*, mais quelle horreur – berk. Mais bon, écoute Norman, même si j'en avais envie, ce ne serait pas avec *toi*, tu comprends? Je te l'ai déjà dit, à Londres : si tu es là, c'est parce que tu es *là*. Parce que c'est commode. Pour le moment. Enfin, tu dois bien l'admettre, tu n'as pas grand-chose à offrir, hein? Tu n'es pas vraiment ce qu'on peut appeler un *bon parti*. Parce que franchement, Norman, tout ce que tu sais faire, c'est me mettre la *honte*!»

Norman prit une gorgée de son verre (dont il avait réellement, réellement envie à présent – salement envie) et se força à contempler ça. On met la douleur de côté – on aura tout le temps qu'il faut pour souffrir plus tard (une infinité de temps). Non, on se concentre sur les *faits*, d'accord? Et les faits parlaient

d'eux-mêmes, n'est-ce pas, Norman ? Elle avait raison : Katie
avait raison dans ce qu'elle disait. Aujourd'hui, par exemple –
oublions tous les emmerdes qui avaient amené à la situation de
ce matin, et prenons simplement les derniers en date : ses toutes
dernières inventions. Katie et Norman s'étaient vu refuser l'entrée de ce bar underground hypercool qu'ils avaient mis des
siècles à dénicher (celui où ils se trouvaient à présent était relativement ringard, comme Katie n'avait cessé de le faire remarquer
depuis l'instant où ils y avaient posé le pied). Et la raison pour
laquelle on ne les avait pas autorisés à même humer l'air rare
autant que raréfié de ce sanctuaire de la jeunesse branchée (une
espèce de trou sombre à vous rendre aveugle) était que la tenue
de Norman ne convenait pas. Évidemment, qu'elle ne convenait pas – nous le savons bien ; parce que, entre les haillons et le
masque de résine et plâtre, son allure générale lui aurait tout au
plus permis de concourir pour une place enviée sur le podium,
dans cette fameuse compétition du Meilleur Fou Échappé de
l'Année (découvert en train d'errer, apparemment quelque peu
désorienté, vêtu d'un pyjama dépareillé ayant fait les beaux
jours de nombreux autres internés avant lui).

Et la promenade en calèche, alors ? Et le carrosse de rêve de
Katie ? Un cauchemar, le rêve. Tout d'abord, il lui avait fallu
expliquer qu'il n'avait pas *d'argent*, Katie – il était complètement à sec, vu qu'il s'était fait dépouiller. Pour toute réponse,
Katie avait déclaré qu'il parlait si bizarrement, avec ce *machin*
sur le nez, qu'elle avait cru qu'il disait qu'il s'était fait *dépouiller*.
Ils n'avaient pas eu le temps de s'y attarder car Katie, bien sûr,
s'installait déjà dans la putain de calèche. Sur quoi Norman
avait dû crapahuter à son tour et, juste avant que ne commence
le léger clip-clop des sabots, un des chevaux avaient laissé
échapper le pet le plus scandaleusement saxophonique que l'on
ait jamais entendu – et si chacun avait réagi comme il convenait, avec un grand éclat de rire, il ne fallut guère longtemps

251

pour que Norman, à sa profonde horreur, se surprenne à l'imiter – et *peu importe* que ce soit un truc psychosomatique ou psycho-je-ne sais-quoi : il n'en savait rien, rien de rien – tout ce qu'il savait, c'est que ces pets lamentables lui sortaient du derrière avec une énergie redoutable, et que, Dieu merci, on était dans une voiture découverte, sinon tout le monde était bon pour l'asphyxie, ma petite dame (mais si, mais si).

Cependant, la situation empira : Norman était incollable sur le mal de mer, le mal de l'air et le mal de la route – dieux du ciel, il aurait pu écrire un manuel d'utilisation –, mais le mal de cheval, voilà qui était nouveau. Nouveau ou pas, il offrait sans aucun doute toute la pleine saveur de la maturité et de la tradition séculaire, et les gargouillements profonds et si familiers des entrailles rebelles joignaient maintenant leurs forces à cette sensation de froid, d'humidité, de blancheur malade du visage, et bientôt Norman suppliait qu'on le laisse descendre de ce vaisseau amiral du malaise où il était à présent passé du simple écœurement à la dyspepsie la plus totale, tout en demeurant parfaitement inapte à contrôler cette vigueur inédite qui lui était échue en matière de flatulences.

Et vous auriez dû voir la tête de Katie quand il dut la rappeler pour payer le cocher et la bête, après cette promenade avortée – parce que Katie, quand quelque chose, quoi que ce soit, était terminé (outre le paiement), avait pour habitude de s'éloigner comme ça, tranquillement. Et ensuite, ils n'avaient même pas pu prendre un verre dans un bar, comme on l'a vu, parce que, si les serveurs arboraient des petits boléros d'une nuance de rosé sec assortis de gros nœuds papillons, Norman, lui, irradiait tout le charme et l'aura du mec qui est venu voir pour déboucher les chiottes.

Donc en effet – il n'avait *pas* grand-chose à offrir. Ce n'était *pas* ce que l'on peut appeler un bon parti. Il lui mettait carrément la honte. Et puisque nous y sommes, élargissons quelque

peu notre champ d'analyse, d'accord? Combien gagnait-il?
On ne parle pas de ce qu'il *volait*, hein, mais juste de son salaire
en soi. Eh bien il était minable son salaire, voilà la réponse. Une
quelconque possibilité de gagner plus? Non – parce que, pour
être honnête, il n'avait de capacité pour *rien*. C'est d'ailleurs
comme ça qu'il était devenu agent immobilier; c'était ça, ou
prof. Possédait-il de la terre, des maisons? Des biens quel-
conques? Que dalle – juste une piaule sordide, et qu'il louait.
Et qu'il n'allait sans doute pas tarder à laisser tomber pour
une autre, tout aussi infâme. (Pourquoi? Je n'en sais rien, je
ne pourrais pas vous dire : c'est la vie qui veut ça, hein, on a
toujours envie de bouger.) Quant aux *meubles* – mon Dieu, il
n'en avait jamais eu beaucoup mais, comme nous le savons déjà,
c'était à présent de l'histoire ancienne, puisqu'il avait tout mis
au clou pour offrir à Katie les dernières babioles à la mode. À
cette même Katie qui, maintenant, assise en face de lui à cette
table de bar, le fixait d'un œil torve et déclarait sans la moindre
ambiguïté que non, Norman, je ne t'aime *pas* – je ne t'ai jamais
aimé, et je ne t'ai jamais *dit* que je t'aimais. Si?

Non. Non, il faut l'avouer. Pas plus que la seule autre femme
avec qui j'ai eu ce que l'on peut appeler, ou pas, une relation
sérieuse (sa relation avec Katie, pouvait-on la qualifier de
sérieuse? Unilatérale, en tout cas – il se retrouvait sans cesse en
larmes, tandis que Katie lui éclatait de rire en pleine figure : et
ça, c'était sérieux, aucun doute). Et moi, ai-je dit à cette femme
– l'autre, la première – que je l'aimais? Oui, et ce dès le premier jour ou presque, et je n'ai jamais cessé ensuite. Mon Dieu,
je l'avais embrassée, n'est-ce pas? Et un baiser, cela fait naître
une espèce d'embrouillamini de sentiments en vous, qui pourrait bien s'appeler de l'amour – possible, n'est-ce pas? Mais
comme toujours, je voulais un véritable engagement – et elle
pas, cela va quasiment sans dire (parce que, puisque vous me
posez la question, tous ces trucs de projets d'avenir, le fait d'être

un bon parti, etc., tout cela avait fait long feu). Et puis tout à coup (il y avait *bien* des raisons, mais je ne vais pas entrer là-dedans maintenant parce que après tout je suis en train d'essayer de gérer le problème *Katie* – je ne comprends d'ailleurs pas trop pourquoi je reviens sur cette histoire, en fait), je me suis retrouvé, oui, plus ou moins engagé vis-à-vis d'elle, et elle vis-à-vis de moi. Mais je n'ai pas aimé. Je n'ai pas aimé cela autant que je l'aurais pensé ; en réalité, cela ne me plaisait pas du tout. Et pourtant, je veux recommencer, oui, je veux recommencer, maintenant – c'est sans doute pourquoi j'ai demandé à Katie de b'ébouser – et outre mes lacunes les plus évidentes (que Katie n'a pas même à dénombrer ou à passer en revue, puisque toutes se manifestent constamment, et l'accablent à raison d'une toutes les heures, à peu près), peut-être Katie sent-elle *qui* je suis. Auquel cas je souhaiterais, du plus profond de mon cœur, qu'elle me le dise, car pour ma part je n'ai pas la moindre idée, la moindre indication sur ce que peut être ma propre nature.

« Bon, Norman, disait Katie, il faut que je file. On se retrouve plus tard à l'hôtel, okay ? Mais je ne peux pas trop te dire quand. »

Norman leva les yeux, arraché à sa méditation, comme s'il avait été giflé.

« Où vas...

– Mais je t'ai *dit*, Norman – à ce grill absolument incroyable. Si je ne pars pas tout de suite, je vais être en retard – et je n'ai pas l'impression que Rick soit du genre à aimer poireauter ! Tu sais ce que nous avons mangé, hier soir ? Une terrine de shiitakes au crabe – un truc incroyable, avec de la ratatouille, du crabe et des champignons – c'est génial – et une tranche de tomate séchée carrément croustillante, tout ça en brochette sur une espèce de poignard avec des zigzags de sauce aux piments jaunes et de... euh... d'huile au basilic, je crois que c'est ce qu'il a dit.

– Je d'ai plus d'argent, Katie. Je be suis fait dépouiller. » Voilà tout ce qu'il trouvait à répondre.

Katie s'était levée, l'air déjà ostensiblement ailleurs ; elle ouvrit la bouche pour dire quelque chose – mais bon, pas le temps d'entrer là-dedans maintenant, hein. Pfffu, quelle tache, ce Norman. Il est vraiment *pénible*, quelquefois. Elle laissa tomber un billet de cent dollars sur la table, juste à côté de sa main, et fila sans attendre sa réaction. Elle aurait pu attendre longtemps : Norman était totalement incapable de réagir.

Il demeura là, assis, longtemps après qu'elle fut partie. Sans doute un bon, bon moment, parce qu'un type – le gérant ? – était venu lui demander s'il prenait aut'chose, ce à quoi Norman avait répondu Ouais ; et genre dix secondes plus tard, il était de retour et lui demandait à nouveau s'il prenait aut'chose, et Norman répondait à nouveau Ouais. Et puis cette femme, qui vint à sa table, et s'assit face à lui, sur cette chaise d'où Katie avait disparu, des années auparavant. Norman leva les yeux, mais ce n'est pas Katie qui était là – c'était Katie qu'il aurait tout donné pour voir, mais non – à sa place, il y avait cette femme.

« Vous avez l'air bien seul. » Voilà ce que disait la femme. « Vous êtes... vous êtes français ? Européen ?

– Aaaglais, dit Norman.

– Ah ouais ? Anglais, hein ? *J'adore* votre accent. C'est *horrible*, ce truc de la princesse Di, hein ? Comment vous appelez-vous ?

– Norbum, dit Norman.

– *Norbum ?* Vraiment ? Tssss – vous êtes pas possibles, vous, les Anglais ! Bon, Norbum, tu as envie de me payer un glass ? »

Pas spécialement, se dit-il. « Bien sûr », dit-il.

Elle fit un signe vers le bar : un geste d'habituée.

« Bon, alors dis-moi, fit-elle, faisant battre ses cils tout neufs, noirs et surchargés de Rimmel, tu te plais, à Chicago ? » Et là aussi, dieux du ciel, combien de fois avait-elle déjà sorti *ça* à un mec? Pas l'air trop bavard, le petit père : c'est peut-être son nez amoché qui le tracasse. « Est-ce que tu savais, Norbum, qu'on appelle Chicago la Ville des vents? »

Il est fort dommageable que l'abdomen en pleine anarchie de Norman ait choisi ce moment précis pour laisser échapper dans le bar un pet convaincu et de proportions industrielles, mais il était pour sa part bien au-delà de ces considérations.

La femme ne se laissa pas démonter (ce qui est tout à son honneur).

« Bon, mon chou – on y va ou quoi? Cinq cents balles, ça marche? »

Norman lui jeta un regard flou : je ne suis pas sûr de tout comprendre.

« C'est *gendil,* bais vraibent, ça va – j'ai de l'argent, baintedant. J'ai déjà cent dollars – bais berci quand bêbe. »

La femme commençait à perdre contenance (il y a des limites).

« Bon, à plus, *Norbum* », fit-elle avec un soupir (pas sûre de tout bien comprendre), filant d'une démarche lasse vers son tabouret de bar. *Pfffff,* ben mon pote…

Ai-je dit quelque chose qu'il ne fallait pas? se demandait Norman. L'ai-je offensée, d'une manière ou d'une autre? Elle a disparu avec la même rapidité, la même impatience que Katie. C'est peut-être simplement moi, ce que je suis devenu – et voilà ce que je suis peut-être devenu : un incorruptible.

Dotty revint à la caravane, berçant toujours la petite Dawn dans ses bras, avant même que Brian ait complètement fini de se laver et de s'habiller. Il était totalement épuisé quand le jour ensoleillé avait commencé de s'insinuer au travers des rideaux de dentelle, projetant par les interstices des motifs compliqués sur les plans mouchetés de la cuisine et les portes bombées des placards. Épuisé, oui – et comme courbatu d'être resté si longtemps immobile, car il ne voulait pas que Dotty se rende compte qu'il l'observait, assise là, immobile, en contemplation devant Dawn : cela ne leur apporterait rien de bon, ni à l'un ni à l'autre, il le sentait sans pouvoir précisément dire pourquoi.

À peine Dawn s'était-elle éveillée – à cette seconde où la conscience revenue avait commencé de contracter son front, où sa bouche s'ouvrait déjà pour protester, pour manifester son mécontentement, Dotty l'avait cueillie et l'avait prise dans ses bras, et lui chuchotait des choses douces et pleines d'amour, les yeux dans les yeux ; le biberon était prêt, déjà tiède – ainsi qu'un bain dans une cuvette de plastique, avec un savon et une lotion pour bébé, à côté de minuscules vêtements bien alignés. C'est alors que Brian s'était laissé dériver dans une espèce de demi-sommeil agité, entrecoupé – parfois conscient des gestes de Dotty, puis se balançant à la frange d'une étrange inconscience, plongeant, puis remontant.

Dotty avait ensuite emmené Dawn jusqu'à cet horrible petit pub (elle aurait pu, théoriquement, la laisser dans la caravane avec Brian, elle ne risquait rien ; mais dans les faits, jamais, jamais elle n'aurait fait une chose pareille). Elle était impatiente d'appeler Elizabeth et Melody – et Colin aussi, bien sûr : l'autre enfant.

« Dotty ! Bonjour ! fit Elizabeth au bout du fil. Tu as réussi à dormir un peu ? Ou même simplement à t'entendre penser ?

– J'ai dormi comme un loir. Dawn a été un amour. Dis-moi, Elizabeth, avez-vous prévu quelque chose pour aujourd'hui, parce que...

– On pensait retourner à la plage, sinon rien de particulier. Non, franchement, Dawn a *vraiment* dormi ? Remarque, elle n'en pouvait peut-être plus.

– Non, ce n'est pas la fatigue : elle était heureuse. Bref,

257

écoute – je me disais comme ça, la journée promet d'être absolument superbe, et ce serait amusant de faire toutes sortes de choses, mais des trucs qu'on fait *l'été*, tu vois, de vrais trucs de vacances au bord de la mer. Je suis sûre que Dawn adorerait – elle n'a pas besoin de rester tout le temps enfermée dans cette espèce d'horrible petite crèche – pas par une si belle journée.

– D'accord, Dotty, si tu veux. Je ne vois pas exactement de quel genre de *trucs* tu veux parler, mais, oui, tout à fait, pas de problème. Ça pourrait être sympathique. Mais écoute, Melody n'est même pas encore *rentrée*, depuis hier soir…

– Cette Melody…

– Mais après que tu es partie, j'ai bavardé avec une jeune femme tout à fait charmante, qui s'appelle Lulu – comme la chanteuse. Je ne sais pas si tu l'as remarquée ? Elle était à notre table, une blonde, avec un chemisier superbe.

– Si, répondit Dotty, si je me souviens d'elle. » Que oui, pensa-t-elle, je ne m'en souviens que trop bien – absolument sensationnelle, à tous points de vue, quand Dotty devait avoir l'air, au mieux, d'une épave sortie des fonds marins.

« Bon, je ne sais *pas*, mais je pense que ça lui dirait peut-être de nous accompagner, pour ta petite excursion. Tu es d'accord pour que je lui propose ?

– Bien sûr. Plus on est de folles… »

Ma foi – pourquoi pas ? Je m'en fiche, de savoir qui vient ou pas, tant que je suis avec ma petite Dawn.

Ensuite, Colin avait pris l'appareil, pour lui parler d'une histoire de garçon qu'il avait rencontré la veille, et dont le père avait un bateau – donc il repassait par la… euh… la *maison* (il avait failli, il avait failli laisser échapper *caravane*) pour se changer et tout ça. Melody, c'était une chose entendue entre Dotty et Elizabeth, serait évidemment *prise* hum-hum, par ailleurs. Et Brian ? Oh, mon Dieu – ce n'est même pas la peine d'y *songer*; jamais il ne voudra venir – bien trop peur de devoir mettre la main au porte-monnaie. Et puis je me *moque* de ce que peut bien faire Brian, se disait Dotty avec allégresse : il trouvera bien quelque chose à casser ou à réparer – ça l'occupera.

Dotty lui avait fait part de ses projets pour la journée – sans lui proposer, volontairement, de venir, et Brian, tout aussi ostensiblement, n'avait pas suggéré de les accompagner. (Il se disait Quoi, une sortie en bateau ? Il a de la chance, le père Colin – moi aussi, je ferais bien un tour en mer. Quoique. Quoique ce ne serait somme toute qu'une journée à passer, encore une. Avec le début maintenant, le milieu un peu plus tard, et encore plus tard – une fois de plus, une fois de plus – la fin, putain, la fin, c'est tout.)

« Et qu'est-ce que tu vas faire, *toi* ? s'enquit Dotty, l'air de ne pas trop s'en soucier.

– Moi ? Oh, ne t'en fais pas pour moi – ça ira très bien : j'ai toujours plein de choses à faire. »

Oui : une seule chose, en fait. La seule. Mais cette chose, il faut la faire : c'était brusquement devenu (une fois de plus, une fois de plus) une espèce de nécessité absolue.

« Ça ressemble à quoi, le mariage ? » s'enquit Zouzou.

Howard but une gorgée de whisky, reposa son verre ; reprit son verre, but une nouvelle gorgée de whisky. « À *quoi* ? Ça ressemble à *quoi* ? Drôle de question, Zouzou. Je ne sais pas, à quoi ça ressemble. Comme tout le reste, je suppose : c'est juste une façon de vivre. »

Zouzou avait son apparence normale, vêtu d'un jean et d'un tee-shirt ; il était debout devant le triple évier, en train de rincer deux ou trois tasses et assiettes, avant qu'ils ne sortent déjeuner dans un endroit charmant, comme le lui avait assuré Howard. Dans la chambre, le sol était toujours jonché d'un enchevêtrement de lingerie de soie fluide et douce, ainsi que d'une perruque blonde et ondulée : compte tenu du teint de Zouzou, celle-ci ne se révélait jamais aussi convaincante que la noire à cheveux raides, mais Howard ne dédaignait pas un peu de variété en ce domaine : une blonde de temps à autre, c'était pas mal, plutôt sympa même – enfin c'était franchement le pied, puisque vous tenez à tout savoir.

« Ça me plaira, à *moi* ? » reprit Zouzou, d'un ton suprêmement négligent.

Howard s'agita dans son fauteuil. Il n'était pas certain de bien aimer cette conversation : ce qu'il vivait avec Zouzou tenait en partie de l'irréel – c'était la seule chose qui le faisait se sentir entièrement *vivant*, donc elle était bien assez réelle à ses yeux –, et non pas de la relation normale, du genre d'accord, tu dis ceci et je réponds cela, et on se retrouve tout à coup à avoir une conversation complètement conventionnelle, comme M. et Mme Tout-le-monde. Non – il ne voulait pas du tout ça, ça n'allait pas. Quant à ce discours sur le *mariage*... (D'ailleurs, ce n'était pas la première fois que le jeune Zouzou mettait ça sur le tapis ; jusqu'à présent, Howard avait réussi à dévier le sujet ; apparemment, là, c'était raté.) Parce que, mis à part l'évidente incongruité du propos, dans leur situation (on laisse tomber ça), Howard n'était certainement pas un expert en conjugalité. Parce que bon, on se marie, d'accord ? C'est une chose qui se fait – tous les gens plus ou moins de son âge s'étaient mariés, alors pourquoi pas Howard ? Donc, il avait épousé Elizabeth – il l'aimait, sans aucun doute. Elle n'avait pas eu à chercher du travail (nombre de femmes ne travaillaient pas, à l'époque, et Howard n'était pas regardant sur le pognon), donc elle s'occupait de la maison qu'elle entretenait et embellissait, et elle était aux petits soins pour son mari. Puis elle avait voulu un bébé : pas de problème – plein de couples avaient des bébés, à cette période-là, donc ben ouais, ayons un bébé, pourquoi pas ? Parce que ça se fait, non ? Donc, arrivée de Katie (un amour de petite bonne femme) ; Elizabeth était parfaite avec elle, mais elle avait décidé qu'un enfant, cela suffisait, merci bien, qu'elle n'avait aucune envie de repasser par *là* – ce qui convenait très bien à Howard : nombre de gens se cantonnaient à un enfant, à cette époque-là, alors pourquoi ne pas en faire autant ? Ce serait comme Elizabeth le souhaitait.

Et puis les années passent, et le bébé devient – mon Dieu, une *femme*, je suppose que le terme n'est pas trop fort (une femme en vacances en *Amérique* – je n'arrive pas à le croire : j'ai l'impression qu'hier encore elle peignait la queue de Nylon de son petit poney en peluche, et portait ce bracelet de plastique jaune, le cadeau de la semaine du magazine *Babar* ; prends soin de toi, ma Katie, qu'il ne t'arrive rien, ma chérie). Et puis vous vieillissez, et votre *femme* vieillit, et je n'arrive pas trop à voir au-delà : on continue comme ça, j'imagine. Voilà, Zouzou – puisque tu y tiens –, voilà à quoi ça *ressemble*, le mariage. En tout cas, voilà ce que je peux en dire de plus précis.

« Je ne sais pas, si ça te *plaira*, dit Howard. C'est toujours quelque chose de… particulier pour chacun. Mais c'est possible. On y va, d'accord ? Sinon, on n'y va pas. Attends, je vais quand même encore essayer de joindre Elizabeth, vite fait. »

Howard appuya sur la touche « bis » et, cette fois, Elizabeth décrocha presque immédiatement.

« Ah, je réussis enfin à te trouver, dit Howard.

– Tu as déjà essayé d'appeler, mon chéri ? Je viens de m'offrir un massage divin, de la tête aux pieds. Je me sens comme de la gelée. Tout va bien, à la maison ? Tu *manges* correctement ?

– Tout va parfaitement bien. Dis-moi, Elizabeth – je viens de m'apercevoir que je n'ai pas le numéro de Brian. J'ai de bonnes nouvelles pour lui : une offre pour sa maison, enfin.

– Oh, il va être *ravi*. Mais Dotty, ça, je ne sais pas – elle y tient vraiment, à cette maison. Enfin – elle y *tenait*… Mais ils sont comment, ces gens ? Ils me plairont ? Oh, je *déteste* que des voisins déménagent – surtout quand ce sont des amis. Tu en as obtenu un bon prix?

– Mon Dieu, pas *terrible*: trente mille au-dessous de ce que demandait Brian, mais franchement, je ne vois pas l'ombre d'une autre offre à l'horizon. Je vais lui conseiller d'accepter. Donc, oui, Elizabeth – peux-tu me donner leur numéro?

– Mais... tu sais, c'est très curieux, Howard, mais imagine-toi que je ne l'ai pas *non plus*. C'est bête, non? C'est toujours *Dotty* qui me téléphone. Écoute, je la vois tout à l'heure, donc, soit je lui demande son numéro, soit je lui dis de dire à Brian de t'appeler, d'accord? C'est vraiment *idiot* que je ne l'aie pas. Tu as du soleil à Londres, Howard? Ici, il fait un temps superbe.

– Il fait très chaud – poisseux, tu sais. Tu as bien de la chance d'avoir la brise marine. Bon, Elizabeth – tu fais comme ça, et je te rappelle plus tard, je ne peux pas te dire quand exactement – demain, peut-être.

– Très bien, Howard. Et tu prends soin de toi, hein? Promis?

– Ne t'inquiète pas pour moi. Allez, au revoir, ma chérie.

– Au revoir, mon grand. »

Et voilà, Zouzou – puisque tu y tiens –, voilà à quoi ça *ressemble*, le mariage: en tout cas, voilà ce que je peux en dire de plus précis.

John Powers relut le mot: il aurait voulu que les caractères inscrits sur cette feuille de bloc à en-tête de l'hôtel, déchirée à la hâte, se mélangent soudain pour reconstituer un message qui aurait un véritable sens, un message qu'il aurait pu comprendre et croire – parce que ça, *ça*, c'était du *mensonge* pur et simple. Comment pouvait-elle? Comment son adorable Lulu *pouvait*-elle lui faire subir tout cela? Comment pouvait-elle ne pas voir à quel point il l'aimait? Cette pute. Bon. *Bon*. Revoyons cela –

est-ce que je lis quelque chose entre les lignes ? S'est-elle trahie, même de façon imperceptible ? Y a-t-il là une preuve irréfutable, avec laquelle je pourrais la coincer ?

« Cher John » – ça commence fort, hein ? – « Cher John, je suis tombée sur Lizzie au salon de massage, et nous passons la journée ensemble, à l'extérieur. Je pense que cela vaut mieux pour le moment, Johnny. Bisous. Lulu. »

Oui, eh bien, elle sait ce qu'elle peut en faire, de ses bisous, hein. Elle peut les ravaler et s'étouffer avec, ses bisous, voilà. Donc, comme ça, on passe la journée avec sa petite « Lizzie », sa petite copine imaginaire ? Ce ne serait tout de même pas la Lizzie à laquelle je pense, avec son sourire à la con et sa moustache de phoque, avec qui tu n'as pas cessé de t'envoyer en l'air depuis qu'on est arrivés dans ce putain de bled ? Mais si pourtant, ce pourrait bien être celle-là. Tout juste. Au salon de massage ? De *massage* ? Je vais te lui en coller un, moi, de *massage*, quand je pourrai mettre la main dessus, cette misérable *salope*. Oh, Lulu ! Lulu, ma chérie, je *t'aime*, je *t'aime*, je *t'aime*. Comment peux-tu même avoir *l'idée* de me faire une chose pareille ?

John ouvrit l'ultime mignonnette du minibar, sans même se donner la peine de vérifier ce que c'était. La vache – onze heures du matin, et je suis déjà moitié torché. Mais bon, c'est aussi le résidu d'hier soir. Mais mon Dieu, mon Dieu, que faire d'autre ? Parce que je ne sais pas où ils sont allés. Ni même s'ils sont allés quelque part. Ils peuvent être n'importe où, n'importe où. Oh, dieux du ciel, mais que *faire*, que *faire* ? Je ne vais pas me mettre à les *chercher* – je ne peux pas faire ça, quand même ? Et puis, où chercher ? Par où commencer ? Je ne vais pas non plus régler la note et quitter cet endroit de merde pour rentrer à la maison. Non, je ne peux pas – pour laisser le champ libre à cette ordure d'enfoiré, avec mon *épouse* ? Mon épouse. Ha ! Jolie, l'épouse ! Bravo, Lulu ! Et puis, je ferais quoi, à la maison ? À quoi ressem-

blerait-elle, la maison, sans ma douce, mon adorable Lulu ?
Pourquoi *faut-il* que tout cela me tombe dessus ? Comment
cette salope a-t-elle fait pour que j'en arrive là ?

John ferma derrière lui la porte dont la serrure cliqueta,
et demeura immobile dans le couloir, tournant résolument le
dos à cette suite trop luxueuse qui lui riait au nez. Que pouvait-
il faire ? Il lui fallait faire quelque chose – il lui fallait bouger,
réussir à mettre son corps en mouvement, afin de le déplacer, de
le poser ailleurs. L'angoisse l'envahissait à présent, il passa une
main tremblante sur son visage (il ne s'était pas rasé, et il s'en
fichait – à quoi bon se *raser* ?)

Des gens se dirigeaient tranquillement vers lui et, d'instinct,
John se ressaisit : il carra bien les épaules, tira sur ses manches,
et commença de se remémorer comment on faisait – on pose
un pied devant l'autre, et puis on recommence l'opération, en
essayant de trouver un rythme cohérent, ouais, ça y est, j'y suis
– je marche, je m'éloigne : je ne m'éloigne de rien, et je marche
vers moins que rien.

Donc John marchait (plod plod plod – je ne sais pas du tout
pourquoi je fais ça), et les gens se faisaient plus nombreux
autour de lui maintenant – ils attendent l'ascenseur, ces cons ?
À quoi bon attendre ? Quel intérêt ? Pourquoi ne pas sauter
directement dans le trou noir ? C'est plus rapide : si vous voulez
vraiment descendre, c'est plus rapide comme ça. Attends !
Qu'est-ce que je vois ? Là – là ! Au fond, là-bas : c'est bien *lui*,
non ? Ma main à couper – avec une bonne femme qui fait des
manières et qui ricane niaisement devant lui : inutile de demander *qui* c'est. Superbe ! Ils ne sont pas encore partis – c'est un
fait *exprès*, cela devait arriver : Dieu donne une chance à John.
Génial, génial – merci mon Dieu : à présent, je connais ma
mission, je vibre de certitude : je n'ai qu'une chose à faire sur
cette terre, et c'est le *tuer*. Et vous savez quoi, mon Dieu ? Je vais
le faire tout de suite – là, maintenant, à la seconde.

John avait accéléré l'allure – c'était bien *lui*, n'est-ce pas? Parce que Dieu sait que je ne tiens pas à me tromper de cible; non, non c'est bien lui. Je reconnais sa manière de se pavaner, ce con. Il avait ouvert une porte – tout au fond du couloir, il avait carrément ouvert une porte, et ils étaient entrés – tous les deux, putain, ils étaient entrés là-dedans (cours, cours, peu importe qu'on te regarde – cours, ne le perds pas, ne manque pas ta chance) – et oui, me voilà *arrivé*, je suis là, mais la porte s'est refermée : un petite porte, une drôle de petite porte, fermée devant mon nez. C'est marqué ENTRETIEN, dessus. Pourquoi est-ce marqué ENTRETIEN? Juste ciel – Lulu s'occupe déjà de *sa* maison? Non, non, tu délires, John. Ressaisis-toi, concentre-toi; tu les as coincés – tu n'as qu'une chose à faire : attendre. D'accord, mais comment pourrais-je rester là à *attendre*, en sachant ce qu'ils font à l'intérieur?

John baissa les yeux sur la serrure : rien – la clef était dedans. Je fais quoi? Genre discret? J'attends, et je lui saute dessus quand il sort? Ou est-ce que je défonce cette putain de porte – je fracasse les planches, j'en prends une et je le tue avec? Et puis soudain, une voix, une voix d'homme, *sa* voix – étouffée, mais audible. Qu'est-ce qu'il raconte? Ce serait peut-être intéressant de savoir quelles dernières paroles aura prononcées ce salopard. Oui, John sentait bien qu'il pouvait goûter là une sorte d'allégresse macabre. Bon, alors je colle mon oreille à la porte, la main en cornet, et j'écoute ce qu'il dit, et quand il a terminé, je le tue.

Dans le cagibi, Miles avait pris le visage de Melody entre ses mains et lui disait Tu aimes ça, hein? Tu aimes, hein, tu n'en as jamais assez?

John demeurait figé, blême, tremblant à présent.

Dans le cagibi, Miles observa Melody qui s'écartait de lui et, sans le quitter des yeux, avec un regard dense, provocant, remontait sa robe jusqu'à ses hanches, puis jusqu'à la taille, cuisses ouvertes, alors Miles dit Je n'ai pas l'intention de te baiser, cette fois, espèce de petite nympho – toi, tu viens là et tu te mets à genoux, pour me faire plaisir – vas-y, *vas-y*.

John demeurait figé, et son cœur se contractait sous une brûlure fulgurante, et son âme, au bout de l'agonie, s'était dérobée.

Dans le cagibi, Miles grognait à présent – raaagh –, tenant fermement la tête de Melody qui allait et venait devant lui. Ouais – ouais ouais ouais – ahhh – *aaaah*! Ah c'est bon – c'est booon. Oufffff… Bon, redresse-toi, sacrée baiseuse, viens là que je t'embrasse.

John demeurait figé, le bout de son nez touchait maintenant le panneau, ses paupières étaient aussi crispées que ses poings.

Et soudain, il y eut un feu d'artifice dans la tête, puis le noir complet, comme il prenait en plein visage la porte ouverte à toute volée, et il vacillait maintenant, levant la main sans même pouvoir trouver sa tête, et il heurtait le mur en titubant, glissait sur le sol.

Melody eut un sursaut et se figea, tandis que Miles se penchait sur la bestiole – assommé, apparemment, mais il avait l'air de déjà reprendre ses esprits.

« Laissons-le, dit-il. C'est un pauvre taré. Un pervers de merde – mais bon, il a *écouté*, rien de plus, hein? Viens mon amour – tu vas faire ce que tu as à faire, et puis on s'offre un super déjeuner au Palace, comme je te l'ai promis. Viens mon amour – laisse tomber, il s'en tirera. Viens, nous, on va *s'éclater*. »

John, toujours dans le cirage, entendit leurs pas s'éloigner, amortis par la moquette dont il respirait les poils; le silence qu'ils laissaient derrière eux l'avait envahi. C'est du sang, non? Oui, je saigne. Oui, on dirait bien : je saigne – et Lulu, mon amour, s'en va, me laisse pour aller déjeuner au Palace, main dans la main avec son amant; je vais peut-être la tuer, elle aussi.

« Mes cheveux ! Mes cheveux ! » hurla Elizabeth d'une voix déchirante – et pas pour la première fois. Oh mon Dieu, mes cheveux !

– Ce n'est pas *grave* ! hurla Dotty en réponse, dominant la force du vent. C'est *normal* que tes cheveux s'envolent dans tous les sens – c'est tout l'intérêt de ces bus. C'est drôle, franchement ! »

Elles étaient installées à l'avant d'un bus à impériale découverte, d'un jaune éclatant, dans la lumière aveuglante qui se réverbérait sur la mer. Le bus suivait à une allure de sénateur les méandres de la route côtière ; bientôt, il s'en éloignerait pour gravir les collines d'où la vue était à couper le souffle, comme le leur avait dit Dotty, le souffle court par avance. Elizabeth continuait de s'accrocher à ses cheveux des deux mains, les doigts tendus aussi loin que possible, comme si elle craignait réellement que son scalp ne s'envole. Lulu, elle, offrait son visage au vent, la courbe élégante de son nez semblable au museau racé de quelque mince lévrier ; ses lunettes noires enveloppantes étaient constellées de diamants de soleil, et ses cheveux rejetés en arrière, quoique fouettés en tous sens et maltraités par les bourrasques, gardaient une netteté de coupe proche de la sculpture.

Dotty, pour sa part, avec sa chevelure de gorgone et son visage écarlate de bonheur, avait, ni plus ni moins, l'air d'une folle. Elle ne s'en rendait pas compte, ni ne s'en souciait : Dawn, les yeux rayonnants, émettait un rire gargouillant à chaque fois que Dotty se penchait brièvement vers elle pour lui chatouiller le ventre. C'est cela, le paradis, se disait Dotty. Puis elle se mit à chanter – abominablement faux, et avec délectation :

« Vive les va*can*- ces, voyez comme on *dan*- se, euh… *dan*- sez, *chan*- tez, embrassez qui vous vou-drez… ! »

« Ooooh, Dotty… », tel fut le verdict d'Elizabeth, qui tentait du mieux qu'elle put de mélanger hurlement déchirant et gémissement plaintif. (Juste ciel, ce *vent* – je vais avoir les cheveux complètement... oh là là, je ne veux *même pas* imaginer à quoi vont ressembler mes cheveux... parce que si vous tenez à le savoir, cette histoire de bus est un de ces fameux « trucs » que l'on fait l'été, selon Dotty ; et Dieu seul sait ce qu'elle a encore en réserve, dans le même genre. Cette Dotty, c'est une véritable *gamine*, quelquefois – ce qui, j'imagine, n'est pas une mauvaise chose en soi.)

Comme le bus rejoignait l'intérieur des terres, la férocité du vent fit place à une simple force d'avis de tempête, et Elizabeth se dit Oh mince, finalement, et laissa sa chevelure se débattre autant qu'elle le voulait : elle devait reconnaître que c'était plus simple ainsi, et infiniment plus agréable – il suffirait d'éviter les miroirs, voilà tout. La chaussée était à peine plus large que l'autobus, et toutes trois se baissaient instinctivement quand on passait sous de lourdes branches, bien qu'à quelques mètres au-dessus de leur tête. Arrivée au sommet, la route s'ouvrait sur un parking bitumé, fort vilain et fort décevant – un car du Yorkshire et trois voitures y étincelaient sous le soleil torride –, avec, là-bas, un café-pub-boutique de souvenirs ringards.

« On laisse tomber tout ça, déclara Dotty en descendant avec précaution l'escalier en spirale du bus, négociant chaque marche comme si elle était minée et serrant contre elle son précieux fardeau. C'est la vue qui compte – d'ici, on découvre toute la ville, et l'océan, jusqu'à l'extrémité de la baie. Il paraît qu'on peut même apercevoir la France, quelquefois, quand le temps est très clair.

– Quelqu'un a soif, ou quelque chose ? s'enquit Elizabeth. Personnellement, je donnerais mon âme pour une coupe de champagne, mais je ne pense pas qu'ils en aient dans ce genre d'endroit, n'est-ce pas ? Ça me surprendrait. »

Elles restèrent là un moment, en contemplation devant la mer ; l'air était salubre – et Lulu s'employait ostensiblement à inspirer au maximum, pour bien s'en remplir les poumons. Dawn était installée dans une petite poussette, et Dotty, accroupie à ses côtés, lui répétait sans cesse de bien regarder la si jolie, si jolie mer.

« Bon, on essaie quand même ? reprit Elizabeth qui tenait à son idée. Ils doivent bien avoir *quelque chose*, quand même ?

– Oh, les boules ! s'exclama brusquement Dotty. Regarde, Elizabeth, ils vendent des hochets avec plein de petites boules gonflables, de toutes les couleurs. Oooooh, il faut absolument que j'en achète un pour Dawn ! »

Aussitôt dit aussitôt fait, tandis qu'Elizabeth flânait, désœuvrée, ne sachant pas trop quelle menue dépense pourrait bien la tenter. Lulu prit des cartes postales dans le tourniquet ; les y replaça. Dans le bar (juste ciel, qu'il fait donc *sombre* là-dedans – quand on vient du soleil), Elizabeth se laissa finalement séduire par une bouteille verte de chablis négligemment accoudée au bord d'un demi-tonneau, et flottant dans la glace fondue : d'un doigt, elle dessina une ligne dans les perles de buée qui la constellaient du bouchon à mi-hanche.

Quand elles furent installées dans le coin, sirotant le vin frais à petites gorgées, Lulu se pencha et tendit un doigt à Dawn. Ce n'était pas là un geste spontané, qui venait du cœur – elle avait déjà failli le faire, plusieurs fois –, mais elle se disait qu'il lui fallait s'intéresser à ce qui, aux yeux de Dotty, était sans aucun doute le clou de la journée. Lulu, quant à elle, demeurait hésitante en ce qui concernait les bébés : en épousant John, elle s'était dit que cela arriverait nécessairement, mais pour l'instant, toujours rien. Ce qui, honnêtement, était un soulagement : parce qu'à présent, Lulu était devenue hésitante en ce qui concernait le mariage lui-même, et dans ce cas, on n'a pas vraiment besoin d'un bébé, n'est-ce pas, pour rendre les choses encore plus compliquées.

« Vous l'avez eue quand ? s'enquit Lulu.

– Hier », répondit Dotty, se rengorgeant.

Elizabeth éclata de rire en voyant la consternation se peindre sur le visage de Lulu.

« Non, ce que Dotty veut dire, expliqua-t-elle, posant une main rassurante sur le bras de Lulu (mais non, vous n'êtes pas devenue folle), c'est qu'elle s'occupe seule du bébé depuis hier. En fait, c'est la petite fille de *Melody* – et Dotty ne fait que...

– Oh, dit Lulu, éclairée d'une lueur de compréhension retrouvée. Oh, c'est le bébé de *Melody*... je pensais... Ah ! D'accord, je vois.

– Mais elle est à moi, maintenant », dit Dotty d'une voix sereine. Et comme Elizabeth lui jetait un coup d'œil : « Enfin, pour un jour encore, au moins. Et ensuite – qui sait ? Bien, je pense que le bus ne va pas tarder à repartir. Videz vos verres, les filles ! Je me suis dit qu'on pourrait peut-être s'offrir un déjeuner typique bord de mer, si cela vous tente – genre morue et frites, un truc comme ça, et d'énormes glaces pour finir ! »

Elizabeth et Lulu approuvèrent le projet, riant de bon cœur – on finit les dernières gorgées du chablis tiède à présent, et bientôt, tout le monde se retrouvait sur l'impériale de l'autobus, le regard généralement tourné vers la mer, parce que quand on est à la mer, n'est-ce pas, on regarde la mer, voilà.

« Vous avez vu les bateaux ! s'exclama Dotty, tandis que le bus quittait le parking et amorçait sa descente chaotique vers la côte. Regardez celui-là, avec la voile rouge foncé ! Colin est parti faire du bateau, aujourd'hui – je ne vous l'ai pas dit ? J'espère qu'il a pris son pull. Regarde, Dawn, regarde – tu vois le joli petit bateau jaune, là-bas ? Tu le vois ? Tu veux lui faire coucou ? C'est peut-être Colin, là-bas, sur le petit bateau. Fais coucou, Dawn, fais-lui un petit coucou. Voilà. Je suis sûre qu'il t'a vue, tu vois il répond. Tu veux encore lui faire coucou ? Allez, ma petite chérie, tu fais encore un grand coucou à ton grand frère. Voilà! Tu es un *amour*, un amour, hein? Ma petite Dawn, c'est la *plus* jolie des petites filles, hein? Mais oui. Mais *oui*. »

Colin ne se trouvait pas exactement sur le joli petit bateau jaune avec la voile rouge foncé (ce dont on pouvait se douter), mais en fait sur le non moins joli petit bateau blanc dont, en cet instant précis, on dépliait la voile rouge sang. Enfin, pas Colin – pas du tout : Colin n'était absolument pas d'humeur à déplier quoi que ce soit, à supposer même qu'il eût possédé la moindre notion de l'art et de la manière de déplier. Parce qu'il était quasiment impossible, voyez-vous, de simplement se tenir debout, donc autant abandonner d'office, comme futile, toute idée de lâcher la première prise à portée de main, pour ne pas parler, à plus forte raison, de bouger, et encore moins de se rendre utile.

Le père de Carol lui avait expliqué que les baskets ne conviennent absolument pas pour faire du bateau (exact : elles étaient déjà complètement détrempées, et les semelles se révélaient glissantes comme des limandes); d'autre part, avait-il un gilet de sauvetage? Non, Colin n'en possédait pas – Colin portait là une chemisette et un jean – un pull aussi, négligemment noué par les manches autour de la taille, mais qu'il enfila bientôt, parce que même si le soleil semblait *a priori* aussi chaud que d'habitude, la peau de ses bras devenait toute grenue, et carrément froide au toucher; l'ennui était que, à peine avait-il passé le pull (ce qui n'est pas une mince affaire, quand on est contraint de s'accrocher des deux mains) qu'il avait l'impression de se trouver dans une Cocotte-Minute, de sorte qu'il l'avait arraché de nouveau, sur quoi le pull s'était pris dans quelque chose, était tombé sur le pont, et ruisselait à présent, comme à peu près tout d'ailleurs. C'était très curieux – la mer semblait

d'un bleu, d'un calme parfaits, et cependant, le sol sous ses baskets alourdies et clapotantes ne cessait de se soulever par bonds,
avant de plonger de nouveau : en haut, en bas. En haut, en bas.
Oh là là. Je me sens un peu... non, non – pense à autre chose,
pense à autre chose. Regarde Carol, voilà – regarde-la lever les
bras vers cette espèce de traverse qui dépasse, là, pour aider son
frère à accrocher cette espèce de voile auxiliaire, sans doute,
enfin un bout de toile triangulaire. On aurait dit que leurs
chaussures à eux (en cuir, à grosses coutures, avec des œillets
de cuivre) étaient boulonnées au pont : pas une seule fois ils
n'avaient vacillé. Le père de Carol (elle avait raison – il était
super : belle gueule, tout bronzé, et toujours à raconter des
blagues sympa) était monté à mi-hauteur du mât et s'employait
à secouer divers cordages – il avait une sacrée allure, en fait, avec
son blouson bleu roi et orange, une vraie casquette de skipper
fièrement inclinée sur l'oreille.

« Hé, toi, là ! Colin, ou je ne sais quoi ! » Ça, c'était Terry qui
le hélait ; Colin savait que cela devait arriver, d'un instant
à l'autre. « Tu donnes un coup de main, ou quoi ? Ou bien tu
comptes rester comme ça à ne rien faire ? »

Était-ce une question ? Pas vraiment, hein. Enfin, pas le genre
de question qui appelle une réponse verbale, même si Colin
était assuré d'être entendu (parce que le vent se levait à présent
– il gonflait la voile rouge et chantait aux oreilles de Colin
comme une myriade de diapasons). Il se mit sur pied, avec mille
précautions – *holà* ! Quelle... *Ouuuh* ! Oh mon Dieu, tiens bon,
tiens bon – là, j'ai failli y passer. Bon, il était debout maintenant, mais restait plié en deux, parce que ses mains, objets
doués d'intelligence, sentaient l'imminence du danger et refusaient de lâcher les poignées de cuivre auxquelles elles étaient
collées. De sorte que Colin demeura un moment ainsi, l'air
d'attendre, résigné, une vigoureuse fouettée, puis une de ses
mains se dit que, peut-être, on pouvait tenter le coup, une

seconde – tout en restant prête à regagner son refuge, au premier signe de difficulté imprévue.

Tiens, il y a une autre poignée de cuivre, là-bas, regardez ; si je réussis à combiner un envol mâtiné de plongeon et assorti d'une sorte de plaquage avec élan, j'arriverai peut-être, peut-être à l'atteindre, et de là, je peux éventuellement crapahuter en me tenant à cette barre d'appui, de sorte que je me retrouverai à distance raisonnable de l'endroit où Terry se tient, et vient encore de me crier dessus, d'ailleurs – donc on essaie, d'accord ? Ouais, on y va – et *tout de suite* de préférence, parce que je sens de nouveau sous mes pieds le sol qui monte et qui descend, qui monte, qui descend.

Colin entama son interminable périple – s'agrippant aveuglément dans le froid et l'humide, esquissant une embardée, récupérant son équilibre grâce à quelque force mystérieuse (se cognant violemment le genou au passage, ce qui n'arrangeait rien), et avant même qu'une semaine se fût écoulée, se retrouva si près de Terry et de Carol qu'il put même entendre celle-ci dire à son frère Oh, mais fiche-lui la *paix*, Terry ! Tu ne vois donc *pas* qu'il est mal assuré – sur quoi Terry répéta Mal assuré ? *Mal assuré* ? Mais on dirait un infirme, putain ! C'est alors que quelque élan tout-puissant, venu des profondeurs de son être, précipita Colin vers l'avant, au travers du pont (regardez – sans les mains !), et droit sur la poitrine de Terry contre laquelle il s'écrasa douloureusement le nez, alors Colin – dont la position évoquait à présent quelque voyageur bien installé à califourchon sur un solide chameau – plongea des yeux repentants dans les yeux sombres, étincelants de Terry et, avant que son corps ait put l'avertir de la possibilité la plus improbable d'une telle chose, avait déjà rendu tripes et boyaux, partout sur l'autre qui, dans un premier temps, eut l'air aussi effaré que Colin lui-même, mais dont l'expression ne tarda pas à évoluer vers quelque chose de plus menaçant, d'ailleurs le voilà qui levait le bras, et son poing venait s'écraser de biais en plein sur le visage de Colin qui exécuta une rumba relativement bâclée jusqu'à l'autre extrémité du pont, où sa tête heurta un machin quelconque qui dépassait, ce qui le projeta de nouveau vers l'avant, mais à quatre pattes à présent – et comme il demeurait là, contemplant d'un regard flou le pont luisant, ce qui restait de ses entrailles dut décider de se manifester en offrant un *bis* à l'aimable assistance, sur quoi une nouvelle fontaine jaillit, qui arrosa à peu près tout dans un périmètre considérable.

Colin demeurait là, gisant les bras en croix à présent, comme prêt au sacrifice (et il sentait définitivement la Faux s'élever). Sa chevelure baignait dans quelque chose d'humide (peut-être était-ce l'écume, peut-être pire), et il entendit, au loin, Carol qui disait Oh, papa, regarde-le – il est dans un état *épouvantable* : il faut rentrer et le ramener à terre – on ne peut pas continuer comme ça, avec lui. Et Terry d'ajouter C'est pas vrai ça, mais c'est un *gag* – tu nous as dit qu'il savait naviguer, Carol – et ce n'est qu'un petit connard de *même*. Bien, conclut le père de Carol, on vire de bord et on le ramène.

Colin demeurait là – littéralement figé de froid, de la tête aux pieds, et en même temps couvert d'une honte de braise, une braise qui peu à peu se rallumait et le brûlait jusqu'au cœur.

Brian tira l'original de la poche arrière de son portefeuille, fermé par un bouton-pression et ne contenant d'ailleurs rien d'autre. Le papier en était si usé, si noirci aux coins que Brian dut le déplier avec mille précautions. Voilà – maintenant, on l'étale sur la petite table (que j'ai enfin réussi à stabiliser, me semble-t-il, elle n'a plus l'air de vouloir se replier) et on le relit une fois de plus, d'accord ? « Quand vous lirez ceci, je serai devenu un poids trop lourd pour vous, et j'aurai fait ce qu'il fallait. Croyez-moi, c'est dur de tout laisser. Je n'ai même pas

été assez vite. Avec tout mon amour. Brian. PS : Pardon. » Oui,
je crois que ça résume tout : je pourrais certes entrer dans les
détails – Dieu sait que je pourrais carrément en faire un livre –
mais je pense que ce simple mot donne les clefs essentielles. Et
puis je lui trouve une certaine dignité : comme une sorte de
pureté. La seule chose que je laisse sur cette terre, c'est mon
assurance vie – c'est la seule chose que je n'ai pas vendue. Ils
s'en sortiront, Dotty et Colin – ils récupéreront peut-être assez
pour s'acheter une petite maison, quelque chose de correct.
Disons un appart. Assez en tout cas pour tenir le coup.

Combien de fois avait-il déjà rédigé ce mot, par le passé ? Et
sincèrement, vraiment sincèrement : à chaque fois, il était déter-
miné à aller jusqu'au bout, et cependant, à chaque fois, quelque
chose l'avait retenu – parfois simplement la peur, d'autres fois
une certitude de nature plus complexe : un sentiment profond,
mais inexplicable, quelque chose en lui qui disait Holà, non –
ça ne va pas, ça. En une ou deux occasions, ç'avaient été des
obstacles purement pratiques – comme la fois où il avait dévissé
la prise de courant, dont les fils dénudés se tendaient vers lui, le
mettant au défi : parallèlement, il se tenait accroupi, pieds nus,
dans une bassine d'eau froide, mouillant les fesses de son pantalon (évidemment, *évidemment* que cela n'avait aucune importance, vu la situation, évidemment – mais ça n'en était pas
moins vachement désagréable). Il n'avait plus qu'à prendre son
courage à deux mains et à y aller – sa main était déjà à mi-
chemin des fils mortels. Et voilà Colin qui rentre de l'école à
grand bruit, plus tôt que prévu. Du coup – on ne peut plus,
n'est-ce pas ? Le fiston qui rentre en se plaignant des devoirs
à faire, qui file à la cuisine pour chercher un paquets de chips –
bon, on ne s'électrocute pas comme ça dans le salon, hein ? Ça
fait désordre. Moyennant quoi, il avait revissé la prise (en la
remettant bien droit contre la plinthe, pendant qu'il y était –
elle avait toujours été un peu de traviole, celle-là, et ça l'agaçait

particulièrement) et était monté pour changer de pantalon, récupérant au passage son dernier mot d'adieu pour le ranger avec les autres.

Brian introduisit une feuille de papier dans la vieille machine à écrire portative qu'il avait découverte au fond d'un autre placard (espérons qu'elle résistera plus longtemps que feu le joli petit vase – en porcelaine orange, avec des espèces de vibrions noirs). Évidemment, la petite Olivetti brinquebalante était incrustée d'une saleté antique, mais Brian l'avait démontée, on s'en doute – une bonne révision maison, deux trois gouttes d'huile, et je peux te dire, mon pote, la voilà repartie pour cinquante ans. Généralement, Brian rédigeait ses mots d'adieu à la main (ça a un côté personnel, comme ça – en outre, il n'avait rien d'une dactylo, vous pouvez l'en croire – et quant aux traitements de texte, il ne voulait pas en entendre parler), mais ce serait sympa d'essayer la machine – et dans l'immédiat, Brian n'avait rien de plus urgent à écrire : Adieu monde cruel, c'était là le message essentiel, par les temps qui couraient.

Il avait bien essayé les cachets, évidemment ; ç'avait été assez agité, cette fois-là, lui semblait-il, parce que, bien qu'il ait avalé de pleines poignées de Panadol, il ne ressentait rien de particulier, alors il avait commencé de se bourrer de toutes les pilules qui lui tombaient sous la main : huile de foie de morue, pastilles Rinstead pour la santé des gencives, cocktails de vitamines – il s'était même mis à croquer de l'Alka-Seltzer. Il allait s'envoyer résolument dix paquets pleins de purgatif Bob Martin's, histoire d'avoir le poil bien luisant (il les avait achetés pour trois fois rien – même s'ils n'avaient *pas* de chien, ni rien) quand il s'était brusquement senti malade, sur quoi il avait passé le reste de la soirée à hoqueter dans la salle de bains ; Dotty lui avait proposé une pastille Rennie, miraculeusement rescapée de l'orgie, et Brian avait dégobillé derechef, rien qu'à sa vue.

276

Résultat des courses, il avait laissé tomber les cachets. Une autre fois, il avait opté pour un couteau de cuisine – un long couteau à scie. Avait doucement passé son pouce sur le fil de la lame : cela conviendrait-il ? Pas question de saboter le travail, hein ? Des artères à moitié tranchées, ça n'apporte jamais rien, à personne. Alors, il était allé chercher la pierre à aiguiser et s'était acharné sur la lame, avant de se rappeler soudain l'existence d'une espèce d'affûteuse mécanique, un modèle ancien, avec des disques métalliques, un truc qui traînait là depuis, pffffu, des *siècles* : dans le tiroir supérieur du bureau, si sa mémoire était bonne. Mais l'engin était complètement pétrifié de rouille – donc, on sort l'huile Trois-en-un, un petit coup de papier de verre, et en moins de temps qu'il n'en faut pour le dire, l'outil était comme neuf, et le couteau de cuisine affûté comme un sabre d'abordage, sur quoi Brian s'était dit Mon Dieu, maintenant que j'ai sorti tout le matos, autant m'occuper aussi des autres couteaux (je ne supporte pas le travail à moitié fait), et le temps qu'il en ait terminé, il était crevé, et Dotty lui annonçait que le thé était prêt et je ne sais pas… l'instant était passé (ce qui est le propre des instants – tandis que Brian, lui, n'avait pas su profiter de l'instant passé pour trépasser).

La tête dans le four ? Ouais, déjà fait, déjà fait. D'ailleurs, ç'avait sans doute été le pire truc, parce que bon, ce n'est pas pour critiquer Dotty, là – il ne s'agit pas du tout de donner une mauvaise image d'elle, pas du tout –, mais enfin, je ne sais pas, elle ne devait pas avoir la tête au ménage, ce mois-là, je n'en sais rien (ça arrive, ça arrive – Dieu sait que ça peut arriver dans les maisons les mieux tenues), en tout cas, l'intérieur du four n'avait rien d'appétissant, vous pouvez m'en croire. En fait, il était peut-être *trop* appétissant – avec tous ces résidus oléagineux de rôtis depuis longtemps digérés – enfin, ce n'était pas exactement le genre de chose que l'on a envie de contempler de tout près, mais quand on est à genoux, la tête fourrée dans les entrailles calaminées de la bête – eh bien, disons que ça fait partie du jeu.

Brian avait préféré ne pas s'accrocher à la grille (visqueuse, collante – très vilaine, la grille), de sorte qu'il se tenait aux brûleurs au-dessus (pas beaucoup plus ragoûtants). Et puis soudain, il s'était dit Oh non, ce n'est pas possible, tout de même ? Franchement, je n'en ai pas la moindre idée – mais si ce bidule est *électrique*, alors là, c'est foutu à la base. Mais non, non, pas d'angoisse – il est au gaz : une mort douce, douce... Bon Dieu, le gaz, ça pue méchamment, quand même... c'est écœurant... je sens que je vais être malade, et ce n'est pas *ça* l'idée : *oui* je veux mourir, mais je ne veux pas que ce soit pénible. Toute décision à prendre quant à un séjour prolongé dans le four lui échappa, comme tout à coup (aujourd'hui encore je ne comprends rien au truc : j'ai peut-être tripoté un bouton, quelque chose comme ça) des flammes bleues lui jaillissaient au nez telles des vipères sifflantes, et s'il ne s'était pas retiré vite fait, son visage aurait été transformé en rillons bien dorés sur une assiette. On appelle ça avoir eu chaud. Et je vais vous dire une bonne chose – ces histoires de suicide, c'est tuant.

Et cette fois, ce serait quoi ? Je ne peux pas vous dire – aucune idée. Tout ce que je sais, c'est qu'il faut en finir. Parce que je ne trouverai jamais d'acheteur pour la maison, hein ? Il n'y a personne au monde qui veuille acheter ma maison ; dieux du ciel, pour ces putains de vacances, j'ai même essayé de récolter un peu plus d'argent en mettant en vente toute ma collection de plaques d'égout – et personne, personne n'en n'a voulu non plus – ce qui est franchement stupéfiant. Donc, il n'y a plus que ça à faire, plus que ça. Bien – voilà, le mot est prêt (un peu pâlot, le ruban encreur) ; l'enveloppe, maintenant : NE PAS OUVRIR AVANT LE 1er AOÛT 1998. C'est-à-dire demain. Donc, c'est aujourd'hui ou jamais. Pas le choix. C'est toujours soit au milieu de l'été, soit juste après Noël : je ne supporte pas ces deux moments de l'année, je ne sais pas pourquoi.

Brian appuya l'enveloppe aux robinets (comme ça, elle sera forcée de la voir). Je suis réellement navré de te faire ça, Dotty, tu sais – je me rends bien compte que ce n'est pas un truc que l'on a forcément envie de vivre quand on prend une semaine de vacances au bord de la mer, mais crois-moi, c'est mieux pour tout le monde, à terme. Et puis maintenant, tu as la petite Dawn : tu n'as plus besoin de rien d'autre. Moi, je ne ferais que t'encombrer.

Brian prit un exemplaire du journal local, jeta un dernier regard à l'intérieur de la caravane (il était extraordinairement doué pour les dernières visions qu'il emporterait de ce monde) et sortit au grand soleil, verrouillant la porte derrière lui. Je vais marcher un peu – marcher un peu, lire un peu, et puis me mettre à réfléchir à la meilleure façon de me débarrasser de moi-même : pour le moment, je n'ai pas l'ombre d'une idée en tête – j'espère bien que quelque chose va se déclencher.

Brian erra ainsi dans les avenues du camping, prenant vers les hauteurs, et les caravanes commencèrent de se disséminer. Il se retrouva sur une étendue élevée, déserte, où l'herbe rare, rêche et raide, poussait par plaques sur le sable : le vent soufflait fort, par ici. Continuant, il arriva à un endroit où le sentier dévalait soudain vers la mer, sans protection. Fit encore un pas ; puis un autre. Déjà son cerveau lui enjoignait de rebrousser chemin, de reculer, tandis qu'il s'approchait encore du vide vertical devant lui. Il regarda au loin, puis baissa les yeux : c'était une sacrée chute.

Brian revint sur ses pas, s'installa confortablement au creux abrité d'une dune. Je vais lire un peu, tiens : quand il était loin de chez lui, il tenait toujours à acheter le canard régional – histoire de se tenir au courant des événements locaux. Le gros titre ainsi que presque toute la première page étaient consacrés à cette nouvelle qu'un type qui, depuis trente ans, vendait justement ce journal à l'entrée du jardin des Festivals ne le vendrait plus dorénavant. En pages intérieures, une photo de ce qui pouvait bien se révéler un être humain, dans une maison vieille d'un siècle. Les dernières nouvelles annonçaient : « Les cambrioleurs se sont enfuis sans rien emporter d'une propriété de Argyle Road. » Eh bien, mes enfants, ça va être le chambard, avec moi : On découvre un cadavre.

Bien. Je crois que j'ai tiré tout le suc de ce torchon, donc maintenant, eh bien... au travail. Brian se leva, s'approcha de nouveau du bord de la falaise. Il se tint là, aussi près du vide qu'il l'osait, les bras le long du corps, ferma les yeux, laissant les rayons du soleil couchant baigner son visage et enflammer ses paupières. Je compte jusqu'à dix, pensa-t-il.

Miles et Melody venaient juste de s'asseoir à la table ronde, plutôt sympathique et la plus éloignée des cuisines, dans le jardin d'hiver du Palace Hotel – ils n'en étaient encore qu'à déplier leur serviette d'un claquement désinvolte – quand le maître d'hôtel vint déposer une enveloppe sur la table.

« Pour madame », dit-il.

Ils la regardèrent, puis se regardèrent, et leurs sourcils tourmentés traduisaient une vague surprise.

« C'est toi ? s'enquit Melody.

– Bien sûr que non, ce n'est pas moi, puisque je suis *là*. Pourquoi voudrais-tu que je t'écrive une lettre ? »

Melody haussa les épaules, glissant un pouce dans l'enveloppe qu'elle déchira d'un coup sec. « Je me disais que ça pouvait être une surprise. » Elle déplia la feuille de papier, la contempla. La contempla si longtemps que Miles, ne pouvant plus se retenir, la lui arracha des mains.

« Ce doit être une plaisanterie quelconque, fit Melody d'une voix blanche de stupéfaction. Tu es bien *sûr* que ce n'est pas toi qui m'envoies ça, Miles ?

– Mais bien sûr que... bon, voyons, lisons cela. Dieu tout-puissant... mais c'est quoi, cette histoire ? "Assez joué, ma petite épouse adorée..." Tu m'as dit que tu n'étais *pas* mariée – parce que moi, c'est *fini*, les nanas mariées.

– Mais je ne suis *pas* mariée – absolument *pas*. Bien sûr que non. Je serais au courant, tu ne crois pas ? Non, c'est pour ça que je dis que ce doit être une plaisanterie... oh, non, je sais – il y a erreur sur la personne, ça ne m'est pas destiné. Oh, c'est drôle, fit-elle avec un petit rire mauvais, parcourant la salle à demi pleine, je me demande pour qui c'était ? Parce que je ne sais pas qui est le mec, mais il a l'air de ne pas rigoler, lui. »

Miles poursuivit sa lecture : « "Tu es prise sur le fait, et tu paieras pour cette ignoble trahison..." Bon Dieu, ce n'est pas possible, quand même ? "... Quant à ton amant, c'est un homme mort. Avec mon amour fidèle. John..." Putain, mais c'est qui, ce John ?

– Je t'ai dit – je n'en ai pas la moindre idée. Je ne connais *aucun* John. Non, c'est destiné à quelqu'un d'autre – forcément. »

Miles fit signe à un serveur et demanda le maître d'hôtel.

« Écoutez, fit-il quand celui-ci arriva à leur table, se penchant avec attention, cette lettre, d'où vient-elle ? Qui vous l'a remise ? Parce que ce n'est pas pour nous – il doit y avoir erreur sur le destinataire.

– Le monsieur a été très précis, monsieur. Il m'a tendu l'enveloppe dans le hall, il y a environ une demi-heure, et m'a demandé de la remettre à la dame qui déjeunait en compagnie de Mr. McInerney. C'est bien vous, monsieur ? »

Miles hocha la tête. « Mmmm. Oui. C'est bien moi. » Il regarda Melody avec une suspicion accrue, tandis qu'elle lui opposait un visage totalement effaré, des yeux comme des soucoupes. « Pouvez-vous nous apporter la carte des vins ? conclut Miles.

– Miles, écoute…

– Tu m'as *dit* que tu n'étais pas mariée. Pourquoi t'es-tu sentie obligée de me mentir ?

– Non, *écoute*, Miles – je ne suis *pas* mariée, d'accord ? Et je ne comprends rien à toute cette histoire !

– Mon Dieu, on peut supposer que ce fameux "John", qui que ce soit, connaît quand même sa propre femme, hein ? Pourquoi lui as-tu dit que tu déjeunais ici ? »

Melody donna un grand coup de couteau à pain sur la table et braqua sur Miles les mille watts d'un regard survolté par l'incrédulité totale et la fureur outragée.

« Miles, essaie de bien retenir ceci : je ne connais *pas* de John, je n'ai rien dit, à personne, et je ne suis *pas* – tu entends ? – je ne suis *pas* mariée : nous sommes pareils, toi et moi, et c'est pour ça que c'est si agréable – alors ne *gâche* pas tout. Je n'ai pas d'enfant – tu n'as pas d'enfant ; je suis célibataire – tu es célibataire. Okay ? D'accord ? Alors fais-moi *confiance*. »

Tout cela, évidemment, si lui ne m'a pas embobinée avec un tissu de mensonges, se dit Melody avec un brusque accès de rancune : parce qu'il a *l'air* marié – il y a un *truc* d'homme marié, chez lui.

Miles hocha lentement la tête : mon Dieu – j'étais bien obligé de dire ça, hein ? Ce matin, au lit, elle n'arrêtait pas de raconter qu'elle espérait que ce n'était pas une banale *aventure* d'été, parce qu'elle en avait déjà tellement vécu, et que cette fois elle voulait que ce soit un *vrai* truc. Bon, eh bien soit, d'accord, si c'est ce qu'elle a envie d'entendre : c'est un *vrai* truc, Melody – évidemment que ce n'est pas qu'une simple aventure d'été – parce que toute ma vie j'ai attendu quelqu'un comme toi, et que là, peut-être, c'est enfin arrivé. Pas vraiment le bon moment pour lui parler de bobonne et des mômes, hein ? On lui dit ce qu'elle veut entendre, hein ? Comme ça, elle reste agréable. En tout cas, c'est un fameux coup, et elle va me faire la semaine : dingue du cul, croyez-moi. Et après, *sayonara*, et bonjour chez vous.

Ce doit être une espèce de test, pensait Melody : bien *évidemment* que c'est Miles, cette lettre idiote – qui d'autre, hein ? Eh bien, j'ai prouvé mon honnêteté – je ne mens pas, voilà. Enfin, bon, j'étais bien obligée de mentir, à propos de Dawn, n'est-ce pas ? Il hait les mômes, c'est évident – comme beaucoup d'hommes, quoi qu'ils en disent – j'en sais quelque chose. Mais je suis vraiment accrochée à ce mec – je pourrais même me décider pour lui. Il est grand temps que j'aie quelqu'un pour régler mes factures – comme Elizabeth avec Howard. Et ce Miles, il a l'air pas mal friqué : il signe, il signe, et voilà.

« Bon, fit Miles. On oublie tout ça.

– Parfait. Mais Miles – est-ce que tu me *crois* ? Jamais je ne te mentirai, mon chéri – il faut que tu me fasses confiance. Et c'est la même chose pour toi, non ? »

Miles hocha la tête, tendit une main vers celle de Melody ; le regard, à présent. « Oui, fit-il d'un ton assuré. *Oui* : je ne te mens pas – quel intérêt y aurais-je ? » ajouta-t-il avec un réalisme qui faisait preuve de sa bonne foi. Bon, je lui balance le paquet, ou pas ? Ouais... rien à perdre, hein ? « Parce que je *t'aime*, Melody. »

Ouais... ça marche : regardez-moi ces yeux-là, elle fond comme un caramel. C'est super, elle sera encore plus chaude, tout à l'heure.

« Eh bien, dit Miles au sommelier qui rôdait depuis un moment, je crois que nous allons prendre un Dom Pérignon. »

Il faisait sombre quand Norman sortit enfin du bar (je ne suis pas vraiment *resté* là – simplement, je n'avais pas encore complètement réussi à me décider à *partir*) et – oh là là – on a dû boire quelques verres, hein ? Je me sens un peu… enfin, ça *va*, mais je suis un peu… un peu fatigué, vous voyez. Combien de verres, en fait ? J'en sais rien, j'ai pas compté. Norman plongea une main dans sa poche de pantalon et en tira une boule de billets froissés qui étouffaient le tintement de quelques rares pièces de monnaie : il avait dû picoler pour quelque chose comme soixante dollars. Bon, et après ? Plus rien ne pouvait le toucher, à présent ; quand on est littéralement à vif de douleur, quand on n'est plus que douleur, on a facilement l'impression d'avoir traversé, à un moment, une ligne imprécise, au-delà de laquelle on échappe à toute douleur. Donc, retour à l'hôtel : c'est ça ou rien. Je ne vois aucun autre endroit où aller. Katie m'attend déjà peut-être là-bas ? Norman secoua la tête, et esquissa un demi-sourire… je crois que l'on appelle cela un sourire *sinistre*, en principe. Non, non, Katie ne l'attendait pas. Et la chambre d'hôtel, immense et déserte, n'allait-elle pas se révéler vaguement démoralisante ? Mais si, ô combien – totalement et définitivement ; mais ce serait la même chose n'importe où, sur toute la terre – et au moins il y ferait chaud, d'une curieuse chaleur froide. Bon, Katie était avec Rick. Ce fameux Rick qui était tombé du ciel, un soir. Et Norman, lui, ne ressentait nullement la luxuriante, la sensuelle présence de Chicago la nuit : pour Norman, les vives lumières de la grande cité s'étaient éteintes – une à une, et pour toujours.

Le poids qui l'écrasait en serait-il allégé, s'il l'avait fait partager à Katie ? Devrait-il se libérer, crever l'abcès avec elle ? L'incrédulité l'avait envahi soudain (je suis où, en fait ? Est-ce la bonne rue ? Oui, je crois bien – et sinon… eh bien, ce n'est pas la bonne rue, voilà tout) ; parce que ce n'est pas *vrai*, n'est-ce pas ? À peine deux jours auparavant, il était vautré dans un bain, en train de la filmer qui s'empalait sur lui, et maintenant… Oh mon Dieu, je ne peux pas, je ne peux pas – je n'arrive pas à imaginer ce qu'elle est peut-être en train de faire en ce *moment même*. Mais bon, écoute – je sais que c'est dur (putain, ce que c'est *dur*!) mais ne pourrais-tu pas essayer de te calmer un peu, juste assez pour pouvoir enfin tâcher de voir les choses *rationnellement* – enfin, aussi rationnellement qu'un mec prêt à déjanter peut examiner une situation aussi inconcevable. *Écoute*, Katie, ça ne peut plus durer. Voilà ce que je vais lui dire. C'est bon, ça? Mmmm – pas terrible, hein? Parce qu'il n'y a qu'une réponse à cela, n'est-ce pas : *Qu'est-ce* qui ne peut plus durer, Norman? Ce à quoi je réponds... Ça, quoi, *tout ça*. Et elle répond Mais *quoi, tout ça*, Norman? C'est nul, hein? On pourrait jouer comme ça toute la nuit, et jusqu'au matin sans arriver à rien. Si ce n'est que cela ne durerait *pas* toute la nuit. Non. Non, si l'on en juge par la nuit *dernière* : parce que Katie ne rentrerait pas, voyez-vous. Pas avant le matin. Toute chaude du lit de Rick.

Bon, alors je fonce dans le tas : *Écoute*, Katie – bon, tu as rencontré ce type, vachement sexy, j'imagine (juste ciel, juste ciel! Ça ne peut pas durer comme ça, j'ai trop mal, *trop mal*!), et tu... euh... enfin tu t'es sentie *attirée* par lui, et flattée, et, euh... tout ça. Ce sont des choses qui arrivent. Surtout à une fille jeune, dans un pays étranger – et bien connu pour ce genre de chose. Mais il faut que tu te rendes *compte*, Katie (oh, rends-toi *compte*, je t'en prie) que c'est *moi* qui t'aime – moi, Norman, tu sais : je *t'aime*, Katie, comprends-tu? Je veux *t'épouser* et te garder avec moi pour toute la vie et... bon, *Rick*... d'accord. Mais c'est juste une *aventure*, un flirt d'été, tu vois? Alors on oublie tout ça, d'accord? On prend un nouveau départ. On efface l'ardoise. Je suis prêt à tout pardonner, tout oublier, on n'y fera même plus allusion, plus jamais – tu es d'accord? Ça te convient? *Lamentable* : avant même que tu aies commencé ton petit discours, elle t'aura ri au nez de telle façon que tu seras déjà moitié séché – aucun espoir. C'est complètement foutu d'avance, Norman, j'en ai bien peur : désolé, tout ça, mais autant le dire tout de suite.

Ouais, tu as raison : c'est très mauvais. Bon, alors, ce que je vais *faire*, dans ce cas, c'est simplement… attendez, attendez, là : est-ce que je ne suis pas déjà passé devant cet énorme bâtiment, il y a à peu près un quart d'heure ? Ou bien était-ce carrément un autre énorme bâtiment ? Je crois que je ne saurai jamais me repérer dans cette ville – et je sais, ça je le sais, que jamais je n'y reviendrai. Non, écoutez, ce que je vais faire (d'accord, c'est bien ça – je m'y reconnais, à présent : l'hôtel doit se trouver au prochain coin de rue, ou peut-être au suivant) ; ouais, ce que je vais faire, c'est lui poser une série de questions très courtes, très précises (et très douloureuses, d'accord), pour voir ce qu'elle trouve à répondre. Essayons : Katie – est-ce que tu te plais davantage avec ce Rick qu'avec moi ? Ha ! Fastoche : *oui*. Bon. Okay. Il a pas mal d'argent, hein ? Réponse : Mmm-mmm. Hum. Et tu m'as tout l'air… attirée par lui. Là, elle hoche la tête. Et vu que tout d'un coup, tu passes la plus grande partie de ton temps avec lui, cela ne te soucierait pas trop, n'est-ce pas, si moi, je n'étais carrément pas là ? Réponse : Bien vu. Ouais, ouais… Donc, que dirais-tu Katie, que dirais-tu, franchement, si je te disais que je rentre à Londres par le prochain avion ? Réponse : Tchao, Norman ! Mon Dieu, Mon Dieu, je crois que je ne peux pas en supporter davantage.

Tiens, me voilà dans ma chambre d'hôtel : c'est très, très bizarre – pas le moindre souvenir du hall, ni de l'ascenseur. Mais bon, j'y suis, aucun doute. Et puisque j'y suis, je vais m'envoyer une douzaine de verres. Ouais, je vais aligner les petites bouteilles, comme ça (c'est charmant, ce petit tintement des mignonnettes), et commencer par les plus claires pour finir par les plus ambrées. Parce que je n'ai pas réellement besoin de te poser toutes ces questions, n'est-ce pas, Katie ? Ce n'est pas vraiment nécessaire. Alors pourquoi ne pas m'épargner cette honte cuisante? J'ai vendu tout ce que je possédais pour elle; j'ai volé mon employeur à plusieurs reprises – c'est-à-dire son père, Dieu me pardonne – et regardez Katie, mais *regardez-la*, je vous en prie!

Donc je pense que ce que j'ai de mieux à faire, c'est vider mes bouteilles, puis ranger soigneusement ce cœur déchiré, saignant, et cette âme couverte de cendres dans mon grand sac brun, et te quitter, mon amour : ainsi, au moins, me sera épargnée cette abomination matinale de savoir ce que Katie a fait, après m'avoir laissé.

En outre, Norman n'aurait été nullement réconforté de savoir à quoi son employeur – c'est-à-dire son père, Dieu le pardonne – s'employait activement, en cet instant précis : installé dans son bureau, il examinait des bilans, se penchait sur des registres, allant même jusqu'à noter telle ou telle donnée sur son ordinateur (il avait horreur, horreur de ce truc-là). Zouzou, lui, était assis près de la fenêtre, au petit bureau où, jour après jour, il faisait plus ou moins mine de remplir quelque tâche insignifiante (parce qu'il fallait bien justifier sa présence, n'est-ce pas? Sinon, les gens auraient pu jaser – vous savez bien comment c'est, les gens). Soudain, il déclara, avec cette espèce de franchise désarmante qui était la sienne :

« Mais, *même* s'il a pris de l'argent, c'est tellement grave? »

Howard leva les yeux. « Grave? Mon Dieu, bien sûr que c'est grave, Zouzou – c'est mon argent à moi, non? C'est ma société. Je veux dire – ce que je te donne à *toi*, c'est différent, il n'y a pas de problème – mais je n'aimerais pas que tu te serves, par exemple, tu vois? »

Chose que tu ne fais jamais, n'est-ce pas?

« Oui, je comprends, dit Zouzou d'une voix égale, mais ce que je veux dire, c'est – si ce type, je-ne-sais-qui, de chez Bixby's, ne vous avait pas mis au courant, vous auriez soupçonné Norman? Vous n'avez jamais remarqué qu'il manquait de l'argent, si?»

Jamais, n'est-ce pas, jamais?

«Mon Dieu non – *s'il* en manque. Je ne sais pas encore vraiment – c'est difficile à dire. J'ai beaucoup de mal à croire que Norman pourrait faire une chose pareille – je trouve que je le paie très correctement. Je ne vois pas du tout pour *quoi* il aurait besoin de plus d'argent : il n'est pas marié, il n'a pas de gosses à charge, ni d'hypothèque sur le dos. Je ne l'ai même jamais vu avec une fille. Non, c'est un type sans histoires, Norman.

– Il a peut-être un petit ami, dit Zouzou.

– Ooooh non, non, répondit aussitôt Howard, instinctivement. Norman n'est pas du tout comme ça.»

Je n'aurais peut-être pas dû dire ça.

«Qu'est-ce que cela veut dire, "comme ça"?» s'enquit Zouzou d'une voix douce.

Non, en effet, je n'aurais pas dû.

«Eh bien… tu sais, toussa Howard. Ceux qui préfèrent, euh… les hommes.

– Moi je ne suis pas comme ça, vous savez, déclara Zouzou. Vous le savez?

– Oui, répondit Howard, lentement. Oui, je *crois* que je sais. Tu vois, c'est assez curieux, Zouzou – oui, c'est sans doute curieux, je suppose –, mais moi *non plus* je ne suis pas comme ça. Je veux dire… je te trouve très beau, et tu sais bien à quel point tu me plais et tout ça, mais s'il se trouvait que tu étais une *fille*, tu vois… eh bien, cela me conviendrait parfaitement.»

Zouzou hocha la tête. «Oui, je comprends. Je crois que je ressens la même chose, plus ou moins. Par exemple, Katie me plaît beaucoup.»

Howard lui jeta un regard aigu. «Vraiment?» fit-il simplement.

De nouveau, Zouzou hocha la tête. « Je n'imaginerais même pas de m'approcher d'elle – elle me fait un peu peur. Et vous savez, elle m'a complètement ignoré, la première fois que j'ai mis les pieds ici. Comme si j'étais invisible – elle ne m'a même jamais *parlé*. Et vous, si – c'est tout.

– Oui », dit Howard d'une voix lente. Que faire de ces informations, en fait ? Je veux dire – je comprends parfaitement ce qu'il *dit* (en tout cas, je *pense* comprendre) mais c'est difficile de parler ainsi des gens dont il *s'agit*, là : je sais ce que je ressens envers Zouzou (c'est une chose), et je sais ce que je ressens envers Katie (c'en est une autre, complètement) mais je trouve ce discours... je ne sais pas, *déconcertant.* Ça ira, déconcertant ? Bon, en tout cas, ça ira pour l'instant – quitte à préciser ma pensée plus tard. Mais juste ciel, j'aimerais vraiment qu'on n'aie pas ce genre d'échange, là – il dit un truc, je réponds un truc, et tout d'un coup, on se retrouve en pleine *discussion,* et je n'ai pas du tout, du tout *envie* de ce genre de chose avec lui.

« Elizabeth me plaît beaucoup, aussi, reprit Zouzou – même si je ne l'ai aperçue qu'une seule fois, par la fenêtre.

– Bien, dit Howard, je crois que nous en avons assez fait pour la journée. On remballe et on rentre à la maison, d'accord ? Il est temps de prendre un verre. Ah là là, j'aimerais bien que Brian m'appelle – j'ai passé toute la matinée au téléphone avec ce fameux Davies. Si je ne peux pas lui confirmer que Brian accepte son offre, il va se rabattre sur une autre propriété, à tous les coups. Il tient absolument à trouver quelque chose rapidement. Et il est en contact avec d'autres agences, ça je le sais de manière sûre.

– Avez-vous entendu ce que j'ai dit ? s'enquit Zouzou.

– Oui. J'ai entendu. Bien – allez, on y va. Un verre ne me fera pas de mal. Elizabeth n'aurait tout de même pas oublié de transmettre le message, n'est-ce pas ? C'est vraiment ridicule, de ne pas pouvoir joindre Brian. »

Zouzou s'était levé, et rangeait dans le tiroir les dossiers qu'il se contentait généralement de regarder sans les voir. « Comment voulez-vous que je sache ? Elle oublie les trucs, comme ça ? Je ne la connais pas, Elizabeth : c'est *votre* femme. »

Howard l'observa, déjà sur le seuil (un pied déjà au dehors – un verre, vite). Cet enfant était-il *à ce point* naïf ? Ou bien était-il d'une intelligence si acérée, d'une finesse si épouvantable, que Howard avait des frissons rien qu'à l'idée d'en soulever le moindre coin ? Je ne sais pas. Je ne sais vraiment pas. Oh, et puis la barbe avec tout ça – on ferme la boîte, et je vais me le prendre, ce putain de *verre*.

« Mmmm – Dotty ! » fit soudain Elizabeth d'une voix assourdie par une bouchée de morue grillée et de frites, puis elle posa couteau et fourchette de chaque côté de son assiette, tout en indiquant d'un doigt tendu que le processus masticatoire n'était pas encore achevé, mais que à la seconde même où l'ultime déglutition aurait eu lieu, Dotty saurait de quoi il retournait, vous pouvez y compter. D'ailleurs, voilà – un petit coup de serviette, et on y va :

« J'ai complètement oublié de te dire : Howard a eu une offre, pour votre maison, et il faut que Brian l'appelle.

– Vraiment ? » répondit Dotty d'une voix bovine. Mon Dieu, oui, en y pensant bien, elle se disait que cela devait sans doute arriver un jour (tout finit par se vendre) mais bon, depuis six mois, tant de gens étaient venus fouiner dans et autour de la maison – personne ne l'aimait, et tout le monde y allait de son commentaire sur ces saloperies de plaques d'égout de Brian – que cette possibilité paraissait de plus en plus lointaine. Dotty ne souhaitait pas déménager. Non qu'elle fût attachée à cette maison, ni rien de ce genre – quoique cela ait été vrai, jadis : jadis, elle était attachée à nombre de choses, et puis ces choses

290

avaient disparu, ou lui avaient été ôtées – mais le changement ne faisait pas partie des ambitions terrestres de Dotty : tout bouleversement était une malédiction. En outre, elle appréciait évidemment le voisinage immédiat d'Elizabeth ; enfin (et ça, c'est le truc horrible, je n'ose même pas y penser), où qu'ils aillent, ce serait pire, infiniment pire : Brian n'en avait même jamais parlé, ce qui voulait tout dire, et confirmait, jour après jour, les plus sombres pressentiments de Dotty.

« Mais il a dit, reprit Elizabeth, que la somme était en dessous du prix demandé – de combien, je ne sais pas », mentit-elle. Parce que, mon Dieu, je ne vais pas lui casser le moral, à cette pauvre Dotty – regardez-la : elle est si heureuse avec la petite Dawn, elle se fait minuscule, disparaît presque derrière ce petit être – mais pour le reste... poh poh poh. Rien que sa robe, par exemple : même neuve, elle n'a jamais été bien sensationnelle – mais *à présent*! Et quand on a pris du poids comme ça, en plus – parce que ça se voit –, choisir précisément une robe sans manches, à encolure carrée, ce n'est peut-être pas ce qu'il y a de plus malin, n'est-ce pas ? Enfin je veux dire – bon, Elizabeth savait que Brian avait quelques difficultés et tout –, mais il devait quand même pouvoir lui offrir deux trois trucs pour l'été, non ?

« Mais je n'ai pas la moindre *idée* de ce que nous en demandons, avoua Dotty. Je l'ai su, au début, mais il me semble bien que nous avons baissé le prix deux fois, depuis. Ça ne me concerne pas, tout ça. Je dois dire que cette morue est franchement délicieuse – d'une *fraîcheur*...

– Ma sole est divine », confirma Lulu. Dieux du ciel, se disait-elle, j'aimerais assez ne pas être obligée de regarder manger ce bébé : c'est parfaitement répugnant. Sa bouche, son menton étaient barbouillés de marron, et Dotty continuait d'enduire généreusement cette même zone de grosses cuillerées de quelque chose qui évoquait vaguement le ragoût de chien aux prunes. Bon, j'imagine que le bébé n'y peut rien – mais quand même : ça n'est pas ragoûtant. Du tout.

« Donc, tu préviens Brian, n'est-ce pas ? continuait Elizabeth. D'après ce que m'a dit Howard, j'ai l'impression qu'ils paieraient en liquide, et comme tu le sais, ce genre d'acheteur n'aime pas que ça traîne dix ans. Sinon ils te glissent entre les doigts. »

Dotty hocha la tête. « Je lui dirai ça ce soir. » Oui, je le lui dirai, et il filera jusqu'à cet atroce petit pub et essaiera de se faire entendre au téléphone au-dessus du vacarme et des vociférations d'une centaine de machines clignotantes et carillonnantes, gracieusement déposées là par les Abrutis Anonymes pour la distraction des connards du coin ; après quoi, selon toute probabilité, il s'enverra un de leurs gâteaux pourris.

« Et si nous prenions un taxi pour y aller tout de suite ? suggéra Elizabeth avec un sourire radieux. Je meurs d'envie de visiter cette fameuse propriété !

– Mmmm, approuva Lulu. D'après ce que vous nous avez dit, elle a l'air extraordinaire.

– Vous savez, fit Dotty avec de grands yeux où se lisait la candeur des êtres simples, ça paraît complètement incroyable, mais figurez-vous que nous n'avons qu'une *seule* clef – c'est fou, non ? Et c'est Brian qu'il l'a sur lui, et Dieu sait où il est à cette heure-ci. Je crois bien qu'il m'a parlé d'une randonnée à pied, je ne sais plus où. Enfin, c'est quand même dingue, hein ? Pour la clef, je veux dire. Évidemment, nous avons contacté les propriétaires, mais pour l'instant – pas de réponse. C'est vraiment dommage – j'aurais tellement aimé vous montrer l'endroit. Ce sera pour une autre fois. »

Ce coup-là, elle l'avait préparé de longue date, il suffisait d'ajouter l'assaisonnement en fonction de l'instant.

« Si nous reprenions une bouteille d'Evian ? fit Lulu. Il faut boire des litres et des litres d'eau, en été. »

– À présent, nous buvons l'eau du robinet, à la maison »,
déclara Dotty. Autant le dire – pourquoi pas ? « Je pense que
cette histoire d'eau en bouteille est un attrape-nigaud. » Non,
je ne le pense pas. Pas du tout. La différence est évidente, et
en outre, j'aime *vraiment* l'eau minérale, particulièrement la
Badoit, mais Brian dit qu'il est *hors de question* d'acheter de
l'eau – *hors de question*, c'est bien compris ?

« Berk, fit Lulu. Savez-vous que j'ai lu quelque part que l'eau
du robinet a déjà été avalée et digérée au moins six fois par
d'autres gens ?

– Oh *non*, frissonna Elizabeth. C'est *vrai* ? Mais c'est répugnant.

– Oui, contre-attaqua Dotty, mais une partie de cette eau a
bien dû commencer par être de l'*Evian*, non ? »

Lulu, éprouvant quelque difficulté à s'étendre sur ce sujet-*là*,
s'intéressa soudain, on ne sait pourquoi, à la petite Dawn, dont
le visage tout entier semblait avoir fait les frais de l'explosion
d'une bouse de vache, de sorte que Lulu renonça finalement au
pudding (une mousse au chocolat, alors ? Je ne sais pas, cela ne
me dit trop rien), bon, et si on retournait profiter de ce soleil
magnifique, d'accord ?

Mais le soleil semblait avoir été mis en détention provisoire :
une bruine légère, invisible l'avait remplacé, et toutes trois traversèrent la route en courant – Dotty pilotant la poussette de
Dawn comme un karting et riant comme une collégienne, Lulu
se concentrant pour éviter que ses seins ne ballottent (technique
qu'elle avait apprise dans une école d'arts d'agrément de Lau-
sanne), tandis qu'Elizabeth s'écriait intérieurement, d'instinct,
Mes cheveux ! Mes cheveux ! Las ! Ses cheveux, elle le savait,
étaient déjà sacrifiés : il faudrait prendre rendez-vous au salon
de l'hôtel, dès leur retour.

En Grande-Bretagne, quelle que soit la station balnéaire, on
échoue toujours au moins une fois au W. H. Smith's local ; c'est

là qu'elles se trouvaient à présent (je ne pense pas que la pluie s'installe – non, ce n'est qu'une averse, ça va passer), Elizabeth fonçant sur *Vogue* et *Harper's Bazaar*, vivement secondée par Lulu qui avait pris en charge la plupart des autres mensuels épais et pelliculés (ça pèse une tonne, ces trucs-là). Dotty, pour sa part, secouait toute une série de jouets débiles, en peluche et en plastique, devant le regard bleu et dansant de Dawn (dont elle avait plus ou moins nettoyé le visage, Lulu l'avait remarqué non sans dégoût, en mouillant son mouchoir de salive pour effacer avec une douce énergie le plus gros de la purée qui le maculait), se décidant pour le plus mignon de tous, avant de finalement prendre également tous les autres. La veille, Brian était passé chez Smith's, et avait acheté, lui avait-il avoué d'une voix sourde, *La Menuiserie facile* et *Vous et votre caravane*, ce qui ne causera pas un choc fatal à quiconque le connaît un tant soit peu (d'ailleurs, il n'existe pas de revue consacrée aux plaques d'égout : il devrait peut-être en créer une).

Après quoi (regardez, vous voyez, j'avais raison : le soleil revient, derrière ce nuage bas – je vous l'avais bien dit), Lulu était tombée en arrêt devant une paire de souliers à brides sublimes, d'un rose crémeux, dans la vitrine d'une boutique relativement chic : il les lui fallait ; Elizabeth, au même endroit, fit l'acquisition de mocassins noirs – elle n'en avait pas vraiment besoin, mais ils étaient ravissants – tandis que Dotty, accroupie à l'entrée, agitait devant le minuscule champignon qui servait de nez au bébé une araignée orange qu'elle avait extraite de sa toile vert acide ; le rire de Dawn, comme elle tendait deux toutes petites mains pour s'en saisir, lui fit fondre le cœur.

Elles déambulèrent le long du front de mer – achetant au passage trois cornets de glace à la petite boutique près de la jetée, avec l'auvent rayé blanc et jaune (Dotty prit un sucre d'orge, sans savoir pourquoi, puis choisit un nuage collant de barbe à papa, qui eut le don de transformer instantanément

Dawn en Schtroumpf psychédélique). Bientôt, résonna l'appel du cappuccino – ooooh, volontiers, avec plein de copeaux de chocolat dessus : en fait, je suis absolument *épuisée* – nous avons dû marcher des kilomètres (merci mon Dieu, pensait Lulu, je ne porte *pas* ces souliers à brides sublimes, d'un rose crémeux – absolument pas pratiques, mais ils seront complètement divins avec le fourreau beige passé que j'ai acheté chez Donna Karan).

« Je trouve, déclara Dotty – et sa lèvre supérieure, sous le nez écarlate, s'ornait à présent d'une moustache de crème mousseuse – je trouve que ce sont les meilleures vacances que j'aie jamais passées. » Certes, nous comprenons ce qu'elle entend par là.

« Moi aussi, j'adore », renchérit Elizabeth. Et c'était le cas – infiniment plus qu'elle ne l'aurait pensé.

« Moi aussi, ajouta Lulu, mais en fait, je ne crois pas que je vais rester ici toute la semaine. Plus maintenant.

– Oh, mais *pourquoi*? fit Elizabeth d'une voix implorante. Oh, ne partez pas. Ne partez *pas*.

– Mais c'est à cause de *John*, vous comprenez? Je sais qu'il va être de plus en plus impossible à vivre – ce ne sera pas le premier séjour que je devrai écourter, à cause de son comportement. Enfin, je sais *bien* que beaucoup d'hommes se montrent un peu jaloux, par moments, mais John, lui – c'est autre chose, réellement.

– Je pourrais peut-être lui parler? » proposa Elizabeth. Ça ne me dit rien, rien *du tout*, mais je n'ai pas envie non plus de perdre Lulu.

Lulu lui jeta un regard qui signifiait si-seulement-c'était-aussi-simple. « Si seulement c'était aussi simple, dit-elle. Vous pensez peut-être que je n'ai pas essayé? Quelquefois, j'ai l'impression de passer mon temps à *parler, parler, parler*. Je vais vous dire, Lizzie, c'est *tellement* fatigant – au bout d'un moment, on n'en peut plus. »

Elizabeth hocha la tête : oui, ce doit l'être – et oui, on doit ne plus en pouvoir.

« J'ignorais que tu aimais que l'on t'appelle Lizzie, déclara Dotty.

– Cela m'est égal, sourit Elizabeth. Ça ne me déplaît pas.

– Je suis terrifiée à l'idée de le retrouver ce soir. C'est comme un nuage qui plane sur toute la journée. » Et Lulu secoua la tête, de chagrin peut-être.

Elizabeth lui trouva soudain l'air incroyablement jeune et vulnérable – et si jolie, si touchante. « Eh bien, dit-elle, ma proposition tient toujours, pour la chambre – Dieu seul sait si nous reverrons *un jour* Melody. J'en doute fort. Parce qu'une fois qu'elle a un homme dans le collimateur, le monde entier peut bien aller au diable.

– Même Dawn, dit Dotty d'une voix sereine.

– *Surtout* Dawn, confirma Elizabeth.

– Enfin bref », fit Dotty.

Elizabeth vida sa tasse de café. « Elle est comme ça.

– Mais pourquoi avons-nous *besoin* des hommes ? s'enquit Lulu. Parce que je veux dire, finalement, ils ne nous apportent que des ennuis, n'est-ce pas ?

– Ce doit être *affreux* d'être un homme, affirma Dotty. Jamais je n'aurais voulu naître homme. Et toi, Elizabeth ?

– Je n'arrive pas à imaginer ça… non, je crois que je demanderais à changer – parce que *j'adore* être une femme, j'adore tout ce qui est féminin. Ce doit être d'un ennui *mortel*, d'être un homme. Et puis il faut *travailler* et tout ça.

– La seule fois où je ressens jamais le désir du pénis, déclara Lulu en souriant – ce qui mobilisa aussitôt, on s'en doute, l'attention des deux autres –, c'est quand je fais la queue pour aller aux toilettes des dames… »

Hilarité générale, complicité et connivence. Puis Lulu ajouta, d'une voix presque pensive, et nettement plus basse : « Vous savez – je me suis souvent demandé ce que... enfin, quel *effet* cela leur fait...

– Cela... hasarda Elizabeth avec précaution... quand ils...? »

Lulu hocha la tête. « Ouais. Ce qu'ils *ressentent,* réellement. Parce que ça a l'air très différent de notre... de nous. Ce doit être assez sensationnel quand... enfin quand ils jouissent partout, comme ça. »

Je ne suis pas bien sûre de comprendre, songeait Elizabeth : Howard n'a *jamais* joui partout comme ça – tandis que Dotty, elle, se disait : Je ne peux pas vraiment entrer dans le fameux débat sur l'orgasme féminin par opposition à l'orgasme masculin, parce que je n'ai jamais connu le premier, et que je n'en ai rien à péter du deuxième.

« C'est sans doute le seul avantage qu'il y ait à être un homme », déclara Elizabeth.

Lulu hocha la tête. « Je pense que nombre d'hommes seraient d'accord avec vous.

– Bien, on rentre à l'hôtel, les filles? suggéra Elizabeth. Je vendrais mon âme pour un bon, un interminable bain brûlant, avec plein de mousse – et j'aimerais vraiment passer chez le coiffeur avant le dîner. Et puis un petit coup de champagne ne serait pas pour me déplaire non plus.

– Moi, je vais rentrer directement avec Dawn, si ça ne t'ennuie pas, Elizabeth. Elle est bien fatiguée, la pauvre petite chérie. Ça a été une longue journée, pour elle.

– Tu la gardes, alors? fit Elizabeth. Merci mon Dieu! Je suis désolée, Dotty – mais de toute évidence, tu as le truc, avec elle : avec Melody et moi, elle est déchaînée.

– Au fait, je ne t'ai pas dit? Lulu et moi sommes tombées sur Melody, ce matin, en t'attendant – elle filait dare-dare avec tu-sais-qui, naturellement. »

Lulu hocha la tête : certes, elle avait l'air plutôt pressée.

D'ailleurs, cela avait donné une curieuse petite scène, parce que Dotty et Lulu, qui ne se connaissaient pas encore, étaient restées là à bavarder de choses et d'autres, avec une cordialité quelque peu artificielle – et Lulu se rappelait cet homme, là, en train d'ouvrir un rouleau de pastilles de menthe extra-forte, et Dotty (elle ne pourrait dire pourquoi elle avait fait cela ; une impulsion – elle n'aimait pas particulièrement la menthe extra-forte) était allée vers lui et lui avait carrément *demandé* une pastille, qu'il lui avait bien évidemment offerte avec un sourire, puis il en avait également offert une à Lulu qui avait accepté par pure politesse, mais sans la mettre en bouche, parce qu'elle *détestait* et avait toujours détesté la menthe extra-forte. Sur quoi Melody était arrivée au petit galop, et Dotty lui avait demandé si elle pouvait garder la petite Dawn pour une nuit encore, et Melody – Lulu l'avait vu, de ses yeux vu – Melody semblait avoir oublié jusqu'à l'existence du bébé, et avait répondu Hein ? comme ça, l'air de rien, Oh, ouais, Dotty – ouais ouais, parfait, si tu veux. Certaines femmes (telle Dotty, se disait Lulu) sont nées pour être mère, tandis que pour d'autres (telle Melody – et peut-être un jour, Lulu elle-même), c'est… différent, dirons-nous.

« Bon, en tout cas, Dotty, dit Elizabeth – elles étaient de nouveau dehors, difficile à croire qu'une ou deux heures auparavant, il faisait gris et pluvieux –, n'oublie pas de prévenir Brian, pour la maison – oh, et puis Colin : dis bien à Colin que s'il a envie de dormir à l'hôtel cette nuit encore, il n'y a absolument aucun problème. Et je vous l'ai dit, Lulu, vous êtes également la bienvenue. Chez Lizzie, chambres à toute heure ! Pension bon marché !

– Merci, Lizzie, fit Lulu avec un sourire, mais il faut bien que j'affronte tout ça, tôt ou tard. À l'heure qu'il est, il doit être en train de grimper aux murs. Allez – venez, on bouge. Vous m'avez donné envie d'un verre de champagne, à présent. »

Dotty les regarda s'éloigner avec force signes d'adieu.

« *Nous*, nous n'avons pas besoin de champagne, hein, Dawn ? Non non, pas nous, pas nous. Ce qu'il nous faut, c'est un grand biberon bien tiède, un peu de pudding aux fraises, et puis un bon bain – c'est *ça* qu'il nous faut, hein, mon bébé ? Et puis, avant de partir, ton grand frère nous racontera peut-être son tour en bateau : je suis sûre qu'il a adoré ça. J'espère qu'il n'a pas oublié de prendre son pull, parce qu'il peut faire drôlement froid, en bateau, n'est-ce pas, ma petite Maria ? Mais oui, drôlement. *Drôlement.* »

Lorsque Colin avait finalement rejoint la caravane, personne n'était encore là, Dieu merci – ç'aurait été trop abominable de devoir *expliquer* le truc, en plus du reste. Et puis, quel retour ! Ce sera forcément, forcément, forcément la pire journée que j'aurai vécue de toute ma vie. C'est pas vrai – mais quel branleur, quel *branleur* je fais ! Qu'est-ce que Carol peut bien *penser* de moi ? Ha, cette question ! Elle ne pense *pas* à toi. Elle ne pensera plus jamais à toi. Pourquoi penserait-elle à toi ? Si j'étais elle, *moi*, je sais bien que je ne penserais déjà plus à toi.

Carol l'avait déposé au port – lui doté d'un teint de petit pois en boîte, elle visiblement soucieuse et interrogative. Bon, tu es bien *sûr* que ça va aller, Colin ? Oui, vraiment, honnêtement, ça va aller. C'est *sûr* ? Mmmm, je me sens très bien maintenant, Carol, vraiment – mais je suis affreusement désolé d'avoir… enfin, pffffu. Ne sois pas stupide, hein : du moment que tu vas bien – c'est sûr, n'est-ce pas ? Oui, honnêtement – ça va bien maintenant. Cela avait duré des siècles ; et Terry, ce salopard de Terry qui restait sur le quai à examiner Colin comme si c'étaient là les restes desséchés de quelque gringo téméraire, échoué bras en croix au milieu du désert du Mexique, après que les busards ont fait ripaille.

Évidemment, il n'avait pas assez d'argent pour prendre un

taxi – et comme il avait presque instantanément renoncé à décrypter le tableau des lignes et des horaires des bus, il ne lui restait plus qu'à rentrer à pied – et Dieu sait que cela faisait une trotte –, en traversant la ville puis en empruntant la grande route (pas de vrais trottoirs : rien à voir avec Londres, juste de l'herbe et des saloperies d'orties), passant devant le lotissement récent pour atteindre enfin le paradis des caravaniers. Quant à l'odeur… juste ciel, la puanteur de ses vêtements avait failli le faire vomir de nouveau ; il avait collé le pull dans l'évier – le jean, ça pouvait aller. Pour ce qui est du tee-shirt, il l'avait fourré dans une grande poubelle commune, à côté du robinet extérieur : parfois, trop c'est trop.

Plus tard, beaucoup plus tard : voilà le dos de maman, penchée comme d'habitude sur cette saleté de bébé, et mimi, et gnagna. Cela dit, si Dawn est ici, cela veut peut-être dire que je pourrai… ? Oui – oui, apparemment. Elizabeth a dit que je pouvais sans problème retourner dormir à l'hôtel. Super. Une bonne bouffe, une bonne nuit : c'est déjà ça, hein. Ouais ouais, maman, j'ai passé une super journée, merci, c'était génial. Ouais ouais, on a été jusqu'en Australie, on a renfloué le *Titanic* au passage, et je t'ai rapporté un coffre rempli de doublons : dieux du ciel, mais qu'est-ce que les parents voudraient qu'on leur *raconte* ? Ils s'attendent toujours à ce qu'on leur donne tous les détails, et trouvent bizarre qu'on se contente de hausser les épaules en marmonnant vaguement quelque chose – mais hausser les épaules en marmonnant, c'est parfait, si vous tenez à le savoir, parce que ça peut signifier tout et n'importe quoi, et vous épargner les discours. Parce que de toute manière, *même* si vous racontiez, même si vous répondiez à toutes leurs questions débiles, ils n'écouteraient *pas*, d'accord ? Je veux dire – prenez maman, en ce moment : elle est encore en train de faire l'andouille avec ce foutu bébé – elle lui *parle*. Le bébé, il ne va pas répondre, hein ? Non, il ne va pas répondre parce qu'il ne peut pas parler. *Moi*, je peux parler, et *moi*, je peux répondre, mais personne ne me dit jamais rien, pas maman ni papa en tout cas – enfin, rien qui vaille la peine qu'on écoute. Je me demande à quel moment exactement, à quel moment précis de votre enfance vos parents, tous les deux, deviennent complètement tarés ? Cinglés, comme ça, je ne sais pas pourquoi – et c'est irréversible, ça j'en suis à peu près sûr.

Ensuite, elle avait demandé à Colin s'il avait vu son père. Non, je ne l'ai pas vu, mon père. J'ai vu le père de *Carol* – qui, lui, est vraiment super (dieux du ciel, il doit penser que je suis un véritable *gamin*, de m'être comporté comme ça : il doit être en train de se bidonner comme pas possible en y repensant, avec ce connard de *Terry*), mais non, pas du tout, je n'ai pas eu l'occasion d'apercevoir mon propre père, non non. D'ailleurs je ne serais pas plus ennuyé que ça de ne plus jamais le revoir. Parce que, ça sert à *quoi*, un père, en fait, quand il est lui-même d'une telle *nullité* ?

Plus tard, sur le pas de la porte, il avait dit : Bon, eh bien je file alors. Maman ? Tu entends ? Je dis que j'y vais. Pourrais-tu me donner un peu d'argent, pour le taxi ? Maman ? *Maman ?* Putain, cette saloperie de *bébé* – elle n'entend rien, pas un traître mot. Désolée, Colin, tu disais quelque chose ? De l'argent, maman – pour le taxi, tu sais ? Tiens, il y a un billet de dix livres, là, regarde, près du four – il est bon le pudding, ma petite chérie ? Miam-miam-miam ? Bon, à plus tard, maman. Je dis *à plus tard*. Eh merde, va te faire voir.

Mais Colin ne rentrait pas à l'hôtel – pas tout de suite, du moins ; plus tard, certes, mais pas dans l'immédiat. Bon, d'accord, il y avait une chance sur mille – vous croyez peut-être que je ne m'en rends pas *compte* ? – mais il faut absolument que je tente le coup. Parce que, n'est-ce pas, elle peut *toujours* arriver. C'est possible. Pas pour *moi* – évidemment non, pas pour *moi* –, mais simplement parce qu'elle aime bien venir par ici pour, je ne sais pas, regarder le ciel, écouter la mer – et peut-être se gratter le cul, à cause de cette saloperie de sable et de ces saloperies d'herbes toutes piquantes.

Colin s'assit. Resta là, assis, attendant. Se leva. Se rassit. Dieux du ciel, quand quelqu'un dit *aimer* ça, je me demande vraiment quel plaisir il peut bien y *trouver*. Parce que je ne vois *aucun* intérêt là-dedans, pour personne : c'est un peu comme si on était mort.

Puis, soudain, il perçut des froissements et craquements de pas qui s'approchaient. Super. Enfin, je pense. Oh, et puis je ne sais plus, tout d'un coup : ce n'est peut-être pas du tout une bonne idée.

« Oh, mince, regarde ! fit la voix railleuse de Terry. Regarde un peu, nous avons la visite de Sir Francis Drake en personne.

– Oh, je t'en *prie*, Terry, glapit Carol, exaspérée. Est-ce que tu es *obligé* d'être toujours aussi *infect* ?

– Alors, qu'est-ce qui t'amène, Colin ? reprit Terry sans lui prêter attention. On est venu en douce, histoire de dégueuler encore un petit coup, c'est ça ?

– Laisse-le, Terry. Fiche-lui la paix.

– Tu sais quoi, Colin, c'est la première fois que je te vois sans que tu sois couvert d'une merde ou d'une autre. Maman t'a fait prendre un bain ? »

Colin bondit sur ses pieds et, écarlate, les lèvres retroussées comme un chien, se jeta sur Terry qui leva un seule main et le reçut d'une claque qui l'envoya à plat sur le dos, trente-six chandelles tournoyant dans les yeux – c'est dire si tout cela se déroula en un rien de temps. Comme Carol s'agenouillait auprès de Colin, Terry laissa échapper un rire gras et s'éloigna d'un pas dégagé. (« Ne sois pas trop longue à recoller les morceaux, Carol – le dîner va être bientôt prêt. ») Colin leva les yeux, contempla le visage de Carol. Oh non, non, juste ciel, elle était encore en train de le *materner*. Sur le bateau, c'était à plat ventre, et tout vert, maintenant, c'était à plat dos, et tout rouge – mais toujours vautré, et impuissant ; fondamentalement, cela revenait au même.

Et tout comme, sur le bateau, Colin n'avait absolument pas pu prévoir son accès de nausée, de même, à présent, il était effaré en s'apercevant que de gros sanglots montaient à sa gorge ; que de lourdes larmes brûlantes jaillissaient de ses yeux à présent, ruisselaient sur ses joues – il avait plus que tout l'expression tendue, presque douloureuse d'un homme qui cherche à toute force à comprendre une plaisanterie qui lui échappe. Carol aussi était franchement stupéfaite, car elle se voyait maintenant embrasser le front de Colin, puis descendre jusqu'à ses paupières, caresser doucement le battement mouillé de ses cils. Une espèce d'anxiété passa brièvement dans son regard, en un millième de seconde, puis Colin ne vit plus rien comme, se penchant encore, elle pressait franchement, sans hésiter, ses lèvres contre sa bouche – et une brusque bouffée de chaleur, un éclair de terreur le parcoururent en un frisson, lui coupant le souffle.

Il faisait sombre à présent, mais Colin semblait irradier. Le corps de Carol s'était encore appuyé sur le sien, il sentait contre son torse la pression insistante de deux seins fermes – fermes comme peut être ferme une balle de caoutchouc, par exemple, et il se demandait s'il pouvait y mettre la main, si ce serait toléré – mais déjà il en avait saisi un, et Carol l'embrassait plus fort. Il tenait toujours ce sein, et cela manquait le faire défaillir ; il avait conscience de son propre corps qui se pressait malgré lui contre celui de Carol et, dieux du ciel, aidez-moi, si seulement il avait su quoi *faire* maintenant !

Et soudain elle fut debout, s'écarta de lui – tout à la fois tendue et souple au-dessus de lui, comme un chat guettant sa proie. Colin tendit les bras vers elle. Encore, encore.

« *Cccchhht*! fit-elle brusquement. Écoute!»

Colin tendit l'oreille au vent du soir, essayant de percevoir quelque chose au-delà du martèlement qui emplissait sa tête.

« Je n'entends...

— *Écoute*! fit de nouveau Carol. Il y a quelqu'un, là-bas, pas loin. Je le sais. Je le sens.

— Il n'y a personne », chuchota Colin. Et puis je m'en fiche, s'il y a quelqu'un. Il pourrait bien y avoir toute une armée, je m'en fiche : simplement, n'arrêtons pas de faire ce que nous sommes en train de faire, quoi que ce soit.

Carol s'écartait doucement – à quatre pattes, le dos voûté ; Colin émit un gémissement qui venait de loin, mais bon, que pouvait-il faire d'autre que la suivre ? Elle rampa ainsi jusqu'au sommet de la petite dune qui avait été pour Colin, si brièvement, le berceau du plaisir. Elle se raidit soudain, tendit un doigt.

« Regarde! Là... là. Il y a un homme, là-bas.

— Je ne vois... » commença Colin – mais si, attendez! Il distinguait, en effet, ce qui pourrait bien être une silhouette, ma foi – quelqu'un, debout, on dirait bien. « Mais Carol, personne ne peut nous voir. Si c'est *bien* quelqu'un, il ne peut rien voir de là où il... »

Mais déjà Carol s'approchait encore, toujours rampant, mais plus vite à présent, Colin sur ses traces. Oui, c'était bien quelqu'un. Bizarre, vraiment bizarre. Mais... non, inutile de dire quoi que ce soit, parce que Carol l'avait remarqué comme lui : l'homme ne les regardait pas, il ne pouvait pas les voir, parce qu'il leur tournait le dos, et pourtant il demeurait là, immobile, tout au bord de la falaise – bien visible à présent, se découpant nettement dans la pénombre aux alentours.

Encore plus près, encore... Mais, non, ce n'est pas... juste ciel. Carol leva soudain les yeux vers Colin qui s'était redressé d'un coup, et avançait à grandes enjambées, les membres raidis, puis s'arrêtait soudain, portait ses mains à sa bouche, en porte-voix, et hurlait :

« *Papa !* »

Le corps de Brian parut comme secoué d'une décharge électrique et, dans un murmure d'air brassé, disparut brusquement, abandonnant Colin à l'immensité de la nuit bleue et profonde, au-delà.

CHAPITRE VI

S'étant glissée dans la chambre, aussi silencieusement que possible, Lulu se sentit plus soulagée qu'elle n'aurait pu le dire. Heureuse surprise : non seulement John dormait, mais il était plongé dans une profonde inconscience, vautré en travers du lit, complètement comateux : il portait un vague haut de pyjama, son pantalon à demi dégrafé, en partie caché sous les couvertures. Une odeur fétide de renfermé régnait dans la pièce, des bouteilles vides jonchaient le sol au hasard, renversées comme sur un stand de jeu de massacre – et puis, là-bas, regardez : près du téléphone, un tas de mignonnettes également vides ; il avait aussi grillé un nombre impressionnant de cigarettes, qu'il avait écrasées dans et hors des cendriers.

Lulu éteignit la télévision, sur l'écran de laquelle les couleurs acides de CNN rayonnaient sans bruit, et une harpie redoutable, à la chevelure agressive, se vit aussitôt coupée dans son élan, alors qu'elle commençait juste à donner une méchante semonce à l'univers tout entier. Lulu passa dans la salle de bains et se déshabilla, puis enfila le peignoir blanc à monogramme de l'hôtel, plus rêche qu'il n'y paraissait. Elle se brossa les dents, prenant d'infinies précautions pour éviter de heurter le moindre objet – bien qu'elle sache que, vu l'état de John (elle l'avait déjà vu dans cet état-là), il aurait fallu pour le moins qu'un tremblement de terre le précipite à bas du lit, face contre terre, pour éventuellement le faire réagir.

Seul un lampadaire était allumé, tout près du lit. Lulu glissa la main sous l'abat-jour de papier plissé, tâtonna autour de la douille, sans parvenir à trouver le... ah, là-bas, par terre, un interrupteur à pied inclus dans le fil de la lampe. Lulu appuya dessus, et, les bras tendus, se dirigea vers le lit, guidée seulement par de vagues ombres grises, à peine plus claires que le reste de la chambre.

Le lit était immense, ce dont Lulu se félicitait – non seulement parce qu'il y avait ainsi moins de risques de tirer son époux ivre mort de son sommeil bruyant, ronflant, d'alcoolique, mais aussi parce qu'elle éprouvait le besoin de rester à distance de lui : dorénavant, peut-être aucune distance ne serait-elle trop grande, entre eux. Je ne peux pas, se dit-elle en s'allongeant sur le matelas (tant pis pour les draps – aucune importance), je ne peux pas continuer comme ça. Que ce soit à court ou à long terme, ce n'est plus possible, plus possible. Elle ne pouvait continuer à fuir ainsi, à passer ses journées au-dehors avec Lizzie pour rentrer furtivement comme une criminelle – c'était impossible, n'est-ce pas ? Je pense qu'il va falloir rentrer à la maison dès demain, se disait-elle – tout est plus facile à supporter à la maison (à la maison, le chagrin, la frustration retrouvent leurs repères familiers). Chère Lizzie – j'espère que je continuerai toujours à la voir ; déjà, je pense à elle comme à une amie fidèle, une vraie amie. Et Lulu était sérieuse quand elle lui posait cette question, plus tôt dans la journée : pourquoi, en fait, avaient-elles *besoin* des hommes ? Parce que finalement, ils ne nous apportent que des ennuis, n'est-ce pas ? *N'est-ce pas ?*

Sur quoi Lulu dut bientôt dériver vers le sommeil. Elle ne s'en pensait pas capable, malgré sa fatigue douloureuse, physique, mentale – mais soudain, la lumière du matin filtrait jusqu'à elle par les fines lamelles mouvantes d'un rêve entrecoupé, et Lulu faisait le dos rond, se détournait corps et âme, refusant, jusqu'aux tréfonds d'elle-même, d'affronter cette journée. À l'instant où la conscience s'emparait brusquement d'elle, Lulu se souvint, en un éclair, qu'elle ne devait en aucun cas dépasser les limites qu'elle s'était imposées, celles d'un cercueil – trop tard hélas, car déjà elle avait heurté le poids mort de John qui poussa un grognement, comme s'il avait été grossièrement interrompu en pleine allocution – et déjà il lui semblait bien percevoir des claquements de langue et de lèvres sèches, parcheminées au matin. On aurait dit que John cherchait à discerner divers goûts, à retrouver la nature exacte de tel ou tel ingrédient caché. Puis un bâillement furieux, comme le grondement sourd d'un bœuf que l'on maltraite, la fit sursauter et frémir, car bientôt ses bras allaient se dresser, se tendre, sa bouche s'ouvrirait toute grande, puis un œil. Puis l'autre. Et tandis que ses jambes s'allongeaient, cherchant instinctivement l'extrémité du lit, les ongles de sa main exploraient machinalement sur son visage – qu'éclairait une myriade de taches de son – et voilà, chère Lulu, voilà, on ne pouvait plus prétendre, à présent, que John était endormi (et voilà pourquoi elle se durcissait, se raidissait pour affronter ce qui allait arriver maintenant).

La salle de bains était toujours un refuge bienvenu, dans ces moments-là, mais Lulu avait à peine parcouru la moitié de la distance qui la séparait de la porte – devant elle, s'étendaient encore des kilomètres de moquette pelucheuse comme une houppette – que John s'était brusquement redressé et, tout en grimaçant de douleur, de confusion à ce mouvement, aboyait déjà, commençait déjà de l'assommer d'accusations, comme à coups de matraque :

« Je t'ai *coincée*, cette fois, pas vrai, espèce de misérable *salope*. Viens là – ne t'enferme pas là-dedans –, viens là. Et tout de suite. Allez, viens... »

Mais John ne prenait aucun risque : il était sorti du lit en titubant, et se dirigeait vers elle d'une démarche vacillante tout d'abord, puis plus assurée. Et toute l'angoisse, toute la tension accumulées de cette nuit arrachèrent un cri de désespoir à Lulu :

« Je t'en *priiiiieee*, John, *arrête*! Je n'en peux plus, John, je t'en supplie – je n'en peux *pluuuus*! »

John la saisit aux épaules ; elle tenta de se dégager, mais non, John la tenait, il la tenait aux épaules.

« C'est *toi* qui n'en peux plus! *Toi!* Alors mets-toi à *ma* place, Lulu! C'est *ma* femme qui vient de rentrer en douce, après s'être fait baiser comme une dingue par un type qu'elle connaît à peine!

– John, mais qu'est-ce que tu *dis*? Mais est-ce que tu entends ce que tu *dis*? C'est quoi, cette histoire? Tu es fou, tu es devenu fou – vraiment, je crois que tu es *fou*, John. Je ne connais *aucun* homme – tout ça, c'est dans ta tête. Arrête, s'il te plaît. Je t'en prie, arrête.

– C'est dans ma tête – je vois. » John s'était un peu calmé : la menace était toujours présente, certes (et Lulu tremblait toujours) mais bon, on lui laisse un peu de mou, d'accord? Un peu de corde.

« Donc, j'imagine que tu vas me raconter qu'hier tu as déjeuné avec cette fameuse *Lizzie* imaginaire, c'est cela? »

Lulu ouvrait des yeux immenses dans son effort pour le convaincre.

« Mais *oui*, John, *oui*. J'ai déjeuné avec Lizzie. Et elle *existe*, John, elle *existe*. C'est les autres qui sont *imaginaires* – cet homme, ces hommes, je ne sais pas, ce que tu te crées dans ta tête – c'est *eux* qui n'existent pas : ils n'existent que dans ton *esprit*, je t'assure.

– Mmm-mm, je vois. Et pendant que tu déjeunais avec ta "Lizzie", personne n'est venu t'apporter de *lettre*, par hasard? Ça aussi, je l'invente, hein? »

Lulu fit un pas en arrière, se figea. Mon Dieu. Il est peut-être *réellement* devenu fou : regardez ses yeux – il a vraiment des yeux de fou. J'ai peur, là. J'ai peur.

« John, reprit-elle d'une voix aussi ferme qu'elle le pouvait, je ne comprends pas. Une *lettre* ? Je n'ai pas reçu de lettre ! Une lettre de qui ?

– Tu joues bien, Lulu. Quel sang-froid, *bravo*. Malheureusement pour toi, je *sais*, moi, que tu as reçu cette lettre, parce que c'est *moi* qui ai filé vingt livres au serveur pour qu'il te la remette en main propre, et il m'a affirmé l'avoir fait. Peux-tu m'expliquer *ça*, Lulu ? »

Lulu avait envie de pleurer. Je suis malheureuse. Je ne comprends rien. Je suis malheureuse, j'ai envie de pleurer, de pleurer.

« J'attends, Lulu. » Oui, j'attends ; ça ne mange pas de pain, n'est-ce pas ? Je peux me le *permettre*.

Lulu le regardait, les yeux suppliants. « John… ? » Voilà tout ce qu'elle parvenait à dire.

« Et que voudrais-tu me faire croire encore ? Mmm ? Qu'en réalité tu n'étais *pas* avec un homme, dans cet hôtel, ici, hier matin, à la première heure ? Par exemple ? C'est encore un fantasme imbécile, un truc que je crée dans ma *tête*, c'est cela ? »

Lulu demeurait paralysée de stupeur – je ne comprends pas, je n'arrive pas à comprendre *où* il va chercher ces trucs-là. Parce qu'il n'y a *aucun* homme, je n'ai même pas *parlé* à un homme. Et c'est… oooooh, mon Dieu, mon Dieu… Vous savez d'où cela vient, en fait ? Ce n'est pas possible, je n'arrive pas à le *croire* – oh mon Dieu, c'est franchement *risible* : c'est ce truc idiot, dans le hall, c'est à cause du type, quand j'ai pris une pastille de menthe : John devait me surveiller, et à partir de ça, il a échafaudé tout un scénario complètement insensé, un truc de fou !

« John – pour l'amour de Dieu : il ne s'est absolument *rien* passé… »

Les yeux de John saillaient comme ceux d'un crapaud furieux, et il resserra sa prise sur les épaules de Lulu. Je continue à l'agripper comme ça, ou je la tue maintenant ?

« Rien ? » répéta-t-il d'une voix blanche. Puis, avec une colère incandescente : « *Rien ?!* Mais tu te fous de moi, *rien ?!* Tu n'as pas refusé, apparemment ? »

Lulu n'en croyait pas ses oreilles. « Mais non, je n'ai pas refusé, dit-elle d'une voix étranglée – *évidemment* que je n'ai pas refusé… et après ? »

C'était au tour de John de rester pétrifié. « Et *après…* ? »

Lulu passa une main dans ses cheveux, éperdue d'angoisse. Que pouvait-elle bien dire d'autre ? Mais qu'est-ce qu'il veut entendre ? Est-ce que *ça* pourrait le calmer ?

« Mais je ne l'ai même pas mise dans ma *bouche*, John. »

John bondit en arrière, comme sous l'effet d'une décharge électrique.

« *Parfait*, fit-il d'une voix terrible, méconnaissable. Je vais… » Il s'interrompit, tourna vers elle un visage ravagé. « Tu es capable, comme ça, de me dire que tu as *accepté* ce que te proposait cet homme, un étranger total, tu me dis tranquillement, en plein visage, que tu as *accepté*, mais que ça n'a aucune importance parce que tu ne l'as pas *sucé ?!* »

Lulu haussa les épaules. « Mais non – je n'aime *pas* ce goût-là, c'est trop fort. Enfin, tu le sais bien, John… Bon, dis-moi, là, où est le *problème* ? »

John se dirigeait vers la porte, raide comme un jouet mécanique remonté à fond.

« Je vais tuer cet homme, Lulu. Et ensuite, ajouta-t-il, juste avant que la porte ne claque derrière lui, ensuite, je m'occupe de *toi*. »

Mon mari, se disait Lulu – elle restait là, immobile, figée –, ce matin mon mari est devenu fou. Il a perdu l'esprit. Bon à enfermer. Est-ce *moi* qui l'ai fait basculer? Suis-je ce genre de femme? Cela ne fait même pas deux ans que nous sommes mariés, et lui est fou, et moi, j'ai les nerfs complètement délabrés, et je suis même peut-être en danger réel, physique. Au début, ce n'était *pas* comme ça; mais à présent, ça ne ressemble plus à rien.

Il faut que je parle à Lizzie. Quelle heure est-il? Oh mon Dieu, il est seulement... il n'est même pas... non, je ne peux *pas* la déranger maintenant, elle doit encore... mais il *faut* que j'y aille, absolument, j'ai besoin de parler à quelqu'un, et *tout de suite*. Je me donne un petit coup sur les cheveux, d'abord? Oh et puis non, on s'en fout, des *cheveux* – bon, j'y vais? Si j'appelais d'abord? Ou bien j'y vais directement? Oui, j'y vais, j'y vais, *évidemment* que j'y vais, bon sang de bon sang: parce qu'à cette minute même, John est en train de rôder dans les couloirs, de parcourir tout l'hôtel à la recherche d'un homme qu'il veut tuer.

Où est la clef? Tant pis pour la clef. Non – il faut que je prenne la clef. Mais non, aucune importance, la clef – tiens, la voilà, justement. La clef. Voilà. J'y vais, maintenant. Le couloir est désert. Une longue perspective de portes indifférentes, chacune gardée par un numéro du *Times*, comme par une sentinelle lourdement affaissée. Lulu était arrivée à la porte d'Elizabeth sans avoir le moindre souvenir d'avoir gravi l'escalier – elle allait devoir frapper fort à la porte, malgré l'heure, malgré les rangées de portes fermées, obtuses, gardées par les journaux intacts – elle allait devoir tambouriner comme une folle.

À sa grande surprise mêlée de soulagement, la porte s'ouvrit presque aussitôt, révélant une Lizzie superbe dans un somptueux peignoir de satin vieux rose. Elle leva les sourcils en signe de bienvenue, et lui fit signe d'entrer. Plus surprenant encore, Dotty était là, à côté de la fenêtre, portant une tasse de café à ses lèvres, et vêtue d'une espèce de jogging. Lulu se sentit envahie par cette étrange sensation d'être simplement arrivée à point nommé, à peine en retard, comme à un rendez-vous fixé depuis bien longtemps.

« Eh bien, nous voilà toutes les quatre réunies, dit Dotty. À l'aube en plus. C'est drôle, vraiment. » Et pour une fois, Miss Lulu n'a pas l'air génial : génial.

Lulu regarda autour d'elle – oui, la petite Dawn était là aussi, plongée dans un profond sommeil.

« Bonjour, Dotty, fit-elle d'une voix brève. Écoutez, Lizzie, il est arrivé quelque chose d'assez horrible... enfin, je *crois*... c'est tellement difficile à dire...

– Qu'est-ce qui se *passe*, Lulu ? fit Elizabeth, visiblement inquiète. Juste ciel, quelle *matinée*!

– Eh bien... Oh, mon Dieu tout cela paraît complètement *dingue*, mais John – mon mari, n'est-ce pas ? John, vous voyez ? Eh bien, il dit qu'il va tuer un homme. Et j'en suis presque à le croire. Il est réellement devenu *fou*.

– *Tuer* un homme ? répéta Dotty. Mais qui ? Au fait, Brian aussi est devenu fou. Comme ça se trouve, hein...

– Mais c'est justement ça ! s'exclama Lulu, éperdue. Je ne sais même pas de qui il s'agit ! Vous vous souvenez, Dotty – hier matin, vous vous souvenez de cet homme, dans le hall ? Avec ses pastilles de menthe ?

– Vaguement. Ah, si, je me rappelle – je lui ai en demandé une. »

Lulu hocha la tête, parfaitement consciente que ce qu'elle allait dire à présent relevait de l'incroyable : « Eh bien, c'est *lui*. Il dit qu'il va le tuer.

– Oh, Lulu, intervint Elizabeth avec circonspection, êtes-vous bien certaine d'avoir saisi ? Pourquoi voudrait-il...

313

– Mais apparemment, parce que ce pauvre bonhomme m'a offert une *pastille* – quand je vous *disais* qu'il est devenu cinglé, Lizzie… Il est persuadé que j'ai *déjeuné* avec ce type… *complètement* cinglé.

– Bon, prenez une tasse de café, Lulu. Asseyez-vous et buvez un peu de café, fit Elizabeth d'un ton ferme, tapotant le dossier de la chaise à côté d'elle. Je vais lui dire que nous avons déjeuné *ensemble.* »

Lulu se laissa tomber sur la chaise avec un soupir. « Oui, je donnerais *n'importe quoi* pour une tasse de café, Lizzie. Noir, s'il vous plaît. Mais il ne vous écoutera pas – il n'écoute pas, jamais. Qu'est-ce que je peux *faire* ? »

Elizabeth secoua la tête. « Je ne pense pas que vous puissiez vraiment faire grand-chose, Lulu. Ce n'est sûrement pas sérieux – il ne connaît même pas le *nom* de cet homme. Il est juste fou de rage contre vous, c'est tout. Il fait du cinéma. Les hommes sont comme ça.

– J'en sais quelque chose, approuva Dotty. C'est exactement ce que Brian a fait hier soir : du cinéma. Simplement histoire de se rendre intéressant. Et les *ennuis* qu'il a causés à tout le monde… vous ne le croiriez *pas.* »

Lulu ne se souciait guère de savoir ce qu'avait pu faire ce fameux Brian – c'est bien ça ? Elle était infiniment plus inquiète pour John qui, en cet instant même, était peut-être en train d'égorger sa victime – mais bon, autant faire semblant de s'y intéresser, non ? Levons un sourcil interrogateur.

« Je lui montre la lettre ? demanda Elizabeth.

– Lis-la à haute voix, répondit Dotty. Vous parlez de folie, Lulu ? Alors écoutez ça.

– C'est assez incroyable, confirma Elizabeth – même de la part de Brian. Vous ne connaissez pas Brian, n'est-ce pas, Lulu ? Non. C'est sans doute aussi bien. Prête ? » Elizabeth prit sa voix de lecture, guindée et haut perchée : « Quand vous lirez ceci, je serai devenu un poil trop sourd pour vous, et j'aurai fait ce qu'il fallait. Croyez-moi, c'est dur de baisser mais c'est vieux ainsi. Je n'ai même pas été assez bite. Avec tout mon amour. Brian. »

Lulu laissa échapper un hoquet de surprise mêlée d'incompréhension, de stupeur, enfin toutes ces choses.

« Ce n'est pas fini », soupira Dotty, secouant la tête.

Elizabeth conclut : « PS : Lardon.

— Alors, fit Dotty. Honnêtement : ce n'est pas de la folie, ça ?

— Mais Dotty, explique à Lulu ce qu'il a *fait*, la pressa Elizabeth, tandis que Lulu secouait une tête effarée.

— Vous n'allez pas le *croire*, dit Dotty. D'ailleurs j'ai du mal à le croire moi-même. Hier soir – et c'est Colin qui m'a raconté tout ça : il s'est trouvé qu'il était là au bon moment, et c'est une sacrée chance pour Brian. Près de la maison, enfin, de notre – enfin, vous savez – de notre *propriété*, il y a des espèces de falaises – pas vraiment déchiquetées, mais quand même assez raides. Bref, Colin était en train de jouer avec un garçon qu'il a rencontré, paraît-il – celui avec qui il a fait un tour en bateau, vous savez ? Ooooh, Elizabeth, je ne t'ai pas dit, mais il a passé une journée *magnifique* en bateau, il était ravi.

— Tant mieux, approuva Elizabeth. Je suis bien contente.

— Or donc, ce garçon – je ne connais pas son nom d'ailleurs, je ne sais plus si Colin m'a dit son nom… donc, peu importe, ce garçon aperçoit tout à coup un homme debout au bord de la falaise – comme ça, sans bouger –, alors ils vont vers lui, hein, histoire de voir, et, oh mon Dieu… imaginez ce que Colin a dû penser, en reconnaissant son *père*! Parce que c'était *Brian* qui se tenait là-haut! Alors Colin a voulu lui parler, comme on fait dans ces cas-là, le truc normal – tiens, salut papa, qu'est-ce que tu fais là, etc. – et voilà Brian – ça, c'est le pompon… invraisemblable – qui disparaît derrière le rebord de la falaise. Il faisait assez sombre apparemment – sans doute –, et Colin n'a pas pu voir comment ça s'était fait. Il a appelé, appelé. Rien. Alors naturellement, il est rentré en courant pour me prévenir, mais *moi*, qu'est-ce que je pouvais faire, hein? Je ne pouvais pas abandonner Dawn – et même, qu'est-ce que j'aurais bien pu *faire*? Alors j'ai dit à Colin de courir au pub – il y a un pub pas très loin : un endroit complètement charmant, à l'ancienne – avec un toit de chaume et tout ça, divin. Bref, file au pub, Colin, ai-je dit, et... mon Dieu, je ne sais pas, qu'est-ce qu'on *fait*, dans un cas pareil? On prévient la police, non?

– Pourquoi n'as-tu pas appelé de chez... s'enquit Elizabeth.

– Donc Colin a filé au pub dare-dare – oh, écoute, je n'en sais rien, Elizabeth – dans ces cas-là, on n'a pas forcément toute sa *tête*, n'est-ce pas? Enfin bref, il se trouvait qu'il y avait deux gardes-côtes au pub, et ils ont téléphoné à leur... je ne sais pas, leurs *patrons*, enfin je n'en sais rien, peu importe, et Colin les a emmenés à l'endroit où c'était arrivé, et ils l'ont retrouvé immédiatement, parce que au pied de ces falaises, n'est-ce pas, il y a toujours une quantité de *vase* extrêmement épaisse – enfin, à marée basse, j'imagine? Oui, sans doute à marée basse. Je ne sais pas trop. Bref, ce pauvre idiot de Brian était là, fiché tête en bas dans cette vase *infecte* – et si profondément, paraît-il, qu'ils durent mettre des bottes d'égoutier et utiliser des pompes ou je ne sais quoi, enfin tout un *binz* pas possible. Enfin, ils l'ont retiré de là, et juste à temps – un des hommes a dit qu'il aurait très bien pu se noyer, parce que tout son nez, toutes ses oreilles et toute sa bouche étaient pleins de vase, alors ils l'ont nettoyé autant qu'ils ont pu, et il a fini par plus ou moins revenir à lui, mais il *n'entendait* plus rien.

– Mais pourquoi pensez-vous qu'il voulait à ce point devenir *sourd*? s'enquit Lulu. C'est très bizarre. Et quelle drôle de manière il a choisie. »

Dotty laissa échapper un ricanement désabusé. « Mais il *est* bizarre, voyez-vous. Brian. Oh, il devait en avoir par-dessus la tête de m'entendre, *moi*. Bref, ils l'ont transporté à l'hôpital –

Colin l'a accompagné. Il a été vraiment parfait, dans toute cette histoire – je crois qu'il est toujours là-bas, d'ailleurs. Il a passé une nuit blanche, le pauvre gosse. Et donc, apparemment, il s'est cassé le cou.

– Oh, non!» fit Lulu.

Dotty hocha la tête. «Quel pauvre idiot. Enfin, ce n'est pas aussi grave qu'il y paraît – ça n'a pas touché les vertèbres, ni rien. En réalité, je ne sais *pas* s'il est vraiment cassé, mais il est obligé de porter une espèce de gros faux col en plastique dur, enfin je ne sais plus quel nom ça porte. Vous vous rendez compte? J'arrive juste de le voir – il a l'air complètement ridicule, vautré comme ça, à faire perdre son temps à tout le monde –, entouré de gens qui, *eux*, sont vraiment malades. Évidemment, j'avais déjà lu cette imbécillité de lettre, alors je lui ai dit Eh bien j'espère que tu es *content* de toi – j'espère que tu es *fier* de ce que tu as fait. Et puis, je me suis sentie un peu... mon Dieu, il était tellement pitoyable, avec ses oreilles toutes rouges, à vif, parce qu'ils ont dû gratter et gratter encore pour lui enlever toute cette vase – d'ailleurs, il paraît qu'il en reste encore une tonne à l'intérieur. Alors je lui ai demandé quel était le problème avec sa... euh... enfin, vous voyez. Parce qu'il y faisait clairement allusion, n'est-ce pas? Dans la lettre. D'ailleurs, je ne savais pas du tout que ça avait un rapport *quelconque* avec l'audition, mais bref, il a dû se renseigner sur la question. Il est comme ça: il faut toujours qu'il se renseigne sur tout.

– Et qu'a-t-il répondu? s'enquit Elizabeth.

– "Quoi?" répondit Dotty avec un haussement d'épaules. Il a répondu "quoi?": parce qu'il est *sourd*, n'est-ce pas.

– Stupéfiant», fit Lulu, à mi-voix. Une histoire stupéfiante.

«Enfin, voilà le résultat, soupira Dotty avec une sagesse quelque peu désabusée. N'importe quoi pour gâcher mes vacances – c'est du Brian tout craché. Quant à savoir ce que viennent faire les "lardons"... Évidemment, nous allons devoir rentrer, maintenant. Je n'ai aucune envie de rester coincée ici, avec lui dans cet état. Ce sera déjà assez pénible à la maison.

— Oh, *Dotty*! s'exclama Elizabeth, consternée.

— Je n'y peux rien », laissa tomber Dotty avec un haussement d'épaules. Et puis cela m'est un peu *égal*, pour dire vrai — je ne supporterai pas de passer une journée de plus dans cette atroce petite caravane. Et puis, les vacances, c'est bon pour les jeunes. Comme Melody. Et *moi*, je ne suis pas égoïste — je ne suis pas Brian, moi. Et je ne tiens pas à gâcher les vacances de Melody simplement parce que je suis obligée d'écourter les miennes. Non — je vais ramener la petite Dawn à la maison avec moi. Voilà. Comme ça, Melody pourra continuer à s'amuser. Elle est là pour *ça*, après tout.

« Et le pauvre *Colin*, alors ? intervint Elizabeth.

— Oh, je sais *bien*, Elizabeth — tu ne penses pas que ça me fait mal d'y penser ? En plus, il vient juste de se faire un petit copain. Mais qu'y puis-je ? C'est la faute de Brian, entièrement.

— Eh bien, il peut rester *ici*, avec nous. Écoute, nous avons encore deux jours de location, ce serait honteux de les *gâcher* : tout est *payé*, de toute façon. Tu es d'accord, Dotty ?

— C'est adorable à toi, Elizabeth. Je suis certaine qu'il sera ravi. Donc, vous voyez, Lulu, les hommes deviennent *effectivement* fous. Et apparemment, votre époux et le mien ont choisi le même jour pour cela — c'est la seule chose qui vaille qu'on s'étonne, dans tout cela. »

Lulu hocha la tête. « J'imagine que mes vacances aussi sont terminées, maintenant. Je rentre aujourd'hui, Lizzie : désolée, mais ma décision est prise. Je comprends ce que veut dire Dotty — c'est presque supportable, à la maison. Ce n'est pas aussi horrible.

— Avec un peu de chance, glissa Dotty avec un sourire de gamine espiègle, votre mec s'est déjà fait arrêter pour avoir assassiné de sang-froid et avec préméditation l'homme qui vous a offert une pastille de menthe. »

Lulu laissa échapper un ricanement, et Elizabeth aussi se mit à rire : tout cela était simplement trop *grotesque*, n'est-ce pas ? Mais *qu'est-ce* qui ne tourne pas rond, chez eux ?

« Mais que vais-je devenir, *moi* ? leur demanda Elizabeth. Tout le monde *part* – toutes mes amies *s'en vont* ! Et je n'ai pas vu Melody une *seconde* depuis notre arrivée. »

Et soudain, tandis que Dotty et Lulu, de concert, roucoulaient force paroles de consolation, une de ses fameuses idées géniales déferla comme une vague dans l'esprit d'Elizabeth : à distance, Howard dut ressentir l'immense mouvement de houle, et les éclaboussures nacrées, comme elle se brisait et retombait droit sur son objectif.

« Écoutez bien, écoutez bien ! commença-t-elle – tel un animateur vantant les attractions comiques de la semaine suivante –, je viens d'avoir une idée *magnifique*. Après le week-end, d'accord ? Quand tout le monde sera rentré, que *je* serai rentrée, et Katie aussi, enfin absolument *tout le monde*, nous allons organiser une superbe soirée chez *moi*. D'accord ? Ça va être fantastique – et pour Howard aussi, parce qu'il n'a même pas pris un *jour* de vacances, le pauvre amour, et que des petites sauteries comme ça, c'est une *manière* d'en prendre, non ? En plus, il arrivera peut-être à convaincre Brian de ne plus vouloir être sourd – il est assez remarquable, avec Brian. Oh, Dotty – lui as-tu transmis le message, pour la maison ?

– Eh bien, *non*, avoua Dotty. Avec toute cette histoire de cou cassé et de vase dans les oreilles, je n'y ai même pas pensé. Et de toute façon, il n'aurait pas *entendu*, ni rien. Cela dit, je trouve ton idée superbe, Elizabeth. *J'adore* les soirées, en été.

– Nous ferons ça dans le *jardin*, confirma Elizabeth. Je vais appeler Howard, et lui demander de louer la tente de réception la plus grande qu'il puisse trouver – ce sera divin, n'est-ce pas ?

Ce sera la garden-party la plus réussie de l'été – et tant pis pour Buckingham Palace : tout le monde chez Lizzie!

– Ça promet d'être fantastique! dit Lulu dans un rire. Mais... bon, il va falloir que je vienne avec John, vous savez, Lizzie. Autrement, il va devenir cinglé.

– Fais bien attention qu'il n'y ait pas de pastilles de *menthe* au buffet, ajouta Dotty, l'air diabolique. Sinon, ce sera un carnage général!»

Lulu rit de nouveau. Elle a raison! Elle a raison! C'est trop idiot pour même se poser la *question* : John a simplement cherché à attirer l'attention – il est même peut-être jaloux de *Lizzie*, sans parler d'un *homme* quelconque. Sur quoi Lulu s'employa à mettre ces idées en mots, et goûta soudain ce plaisir de la communion, de se sentir comme entre sœurs : c'est fantastique, d'être en compagnie de ces deux-là – c'est vraiment fantastique.

«C'est la même chose avec Brian, affirma Dotty. Ils ne supportent pas que quoi que ce soit d'autre qu'eux nous occupe, quoi que ce soit de *mieux* qu'eux. L'unique raison pour laquelle Brian a fait tout cela – et croyez-moi, je comprends les hommes, encore qu'il n'y ait pas grand-chose à comprendre –, c'est à cause de la petite Dawn : il n'a pas supporté – c'est tellement *typique*. Et pourtant, regardez-la – regardez comme elle dort bien, c'est un trésor. Il n'y a qu'un homme pour pouvoir en vouloir à cette petite *poupée* d'être si adorable. D'ailleurs, comme je lui ai *dit*, tu as de la chance, Brian – plus de chance que tu n'en mérites. Parce qu'un peu plus loin, paraît-il – enfin, c'est ce qu'ils ont dit à Colin –, il y a plein de rochers déchiquetés au bas de la falaise – et non pas de la vase : de quoi être transformé en charpie. Tu ne te rends pas compte à quel point tu as été *idiot*, mon pauvre Brian, lui ai-je dit – quelques mètres de plus et, mon Dieu, mais tu aurais pu te *tuer*. »

John s'était profondément endormi, vautré sur la petite table du coin, dans la salle des petits déjeuners. Il s'en rendait compte car, à présent, de lointains échos de vaisselle entrechoquée lui parvenaient, le réveillaient, et mon Dieu, mon Dieu, il se sentait mal comme jamais de sa vie il ne s'était senti mal. Qu'est-ce que je fais là? Le café est froid, maintenant. Mais qu'est-ce que je fais là à cette table? Et pourquoi cette serveuse, là, me regarde-t-elle avec tant d'*insistance*? Ce doit être – Oh mon Dieu, ma tête, ma tête : quelle cuite, putain – ce doit être mon allure : les cheveux en bataille, le visage défait – pas rasé, creusé d'ombres; une veste de pyjama et un pantalon de coton – l'uniforme traditionnel du dingue, quoi. Ouais – ouais, c'est pour cela qu'elle me regarde comme ça. Eh bien, qu'elle y aille : qu'est-ce que cela peut bien changer, pour moi, qu'on ait envie de me regarder ou pas?

Il est encore tellement *tôt*, bon Dieu – j'ai l'impression que personne n'est levé. Ça y est, je me souviens de ce que je fais ici. Je suis sorti en trombe de la chambre, hein? (ce n'était pas possible, je ne pouvais pas supporter le *cynisme* de Lulu – parce que je *l'aime*, cette femme : comment diable peut-elle ne pas *voir* cela? Cela dit, est-ce que je l'aime encore? Oui, sans doute) – et, juste ciel, mais j'étais prêt, oh que j'étais prêt... Si ce type, ce McInerney, s'était pointé devant moi à cet instant, je lui aurais arraché les tripes. Et puis ça a été le blanc, le blanc total – et je me sentais affreusement mal, et d'ailleurs je me sens toujours affreusement mal, parce que ce n'est pas la gueule de bois, ça, je suis toujours bourré, défoncé, j'ai toujours mal. La gueule de bois, c'est pour plus tard : la cerise sur le gâteau. Je n'arrivais plus, plus du tout à me rappeler son putain de numéro de chambre (parce que hier je l'ai trouvé, hein, vous pensez bien que je l'ai trouvé). J'étais carrément prêt à défoncer les portes, autant de portes qu'il en faudrait, mais cela n'allait pas, cela n'aurait servi à rien. Donc, je suis descendu jusqu'ici – je trouverais peut-être un crétin quelconque pour me donner le numéro de la chambre, ou bien je pourrais jeter un coup d'œil sur le registre à l'accueil? Je n'en sais rien – je n'avais aucune idée précise en tête; tout ce que je savais, c'est qu'il fallait que je tue cet homme, sans tarder, et que là seulement je pourrais me rendormir.

C'est l'odeur, le parfum délicieux du café que l'on grille – c'est ça qui m'a eu. Putain, il fallait que je prenne *quelque chose* – alors, j'ai suivi les effluves qui me parlaient d'un endroit chaud, confortable. Ouais, c'est ça. Et puis, on passe le film en accéléré, et on se retrouve maintenant, d'accord? Je ne sais pas, j'ai dû me laisser aller comme dans un hamac, épuisé, et maintenant, bon, maintenant, me voilà de nouveau éveillé (il me faut encore du café – absolument – je ne suis même pas arrivé à finir la première tasse) et bon Dieu, mais je me sens encore plus mal que tout à l'heure. Dites, vous – oui, *vous,* la serveuse, qui me regardez comme ça : vous voyez ce que je suis en train de faire, là? Vous voyez? Je suis en train de faire signe avec ma serviette, voilà ce que je fais, et je vous montre ma tasse d'un doigt. Ça vous dit quelque chose, ou bien c'est au-delà de votre compréhension? Évidemment, *évidemment,* c'est la première fois que je *l'appelle* vraiment, et elle fait quoi, cette pauvre idiote? Elle sort de la salle, carrément; enfin, qu'est-ce qu'on peut espérer de mieux, hein? Elle a l'air d'avoir douze ans à peine.

Et puis la douleur fulgura, une lame qui le transperça, le coupa en deux, comme il se rendait compte, de nouveau, de l'abomination qu'on lui avait fait subir. Lulu! Ma Lulu! Mon Dieu, mon Dieu – il faut que je tue ce type, et vite : il n'y a que ça à faire. 314. 314. Cela vient de me revenir – il a la chambre 314, j'y vais : déjà je suis debout, j'arrive.

Miles s'écarta en roulant de Melody et porta sa main à sa moustache, tendrement, comme pour vérifier qu'elle ne l'avait pas abandonné pour s'implanter sur sa partenaire, au cours de leur dernière séance de lutte amoureuse.

« Mon Dieu, Miles, soupira Melody, tu vas me tuer, me *tuer*. Oh mon Dieu, tu es formidable. »

Miles eut un sourire. « Je sais », dit-il. Tu parles, que je sais : je ne fais pas ça en touriste, hein – pour moi, c'est un mode de vie. Je suis un pro, et je peux vendre n'importe quoi à n'importe qui à n'importe quelle heure du jour ou de la nuit – y compris moi-même.

« Et moi ? reprit Melody. Est-ce que je te plais, Miles ? Est-ce que tu me trouves formidable, moi aussi ? » Pourquoi les hommes sont-ils comme ça, franchement ? Parce que je ne devrais pas *avoir* à poser la question : même quand c'est génial au lit, je finis toujours par me sentir larguée.

Miles tourna sa tête vers elle, et lui posa un baiser sur la joue. « Tu es une fée, dit-il. Formidable, ce n'est pas le mot juste. » Non, en effet, pensait-il : correcte mais pleine d'enthousiasme, je crois que ce serait un assez bon résumé. La seule chose vraiment chouette, chez toi, Melody (mais ça, c'est un truc que vous, les femmes, ne comprendrez jamais), c'est que tu es *là* : cette semaine, c'est toi qui as gagné le gros lot – *capito* ? Le reste, c'est du bla-bla.

Melody caressait doucement les poils très noirs sur son torse. « Miles… ? » Une petite voix soudain, hésitante, incertaine.

Miles laissa échapper un soupir parfaitement silencieux – ça, c'est une chose qu'on est obligé d'apprendre, quand on fréquente beaucoup les bonnes femmes, parce qu'elles peuvent franchement vous casser le moral, avec toutes leurs conneries, mais bon, on ne va pas non plus les leur renvoyer en pleine gueule, hein ? Alors il lui accorda le « Mmmm… ? » de rigueur – parce que sinon, elle resterait scotchée là, n'est-ce pas ? Je veux

323

dire, il n'allait pas lui refuser le droit de parler, évidemment, mais sans ce « Mmmm… ? », elle remettrait ça avec son « Miles… ? », et rien de plus. Donc inutile de gâcher une seule seconde de cette journée, qu'elle dise ce qu'elle a à dire, je dis comme elle, et c'est marre.

« Quand tu as dit que tu m'aimais… ? »

Bordel, ça y est, c'est parti. « Mmmm… ? »

Melody s'était à présent appuyée sur un coude, et ses yeux brillaient d'une sincérité avide. « Enfin, tu le *pensais* vraiment, n'est-ce pas ? Tu n'as pas dit ça… *comme ça* ?

– Je t'ai déjà dit, ma chérie, je ne mens jamais. Quand je dis quelque chose, je le pense réellement, tu peux me faire confiance. Et *je t'aime*. Tu vois. Je le répète.

– Oh, *Miles*… » Melody s'abandonnait, soumise, défaillant de soulagement. « Je ne veux plus jamais, jamais que nous nous quittions. Tu sais cela, n'est-ce pas ? »

Eh bien, d'une certaine manière, oui, je sais cela (ce n'est pas nouveau pour moi), mais dans la *réalité*, ma petite chérie, nous avons deux ou trois jours devant nous, et ensuite, il faudra que tu t'y fasses, point barre.

« Mais pourquoi devrions-nous, Melody ? Je suis là, avec toi, pour toi, non ? Et maintenant, reprit-il – prenant sa tête et la posant sur son torse qu'elle embrassa, puis la faisant glisser plus bas, plus bas encore –, si tu me prouvais encore que je suis formidable, hein ? »

Miles n'aurait pas pu vous dire ce qui le frappa en premier – le brusque fracas, comme un bruit d'explosion, ou la morsure soudaine sur la partie la plus tendre et la plus chère de son anatomie, mais déjà il avait bondi hors du lit, les yeux exorbités, tandis que Melody frémissait de terreur, et se dirigeait droit vers la porte pour voir ce que signifiait ce bordel.

À peine la porte ouverte, John fit irruption, sans hésiter – mais, quelle que fût son intention première, se figea en voyant

Miles debout devant lui, nu comme un ver. Le choc était le même pour les deux hommes, mais une seconde à peine s'écoula avant que l'un d'eux (lequel ?) dise *quelque chose.*

« Bordel de *merde!* rugit Miles. Encore *vous!* Mais qu'est-ce que vous avez dans le cul, à la fin, hein ? »

John pour sa part venait de constater une réalité qu'il n'avait pas sainement considérée jusqu'alors : ce type était immense – il le dominait d'une méchante tête, et ne portait pas de chaussures – pour ne pas parler d'autre chose. Il serait peut-être peu judicieux de frapper un tel individu – à supposer même qu'il puisse atteindre son visage.

« Je suis là, dit John – et sa voix était toute frêle et haut perchée – pour chercher ma femme. »

Miles referma la porte à toute volée, saisit John par les revers de sa veste de pyjama et l'attira à lui ; John n'appréciait pas, parce que leurs corps se touchaient entièrement à présent. *Putain,* pensait Miles – quelle chierie, ces maris jaloux, ces connards de dingues, comme si j'avais besoin de *ça –,* pourquoi cette salope s'est-elle crue obligée de me mentir ?

« Miles ! appela ladite salope depuis la chambre. Mais qui *est-ce,* pour l'amour de Dieu ? Qu'est-ce qui se *passe ?*

– *Bon,* fit Miles d'une voix lugubre, lâchant John. On va régler ça une fois pour toutes. Entrez là-dedans. »

Poussé par Miles, John tituba jusqu'à la chambre. Melody, les draps relevés jusqu'au menton, regarda les deux hommes, figée.

« Oh noooon, fit-elle. Encore *lui !*

– Bon Dieu, s'écria John. Vous en avez une *autre !*

– Bon – bouclez-la une minute, ordonna Miles. Melody – tu m'as bien dit que ce mec n'était *pas* ton mari.

– Mais non, non ! vagit-elle. Je ne sais pas *du tout* qui est ce type – il n'arrête pas de se *ramener,* c'est tout ce que je sais !

– *Évidemment* que je ne suis pas son mari, tonna John. Évidemment que *non,* putain ! »

Cette fois, c'était au tour de Miles de rester confondu.

« Mais enfin *écoutez,* espèce de crétin – vous venez de *dire...*

– Mais ce n'est pas *elle,* ce n'est pas *celle-là* – je ne la connais pas, votre dernière pute, là ! Je parle de...

– Ne me traitez *pas* de pute, vous ! hurla Melody. Miles – fais *quelque chose,* débarrasse-toi de lui –, c'est un *dingue.*

– Écoutez, *vous,* aboya John à l'adresse de Melody, vous n'en savez peut-être rien, ou bien vous vous en fichez, mais avant, juste avant *vous,* c'est avec ma *femme* qu'a baisé cette ordure de salaud. »

Soudain, Miles commença de comprendre, vaguement : la petite nana, la réceptionniste – comment, déjà ? Pauline. Ouais, Pauline, c'est ça.

Melody poussa un hululement. « Oooooh, celle-*là*! fit-elle dans un éclat de rire. Eh bien, oui, en effet, je m'en *fiche* – j'ai même trouvé ça à hurler de rire : elle a passé des *heures* attachée sur le lit, menottes aux poignets ! »

Là, c'en était trop pour John : il se jeta sur Miles qui le cueillit négligemment et le jeta au sol.

« Écoutez, mon vieux, fit-il. Je n'ai pas envie de vous faire mal, alors ne m'y forcez pas, d'accord ? Ce petit truc qui s'est passé avec, euh... oh, bon Dieu, j'ai encore oublié son nom, là... »

John, petit tas sur le sol, leva vers lui un regard figé : il ne se rappelait pas son *nom...* ? !

« ... enfin, ce n'était rien, trois fois rien, croyez-moi. C'est terminé. Ça n'a même jamais commencé. Ce sont des choses qui arrivent, mon vieux – des trucs de rien, ça fait partie de *l'été,* okay ? »

John s'était remis sur pied, et déjà fonçait tête baissée sur la poitrine de Miles, mais celui-ci le saisit de nouveau en disant *Bon,* désolé mais ça suffit comme ça, maintenant : il est temps de filer. Sur quoi il le traîna comme un ballot jusqu'à la porte, et le jeta sur le palier, d'une pichenette. John tournoya plusieurs fois sur lui-même puis sa tête vint heurter un extincteur, et Miles claqua la porte sur cette vision d'un John chancelant, à moitié assommé.

« Laisse tomber, dit Miles à Melody, revenant vers elle d'un pas tranquille. C'est un pauvre taré – on n'entendra plus parler de lui. Hé, ma puce, il n'y a pas de quoi *pleurer.* »

Mais comme Melody levait les yeux vers lui, il vit que c'était de rire que ses épaules étaient secouées. « Juste ciel! fit-elle d'une voix allègre, mais quelle *tache,* ce mec! Mais c'est vrai qu'on peut difficilement lui en vouloir – tu imagines, être marié à cette petite pisseuse de *Pauline*! »

Miles eut un large sourire (ah ouais, c'est ça – Pauline).

« Tu as été *génial,* reprit Melody avec un enthousiasme renouvelé. Tellement *viril.* Oh, Miles – je t'aime tant. Tu ne me quitteras jamais, n'est-ce pas, jamais? »

Miles la prit dans ses bras, toute petite.

« Tu n'écoutes pas ce qu'on te dit, hein? fit-il. Tu n'écoutes pas? Allez, viens, maintenant », conclut-il, appuyant sur ses épaules jusqu'à ce qu'elle soit à genoux, les yeux levés vers lui dans un regard d'adoration émerveillée comparable à celui du suppliant devant l'icône miraculeuse d'où suintent des larmes de sang.

C'est ça, vas-y, se disait-il comme elle commençait de s'occuper de lui – et après, je prends une bonne douche, et pendant que tu es au massage, ou au sauna, enfin je ne sais pas ce que tu fabriques là-bas, moi, je vais filer discrètement pour acheter deux jouets absolument fantastiques et vachement chers pour les petits – comme ça, ce sera fait. Oooh, ooh, ça devenait carrément *excitant,* maintenant: ça commençait à être super bon, quel pied… Et puis, tiens, pendant que j'y suis, je prendrai peut-être aussi une merde quelconque, pour Sheil.

Howard raccrocha sans trop savoir quoi penser de tout cela. Ce que venait de lui raconter Elizabeth le laissait relativement stupéfait : comment diable peut-il arriver tant de choses en quelques jours ? Et Brian, qu'est-ce qu'il avait dans le crâne ? Et *naturellement,* il avait fallu qu'elle couronne le tout avec une de ses idées invraisemblables de toquée – et qui, en fait, allait devoir s'occuper de tout ? À votre avis ? Et qui, toujours selon vous, allait devoir payer pour tout cela ? Oui – exactement, bravo.

Cela dit, il était content d'avoir eu de ses nouvelles (il était d'ailleurs sur le point d'appeler lui-même), pour une excellente raison :

« Dis-moi, Elizabeth, as-tu *passé* le message à Brian, oui ou non ? avait-il aussitôt demandé. Parce que Davies, là, il commence à...

– Ah, non – enfin, si, *si* – enfin je l'ai dit à Dotty mais bon, écoute, Howard, il s'est passé beaucoup de choses ici, à droite et à gauche, d'ailleurs il faut que je te raconte tout ça, si tu veux bien.

– Oui, Elizabeth, mais *écoute,* si Brian ne me rappelle pas très vite...

– Tu vas sans doute le *voir* dans pas longtemps, mais *laisse-moi* t'expliquer, Howard, ça ne sert à rien de m'interrompre sans cesse.

– Bon, d'accord, Elizabeth. Vas-y, explique-moi.

– Bien. Pour commencer, Brian. Apparemment, hier soir, Brian a décidé de devenir sourd...

– De devenir *quoi* ?

– *Sourd,* Howard. Écoute, enfin. Je ne sais pas *pourquoi* il veut ça, mais il a l'air d'y tenir – c'est peut-être un truc freudien, je n'en sais rien. Entre nous, Howard, je pense qu'il a un réel problème psychiatrique, mais je ne l'ai pas dit à Dotty –

j'imagine qu'elle est au *courant,* évidemment. Elle est bien placée pour le savoir, n'est-ce pas. Bref, il a décidé de tomber du haut d'une falaise – ou plutôt de sauter du haut d'une falaise...

– Sauter d'une...

– Mmm. Mais bon, il y avait plein de vase en bas, de sorte qu'il ne s'est pas tué ni rien – même s'il s'est plus ou moins cassé le cou. Enfin, on ne sait pas si c'est vraiment cassé ou quoi, personne n'est sûr – mais ça va à peu près : il *marche,* il *parle,* etc., mais il n'entend pas très bien. Et c'est exactement ce qu'il voulait, comme je te l'ai dit. »

Howard ne put que faire claquer sa langue : c'est *quoi,* cette histoire ?

« *Donc,* reprit Elizabeth, Dotty et lui rentrent chez eux – aujourd'hui, très probablement – comme ça, tu pourras lui dire pour la maison et tout. D'ailleurs, tu pourrais peut-être aussi lui suggérer que devenir sourd, ça n'est pas particulièrement génial, comme idée, mmmm ? Lui *parler,* tu vois ? Évidemment, s'il n'entend rien, ça ne présente pas un grand intérêt. Tu peux peut-être essayer de crier. Bon, *Colin,* maintenant. Colin reste avec nous pour le week-end, d'accord ? Je rentre dimanche, comme prévu. Melody et moi avons à peine échangé deux mots depuis notre arrivée – elle a l'air complètement tourneboulée à cause d'un *homme* qu'elle a rencontré – elle passe tout son temps avec lui. Elle prétend que c'est beaucoup plus qu'une simple aventure d'été, et qu'il *l'aime,* tu imagines ça.

– Vraiment ? » fit Howard. Tiens, un petit pincement, là : c'est idiot – je n'attends rien de Melody, je n'éprouve plus aucun sentiment réel pour elle ; mais quand même, ça me fait un petit pincement – inutile de le nier. « Mais que devient Dawn, alors ?

– Ah, *Dawn* – oui : ça, c'est le plus extraordinaire. Dotty est devenue une sorte de seconde maman pour elle. Elle en est *complètement* gâteuse. Elle ne veut pas s'en séparer une seconde. Ce qui, naturellement, fait tout à fait l'affaire de Melody. Donc,

Dotty ramène Dawn avec *elle* – la petite restera là jusqu'à ce que Melody rentre. Bien, maintenant, écoute Howard : j'ai eu une idée absolument fantastique ! »

Oh non. « Ah oui ?

– Mmm-mm. Écoute : puisque toute le monde sera là, j'ai pensé que la chose à faire, ce serait d'organiser une espèce de garden-party, quelque chose de très charmant, dans le jardin tu vois – une réception en plein air, où tout le monde serait invité. J'ai fait la connaissance d'une jeune femme absolument adorable appelée Lulu – ah, oui : Lulu *aussi* part un peu plus tôt que prévu – c'est un peu compliqué : son époux est devenu à moitié fou, il veut tuer un homme parce qu'il lui a offert une pastille de menthe – juste ciel, c'est à n'y pas *croire* !

– Elizabeth – tu as bu ?

– On dirait bien, n'est-ce pas ? ! Je sais, je sais – c'est dingue. C'est fou, complètement fou. Bref, Howard – je me suis dit que tu pourrais louer une tente de réception, non ? Auprès de cette boîte avec laquelle tu travailles. Elle n'a pas besoin d'être immense ni rien mais – oh, et *Katie*, dis-moi, as-tu des nouvelles de Katie ? Moi, cela fait un moment qu'elle ne m'a pas téléphoné.

– Non, moi non plus. Enfin, plus depuis qu'elle m'a appelé pour – enfin, tu sais, comme d'habitude : de l'argent.

– Oh, dieux du ciel, cette enfant ! En tout cas, elle aussi sera rentrée d'ici mardi – c'est mardi que nous organisons la réception, Howard, mardi. Comme ça, j'aurai tout le temps de m'occuper du buffet et tout. Elle n'a qu'à venir avec Ellie – j'espère qu'elles s'amusent bien toutes les deux. Et *toi*, Howard – tout va bien, oui ? Tu ne te sens pas trop abandonné ? Parce que je peux revenir plus *tôt*, si tu préfères – puisque tout le monde a l'air d'avancer son départ. C'est tellement *bizarre*, toutes ces histoires…

– Non, non, Elizabeth – ce serait idiot. Tu te plais bien là-bas, non ? Alors reste – reste, bien sûr.

— Mon Dieu *oui*, je me plais bien, Howard — mais ce ne sera plus pareil, sans Lulu. Mais je compte bien la revoir et tout. D'ailleurs, elle n'habite pas très loin de chez nous — et *juste ciel,* elle est aussi *dingue* de shopping que moi ! Elle me ressemble à beaucoup de points de vue, en fait, quand j'y pense : une femme vraiment, vraiment très charmante. »

Voilà donc ce qu'elle lui avait assené ; elle avait en outre reparlé de la tente et de la réception à cinq ou six reprises, et lui avait fait promettre de bien prendre soin de lui, avant de raccrocher en toute hâte, parce qu'elle avait rendez-vous pour un masque de beauté et un bain de boue — mais qu'il ne s'inquiète pas, elle n'avait pas à sauter d'une falaise pour cela, s'il voyait ce qu'elle voulait dire.

Cependant, aujourd'hui était, de toute évidence, la journée des surprises, car à peine Howard avait-il raccroché (relativement perplexe) qu'il voyait pénétrer dans le bureau — devinez qui ? — mais Norman Furnish, évidemment, un Norman Furnish à la mine quelque peu craintive, et à l'air passablement mal en point.

« Norman ! » s'exclama Howard — la chaleur de sa voix, très dieux-du-ciel-mais-je-ne-m'attendais-pas-à-vous-revoir-de-sitôt, vaguement tempérée par la pensée qu'il allait falloir parler de certaine petite affaire, après quoi, espérons-le, il n'en serait plus question.

« Eh oui », fit Norman avec un sourire — à demi soulagé (parce que, en fait, c'était vraiment *bon* d'être de retour ; juste ciel, mais je n'aurais jamais *dû* partir), mais également avec le visage de qui peut devoir, d'une seconde à l'autre, se jeter face contre terre à cause d'une attaque aérienne que les sirènes n'auraient pas annoncée. « Je… euh, je suis rentré plus tôt que prévu. J'ai écourté.

— Apparemment, ça n'a pas été très fameux, ces vacances, alors ? Où êtes-vous allé, en fait ?

– En Cornouailles ». Pourquoi les Cornouailles ? J'en sais rien – pris de court. J'espère que Mr. Street – Howard – ne connaît *pas* les Cornouailles ni rien, parce que moi je n'y ai jamais mis les pieds, de toute ma vie.

« Oh, mais c'est *étonnant* que vous n'y soyez pas resté pour toute la durée des vacances, fit Howard d'une voix consternée. J'ai toujours passé d'excellents séjours là-bas. Dans quelle partie étiez-vous ? Dans le Sud ?

– *Plus ou moins* dans le Sud », confirma Norman. Mon Dieu, mon Dieu – c'est abominable : Mr. Street – Howard – était une des quelques rares personnes complètement honnêtes et estimables que Norman eût jamais rencontrées, et il était obligé de lui mentir sans cesse, de le tromper, de le voler (d'ailleurs, on devrait ne pas trop tarder à aborder le sujet, et c'est peut-être là ma toute dernière journée de boulot), sans même parler de l'aspect *Katie* des choses, n'est-ce pas ? Mais sans doute l'aspect Katie des choses ne valait-il plus qu'on en parle, et définitivement : comment pourrait-il en être autrement, compte tenu de la manière dont cela avait tourné, et de la façon dont il était parti ?

Cette longue, lugubre, soirée dans la chambre du Sheraton s'était peu à peu muée en nuit absolue, en nuit indiscutable, et Norman avait pris ses hardes et son grand sac en papier, les avait descendus par l'ascenseur, les avait déposés dans un taxi – comptant et recomptant les quarante dollars qui lui restaient sur les cent prêtés par Katie, tandis que la voiture se frayait un chemin jusqu'aux lumières de O'Hare, et priant pour que ce soit assez, juste assez pour cette course, puis pour un ticket de métro de Heathrow à sa chambre sinistre, minable, et déserte : parce que tout ce que possédait Norman à présent, c'était le sang dans ses veines, et l'on pouvait bien venir se servir, n'importe qui : à quoi lui servirait-il ? Aurait-il de nouveau, un jour, l'occasion d'avoir le feu aux joues ?

Il avait rédigé une lettre pour Katie, une lettre si débordante d'ardeur et d'émotion qu'elle aurait pu faire fondre un cœur de platine. Mais il savait qu'elle allait hurler de rire en lisant cela, aussi la plia-t-il proprement avant de la ranger à l'intérieur de son bombers des Bulls (il n'y avait pas de poche intérieure, mais les lambeaux de la doublure à moitié arrachée offraient une sorte d'ouverture béante qui en tiendrait lieu). Puis il prit une autre feuille sur le bloc de l'hôtel et écrivit ces quelques mots :

« Katie, je rentre à Londres. J'espère que tu profiteras bien de la fin de ton séjour. Je pense que nous nous reverrons au bureau. Je t'aime. Norman. Baisers. »

Puis il descendit une bonne partie d'une canette de Coke prise dans le minibar (il songea bien à la corser un peu avec une goutte de quelque chose, mais honnêtement, son estomac le tracassait – rien de grave, il batifolait simplement, s'accrochait, se décrochait, se contractait, se préparait déjà à une explosion épouvantable et épouvantée dès que vrombiraient les moteurs de l'avion : sans doute rien de plus).

Et juste avant de partir (*Goodbye, America!* Je reviendrai, mais par pitié, ne le prends pas comme une attaque *personnelle*, la prochaine fois), il se demanda si son âme contrite et son cœur en ruine supporteraient de visionner une dernière fois la petite vidéo porno qu'il avait réalisée conjointement avec Katie et, tout en rêvant douloureusement de cet instant passé, il décida que oui, à la limite, il pourrait tenir le coup – mais au bout de cinq minutes de tripotages de boutons, il comprit ce qu'il aurait dû déjà deviner : cette saloperie d'appareil n'avait aucunement l'intention de coopérer – de sorte qu'il ajouta simplement la cassette au pitoyable contenu de son grand sac brun, et fila.

Norman survécut au voyage en alternant bourrage de pif et vomissements – sa silhouette convulsée, son teint vert pomme étaient rapidement devenus familiers à ses compagnons de voyage qui le voyaient ricocher d'un siège à un autre, comme il se précipitait régulièrement pour effectuer un examen plus attentif encore des profondeurs métalliques des toilettes inhospitalières. Il finit ainsi par arriver à la maison (la maison ! Quelle maison ? Je hais cet endroit, je le hais plus que jamais – il faut que je déménage d'ici, il faut que je me trouve un *autre* lieu tout aussi horrible, n'importe où : enfin, si j'ai encore un emploi), et constata qu'il lui restait très exactement un penny : super, se dit-il, je ne suis pas complètement fauché. Et ce n'était pas là une plaisanterie au *second degré* – non, il n'y avait rien d'*amusant* là-dedans. Ça vous amuserait, *vous* ?

Donc, Norman s'était vaguement lavé, avait vaguement somnolé, puis avait tiré quelques vagues vêtements du fin fond de la caisse qui tenait lieu de placard (à peu près n'importe quoi – mais *n'importe quoi*, c'était mieux que les hardes qui l'affublaient depuis des jours), et se retrouvait là, essayant autant que possible de retenir l'odeur de moisi de ses vêtements – de retour dans le vieux bureau familier, démodé, confortable, si vite après l'avoir quitté que cela en semblait ridicule, et se demandant si Mr. Street – Howard – allait maintenant le larder d'une série de banderilles toutes plus aiguës, plus cruelles, plus acérées les unes que les autres, jusqu'à ce que, le voyant titubant, assommé, à demi démembré par cette boucherie, il lui assène le coup de grâce, d'un rapide mouvement de hache ; à moins qu'il n'opte, charitablement, pour une simple balle dans la nuque, avant de le jeter d'un pied botté, sans vie, dans une fosse peu profonde et creusée à la hâte pour l'occasion ?

« Bien, écoutez, Norman », commença Howard. Trahissait-il quelque signe de nervosité ? Était-ce la proximité de quelque décision déplaisante, qui venait d'imprimer au siège, sous les fesses de Howard, ce mouvement de rotation décidé ? L'avenir le dira, Norman, l'avenir le dira. « Bien – asseyez-vous, vous voulez bien ? Je suis désolé que vos vacances n'aient pas été très réussies, Norman, mais il y a une chose dont nous devons discuter un instant – histoire de ne plus en parler, d'accord? Bien. Je vous fais confiance, Norman – vous le savez? »

Oh, juste ciel, oui je le *sais*, je le *sais* – et c'est ça qui me rend *malade*. Pitié, Mr. Street, tuez-moi tout de suite, et épargnez-nous tout cela. Howard.

« Oui, je le sais, marmonna Norman.

– Eh bien j'en suis *heureux*, Norman, très heureux. Donc, vous n'allez pas prendre ces questions pour des *accusations*, d'aucune sorte, n'est-ce pas? Simplement, il y a certaines choses que j'aimerais savoir – et je n'ai même pas à vous demander de me répondre honnêtement, parce que je sais que vous le ferez. D'accord?

– Oui, bien sûr, Mr. Street. Howard. Bien entendu.

– Bon. Eh bien voilà : je ne vais pas finasser, la question est celle-ci : Norman, avez-vous jamais proposé à un de nos clients de conclure une affaire en privé? Une affaire pour laquelle la commission ne reviendrait pas à l'agence mais, euh…, enfin, à vous. »

Norman avait à présent deux soucoupes volantes à la place des yeux – on aurait cru qu'un matin, sur quelque lande déserte et balayée par les vents, il avait vu, de ses yeux vu, deux ovnis se poser lentement, à la verticale, dans ce léger bourdonnement qui leur est coutumier.

« Quoi…? » Il luttait pour assimiler ces paroles, le front tout plissé d'incompréhension. « Vous voulez dire que… *moi*, j'irais trouver un client et je lui suggérerais de me payer directement, et non l'agence? Mais grands dieux *non*, Mr. Street. Howard. J'ignorais même qu'une telle chose était possible – enfin, ça ne m'a jamais traversé l'…

– Bien sûr, je le *savais*, Norman », l'interrompit Howard, avec un large sourire. Dieu merci, Dieu merci – je n'aurais jamais pu supporter cette corvée de faire passer des entretiens pour le remplacer ; et je n'aurais sans doute jamais trouvé de remplaçant pour ce salaire-là. Et puis la police s'en serait mêlée et tout ça, n'est-ce pas ? Le souk, quoi. Très désagréable. « Bien, voilà qui est réglé, dans ce cas. J'espère que vous n'avez pas mal pris ma… ?

– Non, Mr. Street – pas du tout. Howard. Après tout, c'est votre agence, et si vous soupçonnez la moindre irrégularité…

– Mon Dieu, c'étaient juste des rumeurs, comme ça, si vous voulez le savoir : la concurrence qui essaie de semer le trouble – rien de plus. » Bon, se dit Howard, ne parlons pas de cette histoire de fonds de caisse manquants : je ne vais pas accuser ce pauvre gars de me voler *deux fois* en une seule journée.

« D'ailleurs, Mr. Street – en parlant d'argent… hum, Howard. Je me suis fait *dévaliser*, en… euh… en Cornouailles…

– Mon *Dieu*, Norman – avez-vous été blessé ?

– Eh bien… mon nez… vous ne voyez pas ? Comme une espèce de bosse. » J'ai jeté le plâtre et les pansements dans la poubelle du Sheraton : il y a des souvenirs dont on peut se passer. « Non, le problème, c'est qu'on m'a pris tout mon argent, et…

– Juste ciel, c'est pour *ça* que vous avez dû écourter vos vacances ! Oh, mon pauvre vieux Norman… » Eh merde – j'étais là, à l'accuser de vol, alors que ce pauvre mec est une malheureuse *victime*. « Bon, écoutez, Norman : vous touchez votre salaire en début de semaine, c'est cela ? Bien, je vous donne, disons, cent livres pour tenir le coup jusque-là, cela vous convient ? Grands dieux, qui croirait que de pareilles choses peuvent arriver en *Cornouailles* !

– Eh bien, c'est *vraiment* gentil à vous…

– Mais non, mais non. Ça fait partie de mon devoir. Et puis, Norman – disons que c'est une prime de vacances, d'accord ? Vous n'aurez rien à me rendre. Dieux du ciel – vous avez dû passer un sale moment !

– Oh, vraiment, Mr. Street – je ne peux *pas*... Howard.

– Trop tard : le chèque est signé. Voilà. »

Norman accepta le chèque. C'est drôle, hein : dans cette famille, on me donne toujours de l'argent par cent unités. Il quitta le bureau avec le sentiment que six milliards d'êtres humains avaient les yeux fixés sur lui, faisant claquer leur langue en signe de désapprobation, et tendant six milliards d'index accusateurs. Bon, écoutez – *écoutez* : la conscience, c'est une chose, d'accord ? Mais il faut bien *vivre*, non ? Mais si, mais si. Ou du moins, survivre, le moins mal possible.

« Eh bien voilà », conclut Lulu d'une voix pimpante, passant en revue la masse imposante de leurs bagages alignés dans le salon de la suite, et essayant d'éviter le regard glacé de John. « Il me semble bien que tout y est. »

Mon Dieu, priait-elle, faites que le porteur arrive, et qu'on en *finisse*. La violence paraissait être provisoirement sous contrôle, mais des éclairs meurtriers luisaient encore par éclats, comme des lames, et seulement une fois rentrés à la maison, se disait Lulu, tout pourrait retrouver, plus ou moins, une sorte de normalité. De normalité ? Peu probable – plutôt une sorte de guerre froide : peut-être cela se révélera-t-il encore supportable – jusqu'à ce qu'elle puisse, même vaguement, envisager un autre avenir.

Plus tôt dans la matinée, Lulu n'avait pas su quoi faire, en entendant des échos de coups sourds derrière la porte – c'était tellement étrange, ce bruit, elle ne savait pas comment réagir. Le bâtiment était-il en train de s'effondrer peu à peu ? Ou bien était-ce un chien qui folâtrait dans le couloir en reniflant sous les portes ? Lulu ouvrit et, comme John passait le seuil en trombe, ayant ricoché une dernière fois contre une des parois du couloir, elle tendit les bras pour l'attraper, le manqua, et il s'effondra au sol, comme une pierre. Étouffant un cri, Lulu referma la porte d'un coup de pied et entreprit de l'aider à se relever comme lui-même tentait de s'aider ; voilà, il était déjà à moitié redressé – mais quelle bosse terrible, là, sur son front, et puis ces filets de bave qui luisaient à la commissure de ses lèvres. Tout en le tirant, le traînant, le portant jusqu'au lit, Lulu se disait Il faut que j'appelle le médecin de l'hôtel – s'il n'est pas déjà occupé avec l'adversaire de John, lequel est peut-être mort à cette heure-ci. Mais écoutez ça : John délirait, carrément.

« Laisse-moi ! Laisse-moi ! Je suis réveillé, c'est l'horreur !

– Écoute, John, si tu pouvais – Dieu que tu es lourd – là, là... si tu pouvais lever un peu les pieds ? Oui – encore une fois, John – voilà, c'est bon. Ça va mieux, Johnny ? Tu te sens mieux ? »

Allongé sur le dos, John laissa échapper un rugissement qui monta jusqu'au plafond :

« Je te dis que je suis – que je suis réveillé, c'est l'horreur ! »

Lulu s'inquiétait, elle commençait d'avoir peur. Il était donc *vraiment* devenu fou ? Cela peut-il prendre si peu de temps, à peine quelques jours, ce passage de la santé à la maladie mentale ? Ou bien la folie est-elle là depuis toujours, rôdant dans l'ombre, et ne voyons-nous luire ses crocs que quand elle a saisi sa proie ?

« Mais que veux-tu *dire*, John ? Qu'est-ce que tu dis ? Écoute – je vais appeler le médecin – ne bouge pas, reste tranquille. »

Déjà elle composait le numéro sur les touches du téléphone, tandis que les cris rauques de John s'amenuisaient pour ne plus devenir qu'un chuchotement guttural.

« Je veux dire... je veux dire... tout ce que je veux dire, c'est que je suis *réveillé*, je suis *réveillé*, mais que ça ne va pas du *tout*... c'est tout ce que je veux dire... c'est tout. »

Le temps parut intolérablement long jusqu'à l'arrivée du médecin : Lulu restait là, assise, muette, acceptant et refusant sans mot dire toutes les accusations furieuses, véhémentes, répugnantes de John, chaque insulte hideuse, chaque négation douloureuse, ignoble, de sa valeur d'être humain charriant comme une vase épaisse la bave limoneuse de la haine. Cet homme est fou, se disait-elle : j'espère qu'il est fou, rien de plus.

Le médecin respira l'haleine rauque de John, et se dit qu'il ne poserait aucune question ; il appliqua un pansement sur sa pommette droite écorchée, une pommade sur la bosse de son front, et parvint à lui faire prendre quelques somnifères. Pendant ce temps, Lulu, elle se préparait à entendre de nouveau un chapelet d'accusations obscènes, mais John se contenta de murmurer Je suis réveillé, je suis réveillé – mais c'est *l'horreur.*

Tandis qu'il commençait de sommeiller, et que le docteur remballait son matériel (tous les étés, c'est la même chose – ils picolent, ils se battent : dire que personne n'apprend rien, jamais...), Lulu lui demanda quel était son avis quant à la... hum, la santé mentale de John.

« Il ne fait aucun doute qu'il est très stressé, déclara le médecin d'une voix aussi posée qu'onctueuse (ton mari n'est probablement guère qu'un alcoolique surchargé de boulot et pourri de fric – ce n'est pas ce qui manque par ici). Pourquoi ne pas envisager un séjour d'une semaine ou deux dans une ferme de remise en forme ? »

Lulu sourit malgré... oh, malgré *tout...* « Non, je ne pense pas. » Puis, plus doucement : « J'envisagerais plutôt de lui faire consulter un psychiatre, peut-être ?

– Cela peut être une bonne idée. En tout cas, elle vaut la peine d'y réfléchir. » Tu peux bien l'envoyer dans une ferme de santé ou chez un psy ou encore lui trouver la peau et le balancer à l'eau – rien à foutre : j'ai déjà cinq hypocondriaques et autres crétins à voir dans cet hôtel, tous en urgence, et il n'est même pas l'heure de déjeuner. Il lui adressa un sourire empreint d'une sollicitude toute professionnelle, et s'éclipsa.

John s'était éveillé quelque deux heures plus tard ; entre-temps, Lulu avait fait les valises, prévenu la réception, et raconté la dernière à Lizzie. C'était terrible de devoir quitter Lizzie (et de rentrer à la maison pour retrouver *quoi* ?), mais elle avait son adresse (oui, je *l'ai,* je *l'ai,* Lizzie – vous me l'avez donnée *deux fois*), et, juste ciel, combien de fois n'avait-elle pas parlé de la fameuse réception ! Mais en fait – je sais que ça a l'air complè-tement idiot, je le sais bien – ce n'est pas tant la réception de Lizzie qui m'intéresse que *l'idée* de cette réception à venir : comme si c'était, à l'horizon, la seule chose qui me permette de tenir le coup.

Enfin, le porteur était arrivé. Ils le suivirent dans l'ascenseur, et John apparut à Lulu fort calmé (les pilules, peut-être ? Était-ce l'effet des pilules que le médecin lui avait fait prendre ? Sympa, ce médecin – il semblait réellement *s'intéresser* à ses patients, et Dieu sait qu'elle avait besoin de compréhension). John, pour sa part, se sentait de fait assez serein – mais ai-je jamais été autre chose que serein ? Je ne me rappelle pas trop les événements. Mais Lulu, en tout cas, m'a l'air bien énervée, ces temps-ci – je me demande si cela n'aurait pas à voir avec une histoire d'hormones ? Parce qu'on lit souvent des trucs à propos de femmes qui agissent bizarrement, à cause d'une sorte de déséquilibre hormonal – enfin bref, je me demande si ce ne serait pas ça. Sinon, pourquoi se comporterait-elle de façon si excessive, si irrationnelle ? Ce n'est pas du tout elle. À moins qu'elle ne soit devenue *folle,* évidemment. Cela expliquerait beaucoup, beaucoup de choses : la folie, ça rend tout plus clair.

Dans le hall, tandis que le concierge chargeait leurs bagages dans la voiture (je conduis, John, d'accord ? C'est moi qui conduis, hein ?), John s'était dirigé vers la réception, mais Lulu lui indiqua d'un geste que cela aussi était réglé. Et comme elle regardait dans cette direction, elle aperçut soudain l'autre, *l'homme.* Bon, d'accord, il n'était sans doute pour rien, strictement pour rien dans tout cela, et il avait dû être effaré, ce matin, en voyant John débarquer comme ça et l'agresser simplement parce qu'il avait offert à Lulu une pastille de menthe – pastille dont elle n'avait même pas *envie* – mais il n'avait toutefois pas à infliger une telle correction à son malheureux époux égaré. Parce que, *regardez* John, regardez sa pauvre tête. Et cet homme, lui, n'a même pas une trace, pas une rougeur sur le visage.

John se dirigeait à présent vers la porte à tambour, Lulu à sa suite. Cependant, elle effectua un tour complet dans la porte et, sur une impulsion, retourna à la réception et, là, sous les yeux effarés des quelques clients qui allaient et venaient, flanqua une grande claque au mastard qui ne put que rester là, se tenant la joue, bouche bée, avec ses grosses lèvres humides et rouges. Sur quoi Lulu se détourna, sortit en trombe et monta en voiture sans ralentir l'allure. John – estomaqué – la suivit docilement.

Ce n'est qu'à l'approche de l'autoroute qu'il posa la question :
« Pourquoi as-tu fait ça ?

– Tu veux bien faire attention pour me dire où je dois tourner, Johnny ? Ce n'est pas très bien indiqué, par ici – je n'ai pas envie de me retrouver sur leur espèce de rocade. Fait quoi ?

– Le mec, là ? Le mec que tu as giflé. Mais c'était *qui* ? »

Lulu demeura silencieuse. Oh mon Dieu – c'est grave à ce *point* : dire que ce matin même il le cherchait partout pour le tuer, et maintenant, il ne sait même plus qui c'est : c'est une aide médicale qu'il lui faut – et rapidement.

« Johnny, dit-elle, aussi doucement, aussi patiemment qu'une infirmière spécialisée dans ce genre de cas, c'était l'homme aux *pastilles* – d'accord ? »

John hocha la tête, et elle parut soulagée. Bon, je ne vois pas : l'homme aux pastilles ? On ne se met pas à flanquer des claques aux gens parce qu'ils mangent des *pastilles*. Grands dieux, se dit-il, tandis que la voiture empruntait la bretelle et se fondait dans le flot de la circulation : c'est une aide médicale qu'il lui faut – et rapidement.

Plus loin, sur la même route, Dotty pressait la Vauxhall de location tant haïe de la ramener vite à la maison, vite, plus vite encore – elle n'avait qu'une envie, mettre des milliers de kilomètres entre elle et cette caravane (plus jamais, mais plus jamais de sa vie elle ne poserait le pied dans une caravane, quelle qu'elle soit), mais ce qui la tracassait plus que tout, c'était *Dawn*, comprenez-vous – parce que la petite Dawn était installée *à l'arrière*, misérable, perchée sur le genou osseux de Brian. Pourquoi cela ? Parce que, bien sûr, c'est Dotty qui conduisait, compte tenu de l'état de Brian (elle n'arrivait d'ailleurs pas encore à savoir précisément à quoi il ressemblait, mais quelque comparaison judicieuse ne tarderait sans doute pas à se présenter à son esprit) ; de sorte qu'elle ne pouvait prendre soin du bébé.

Quant à Dawn...! Ses hurlements incessants brisaient le cœur de Dotty, mais que pouvait-elle y faire ? Rien, sinon supplier la voiture, plus vite, encore plus vite, et crier par-dessus son épaule vers ce tas inidentifiable autant que grotesque qui s'appelait Brian. Elle lui jeta un coup d'œil dans le rétroviseur : sa face de lune, dénuée d'expression, émergeait d'un gros col blanchâtre et rembourré, dont les rebords arrondis lui agaçaient les narines – aussi large que celui d'un courtisan élisabéthain, mais hélas sans le côté cavalier, sans le style, sans l'allure. Et le plus horrible, Dotty s'en rendait soudain compte, c'était que ce lamentable déguisement *allait* bien à ce pauvre type – le fait d'être coincé dans des entraves rembourrées lui *convenait* parfaitement. Un jour, il y a longtemps, bien longtemps de cela (et l'esprit de Dotty se convulsa sous l'effet d'un frisson concomitant), j'ai regardé cette personne droit dans les yeux, et j'ai dit Oui – oui, je veux t'épouser. Comment ces choses-là arrivent-elles ? Qu'est-ce qui peut bien pousser quelqu'un à faire de *telles* choses ?

« Brian ! aboya-t-elle. Tu ne peux pas faire quelque chose, pour l'amour de *Dieu* ? Tu ne vois pas qu'elle est mal ? Tu ne peux pas lui *parler*, jouer avec elle, je ne sais pas ? Juste ciel, Brian – ça me rend *folle*, ces hurlements ! »

Brian leva les yeux. « Quoi ? Tu dis quelque chose ? »

Dotty se contenta de secouer la tête et écrasa le champignon, pied au plancher. On rentre, on rentre, d'accord ? Plus vite, mais plus vite – on rentre, c'est compris ?

Dotty n'est pas trop contente, se disait Brian ; et la petite Dawn n'a pas l'air à la fête non plus. Pour ma part, je me sens bizarre. Je pense que je ne suis pas encore complètement remis. J'entends mal. Ils ont dit que c'était à prévoir, que cela durerait encore un jour ou deux. Alors Dotty a gueulé Bon, eh bien c'est exactement ce que tu *voulais*, non, pauvre idiot ! Enfin, il me *semble* que c'est ce qu'elle m'a dit. Je ne vois pas du tout ce qu'elle entendait par là, et franchement, cela ne me tracasse pas trop. J'ai les yeux qui me grattent – et j'ai l'impression de respirer moins facilement qu'avant : ce n'est pas tant les poumons (je ne pense pas que cela ait un rapport avec les poumons en soi), mais plutôt le *nez* lui-même – il est peut-être un peu bouché : pas grave, un petit coup de bâton Vick, et le tour est joué. Et mon cou ? En fait, je ne le sens plus – j'ai simplement la sensation qu'il est tout étiré ; évidemment, je ne peux pas tourner la tête. J'ai l'impression d'être un réverbère (ou plutôt un feu rouge). Mon Dieu – c'est le prix à payer, mon petit gars. Tu es seul responsable, fiston – tu n'as qu'à t'en prendre à toi-même : c'était ton dernier bricolage maison, et il a fallu que tu bousilles le travail. Une fois de plus. Parce que, cela fait *combien* de tentatives, à présent ? Je n'arrive pas à faire le compte. Oh, mon

Dieu, pensa Brian, tout à coup, je sens réellement l'approche de la mort.

Le médecin m'a prescrit du repos – il a dit qu'il fallait que je *parle* à quelqu'un. Très bien – mais qui va me parler, à *moi*? Quant au *repos* – qu'est-ce que cela signifie? J'ai quelquefois l'impression de me reposer depuis des années, et ça m'a apporté quoi? On ne peut pas passer le reste de sa vie à se reposer. Quelle qu'en soit la durée.

En tout cas, quelle drôle d'impression, de se réveiller comme ça à l'hôpital. Colin – c'est la première chose dont je me souvienne : Colin en train de me regarder, de me regarder de haut. Comme il l'a toujours fait. Il y avait cette vague odeur d'égout, un peu sucrée – peut-être simplement le mélange de vase, de sang et de bandages. Bon Dieu, quel choc, quand j'ai décollé de la falaise (j'étais à des kilomètres de là) – et ça a dû aussi lui faire un drôle d'effet, à Colin, aucun doute, parce que, mon Dieu, ce n'est pas *vraiment* une chose courante, hein? Un crépuscule bien sombre, votre père planté comme un zombie au bord d'une falaise, et tout d'un coup – *ffffuuuiiit,* plus personne : dans la vase jusqu'au cou, quinze mètres plus bas. Parfois, je me dis que ce n'est pas étonnant que nous ayons tant de mal à *communiquer,* tous les deux ; il voudrait sans doute me voir mort, Colin. C'est à peu près la seule chose sur laquelle nous soyons d'accord.

J'ai bel et bien gâché les vacances, hein? Enfin – il n'y avait pas tant à gâcher : Dotty les détestait (à part Dawn, et Dawn était toujours là ; c'est drôle – parmi tous les trucs que l'on peut rapporter de vacances à la mer, on ne penserait pas vraiment au bébé de quelqu'un d'autre). Au moins, Colin va en profiter pendant deux jours encore – et à l'Excelsior (il y a pire). Quant à moi, je me demande ce qui m'attend à la maison. Si « maison » est le mot juste, d'ailleurs. Dotty s'était finalement décidée à lui parler de la nouvelle offre d'achat pour la maison, il y avait à peine une demi-heure de cela. La première pensée de Brian avait été Oh mon Dieu, la seconde, *Et alors?* Même si je vends cette baraque, ce n'est rien qu'une nouvelle marche à descendre dans l'escalier de la décrépitude. Enfin bref – il fallait voir ça avec Howard. Et puis, il aurait une petite *faveur* à lui demander : joyeuse perspective. Il n'avait pas voulu lui en parler auparavant – cela n'avait aucun intérêt tant qu'il n'y avait pas de vente en vue, même très loin à l'horizon. Mais là, il allait devoir le faire. Et si ces acheteurs, quels qu'ils soient, étaient un tant soit peu sérieux – s'ils avaient vraiment le pognon là, tout de suite (ce qui était le cas, d'après Dotty, qui le tenait d'Elizabeth, qui l'affirmait d'après Howard), eh bien, Brian accepterait leur offre. Même faible. Même pitoyable. Parce qu'il n'avait pas le choix. Même si ça nous fait mal – même si j'ai, moi, l'air pitoyable.

Je vais vous dire autre chose, un truc drôle aussi – enfin, ça m'a paru drôle, à ce moment-là. Tandis que j'étais sur mon lit d'hôpital, appuyé sur les oreillers, et qu'ils me nettoyaient autant que faire se peut – Dotty et Colin étaient repartis –, savez-vous quelle est la première chose qui me soit venue en tête, tout d'un coup ? Vous n'allez pas le croire (je peux vous dire que j'en ai été le premier surpris) : le sexe. Ouais – rien de moins. Je vais vous dire pourquoi c'est drôle – parce que je me souviens à peine de la dernière fois que ce truc-là m'a simplement traversé l'esprit. Parce qu'on est tellement pris par ses *passe-temps*, n'est-ce pas ? Une passion, ça vous prend complètement (d'ailleurs, je pense à une chose, quand nous serons rentrés : je pourrais reclasser ma collection de plaques d'égout par ordre *chronologique* : comme cela, elles seront bien rangées, toutes prêtes à être déballées, où que ce soit – si nous déménageons). Oui, donc... désolé, je me perds un peu, là... les passe-temps... les plaques... ah ouais ! Le sexe.

C'est peut-être à cause de l'infirmière qui est passée en

vitesse; non que ç'ait été une beauté ni rien (Brian n'avait jamais eu de beauté ni rien), mais c'était plutôt son côté frais et net, et compétent – et puis aussi ses grandes paluches toutes rougeaudes, de quoi prendre en main à peu près n'importe quoi, Brian en était persuadé. Et soudain, il se retrouvait transporté à une époque où cela existait, dans la réalité : ça s'était plus ou moins arrêté après la mort de la petite Maria.

Mais, mon Dieu, je me rappelle bien ces soirs-là : un samedi sur deux, pour autant que je m'en souviens. Jamais très tard, parce que Dotty voulait absolument, après, avoir tout son temps pour faire le lit en grand, changer les draps, retourner le matelas, et ensuite prendre une douche et macérer longtemps, longtemps dans un bon bain : je dormais toujours quand elle revenait.

Attention, ne croyez pas que je veuille faire mon Casanova, hein ; je veux dire que je ne me suis jamais considéré comme un objet sexuel – même si, évidemment, je ne peux pas savoir comment les autres me voient. Non, ce que je veux dire (et rien de plus), c'est que, comme pour tous les trucs dont on est fier, que l'on peut regarder avec plaisir, l'acte sexuel nécessite toutes sortes de préparatifs – parce que la préparation, c'est toujours ça, le secret d'un travail bien fait – vous n'avez qu'à demander à n'importe quel véritable amateur. Bien sûr, il y a en aura toujours pour qui tout ça là, c'est du bla-bla – mais je vais te dire, mon petit gars, amène-toi avec ta brosse et passe une couche, comme ça, directos, sur ton plâtre brut, et tu verras la tronche de ton mur. Tu as entendu parler du papier de verre, non ? L'enduit Pollyfilla et la ponceuse, ça te dit quelque chose ? Eh bien là, même principe : ne pas se précipiter – préparer le travail, prendre son temps.

Par contre, ce serait complètement idiot d'en faire trop – d'après moi, cinq minutes, c'est parfait : moins, ça risque d'être du travail bâclé – et de plus, on risque de perdre de vue l'essentiel ; je veux dire – avec ou sans préparation, le but de l'opération, c'est quand même bien d'*achever* le boulot, non ? Alors, tu peux remballer tes outils, et voilà, *finito.*

Bon, alors voilà comment vous procédez : d'abord, vous prenez la femme et vous la posez face en l'air, vers vous (malgré ce que vous avez peut-être entendu dire à droite ou à gauche, c'est toujours le meilleur truc : mieux vaut avoir tout à portée de main, parce que, n'est-ce pas, il n'y a rien de pire que de tâtonner dans le noir, à la recherche d'un truc ou d'un autre, sans réussir à mettre la main dessus). Ensuite, faites en sorte que la femme en question se sente à la fois adorable et désirable ; pour ma part, j'ai toujours utilisé la phrase « Tu es à la fois adorable et désirable », un moyen simple et pratique pour y parvenir, mais bon, je ne dis pas que c'est valable tout le temps ni pour tout le monde. Chacun peut trouver une autre combinaison de mots qui fonctionne aussi bien, comme par exemple (pour ceux d'entre vous qui ne détestent pas un peu d'humour raffiné) « Coucou, qui est là ? C'est moi, entrez. Par où ? *Par là* » ; l'idée, c'est simplement d'être sensible à leurs besoins, voyez-vous ? (Et ça fait gagner un temps drôlement précieux, de savoir ça – moi, j'ai mis des années avant de piger qu'elles en avaient, tout simplement.)

Bien. Ensuite, vous saisissez un bout de sein (droit ou gauche, c'est selon) entre le pouce et l'index, et vous le manipulez comme si vous graissiez bien un roulement à billes, sans lésiner – ou bien, si vous préférez, comme si vous dévissiez un écrou à oreilles. Je ne dis pas que ce soit particulièrement marrant à faire, ni rien – mais les dames aiment bien ça. Ensuite, vient un truc vachement important, c'est de l'embrasser et, d'accord les gars (j'en sais quelque chose), pas mal d'entre vous préféreraient sauter cette étape-là pour passer à la suivante, mais là, il est quand même fortement conseillé de montrer un peu de bonne volonté : vous n'êtes pas obligé de peaufiner, en y mettant la *langue* et tout le bazar. (Je me dis souvent que ça ne se fait que dans les films, en réalité : quoi d'étonnant ? Les acteurs, ils sont *payés* pour ça, non ? Vous, pas.) Mais bon, ça, c'est comme vous voulez, chacun son truc.

Là, ça devient plus sympa. De la main gauche (en supposant que vous soyez positionné à gauche de la dame) vous saisissez sa cuisse droite (oh, j'oubliais : si vous êtes toujours en tenue de nuit, le moment est venu de lui ôter la sienne) et vous lui imprimez une poussée, la cuisse je veux dire, comme pour l'éloigner de vous (sans brutalité – ce n'est pas un bout de viande), puis vous attrapez l'autre cuisse, et, inversement, la tirez vers vous. Là, vous devez obtenir un V parfaitement symétrique, qui permet très commodément d'accéder à tous les bidules. Bien – vous voilà arrivé à bon port, d'accord ? Vous constaterez certainement que la prise mâle entre sans problème dans la prise femelle, et là, mon vieux, il est temps de s'y mettre ; à partir de maintenant, ce n'est plus qu'une question d'huile de coude. C'est un peu comme si vous tabassiez quelqu'un à coup de hanches – je sais que ça paraît assez moche comme idée, mais ne vous angoissez pas : généralement, ça dure une minute à peine, et comme récompense, vous ressentez quelque chose de très agréable, vraiment – et qui compense largement tout ce boulot. Ensuite, se retirer avec précaution, et essuyer soigneusement toute coulure : elle s'occupera du reste. Bien nettoyer l'outil pour qu'il soit prêt pour la prochaine utilisation, laquelle – si vous êtes comme moi – consistera en un long, long pipi.

Brian se vit brusquement arraché à sa rêverie : des portières claquaient et Dawn lui était arrachée, sur quoi elle cessa presque instantanément de hurler. Bien bien bien. Coucou, la maison. Aucun souvenir du trajet, le temps a filé tout seul.

« Nous y voilà enfin, Dieu merci, dit Dotty. Sors, maintenant. »

348

Ce qui était amusant, d'une certaine façon, parce que c'était exactement l'expression qu'elle employait quand c'était fini, autrefois. Un samedi sur deux, pour autant que je m'en souviens. (Avant que ça ne cesse complètement.)

« Je trouve tout ça *trop* magnifique », déclara Melody, les yeux affolés, papillotant en tous sens, comme assiégée par un millier de paparazzi.

Elizabeth hocha la tête avec un sourire indulgent. En effet, se disait-elle, ce que j'ai devant moi est bien la nouvelle Melody, biologiquement améliorée, dotée d'un mystère accru et d'innovations sans prix. Mais bon, je peux peut-être lui accorder le bénéfice du doute, non ? Parfois, les gens sont si avides de bonheur (de satisfaction ? Enfin, d'une sorte de stabilité) qu'il parviennent à s'arracher à la futilité de l'instant immédiat pour se projeter dans quelque chose de *trop* magnifique, si c'est possible. Je n'en sais rien. Somme toute, j'ai à peine *entrevu* cet homme, tandis que Melody, elle – eh bien, disons que Melody le connaît relativement mieux. Et puis, c'est peut-être l'homme qu'il lui *faut*, finalement. Elle l'a bien mérité, la pauvre chérie. Ça, c'était une chose qu'Elizabeth ne parvenait jamais à comprendre, chez Melody – ce besoin apparent d'avoir toujours un homme dans sa vie. Parce que je veux dire – toutes choses égales par ailleurs – pourquoi se donnait-elle tant de mal ? Pourquoi tant d'efforts pour une compensation si misérable ? Elizabeth, pour sa part, ne s'était jamais sérieusement arrêtée sur quiconque, depuis Howard ; et d'ailleurs, même avant Howard, elle s'était rarement arrêtée sur un homme – un seul avait failli réussir son coup, mais Elizabeth avait assez vite décidé (il commençait de devenir affreusement collant, chose pénible aux premiers stades d'une relation – et même aux derniers) qu'il avait de drôles de pieds, et qu'elle ne pouvait s'imaginer arriver à une soirée, entrer dans un restaurant ou dans une boutique avec un homme qui parvenait à avoir l'air si naturellement idiot, en posant simplement un pied devant l'autre. Il s'appelait Carlos, et c'était un très beau garçon (dans le style que ce prénom suggère), assez aisé aussi, mais la question n'était pas *là*.

Et à présent – après tant d'années – Elizabeth se trouvait tout à fait satisfaite avec Howard (cet adorable vieux machin). Et Howard, *lui*, ne la quitterait jamais, Elizabeth en était certaine : trop d'effort pour lui, déjà. En outre, il lui fournissait l'essentiel, c'est-à-dire l'argent. Certes il était un peu âgé – moins souple, absolument pas juvénile – mais qui d'entre nous pouvait se targuer d'échapper à l'outrage du temps ? Qui d'entre nous ne devait pas affronter son automne avec courage, en sachant que l'hiver suivrait inévitablement, puis plus rien ? Pour nous, le printemps ne pouvait plus être qu'un écho lointain, un souvenir.

Mais Melody, elle, voyez-vous, n'avait jamais véritablement posé ses valises ; certes, elle était largement plus jeune qu'Elizabeth – mais plus si jeune que cela, tout de même. Une fois – il y avait des années de cela – Elizabeth avait été persuadée que Melody entretenait une liaison avec un homme marié plus âgé qu'elle (oui – comme *mon* adorable vieux machin), et qu'elle n'en tirait pas de joie excessive ; c'était d'ailleurs étrange qu'elle ne se soit pas confiée à Elizabeth. Celle-ci avait essayé d'en parler avec Howard (histoire de voir ce qu'il en pensait) mais, comme on pouvait s'en douter, il n'avait montré aucun intérêt pour le sujet, et s'était contenté de grommeler quelque chose, comme il fait tout le temps dans ces cas-là : c'était tout Howard, ça – tout ce qui concernait la vie des autres, quoi que ce fût, semblait toujours l'ennuyer à mourir.

Et puis, un autre homme était arrivé, peu de temps après ; Elizabeth n'avait guère eu l'impression que c'était là la passion du siècle, mais, au début, Melody paraissait plutôt contente (satisfaite ? Enfin, dans une sorte de stabilité). Bien sûr, Elizabeth n'avait jamais rencontré les hommes en question, elle ne pouvait donc s'en faire une idée qu'au travers de ce qu'elle voyait et entendait. Quoi qu'il en soit, nous n'allons pas nous étendre, n'est-ce pas, sur la suite des événements : Melody enceinte, et le type déjà loin. Mon Dieu, rien de très nouveau là-dedans. Et soyons francs, Melody n'est pas franchement équipée pour être mère, n'est-ce pas ? Pour autant qu'Elizabeth puisse en juger, elle considère cela comme un handicap que le destin lui a injustement infligé – et cette petite Dawn est tellement adorable (quoique bruyante).

Il y eut d'autres brèves aventures, bien sûr – un homme rencontré ici ou là, un ami d'une amie, enfin, ce genre de choses – mais celles-ci, Elizabeth en était persuadée, ne servaient guère qu'à nourrir son ego – ou même, de façon plus radicale, à lui passer le temps. Mais cette fois – eh bien *cette fois*, cela faisait quoi – un quart d'heure ? Plus ? Probablement plus – qu'elles étaient là, assises dans le hall de l'Excelsior, et Melody n'avait fait que parler de ce fameux *Miles*, à l'exclusion de tout autre chose. C'était en fait assez ennuyeux – mais Elizabeth savait bien, évidemment, que les gens se comportent ainsi quand ils sont vraiment accrochés. Et Miles ceci, et Miles cela... Tiens, d'ailleurs, si je ne me trompe pas, le voilà qui arrive en personne. Oui – c'est sa démarche ; Elizabeth se souvenait de sa démarche. Et devait avouer qu'elle ne l'avait pas *du tout* appréciée : trop étudiée, trop suffisante, trop... je ne sais pas, *quelque chose* n'allait pas. Oh là là ! Regardez Melody, tout d'un coup ! Regardez-moi ça – j'imagine que la petite Bernadette (est-ce bien Bernadette, d'ailleurs ?) a dû faire cette tête-là, à Lourdes, quand la Vierge lui est apparue (évidemment, ce n'est peut-être pas du tout ça – mais je suis tellement *nulle*, avec tous ces trucs catholiques : bon, je sais qu'en principe ce n'est pas très éloigné de nous, mais en réalité c'est tout à fait *autre chose*, n'est-ce pas ?)

351

« Bonjour, mon chéri ! fit Melody dans un soupir extatique – quasiment prête à bondir vers son maître et à lui faire fête, en couvrant son visage de grands coups de langue affectueux (couchée, la fille !).

– Ouais, salut, fit Miles, adressant à Elizabeth un coup d'œil tout à la fois complice et méfiant (oh merde, qu'est-ce que c'est que ça, maintenant ?).

– Elizabeth, reprit Melody avec un orgueil de propriétaire – suivit une pause imperceptible, afin de ménager la solennité de l'instant. Je te présente… Miles. » En fait, elle aurait aussi bien pu dire Bien, écoute, tu as naturellement entendu parler de l'Être suprême, du Dieu tout-puissant ? Eh bien, le voilà en personne (c'est drôle, je n'arrive pas à me débarrasser de ce truc mystique).

Elizabeth sourit et tendit une main – ce qui n'était pas prévu, de toute évidence. Miles, cependant, lui fit la grâce (?) d'ôter une des siennes propres de la poche de côté de son pantalon Calvin Klein, coupé loin du corps et d'assez bon goût, et d'effleurer du doigt un des doigts d'Elizabeth. (Genre chapelle Sixtine ? N'en faisons pas trop.)

« Je sais que c'est une formule convenue, déclara Elizabeth, on ne peut plus maîtresse de maison charmante et pleine d'esprit, mais j'ai *effectivement* beaucoup entendu parler de vous, et mon Dieu *oui*, uniquement en termes élogieux, je peux vous l'assurer. »

Melody eut un rire léger, et Elizabeth émit un gloussement à peine plus sonore ; Miles, pour sa part, se contenta de contracter puis d'étirer ses lèvres comme si quelque piètre photographe de mariage lui avait demandé, une fois de trop, de dire *cheese* au cours de la cérémonie.

« *Bon*, Melody… » fit-il avec un mouvement de tête en direction de la porte à tambour.

Quelle grossièreté, pensa Elizabeth. Vraiment, je n'aime pas du tout ce Miles – mais alors pas du tout. Enfin, ça ne me regarde pas, évidemment.

« Oh, *Elizabeth*, dit soudain Melody – comme si elle se rappelait brusquement, à l'instant, qu'en fait Elizabeth était une amie. Nous allons plus ou moins déjeuner – aimerais-tu… ? »

Elizabeth n'eut même pas à saisir la lueur d'angoisse qui s'était allumée dans les yeux de Miles – elle se répandait partout. « Non non non, fit-elle d'un ton ferme. Filez, tous les deux. Moi, j'ai prévu encore quelques trucs de *vacances*, comme dit Dotty : regarder une dernière fois la mer, ce genre de chose. Et j'ai promis à Colin de rentrer après, donc je n'ai pas tellement de temps devant moi.

– Oh… bon, d'accord », répondit Melody, le regard déjà braqué sur Miles, et rien d'autre.

« *Bon*, Melody… », fit celui-ci avec un mouvement de tête vers la porte à tambour – exactement comme si l'on avait appuyé sur REW quelques secondes (non, là c'est trop – FF, maintenant) puis sur PLAY. En effet, pensa Elizabeth, ma première impression était parfaitement juste : un goujat – d'une insupportable grossièreté.

« Très bien Elizabeth, lança Melody d'une voix chantante – un bras glissé sous le coude de Miles, tous deux se dirigeant déjà vers la porte. Si je ne te vois pas d'ici là, hein… à demain. Enfin, si je ne peux pas, je te passe un coup de fil, d'accord ? »

Elizabeth hocha la tête : pas un mot sur la *réception*, s'il te plaît.

« Ah oui, et puis il y a ta *réception* – je n'ai pas oublié. Miles, Elizabeth nous invite à une garden-party fabuleuse, quand nous serons rentrés à Londres. Enfin, je t'en parlerai. »

Sur quoi ils disparurent, ce qui ne chagrinait pas Elizabeth outre mesure. Mon Dieu, soupira-t-elle avec résignation, ce n'est qu'une *réception*, après tout : tout le monde s'amuse, à une réception. Et puis, plus on est de fous, plus on rit, n'est-ce pas ?

Carol se tenait là-bas – tout là-bas, devant la fenêtre. Colin, lui, s'accrochait toujours à la poignée de la porte : il n'était plus si sûr que ce soit une bonne idée, après tout. Je veux dire – je l'ai *voulu*, évidemment (parfois, j'ai l'impression de ne penser qu'à ça depuis… depuis que je suis *né*, tiens), mais bon, tout dépend de moi, maintenant. Oui, de moi, parce que pour Carol, je ne sais pas – Carol se tient là-bas, tout là-bas, près de la fenêtre, elle regarde au-dehors, comme si l'unique raison pour laquelle elle avait accepté l'invitation de Colin était de pouvoir rester là à contempler la vue, depuis la suite d'Elizabeth.

Mais, et si elle ne faisait pas semblant ? Et si, quand Colin lui avait dit Oui, il y a *bien* un endroit où nous pouvons aller, en fait, parce que Elizabeth – ma… euh – enfin, c'est la personne qui habite à côté de chez nous, mais je la vois plutôt comme une parente, parce que je la connais depuis que je suis tout petit, comme ma tante, quelque chose de ce genre – et donc, elle est absente pour tout l'après-midi (elle me l'a dit). Si, quand Colin avait dit ça (ils étaient assis dans l'herbe rêche, au sommet de la falaise, là d'où son père était tombé), Carol avait simplement répondu Ah ouais ? D'accord, comme on dit Ouais, pourquoi pas ? Je veux dire – enfin, ce que je veux *dire*, c'est que s'il lui avait suggéré d'aller manger une glace ou de faire un tour en bus, ou en pédalo, elle aurait aussi pu répondre Ah ouais ? D'accord, comme ça, de sorte que le fait de se retrouver maintenant seuls dans ce salon immense, hélas séparés par le lit non moins immense de Colin, pouvait n'avoir aucune autre signification – ils étaient là, c'est tout. Bon – j'imagine que, puisque j'en suis *là* (mais pourquoi ne nous donne-t-on pas de mode d'emploi, quand ces situations commencent à se présenter ?), je, euh… j'ai perdu le fil – ah oui, voilà : si je lui disais Eh bien voilà, c'est la chambre dont je te parlais – et maintenant, si on allait manger une glace ou faire un tour en bus, ou en pédalo, a) me prendrait-elle pour une cloche indécrottable (et seul Dieu sait pourquoi ce n'est pas déjà le cas – à moins, ô horreur, que ce ne soit *déjà* le cas) ou b) dirait-elle simplement Ah ouais? D'accord. Réponse : Je n'en sais rien. Moyennant quoi, tout dépend donc de ce que je vais dire maintenant.

« Pourquoi tu ne t'approches pas? »

C'est Carol qui avait parlé, pas Colin – au grand soulagement de ce dernier, car il sentait bien que le silence commençait à virer au malaise, et s'apprêtait à sortir le premier truc qui lui passerait par la tête, lequel aurait fort bien pu avoir affaire avec les glaces, les bus ou même, dieux du ciel, les *pédalos*, de sorte qu'il aurait proprement et définitivement gâché une occasion en or, un cadeau du destin.

Colin s'approcha donc de la fenêtre, d'une démarche aussi décontractée que possible – un peu comme s'il allait juste acheter le journal de l'autre côté de la rue (je reviens dans une seconde). À peine était-il là que Carol leva une main et effleura ses cheveux. C'était délicieux : parce qu'on ne sent jamais ses propres cheveux, n'est-ce pas, sauf quand quelqu'un les touche.

« Tu sais que je t'aime vraiment beaucoup, Colin? » fit-elle d'une voix douce.

Colin hocha, puis secoua la tête. « C'est vrai? »

Oh noooon : « C'est vrai? » Quelle pauvre andouille. « C'est vrai? » Évidemment que c'est vrai – sinon, elle ne le dirait *pas*, hein – putain, mais trouve quelque chose à répondre, *quelque chose*. Ouais, facile à dire – répondre quoi? Allez, on essaie ça :

« Je te trouve magnifique, Carol. Carrément magnifique. »

Bon – pas trop mal joué; plus que pas trop mal – un sourire immense, comme venu du fond d'elle-même, se répandait à présent sur tout son visage. Je crois que je suis sur la bonne piste.

Colin posa sa main sur la joue de Carol, et retrouva soudain cette douceur, cette tiédeur presque effrayantes de sa peau – en était-il ainsi pour tous les visages ? Leurs lèvres se touchaient à présent, et Colin ne savait pas trop comment c'était arrivé – il n'avait perçu aucun mouvement volontaire – mais il sentit un flot de chaleur l'envahir tout entier, comme la langue mouillée, électrique, de Carol s'insinuait entre ses dents, puis glissait contre la sienne, profondément. Colin monta alors au paradis, ses deux mains s'emparèrent de ces seins gros comme des balles de tennis, mais mille fois plus doux, et il faillit perdre le souffle, suffoqué, avec ces sept ou huit langues qu'ils semblaient soudain partager, tandis que la distension qui habitait son jean se faisait d'une absolue rigidité – plus que jamais auparavant –, et Colin ressentait à présent des espèces de décharges électriques qui venaient de loin, là où, jusqu'alors, de simples paillettes de lumières l'avaient caressé en surface, comme pour jouer sur sa sensibilité. Ses mains, hystériques, s'accrochaient maintenant à… oh, mon Dieu, ce n'est pas *vrai*… aux seins de Carol – comme ci, comme ça, ici et là, comme si elles avaient eu toute licence pour tripoter à volonté le tableau de commandes du Starship Enterprise – mais voilà qu'une main se glissait lentement jusqu'à sa boucle de ceinture, un pouce (enfin, je crois) demeurant un instant coincé là puis, comme les doigts de Carol commençaient de passer au crible les preuves de son émoi, Colin fut soudain submergé par une horreur sublime, un sentiment de catastrophe magnifique comme il n'en n'avait jamais connu. Les sensations qui fulguraient en lui avaient pris une intensité qui le laissait comme engourdi, le souffle coupé, et cependant il se pressait, se tortillait malgré lui contre la paume également pressante de Carol : *voilà* donc de quoi il s'agissait – toute cette attente, toutes ces interrogations, tout ce temps passé à imaginer, supputer, désirer, telle était la réponse. Ma vie commence maintenant, pensa Colin – et… mon Dieu, elle est sûrement finie, aussi. Il s'écarta de Carol, la honte avait tout submergé.

« Qu'est-ce qu'il y a ? fit Carol d'une voix haletante. N'arrête pas ! »

Il y avait un espace entre eux à présent, et tout ce que Colin trouva à dire, la seule chose qui lui vînt aux lèvres fut :

« Écoute, Carol – je pense que ce n'est peut-être pas une très bonne idée. »

Elle le fixa droit dans les yeux, et Colin eut un mouvement de recul, regrettant déjà son mensonge. C'était la seule vraiment bonne idée qu'il ait jamais eue de toute sa vie terrestre, et à présent, il avait réussi à froisser Carol, à la heurter, comme s'il l'avait giflée. Mais que pouvait-il faire d'autre ? Comment aurait-il pu l'empêcher de découvrir plus avant ce qui venait de le saisir – ce raz de marée imprévu, invraisemblable, tout-puissant, qui l'avait balayé, là, à l'endroit le plus important de soi-même, ce bouleversement dont il se remettait à peine, on ne sait trop comment (car n'allez pas imaginer que c'était chose facile) ?

« Colin… ? » La main de Carol revenait vers lui. « Mais il *faut* aller jusqu'au bout… »

Colin répondit d'un signe de tête aussi convaincu que dénué de signification, les yeux baissés sur la moquette, et pensant Ouais ben ça va pas être possible, hein, parce que je ne sais pas mais j'ai dû commencer en avance, sans elle, et résultat j'ai aussi terminé tout seul – et également Oh là là, le plus terrible c'est que j'ai encore envie de la toucher mais je ne peux pas parce que sinon elle va… Oh non, non, c'est pas vraaaaiiii ! J'ai carrément gâché le truc, mais alors quelque chose de *bien* !

Mais Carol avait perçu le message à présent : le *mauvais* message, d'accord, mais tout, *tout* plutôt que la honte, si elle découvrait la vérité. Elle reboutonna sa chemise (est-ce Colin qui avait ouvert tous ces boutons ? Est-ce lui, ou elle, qui avait si habilement dégrafé l'un après l'autre tous ces minuscules boutons ?) et s'employa aussitôt à prendre un air dédaigneux au possible.

« Très bien, Colin. Parfait. On sort d'ici, maintenant ?
- Écoute, Carol...
- Je n'ai pas *envie* d'en parler, Colin. On *bouge*, okay ?
- C'est que... Elizabeth va peut-être rentrer, et...
- Mais oui, mais oui... ça n'a plus d'importance, d'accord ?
Bien, Colin – moi, j'y vais maintenant. Tu viens ou tu restes
ici ? »

Colin hocha la tête et la suivit jusqu'à la porte, plus misérable, plus honteux qu'il ne l'avait jamais été de sa vie (malgré
les échos encore vibrants du miracle), avec également l'impression – fort justifiée – d'être plongé jusqu'à la taille dans la
colle de pâte, tandis que son caleçon affirmait son droit moral
et constitutionnel à entamer son légitime processus de méta-
morphose, passant du simple coton au carton ondulé. J'ai bien
l'impression, se disait-il dans l'ascenseur, immobile aux côtés
de Carol – tous deux le regard obstinément fixé sur la fente
verticale qui séparait les portes coulissantes –, que toute cette
affaire va demander pas mal de boulot.

Ils traversèrent le hall en direction de la porte à tambour –
et la démarche de Colin semblait vouloir imiter une table à
abattant à demi repliée, à cause de son caleçon en contreplaqué,
tandis qu'il pensait J'aurais peut-être dû laisser Carol partir sans
moi parce que, certes, ç'aurait été le comble de la grossièreté, la
cerise sur le gâteau, mais d'un autre côté, cela m'aurait donné
la possibilité de me – beurk – de me changer.

Soudain, une voix les intercepta, émanant de l'intérieur du
bar.

« Colin ! s'écria Elizabeth. Tu as réussi à te libérer ! Ce n'est
pas trop *tôt* ! »

Sur quoi Colin eut l'air effaré d'un voleur à la tire surpris
la main dans le sac, avant de réagir et de faire signe à Carol
d'approcher.

« Je suis *tellement* heureuse de te voir », reprit Elizabeth, des

358

profondeurs d'un canapé Chesterfield – et elle paraissait en effet ravie, tout en adressant à Colin force roulements d'yeux et haussements de sourcils éperdus, sans doute pour indiquer qu'il fallait absolument la sauver de ce type assis à ses côtés. Elle se tourna vers celui-ci.

« Mes amis sont arrivés, déclara-t-elle, et en dépit de sa légendaire aménité, qui enrobait chaque mot comme un miel, il n'y avait aucun doute quant à ses intentions.

– Très bien, dans ce cas… fit l'homme, bondissant sur ses pieds avec un telle énergie qu'il semblait devoir s'attaquer illico aux barres parallèles. Eh bien, je file, alors. J'ai été plus qu'enchanté de parler avec vous, Elizabeth. »

Sur quoi il s'éloigna d'une démarche souple, un courant d'air rabattant une mèche de cheveux sur ses yeux – mais il était infiniment trop occupé à fourrager dans ses poches pour s'inquiéter de ce genre de chose.

« *Lui*, il est peut-être plus qu'enchanté, fit Elizabeth d'une voix pointue, tapotant le divan en un geste accueillant, avec un regard intrigué en direction de Carol, mais *moi*, jamais je ne me suis autant *ennuyée* de ma vie. Tu ne me présentes pas, Colin ?

– Oh, si, désolé. Bien sûr. Je vous présente… euh… *Carol*, dit-il insistant bien sur le prénom (comme s'il voulait s'en assurer). Carol, je te présente… euh…

– Elizabeth, je sais, coupa Carol. Nous descendons à l'instant de votre suite. Elle est géniale. Quelle vue magnifique vous avez, là-haut ! »

Vraiment ? pensa Elizabeth. Bien ; qu'est-ce que j'en pense exactement ? Cela me fait quelque chose, certainement – mais quoi, je ne sais pas trop.

« C'est *très* charmant, n'est-ce pas ? Je serai désolée de partir – mais mon Dieu, c'est toujours agréable de retrouver la maison, n'est-ce pas ? Êtes-vous aussi en vacances, Carol ? »

Carol hocha la tête. « Je rentre le même jour que Colin et vous. Il faut bien retrouver la pollution de la capitale !

– Oh, alors, il *faut* que vous veniez à ma soirée – as-tu invité Carol à la soirée, Colin ?

– Je ne savais pas qu'il y avait une soirée *prévue*, répondit Colin avec sincérité.

– Mais si – quelque chose de magnifique. Eh bien, venez, venez absolument, Carol – c'est mardi, prenez date. Colin vous dira où, et tout ça. Nous faisons une garden-party – cela promet d'être somptueux.

– Oh, merci. Ouais, avec plaisir. Merci. »

Ouais, pensait Carol – avec plaisir, vraiment. Et *merci*. Parce que j'ai réellement envie de revoir Colin, et que *lui* n'aurait jamais rien trouvé pour cela : les garçons ne prennent jamais aucune initiative, ou alors ils sont dégoûtants. Mais j'ai vraiment, vraiment cru qu'on allait le *faire*, là-haut. Parce que c'est pas possible, cela fait des *siècles* que j'attends ça, que j'attends d'avoir passé ça. Évidemment, j'aurais pu le faire avec l'affreux *Michael*, à la maison, n'importe quand, il n'attend que ça, mais il est tellement *répugnant*. Colin, lui, il est sympa. C'est peut-être pour cela, d'ailleurs, qu'il me plaît tant : parce qu'il ne fait rien. Il a sans doute voulu me protéger, quelque chose comme ça. C'est vraiment adorable. Cela doit demander pas mal de volonté, pour un garçon. Oh non, vraiment, c'est trop *adorable* – et moi, je me suis montrée carrément nulle avec lui, après. Donc, oui, je viendrai à cette soirée (dieux du ciel, encore des *semaines* à tirer avant la rentrée, et que dalle à faire), et là, il verra peut-être à quel point j'en ai envie. Parce que, si j'ai bien compris, il habite juste à côté de chez Elizabeth. Finalement, je crois que je suis amoureuse de lui. Je pense sans arrêt à lui, donc ce doit être ça. Je suppose. Oh là – que vient de dire Elizabeth ? Désolée. Oh, un verre – ouais, avec plaisir, pourquoi pas. Merci, hein.

« Un jus d'orange, s'il vous plaît, dit Carol. Cela dit, il faudrait que j'arrête de prendre toujours ça – c'est vraiment ringard, n'est-ce pas ? » Elle se mit à rire. « Mais c'est devenu une espèce de tradition familiale, une plaisanterie avec mon père. Lui, il roule au citron pressé. »

Colin hocha la tête. « Le mien, il a une Volvo break. On ne l'a pas prise, cette fois, je ne sais pas pourquoi. »

Elizabeth eut une imperceptible hésitation, et Carol un sourire en dessous, mais elles laissèrent filer ; Colin, l'esprit ailleurs, jouait avec les cacahuètes, du bout de l'index – un tour dans le sens des aiguilles d'une montre, puis un tour dans le sens inverse.

« J'ai été extraordinairement contente de vous voir *enfin* arriver, fit Elizabeth avec emphase, se penchant pour passer un ongle translucide sur le bord de son verre de champagne. Ce *Derek*... parce que, apparemment, c'est son nom – comme si ça *m'intéressait*... un analyste *programmeur*, quelque chose de sûrement tout à fait passionnant, n'est-ce pas – et, vraiment... » Elizabeth riait maintenant, se pinçant les narines entre le pouce et l'index, « c'était une telle *horreur* que je ne savais même plus où poser les *yeux* – il m'a dit qu'il avait absolument tous les épisodes d'*Eastenders* en vidéo, et que lui et son *collègue*, ce sont ses termes, les regardaient à tour de rôle ! En plus, il vit à Dagenham. Vous *imaginez* ça ? Je vais vous dire – de ma *vie* je ne me suis jamais autant ennuyée. »

Au bout d'un moment de bavardage insignifiant, Elizabeth faisant essentiellement les frais de la conversation, Carol se leva et déclara qu'elle devait y aller, à présent.

« J'ai dit à papa que je rentrais tôt – il a réservé au restaurant, quelque part en ville. Je suis désolée de ne pas pouvoir t'inviter, ni rien, Colin, mais...

– Oh non, laisse, dit Colin chassant d'un geste cette éventualité, aussi lointaine fût-elle. Non non... euh, tu... Enfin, je ne songerais même pas à... »

Non – certes non, même si *j'étais* invité. Cette saloperie de

361

Terry compromettrait toute relation future en me tabassant à coups de chaise ou en m'écrasant la figure contre un mur – et je ne pense pas que le père de Carol souhaiterait me voir à sa table – à moins d'avoir son ciré, son suroît, et un parapluie à portée de main.

Carol embrassa Colin sur la joue, tandis que celui-ci s'absorbait longuement dans l'observation minutieuse de la plinthe et de cette curieuse manière dont elle rejoignait le chambranle de la porte, là-bas. Elizabeth, voyant cela, eut un sourire entendu, puis se surprit elle aussi à observer la plinthe. Une fois échangés les signes de la main – et le rappel de la soirée à venir, lancé par Elizabeth et attrapé au vol par Carol tandis qu'elle quittait le bar –, Elizabeth se tourna vers Colin, les yeux brillants de plaisir anticipé :

« *Alors*, Colin – que faisons-nous, maintenant ? »

Colin répondit aussitôt qu'il aimerait avant tout se changer. Mais *bien sûr*, approuva Elizabeth – c'est tellement agréable de changer de vêtements pour la soirée, n'est-ce pas ? Tout à fait, tout à fait – surtout quand vos sous-vêtements se sont transformés en poterie, tandis que vous étiez assis là, sans rien faire. Colin s'éloigna donc d'un pas raide évoquant à présent un vacher camarguais quelque peu courbatu par une longue journée en selle (et conscient d'une légère démangeaison qui, jusqu'alors, ne l'avait nullement troublé, mais commençait à agacer les parties les plus tendres de sa personne).

Ce que Colin et Elizabeth finirent par faire, c'est passer la soirée dans un restaurant dont Elizabeth avait entendu dire que c'était le plus génial, le plus branché, le *numero uno*, le *must* de la ville ; là ils se gavèrent de choses réellement excellentes, et, pour être honnête, Colin commençait de développer un certain faible pour ce fameux champagne ; quant aux petits fours, ils étaient simplement *irrésistibles*, comme l'avait déclaré Elizabeth, donc Colin y avait goûté, et elle avait raison, de sorte qu'ils en avaient recommandé. De retour à l'hôtel, ils pouvaient à peine *bouger* tant ils étaient repus. Dieux du *ciel*, soufflait Elizabeth en se tenant le ventre, je suis tellement repue que je peux à peine *bouger*. Moi non plus, renchérissait Colin. Moi non plus. Mais une fois là-haut, dans la chambre, on fit sauter *encore* un bouchon de champagne, car le champagne était excellent pour la digestion, ainsi que l'affirmait Elizabeth. Vraiment ? s'enquit Colin. Mais oui, assura Elizabeth : tiens, reprends-en un peu. Il en reprit un peu – et encore un peu. Ils racontèrent quelques bêtises et rirent à propos de Dieu sait quoi, puis soudain Colin parut saisi d'une baisse de forme spectaculaire : il ne voulait plus que dormir, dormir – oh par pitié, laissez-moi *dormir* – je suis si fatigué que j'ai du mal à garder les yeux ouverts.

Beaucoup plus tard – Elizabeth s'éveilla brusquement, réprimant aussitôt la panique qui l'envahissait toujours quand elle s'éveillait ailleurs que chez elle, dans une chambre obscure. Pas si obscure que cela, en fait – l'aube devait approcher. Elle demeura allongée sur le dos, et s'étira lentement, avec une persévérance qui la fit se sentir voluptueusement écartelée sur la roue veloutée d'un plaisir de rêve. La chambre était toute baignée de gris – comme si le brouillard l'avait envahie – et le silence palpable.

Elizabeth se tourna de côté sur le lit immense, qui paraissait bleuté à présent. Elle fit doucement jouer ses doigts dans les cheveux emmêlés de Colin. Alors, elle pensa à Howard. Je me demande – telle était sa pensée – ce que mon légitime époux depuis tant d'années penserait, dirait ou ferait, s'il pouvait savoir qu'en cet instant précis je partage ma couche avec un jeune homme, si jeune et si beau ? Question que Howard lui-même s'était déjà posée – souventes fois – en ces heures de l'aube blêmissante, et qu'il se posait peut-être également en cet instant précis, tandis que le matin arrivait à grands pas, couvrant d'un linceul blanc la dépouille de la nuit.

TROISIÈME PARTIE

APRÈS LES VACANCES

CHAPITRE VII

Katie n'avait même pas *appelé*, rien. Voilà ce à quoi pensait Norman, de nouveau assis à son bureau – ce même bureau sous lequel Katie s'était jadis accroupie (là exactement, à la place de ce vide, de ce gouffre béant entre les genoux absurdement écartés de Norman), et mon Dieu, ne pas penser à cela, à ses doigts, à la sensation incandescente, impondérable, de ses doigts longs et frais et affolants, au mouvement régulier de sa tête, à ses cheveux qui balayaient ses yeux, tandis qu'elle se baissait encore et que... non, ne pas penser à cela : *out*. Ça ne te vaudra rien, n'est-ce pas ? De penser à cela. Ça ne va pas la faire *apparaître* comme par miracle, n'est-ce pas ? Et ce qui est arrivé ne peut pas non plus s'effacer comme par enchantement : ce qui est fait est fait – d'accord ? Elle est toujours là-bas, à Chicago, avec... avec cette espèce d'*Américain*, et toi, Norman, tu es de retour au bureau, et tu glandes. Ce vieux bureau grotesque, constellé de chiures de mouches, lui paraissait, comme absolument tout le reste, vide, vide au-delà de toute expression.

Il se disait cependant qu'il aurait pu avoir des *nouvelles* d'elle, qu'elle aurait au moins pu appeler pour savoir s'il était encore en vie (il avait depuis belle lurette laissé tomber ce rêve du téléphone qui le dérange soudain, alors il décroche en pensant à autre chose, et au bout du fil, c'est une Katie éplorée, éperdue, le souffle court, qui implore son pardon et le supplie de la reprendre et lui jure une dévotion éternelle, à présent que la lumière de l'amour lui a été révélée – ouais je pense que celui-là, on peut le ranger définitivement). Parce que non, Katie n'avait même pas *appelé*, rien. Et maintenant, il ne fallait plus y compter. Elle devait rentrer demain, me semble-t-il – enfin *si* elle rentre : ça, on ne peut pas savoir – pas avec Katie. Et bon, si elle rentre effectivement ? Il se passe quoi ? Ils continuent tous les deux ? Ou bien ils ne continuent pas ? Ils font *quoi* ? Dieu seul le sait – et encore. Le téléphone résonna soudain, strident, et Norman ressentit un grand coup au cœur.

« Allô, oui, c'est encore Cyril Davies, fit une voix lasse mais nettement impatiente. Vous êtes au courant ou quoi ? Qu'est-ce qui se passe, là-dedans ? »

Oh que oui, Norman *était* au courant, évidemment qu'il était au courant – mais il s'était simplement senti trop abattu, l'esprit trop ailleurs, pour penser à transmettre le message. Dire qu'il n'était *pas* comme ça, avant, il n'avait *jamais* été comme ça – mais au contraire dégourdi, prompt à saisir la balle au bond, comme le disait toujours Mr. Street – Howard. (Désolé, désolé d'être moi, et non pas l'homme que vous pensez que je suis.)

« Ah oui, Mr. Davies – c'est drôle que vous appeliez juste maintenant – je raccroche à l'instant, et je m'apprêtais moi-même à vous appeler. Donc, je *viens* de parler à Mr. Morgan – j'ai essayé de le joindre toute la journée, mais il était sorti – et... eh bien, bonne nouvelle : il accepte votre offre.

– Bon. Il était temps, hein.

– Oui. Évidemment, il aurait préféré plus, mais j'ai bien précisé que c'était votre dernier prix. »

Et soudain – l'inspiration. Aucune préméditation, aucune manœuvre soigneusement ourdie, nul stratagème élaboré de longue main. Cela lui *venait* tout d'un coup, comme toujours ces choses-là (et elles seules). Et déjà, dans son esprit, il claquait tout, sans compter, pour Katie ; il la rachetait, quel qu'en fût le prix.

« Écoutez, Mr. Davies – d'une voix confidentielle – puis-je vous parler franchement, entre nous ?

– 'videmment. Qu'est-ce qu'il y a ? Je tiens à ce que les relevés soient effectués cet après-midi même. Mon notaire s'est déjà occupé du cadastre, des servitudes, tout ça, il n'y a pas de problème. J'ai l'intention de conclure l'affaire demain matin, si tout va bien – pas de raison de traîner. Tout ce que je veux, c'est qu'on en finisse vite.

– Ouais – bien sûr. Mais voilà, Mr. Davies : je peux peut-être vous faire économiser pas mal d'argent sur cette affaire. »

Seul le silence lui répondit : c'était souvent comme ça. Puis :

« Dites voir…

– Eh bien – bon, je ne devrais pas vous dire cela, bien sûr, parce que Mr. Morgan est notre client, n'est-ce pas, mais bon, il me semble qu'il est tellement pris à la gorge qu'il serait prêt à accepter une somme encore inférieure.

– Merde alors, pourquoi personne ne m'a dit ça avant ? Maintenant, j'ai fait mon offre – et il l'a acceptée. Je ne peux plus *baisser* mon prix.

– Non, mais écoutez – voilà mon idée. Cela reste tout à fait entre nous, n'est-ce pas ?

– Je vous ai dit que *oui*. Alors ?

– Bien. Bon. Commandez la visite pour cet après-midi, et juste au moment de conclure, annoncez qu'elle a révélé quelque inconvénient majeur, et que vous baissez votre offre de vingt mille.

– De vingt mille ! Il ne marchera jamais. Le prix est déjà assez bas comme ça. Et puis, *pourquoi* me suggérez-vous cela ? Cela abaisse d'autant votre commission.

– Non – et c'est là l'idée. S'il accepte – si Mr. Morgan est d'accord – et il sera d'accord, croyez-moi, il est franchement coincé –, donc, s'il accepte, eh bien, la moitié de ce que vous venez d'économiser, vous nous... enfin, c'est pour nous. En espèces, hein, je suis désolé, mais en espèces, forcément. »

Cyril Davies réfléchissait.

« Bon, si je comprends bien : je baisse de vingt mille au dernier moment – Morgan me traite de tous les noms, je dis amen, puis je vous donne dix mille, moyennant quoi, ça me fait dix mille d'économisés. C'est cela ?

– C'est bien cela. Exactement. Voilà.

– Okay, ça marche. On y va, et on ne traîne pas. Dites à Morgan que mon expert sera chez lui vers trois heures. Et bravo pour votre idée, Mr... ?

– Furnish. Norman Furnish.

– Furnish – parfait. Et même s'il ne marche *pas*, je n'ai rien à perdre, hein ?

– Rien du tout.

– Bon. On fait comme ça. »

Norman eut un sourire machiavélique. « Pas de problème », conclut-il.

Mais Oh mon Dieu, pensait-il en raccrochant avec une extrême lenteur, je suis *réellement* désolé, Mr. Street, d'être moi, et non pas l'homme que vous pensez que je suis. Howard.

Évidemment, le susdit ne tarda pas à pénétrer dans le bureau, comme par hasard, mais Howard, entre-temps, avait triomphé de sa conscience après une âpre lutte, et affichait à présent la fierté du chasseur qui, un pied posé sur la silhouette naguère altière et maintenant recroquevillée de l'animal encore chaud, retire la lame du cœur de la bête vaincue. Howard traînait dans son sillage ce curieux Peter, un drôle de jeune mec – qu'était-il d'ailleurs censé *faire* exactement ici ? Norman ne l'avait jamais découvert ; et, en une occasion au moins, il avait entendu Mr. Street l'appeler « Zouzou », ou quelque chose comme ça, enfin un de ces petits noms ridicules au possible.

« Tout va bien, Norman ?

– Très bien, Mr. Street. Howard. Je viens d'avoir Davies au téléphone. J'ai essayé de l'appeler toute la journée, mais il était sorti. Naturellement, il est ravi. Il envoie son expert cet après-midi, à trois heures.

– Bien, bien, approuva Howard d'un ton quelque peu absent. Cela dit, c'est un peu dur, pour le pauvre Brian – Davies l'a vraiment eue pour une bouchée de pain, vous savez. Mais enfin – un tiens vaut mieux, etc., n'est-ce pas ? Et à cheval emprunté, on ne regarde pas... euh... oh, ma pauvre tête. Qu'est-ce qu'on ne regarde pas, à cheval emprunté ?

– La denture. Au fait, ils ont téléphoné, pour la tente de réception.

– Oh là – je crains le pire. La *denture*, voilà. »

Zouzou bâilla avec cet air indulgent de l'épouse lasse mais soumise qui vient de se taper un match de foot avec son mari pour lui faire plaisir – bon, très bien, mais croyez-vous qu'il soit raisonnable de lui faire subir l'autopsie, point par point, de toutes les actions de la partie ? Parce que trop, c'est beaucoup, non ?

« Excuse-moi, dit Howard. Je n'en ai plus pour longtemps. »

Norman avait déjà entendu, également, ce type de réflexion. Je vous ai bien dit que c'était bizarre. Enfin bref – ce ne sont pas ses oignons : il a bien assez à penser, n'est-ce pas, pour ne pas se préoccuper de cette affaire-là. Enfin, moi je trouve.

« Bien, reprit Norman, la location en soi n'est pas franche-ment ruineuse – ce sont les immenses tentes qui coûtent une fortune – mais par contre, regardez ce qu'ils demandent pour l'installation ! »

Howard jeta un coup d'œil sur le Post-it qu'on lui tendait.

« Pute borgne ! » Tel fut son commentaire. « Mais ça fait trois fois le prix de la location ! Pas question, rien du tout ! Je la monterai moi-même. On s'en tirera, pas vrai ? À nous trois.

Mais honnêtement, je ne vois pas pourquoi Elizabeth tient *absolument* à ce truc-là. C'est utile quand il pleut, je suppose, mais il me semble que nous avons aussi, éventuellement, une *maison* parfaitement utilisable. » Howard roula des yeux en signe de souffrance muette. « Les *femmes*, hein… ? Qu'est-ce qu'on peut faire, avec ça ? »

Ce à quoi Norman ne répondit rien – que diable aurait-il bien pu trouver à dire ? Zouzou non plus : mais il regarda Howard d'une certaine façon, je ne sais pas, d'une façon que Norman n'aurait pas pu décrire.

« Bon, conclut Howard. Donc, c'est arrangé. Bien, parfait – on file maintenant. Excuse-moi, hein, répéta-t-il à l'adresse de Zouzou. Ça ira, Norman ? Vous vous en tirerez tout seul ? »

Norman hocha la tête. Oh que oui – ça ira très bien. Je m'en tirerai. Tout seul. Il faut bien que je m'y habitue, non ? Que je m'y réhabitue.

« Non non, j'ai bien proposé à Dotty de venir, dit Elizabeth à Lulu. Houp là ! ajouta-t-elle comme le taxi, du côté de Kensington, prenait un virage serré qui, la prenant lui-même par surprise, l'envoyait heurter Lulu après une glissade sur la banquette. J'ai quelquefois mal au cœur, en taxi, reprit-elle.

– Je connais ça, dit Lulu. C'est cette espèce de roulis.

– Et si, en plus, il y a un de ces machins déodorants en carton accroché quelque part, alors là c'est le *bouquet*, conclut Elizabeth d'une voix abattue. Où sommes-nous ? Ah, d'accord – on arrive à… oui, on y est presque. Oui, donc, j'ai bien invité Dotty à se joindre à nous, mais elle m'a dit qu'elle ne pouvait pas. C'est fou, j'ai connu Dotty et Melody toujours partantes pour un après-midi de shopping, mais tout d'un coup… je ne sais pas… elles ont *changé*.

– Elles doivent avoir d'autres choses en tête, sourit Lulu.

Vous cherchez quelque chose en particulier, Lizzie? s'enquit-elle. Ou bien allez-vous juste jeter un coup d'œil à droite à gauche, voir ce qui se fait?

— Eh bien, il me faut *absolument* quelque chose de nouveau pour la réception... Oui, je pense que vous avez raison, en fait — elles ont d'autres choses en tête. Je n'ai jamais vu quelqu'un d'aussi *gâteux* devant un bébé — et ce n'est même pas le *sien*. Mais en fait — et là, Elizabeth baissa la voix, afin de rendre infiniment moins condamnable la trahison imminente d'une confidence — Dotty m'a dit, sous le sceau du secret absolu, que Brian et elle allaient *l'adopter* — légalement et tout ça. Apparemment, elle en aurait parlé au *téléphone* avec Melody — laquelle, bien évidemment, s'en fiche *royalement*: on croirait presque qu'elle échange cette pauvre petite Dawn contre cet abominable *Miles*. D'ailleurs, ça a l'air de tenir le coup, entre eux. Enfin bref, si je déniche une paire de *sandales* d'été, quelque chose de léger, de parfait pour le jardin, je me laisserai peut-être tenter. Mais sinon, j'ai juste l'intention de voir un peu, comme ça, les dernières choses. Et vous?

— Tout ou n'importe quoi, en fait — ce qui attirera mon regard. Oh, nous sommes rendues là. Ce n'est pas très loin, n'est-ce pas? On peut peut-être descendre ici? » Lulu leva les yeux sur le haut mur de Harvey Nichols. « Dieu, que vous m'avez *manqué*! » laissa-t-elle échapper dans un soupir faussement passionné.

Elizabeth — qui n'avait pas suivi son regard — répondit simplement : « Vous aussi, vous m'avez manqué, Lulu. Je suis ravie, ravie de vous revoir. Et n'est-ce pas fantastique d'être de retour en ville? Ces stations balnéaires sont tout à fait *charmantes*, mais comment les gens font-ils pour y *vivre* réellement? Moi, je deviendrais folle. Dieux du ciel, qu'il fait chaud — je regrette d'avoir mis cette veste-là. »

Oui — de retour en ville. Ces histoires-là, de bord de mer,

d'été, toutes ces petites aventures étaient derrière elle, et il était temps de passer à autre chose. Au fait, Elizabeth vous a-t-elle dit qu'elle organise une garden-party, demain – avec tente de réception et tout? Et que c'est pourquoi il lui faut *absolument* quelque chose de nouveau à se mettre? Oui? Alors, on y va.

Elizabeth et Lulu se frayèrent un chemin entre les rayons de parfums et cosmétiques, se dirigeant droit vers l'Escalator. Une espèce d'urgence semblait vibrer dans l'air – une sorte d'excitation féminine, contagieuse, qui donnait une vivacité accrue, presque une brutalité à tous leurs gestes : comme si elles s'apprêtaient à devoir affronter une foule impatiente, avide, et faire la queue dans une ambiance électrisée, avec au bout cette éventualité redoutable d'avoir manqué les meilleurs articles, déjà envolés.

« J'ai horreur, mais horreur des vendeuses qui vous aspergent d'échantillons dans les magasins, déclara Elizabeth comme elles prenaient pied en haut de l'escalier roulant.

– Je sais, moi aussi, approuva Lulu. C'est toujours une catastrophe, avec le parfum que l'on porte déjà. Aujourd'hui, j'ai mis Cristalle – dans le temps, je ne portais que ça, et puis je l'avais complètement oublié.

– J'en ai porté aussi, dit Elizabeth. Et Coco, aussi – j'aime bien Coco. Mais en fait, je ne sais *même plus* ce que j'ai mis aujourd'hui – c'est épouvantable, non? Oh, regardez, Lulu : ils ont sorti toutes les affaires *d'automne* : la robe anthracite, là – ravissante, non? Non, je *pense* que j'ai mis Joy, aujourd'hui – Joy, il me semble bien. À moins que ce ne soit l'autre, le Guerlain.

– Mmm-mmm. C'est Shalimar, j'en suis presque sûre. Tenez, là-bas : Agnès b. Que des affaires d'été. Et, oh, mon Dieu, regardez ça Lizzie, regardez! La jaune, là... un jaune de Chine d'une *perfection*... Oh là là, il faut *absolument* que j'essaie ce truc-là.

— Et la rose! Regardez la rose! Que pensez-vous du rose, pour moi, Lulu? Ça ne fait pas trop…?

— Sur vous, ce sera *divin*. Essayez-la, moi j'essaie la jaune. Ce n'est pas grave si c'est la même, n'est-ce pas?»

Elizabeth secoua la tête, tout en décrochant du portant la robe de soie rose, avec une béatitude non dissimulée. « De toute façon, ce n'est pas *tout* ce que nous allons acheter, n'est-ce pas?»

Lorsque Lulu émergea de la cabine d'essayage, Elizabeth en était déjà sortie — resplendissante dans sa robe d'un rose shocking ardent, pivotant d'un côté puis de l'autre devant le miroir à trois pans.

«Pah-pah-pah!» fit Lulu d'une voix extasiée, rejetant légèrement le buste en arrière, bras tendus et paumes ouvertes, comme un prestidigitateur conclut orgueilleusement un tour fort réussi — avant d'enchaîner aussitôt sur une gracieuse pirouette digne de l'assistante soumise dudit prestidigitateur, couronnant la représentation par l'indispensable exhibition de dents éclatantes et de jambes interminables.

Toutes deux tombèrent d'accord pour dire que leurs robes respectives étaient à défaillir d'élégance, et absolument *faites* pour elles. S'ensuivit une exhibition de cartes Gold promptement avalées par les appareils adéquats, sur quoi Elizabeth et Lulu filèrent dare-dare à l'étage supérieur, le regard fiévreux à présent, avides de traquer et de mettre à mort le prochain gros gibier.

Celui-ci ne fut pas long à se présenter (pour Lulu, un pantalon de sergé, d'une coupe sublime — imperceptiblement évasé au bas, mais avec une subtilité inégalable), ni le suivant (pour Elizabeth, un manteau châle de cashmere brun bourricot, pas pour *tout de suite*, évidemment, mais ce sera absolument fantastique pour les soirées d'hiver — encore qu'on ne puisse plus aller nulle part aujourd'hui sans que ce soit abominablement *surchauffé*, enfin, pas ici, grâce au ciel — mais Harrod's par exemple,

Harrod's, mais c'est une véritable fournaise – mais quoi qu'il en soit, il me le faut, il me le faut absolument – encore que ça risque d'être la croix et la bannière pour trouver des *souliers* assortis – d'ailleurs, selon vous, comment peut-on *appeler* exactement cette couleur, Lizzie?) À l'ordre du jour venait ensuite le café pris au sous-sol – quelle odeur *merveilleuse*! – et il *faut* que je me pose quelque part, sinon, je *meurs*: tenez, là-bas, il y a une table libre, juste là.

« Le retour à la maison n'a pas été trop affreux? s'enquit Elizabeth d'une voix qui signifiait vous-savez-que-vous-pouvez-tout-me-dire-à-moi. C'est très très mal, mais je vais prendre un de ces petits sucres bruns non raffinés – c'est divin, avec le cappuccino. »

Lulu laissa échapper un soupir. « Ça n'a pas été sensationnel. Mais c'est toujours moins pire qu'à l'hôtel. Au moins, à la maison, je peux changer de *pièce*.

– Et John…? » Elizabeth laissa la question en suspens, trempant lentement, délicatement le sucre en équilibre sur sa cuillère dans la mousse brune et blanche, évoquant quelque peu un chasseur de sorcières médiéval jouissant à noyer lentement une mégère hérétique.

Lulu soupira derechef, secoua la tête, et baissa les yeux, tout en tournant lentement son grand espresso – puis y trempa les lèvres (hhhuu… chaud).

« Pareil. Même chose. Enfin, plus aussi *violent*, Dieu merci – et il me semble qu'il boit moins, mais il n'est pas question de *laisser tomber*, n'est-ce pas? Non non, il y tient. Et, oh, mon Dieu, Lizzie, imaginez-vous que la première chose que nous avons vue, en rentrant, c'était un gros paquet qui nous attendait – vous savez, ces espèces d'immenses enveloppes matelassées –, adressé à John. Il s'est *jeté dessus*, et il s'est mis à hurler, et à jurer…! Vous savez, je pense vraiment qu'il…

– Oui? la pressa Elizabeth. Qu'il…? »

– Oh... il est tellement... enfin bref : il s'avère qu'il a écrit un *roman* – je n'avais pas la moindre *idée* qu'il avait pu écrire un roman – il ne m'en a jamais parlé – et l'éditeur, enfin celui auquel il l'a envoyé, je ne sais pas, enfin l'éditeur le lui a *renvoyé* – comme s'il n'était pas déjà assez à cran – alors j'ai jeté un coup d'œil sur la lettre qui accompagnait le manuscrit – eh bien, ce n'était *même* pas une vraie lettre, mais une sorte de réponse toute faite, préimprimée, où ils disaient qu'ils étaient désolés, mais que le texte n'entrait pas dans le cadre de leur... leur quoi, déjà ? Leur *ligne éditoriale*, je crois : il n'entrait pas actuellement dans le cadre de leur ligne – un truc comme ça. Donc, *moi*, je lui ai dit – pensant lui remonter le moral, pauvre idiote que je suis – je lui ai dit mais bon, ils disent bien *actuellement*, Johnny – ils sont peut-être complets, je ne sais pas – et du coup, il est devenu complètement *fou* de rage, il s'est mis à hurler et à pester en disant qu'ils répondaient *toujours* ça – ils te disent *ça*, et cela signifie que ton bouquin n'est rien d'autre qu'un gros tas de... enfin bref, des grossièretés et des jurons à n'en plus finir. Et *alors* – là, vous n'allez pas me croire, Lizzie ! Il est allé à la cheminée, il y a jeté du papier et des bûches, et il a allumé un feu en disant qu'il allait *brûler* son texte, ce qui fait que la maison est devenue une véritable *fournaise*, parce que évidemment les fenêtres n'avaient pas été ouvertes ni rien depuis des semaines, et mon John qui était là, en train de faire une flambée d'enfer en pleine vague de chaleur... ! »

Elizabeth ne put s'empêcher d'éclater de rire – et Lulu l'imita quelques secondes, avec cependant une vague nuance de reproche, sur le mode c'est-drôle-d'accord-mais-on-voit-bien-que-ce-n'est-pas-à-vous-que-c'est-arrivé, avant de continuer avec animation.

« Bref, il a allumé le feu et tout – et moi, je lui disais mais *grands dieux*, Johnny, il y a *d'autres* éditeurs, tout de même ? Enfin, ce genre de choses. Mais rien à faire – il a jeté son manuscrit dans les flammes, et je me suis dit bon, voilà – je veux dire, honnêtement, Lizzie, j'étais tellement *épuisée*, tellement *à bout*, après... oh, après tout ce qu'il m'a fait subir – je me suis dit Bon, c'est son livre, s'il veut le brûler, qu'il le brûle – et tout d'un coup, le voilà qui se met à farfouiller dans la cheminée, au milieu des flammes, pour essayer de retirer le manuscrit, et il poussait des cris parce qu'il se brûlait, évidemment, hein, et puis sa chemise a pris feu et *je* me suis mise à crier aussi, mais bref il a réussi à sortir son truc et à le poser sur le tapis – *foutu*, le tapis – mais bon, ses poignets s'étaient éteints, Dieu merci. Alors il s'est mis à genoux et a commencé d'enlever tout ce qui était noirci des pages, et... et il s'est mis à sangloter. C'était terrible... c'était horrible de le voir là, à genoux, en train de sangloter. Je pense vraiment qu'il... »

Lulu leva brusquement la tête, regarda Elizabeth droit dans les yeux – bien, à elle, je peux le dire :

« ... qu'il est un peu... *fou*. Non, pas un peu, en fait – complètement. Complètement fou. Et je ne sais pas quoi faire.

– Il faut avouer, dit Elizabeth avec compassion, que d'après ce que vous m'avez *raconté*... Il devrait peut-être voir *quelqu'un* ?

– Oui, mais ce n'est pas *moi* qui vais lui en parler, n'est-ce pas ? Parce que je fais quoi – je vais le trouver, et je lui dis Écoute, Johnny, je pense vraiment que tu devrais consulter un psychiatre, parce que tu es complètement *cinglé* ? Mon Dieu, mais ça le rendrait... »

« Cinglé ! » hurlèrent-elles d'une même voix, à la même seconde, et cet éclat dégénéra aussitôt en un fou rire horrifié, celui-ci s'apaisant à son tour pour laisser place à une complicité renouvelée, chaleureuse et sororale.

« Et tout ce qu'il y avait sur le répondeur, reprit Lulu – beaucoup plus sereine à présent – c'étaient ces commandes minables de sa rédactrice en chef – d'ailleurs, je pense qu'il a un peu peur d'elle : elle a une voix de véritable tyran. Du style Renouvelez votre garde-robe d'hiver pour moins de mille livres – vous voyez le genre – et puis un truc publicitaire pour une boîte qui organise une BETE. »

Elizabeth haussa les sourcils : une quoi ? Une bête ?

« Oh, je suis navrée, fit Lulu en toute hâte. Oui, c'est bête comme nom, n'est-ce pas ? Cela signifie... euh... ah oui – Braderie Exceptionnelle, Tout à Emporter. Mais c'est nul, ce sigle, vraiment nul. Vous savez, Lizzie, vous avez de la chance d'avoir un homme comme Howard. Je suis réellement impatiente de faire sa connaissance – il a l'air si gentil. Et *sain d'esprit.* »

Elizabeth sourit. « Il *est* gentil. Et *tout à fait* sain d'esprit – tout à fait. Je n'imagine pas Howard en train de faire quelque chose de fou – ou de simplement risqué. Il n'y a ni surprise ni mystère, avec Howard – pas un seul squelette dans ses placards. Et en plus, il est *généreux.* » Elizabeth désigna d'un geste vague l'archipel de sacs de chez Harvey Nichols répandus à leurs pieds. « Ce qui ne gâte rien, conclut-elle.

– Il a dû être absolument ravi de vous voir rentrer, non ? Vous reprendrez un café ?

– Non, en fait non. Oui, en fait oui, je pense qu'il était *vraiment* content, ce cher vieux Harvey. Il avait acheté des fleurs, et la maison était absolument impeccable. Il avait même changé les draps, ce que j'ai trouvé complètement adorable.

– Je n'aime pas les grands lits, déclara soudain Lulu, sans trop savoir pourquoi. Je ne sais pas trop pourquoi j'ai dit ça. Pour dormir, je veux dire. J'aimerais bien avoir un lit rien que pour moi.

– Moi aussi cela m'arrive », répondit Elizabeth, sans se commettre.

Mais pas ces derniers temps. Pas à l'Excelsior, en tout cas. Pas pendant ces deux nuits délicieuses, divines – ni, mon Dieu, pendant ces deux journées presque entières –, qu'elle avait passées à se vautrer dans la luxure, dans ce lit immense et somptueux, en compagnie de ce garçon suprêmement adorable. Le premier matin (elle en riait à présent), ni l'un ni l'autre ne se souvenait précisément de la manière dont les choses s'étaient faites : ils s'étaient réveillés effarés de se retrouver entre les mêmes draps immaculés, doux, tout chamboulés. Mais ils s'étaient touchés tout naturellement, puis les choses s'étaient enchaînées. Dieu sait combien de bouteilles de champagne ils avaient mises à mal, durant ces heures brèves et interminables, la nuit succédant au jour. Colin s'était montré si touchant, si juvénile – il s'excitait si vite, avec une telle ardeur : tout à fait charmant. Elizabeth avait dû le guider avec une délicate fermeté, puis ne plus bouger, afin de prolonger les instants. Combien elle aimait ses longues jambes fines, ses cheveux drus : il pleurait en lui embrassant les seins, et elle s'était mise à pleurer aussi.

Elizabeth et Lulu prirent un taxi jusqu'à Jermyn Street, où Elizabeth acheta, chez Hilditch & Key, deux chemises et deux cravates pour Howard (parce qu'il avait été privé de vacances, le pauvre amour), et plus tard, comme elles se quittaient et qu'Elizabeth se penchait à l'intérieur du taxi pour un dernier adieu, elles eurent toutes deux ce mouvement naturel, spontané, de s'embrasser franchement sur les lèvres, et leurs regards se croisèrent un bref instant avec intensité.

En outre, Elizabeth avait raison, sur un point : elle avait eu un mal *épouvantable* à trouver des souliers de cette fameuse couleur, mais elle y était quand même parvenue, ce qui dénotait chez elle une ingéniosité assez remarquable – vous ne trouvez pas ?

Brian s'était employé à faire ses comptes. Il lui apparut bientôt, outre le fait que cela soit déprimant au-delà de toute mesure, que c'était également un sacré boulot, car il lui était tout à fait impossible de pencher la tête. Il s'était assis – même chaise, même bureau –, avait sorti un bloc-notes et trouvé un Bic fendillé et tout mâchonné, mais qui, au moins, *marchait*, puis avait effectué cette étrange découverte : bien que chaque fibre de lui-même lui enjoignît de baisser la tête et les yeux sur la page posée là, il n'en continuait pas moins de fixer le mur. Les ailes spongieuses de son carcan s'accrochaient dans le chaume qui couvrait ses joues (avec un truc comme ça sur la figure, on ne pense qu'à raser l'essentiel), l'agacement commençait de laisser place à l'angoisse naissante, et il se prit à regretter – violemment, douloureusement – cet instant au sommet de la falaise, car cette fois, il parcourrait, aussi vrai qu'il s'appelait Brian, ces quelques mètres vers l'est, ces quelques pas précieux, essentiels, pour être bien certain que les rochers le broieraient et le déchiquetteraient de leurs crocs acérés, tandis que l'océan emporterait peu à peu les lambeaux de sa viande saignante.

Il empila quelques livres – de vieux livres moisis, jadis recouverts pour la plupart de plastique à présent jaunissant et collant par un bibliothécaire depuis longtemps trépassé, et dont le bord des pages était tout pelucheux et gris de crasse (Dieu sait d'où ils provenaient, ces livres, car Brian n'avait jamais été très assidu dans les bibliothèques) – et cela fit l'affaire, mais impliquait qu'il dût se tenir debout, penché sur la feuille, sur quoi des douleurs fulgurantes dans le bas de son dos lui indiquèrent bientôt que ce n'était pas la bonne méthode non plus, donc il se dirigea vers la cuisine où il savait trouver quelque part (dans quel placard avait-il bien pu fourrer ça ?) une espèce de lutrin assez lourd, en fer forgé probablement, destiné aux livres de cuisine et auquel manquait un pied, quand bien même un petit point de soudure aurait suffi à le remettre en état, mais bon, il y a des choses comme ça auxquelles on ne pense jamais à se mettre. Mais déjà Brian l'extirpait de sa cachette – il était là, derrière la boîte de réveils en pièces détachées – et mon Dieu, oui, ça devrait aller. De retour à son bureau, il le posa en équilibre sur les livres répugnants, sur quoi, naturellement, il plongea sur la gauche (avec un pied en moins, rien de très étonnant), alors Brian le coinça avec la première chose qui lui tombait sous la main, c'est-à-dire un Mars à demi mangé dans lequel il avait mordu à peine une heure auparavant en se disant Mmmmm, y'a bon – mais une seule bouchée lui avait suffi pour comprendre que non, non ce n'était pas une bonne idée : il en était resté écœuré pendant un bon moment.

À présent, Brian pouvait s'asseoir avec face à lui le bloc-notes posé sur le lutrin, tout en alignant ces chiffres effrayants à l'aide du Bic fendillé. Il connaissait par cœur ses dettes et découverts – ainsi que la somme toujours plus importante qu'ils lui imputaient quotidiennement : il les réunit en un seul montant global autant que désespérant, puis inscrivit en regard la somme non moins désespérante qu'il avait acceptée pour cette grande maison grise qui n'était plus que source de douleur. À la toute dernière minute, ce salaud d'enfoiré avait baissé son offre de vingt mille – comme s'il avait pressenti l'horreur de la situation ; Brian portait-il toujours le malheur sur lui, à présent ?

Comme on pouvait s'y attendre, le déficit était considérable – peut-être pas complètement impossible à combler, mais néanmoins considérable. Pourrait-on éventuellement récolter quelques livres de plus en se débarrassant des vieux trucs de Dotty ? Je veux dire, ce n'est sûrement pas l'unique femme en Grande-Bretagne à tirer un plaisir frelaté des grenouilles en porcelaine, théières en forme de poupée ou petites cuillères immondes de laideur ? Et puis quoi, sinon ? La montre à gousset de son père – elle ne doit pas valoir trois sous, à mon avis – mais bon, c'est déjà *ça*. Et si, comme les cartes semblaient devoir l'indiquer, Brian était malgré tout destiné à poursuivre encore sa route de douleurs sur le chemin sinueux de la vie, ne serait-il pas judicieux de réaliser son assurance vie, quel que soit le montant obtenu ? possible, possible – comment savoir ? Finalement, il lui apparaissait que le meilleur scénario envisageable serait que lui, Dotty et Colin se retrouvent absolument sans rien, seuls et démunis dans le vaste monde : sinon, ça pourrait mal tourner pour eux.

Au fait, la dernière en date : nous allons avoir un bébé. Enfin, nous avons *déjà* un bébé, si je ne me trompe (vous n'entendez pas Dotty, juste à côté, en train de roucouler et de bêtifier ?) De sorte que le jour même où je brade le peu que j'ai, les responsabilités s'accumulent (n'en est-il pas toujours ainsi ?) La petite Dawn, alors ? Son avenir dépendrait-il de *moi* ? Grands dieux. Mais non – parce que c'est Dotty qui l'a voulue, non ? Dotty est au cœur de toute cette histoire : elle ferait n'importe quoi – je dis bien n'importe quoi – pour assurer l'existence de cette gamine.

Et en effet, Dotty, juste à côté, aurait tout accepté pour cela, sans question ni protestation : comment pourrait-il en être autrement ? Ne l'avait-elle pas promis à Melody, le matin même, au cours de cette singulière mais exaltante conversation téléphonique ?

Melody avait retrouvé depuis peu son minuscule appartement, et Miles l'y avait rejointe. Il lui aurait bien proposé de venir chez lui, mais les ouvriers étaient toujours là et, crois-moi ma chérie, tu ne supporterais pas. Melody n'y voyait aucun inconvénient – elle était encore toute rayonnante du soleil balnéaire et vibrante d'amour pour cet homme merveilleux. Il lui avait offert un ours en peluche absolument craquant, énorme, tout blanc et tout moelleux (elle était persuadée que c'était un adorable bébé phoque, avec ces yeux noirs à vous faire fondre, mais Miles s'était montré formel : c'était un ours polaire). Elle avait dit qu'elle le prénommerait Miles, de manière à pouvoir le cajoler et le prendre dans ses bras quand le vrai Miles serait absent. *Naaaan,* avait-il fait : appelle-le Bum. Bum ? Mais pour-quoi Bum ? avait demandé Melody en riant et en fronçant le nez (mon Dieu, que c'est *bon,* de vivre ça). L'ours *Bum**...– tu vois ? avait-il expliqué. L'ours Bum, tu piges ? Mais oui, oui ! s'était exclamée Melody d'une voix suraiguë – oui, évidemment – oh, mais tu es *dégoûtant,* Miles, tu es horrible, parfaitement horrible. Ouais, je suis dégoûtant, avait dit Miles. Mais ça n'est pas pour te déplaire, hein, au contraire ?

Quand il était apparu clairement que Melody voulait qu'il reste chez elle au-delà des vacances, Miles s'était montré sou-dain fort méfiant : Attends, là, attends, il n'est pas question que cette salope devienne collante. Pourquoi ne se rendent-elles jamais compte que la fête est finie, hein ? Je veux dire – bon, c'était très bien, mais *c'était* très bien, d'accord ? Et puis, il s'était dit, ma foi, je peux bien m'en payer une tranche pendant encore deux trois jours, non ? Pas de problème. Ça ne fera de mal à personne, hein ? Parce qu'elle est quand même vachement du cul, cette nana – et je n'ai pas d'autre casserole sur le feu. Donc, coup de fil au bureau, où on lui avait dit Pas de problème, Miles, allez-y, prenez autant de jours que vous voudrez (parce que quand tu es le meilleur vendeur, quand tu les écrases tous, ça marche comme ça – on te respecte ; et Miles ne transigeait pas, en matière de respect). Puis, coup de fil à Sheil, à qui il avait raconté une quelconque variation sur un des thèmes habi-tuels, sur quoi elle avait répondu Pas de problème, Miles, je te verrai quand je te verrai (ce qui était assez bien analysé), puis, Attends, ne raccroche pas, Miles, les garçons veulent te dire un mot, sur quoi Miles avait dit Ah ouais, bon, passe-les-moi : Salut les fistons : vous êtes gentils ? Vous aidez bien votre mère ? J'ai un truc génial pour vous, quand je rentrerai – tous vos petits copains en seront verts, je peux vous le dire. Allez les gars,

---

* Bear Bum / Bare bum : Cul nu. *(N.d.T.)*

votre papa vous aime beaucoup, hein – vous me repassez votre mère ? Sheil ? Tu es là ? Ouais, comme je te disais, ça devrait prendre deux trois jours pas plus, mais je suis sur un coup drôlement juteux (hé hé, pas faux, à elle de comprendre ou pas), donc on dit mardi soir, ou peut-être mercredi, okay ? Enfin je ne sais pas exactement, mais tu prépares quelque chose au cas où, d'accord ?

Tout cela se passait dans le hall de l'Excelsior. Ensuite, il avait fait halte au bar pour boire rapidos un Bacardi soda, puis était remonté dans sa chambre et avait tiré un coup encore plus rapidos avec Melody, avant qu'on ne les vire, car il était midi. Elle ne détestait pas le côté vite fait sur le gaz, en fait – et à présent, ayant atterri dans son deux pièces franchement minable, dans on ne savait trop quel coin perdu de Londres, Miles se disait qu'il remettrait volontiers le couvert, et s'employait activement à la chauffer quand, évidemment, la sonnerie du téléphone vint les interrompre. Oh, putain, laisse, laisse tomber – si c'est quelque chose d'important, la personne rappellera (ne bouge pas, reste là, à quatre pattes), mais Melody avait répondu qu'elle *n'aimait* pas entendre le téléphone sonner comme ça, et avait décroché, et naturellement c'était Dotty – pourquoi elle, d'ailleurs ? Ah oui, c'est vrai qu'elle s'occupe de *mon* bébé, hein ? Pffffou, j'avais complètement oublié.

« Alors ? attaqua Dotty, avec enthousiasme. Tu es bien rentrée ? La petite Dawn a été absolument adorable – elle veut te parler, je crois.

– Ah ouais ? » fit Melody dans un rire – tout en essayant de décrocher les mains de Miles du haut de ses cuisses, avec un regard torve signifiant Écoute, il y a un moment et un lieu pour ça (mais mon Dieu, cette urgence, ce besoin chez lui – quel délice).

Un vague écho de bavements et de gargouillements lui parvint à l'autre bout du fil, et Melody aurait certes dû y répondre par d'autres gazouillis tout maternels, mais là, elle avait intérêt à jouer finement la partie, n'est-ce pas ? D'ailleurs, Dotty avait déjà entamé les négociations, sans perdre une seconde.

« Je ne peux même *pas* te dire à quel point j'ai été heureuse de l'avoir. Bien sûr, pour moi, c'est *différent* – j'ai tout mon temps à moi – plus qu'il ne m'en faut. Mais par contre, ça ne doit pas être simple pour toi, avec ton boulot et tout ça.

– Mon Dieu, on peut dire que c'est *assez* compliqué, oui. » Tu parles que c'est compliqué, se répéta-t-elle, puis un frisson la saisit toute, comme Miles, du bout de la langue, lui caressait l'oreille avant d'y pénétrer.

« Melody, reprit Dotty – d'un ton toujours léger, mais avec une assurance, un côté décidé bien perceptible sur les bords –, cela ne me dérangerait pas du tout de continuer à la garder, tu sais – de façon plus ou moins permanente, je veux dire. Voire même définitivement. Tu vois, enfin je veux dire qu'on pourrait même faire ça *légalement,* si cela t'arrange mieux. Parce que bon, j'espère que tu sais que tu peux me faire *confiance,* Melody. »

À présent, Melody repoussait carrément Miles, sans ménagement : c'était là une discussion sérieuse, elle le lui fit comprendre d'un battement de paupières. Il s'écarta, la mine renfrognée, et se laissa aller sur le côté, lui jetant des regards mauvais. Melody, pour sa part, se disait Vous savez, je crois bien que tout cela était *écrit* : le seul pépin, le seul problème, c'était Dawn. Si Miles avait découvert son mensonge à propos de la petite, il se serait tiré – elle le savait, d'instinct. Les hommes n'aiment pas avoir des gosses à leur courir dans les jambes, n'est-ce pas ? C'est la femme qui les intéresse – ce qu'ils veulent, c'est une femme qui les adore, *eux* – et pas un chiard à la con. Dieux du ciel – même le propre père de Dawn s'était trissé plus vite que son ombre.

« Écoute, dit-elle d'une voix lente, je crois que ça vaut la peine d'y réfléchir sérieusement » – et elle aurait juré entendre le souffle produit par le cœur et l'âme tout entiers de Dotty, comme ils bondissaient soudain et jaillissaient jusqu'aux étoiles. L'arrangement était tacitement conclu, voilà. Elles échangèrent encore deux trois mots (du genre On se voit demain chez Elizabeth, par exemple), puis Melody raccrocha et se tourna vers Miles. Son visage était inondé d'une lumière qui dépassait de loin en intensité celle du plaisir même – on aurait cru une prisonnière que l'on vient de libérer.

« Est-ce que tu penses réellement tout ce que tu m'as dit, Miles ? Réellement, tu es sérieux ? »

Miles sourit : super – nous voilà repartis.

« 'videmment que je suis sérieux. Tu ne crois tout de même pas que je vais te laisser filer, pas quelqu'un comme *toi* ?

– Mais le *mariage*, Miles... c'est un sacré pas à franchir.

– Pas quand on aime. Allez, viens par ici. »

Elle s'avança vers lui, et il l'embrassa sur le bout du nez. Ouais, c'est vrai, elle avait parlé mariage. En fait, elle lui avait demandé comment il se sentait, de vivre avec elle, et il avait répondu Super, c'est génial (toujours leur faire plaisir : mais bon, je vous ai déjà expliqué tout ça). Ensuite, elle avait dit D'accord, mais c'est tout à fait autre chose que d'être *marié*, n'est-ce pas ? Je veux dire, il n'y a pas d'engagement. Sur quoi Miles, sans ciller, avait répondu Ah bon, tu veux qu'on se marie ? Alors on se marie. (Pas de problème – il avait déjà fait ça. Pas de micro dans la chambre, hein ? Elle n'a pas de magnéto sur elle ? Non, sûrement pas. Parce que vous voyez, ce qu'il faut comprendre, chez une femme, c'est qu'elle a besoin de se sentir sécurisée ; ensuite, elle fera absolument tout, mais tout ce qu'on lui demande. Pigé ?) Sur le coup, Melody s'était sentie au septième ciel, et puis l'ombre de Dawn était descendue sur elle – et voilà que, tout soudain, cette ombre s'évanouissait : plus rien. Plus rien ne pouvait gâcher l'instant, ni compromettre un avenir éternel.

« Et maintenant, dit Miles, tu vas te mettre en travers de mon genou pour que je te fouette, comme une bonne petite épouse. »

Ce qu'elle fit.

Dotty avait écrabouillé le combiné, plus qu'elle n'avait raccroché, tandis que le souffle s'exhalait brusquement entre ses dents, comme si la pression devenue intolérable exigeait d'être immédiatement expulsée. Elle ramassa Dawn – oh, juste ciel, cette odeur presque douloureuse de chair tendre et chaude – et la serra contre elle, la serra aussi fort qu'elle l'osait. Cela valait-il la peine d'en parler à Brian ? Qu'est-ce que cela changerait ? À cet instant, il pénétra dans la pièce – et Dotty, une fois de plus, eut un choc en le voyant avec ce truc-là autour du cou (elle oubliait sans cesse ce carcan, elle oubliait ce qui était arrivé – toute cette histoire-là) – et elle se dit qu'elle ferait aussi bien de le tenir au courant.

« Brian, je viens d'avoir Melody au téléphone, et je lui ai suggéré qu'il ne serait peut-être pas idiot de... » et puis, dépassée par son propre enthousiasme, elle ne se contint plus : « Oh, Brian, c'est *merveilleux* – la petite Dawn va être à nous, rien qu'à nous ! Notre petite fille à nous, pour toujours ! »

Brian hocha la tête ; il tenta de paraître, disons, content.

« Je viens de vendre la maison, dit-il. De brader la maison, plutôt. Mais apparemment, ils veulent que l'affaire se fasse très vite. »

À son tour, Dotty hocha la tête : c'était sans aucun doute une chose d'actualité, mais on n'allait pas lui demander de s'intéresser à ça pour le moment. « Je vais prévenir Colin, dit-elle.

– Moi, je vais faire un tour. » Voilà, pour sa part, tout ce que Brian trouva à dire.

Dotty le regarda. Son visage blême et parfaitement inexpressif, émergeant de la minerve, lui donnait l'aspect d'une banane géante que l'on aurait pelée à demi, avant de laisser tomber.

« Très bien », dit-elle. Elle récupéra Dawn et fila à l'étage.

Oui, se disait Brian en se dirigeant vers la porte, oui, je vais faire un tour, et je vais claquer mes derniers billets à me soûler. Et peut-être – si je m'installe dans un de ces charmants vieux pubs traditionnels, avec une solide barre de cuivre pour poser le pied, tout au long du bar – peut-être arriverai-je à boire assez pour tomber ivre mort, auquel cas ma tête pourrait heurter cette fameuse barre et me faire la grâce de se fracasser contre elle, et avec encore un peu de chance, le temps que les premiers secours se pointent, leur unique et sinistre besogne consisterait à s'agenouiller près de ma dépouille, puis à se relever en me déclarant cliniquement mort.

Colin était assis sur le coin de son lit, en train de pincer machinalement les cordes de sa guitare Yamaha. Il ne l'avait pas branchée – c'était juste comme ça, histoire de passer le temps ; histoire de s'occuper les mains tout en revivant en esprit, en parcourant de nouveau, avec émotion, chaque courbe pleine, chaque riche ondulation des derniers événements de sa vie.

Tout d'abord, une migraine qui lui vrillait le crâne d'une douleur aveuglante : des éclairs de couleurs qui fulguraient, féroces, alors qu'il lui était impossible d'ouvrir les yeux, tous les traits de son visage, et jusqu'à la surface même de sa peau, soulevant un tollé infernal à cette simple idée. Puis, avant même de l'apercevoir, il ressentit la chaleur de ce corps hâlé, échoué à ses côtés – les cheveux épars, livré à un profond sommeil. Puis il vit les seins étalés d'Elizabeth, et son cœur faillit s'arrêter de battre. (Plus jamais, il le savait à présent, il n'appellerait « nichons » ces objets miraculeux de beauté. Les nichons, c'était un mot de gamin, un mot sale, minable. Les seins, c'étaient

tout autre chose. Peut-être les filles avaient-elles des nichons, et
les femmes des seins – c'est cela ? Colin se souvenait soudain
avoir un jour pensé que ce serait drôlement pratique si l'on
classait les nichons comme les œufs, en « Classe A », « B », etc.,
mais peut-être était-ce pour lui l'unique façon de les concevoir
et de les dompter.)

Mais ces seins, là, lourds et chauds, abandonnés – ils n'étaient
pas faits pour être saisis brutalement, non – ils étaient faits pour
que l'on s'y niche. Et c'est alors seulement que la vérité le frappa
comme une pierre qu'on lance (rétrospectivement, il est persuadé
que, bien que le matin ait commencé de faire pâlir les fenêtres,
il était encore bourré comme pas possible, après avoir bu cette
quantité inconcevable de champagne) : c'est Elizabeth ! Ce sont
ses seins – et moi, je suis dans son lit. Il se rapprocha doucement
– encore un peu ; demeura un bon moment serré contre elle,
une main pressée contre son sexe, de peur que son excitation ne
la réveille. Bientôt, il se sentit tout brûlant au contact prolongé,
total, de leurs deux corps – et soudain, dans un demi-sommeil,
Elizabeth avait étendu un bras, et ses doigts allaient et venaient
comme machinalement dans les boucles dorées de Colin. Et la
douceur de cette caresse allégeait considérablement les battements brûlants qui lui martelaient les tempes.

Colin ne savait plus lequel cessa le premier de faire semblant
de dormir – peut-être fut-ce là une initiative commune, simul-
tanée – mais déjà, Elizabeth le gratifiait d'un délicieux sourire,
pour l'encourager : un sourire aimant, qui disait N'aie pas peur,
ne sois pas timide, ce n'est que moi. Colin lui en fut reconnaissant. Les choses eurent tout d'abord un côté amical. Puis, rapidement, on atteignit les limites de ce que l'on peut appeler
amical – mais hélas, tout comme avec Carol (cela fait deux
femmes – deux – que je touche en un peu plus d'une demi-
journée, après toutes ces années de désir), Colin se sentit brusquement couvert de – de honte, dirons-nous.

Mais au fil des heures – et des bouteilles de champagne, car le garçon d'étage ne cessait d'aller et venir –, Elizabeth se fit plus câline et plus insistante, et des choses importantes, des choses sérieuses furent envisagées, puis promptement mises en train, et enfin menées à bien avec un succès si total, si retentissant, qu'une quasi-hystérie vint les couronner.

Un peu plus tard (était-ce l'heure du déjeuner ? Du thé ? En tout cas, le soleil était encore haut dans le ciel), Colin avait pris une douche et s'était habillé et, après force dernières étreintes, s'était enfin arraché aux bras dépités d'Elizabeth. Il le devait ; mais il reviendrait – tu parles, qu'il reviendrait – dès que possible, lui avait-il assuré.

Car avant tous ces événements, avant même qu'il en eût été question, Colin avait pris rendez-vous avec Carol. Où cela ? Au sommet de la fameuse falaise maudite (celle d'où son père… ? Ouais ouais : celle-là, précisément), et là, il lui expliqua délicatement qu'il ne pouvait pas la ramener à l'hôtel maintenant, parce que Elizabeth est toujours là, tu comprends ? Carol, pour sa part, s'était dit Mais qu'est-ce qu'il a ce mec ? Il ne voit donc pas à quel point j'ai envie de lui ? Et que même, peut-être, je l'aime (là, je ne sais pas trop) ? Est-ce qu'il cherche à me protéger, en fait ? Si ça se trouve, il s'en fiche, tout simplement.

En cet instant, Colin n'aurait pas pu lui répondre. Est-ce qu'il s'en fichait ? Impossible à dire : je suis la proie d'une obsession. Le temps file, et il faut que j'y retourne – plus jamais peut-être je ne revivrai cela.

Et là, tandis qu'il pinçait les cordes de sa guitare, rougissant et frémissant à tous ces souvenirs, sa mère s'apprêtait à l'interrompre : la voilà, avec un sourire de mannequin de cire, et *naturellement*, ce sale bébé dans les bras. Donc – vite, avant que maman ne commence – où en étais-je ? Ah ouais – donc, j'ai plus ou moins largué Carol sur la falaise (il faut reconnaître que ses seins ne supportent carrément pas la comparaison), et elle

m'a rappelé : Mais on se voit toujours à la soirée d'Elizabeth ? !
J'ai répondu Ouais, bien sûr, évidemment – mais en même
temps, je pensais Oh là là, c'est vrai, la soirée d'Elizabeth : ça va
être un peu glauque, non ? Oh, et puis maman qui me raconte
ses trucs pendant que je racontais les miens, et je n'ai pas capté
un mot. Bon, ne bougez pas.

« Désolé, maman ? Tu disais ?

– Juste ciel, mais tu es complètement dans la *lune*, Colin ? fit
Dotty avec un effarement teinté d'indulgence. Je te *disais* que
la petite Dawn va venir vivre avec nous pour de bon – même si
nous ne savons pas encore où exactement, puisque ton père a
vendu la maison. Fais bonjour au monsieur, c'est ton grand
frère, Dawn ! »

Monsieur, monsieur, plus que tu ne crois, se dit Colin avec
un sourire niais. Puis il hocha la tête, et tenta de paraître,
disons, content.

Plus tard – beaucoup, beaucoup plus tard –, tandis que Colin,
vautré sur son lit, se passait une fois de plus son film préféré
(Dotty et Dawn avaient dû depuis longtemps s'éloigner, sans
toucher le sol, sur ce chemin fleuri qui mène au pays des rêves),
on sonna à la porte, puis on sonna de nouveau : le genre d'insistance que l'on ne peut ignorer. En voyant le policier debout
sur le seuil, Colin pensa Mince, je n'ai rien fait *d'illégal*, si ? Puis
il lui apparut en un éclair que si, presque certainement – parce
que je veux dire, à mon âge, ils vous mettent la main au collet si
vous achetez simplement une boîte de bière, alors Dieu sait
ce qu'ils doivent trouver quand on baise avec la meilleure amie
de maman.

« Je suis bien chez un certain Mr. Brian Morgan ? » demanda
le policier, le visage impassible.

Ouf ! C'était pour papa, rien de plus ! Fin de l'alerte. « Oui,
c'est cela – c'est chez lui. C'est mon père. Mais il n'est pas à la
maison pour le moment – et je crois bien que maman dort.

– Il est là, dans la voiture, dit le policier, avec un signe du pouce en direction de la rue. Légèrement éméché. » Il fit un vague geste du bras vers la voiture, et Colin vit bientôt en surgir la silhouette titubante de Brian, mi-poussé, mi-porté sur le trottoir par un deuxième flic. « Il n'y aura pas d'amende pour cette fois. Il s'est foulé le poignet – on arrive de l'hôpital. Quand il aura dessoûlé, vous lui direz que nous lui adresserons un courrier. »

Dotty avait brusquement surgi. « Qu'est-ce qui se passe ? Il y a un problème ?

– *Mrs.* Morgan ? » s'enquit le policier, juste comme Brian entrait en se cognant au chambranle de la porte. Le pansement de gaze enveloppant son poignet et la moitié de sa main était relativement plus propre que celui qui garnissait sa minerve, et qui semblait venir de disputer un match en dix rounds avec un sac de charbon.

« *Brian,* pour l'amour de Dieu... mais que... ?

– Ce monsieur n'a qu'une chose à faire, c'est dormir et cuver. On nous a signalé, chère madame, un homme en train de se rouler par terre sur la chaussée, avec dans les bras une plaque d'égout qu'il venait de dérober. Avant que nous n'ayons pu intervenir, il est tombé dans le trou. Enfin – il est resté coincé à mi-chemin, pour être précis. »

Dotty adressa aux deux agents de la force publique force bruits divers exprimant sa consternation (Colin avait l'intuition très nette que, sous leur masque d'impassibilité tout professionnel, ils devaient hurler de rire au souvenir de ce pauvre locdu complètement bourré, et coincé tête en bas dans une bouche d'égout), puis, quand ils furent partis, elle dit Ce n'est pas *possible,* Colin, on n'arrivera jamais à le monter là-haut dans cet état – aide-moi à le transporter dans le salon, tu veux bien ?

Ils le transportèrent dans le salon, et le maintinrent en équilibre devant le plus grand divan : il n'avait plus qu'à se laisser

VACANCES ANGLAISES

aller en avant, et c'est d'ailleurs ce qu'il fit, mais hélas ripa sur les coussins et s'effondra sur le sol comme un sac de couchage rempli de patates. Il émit un grognement sourd, pouvant exprimer à peu près n'importe quoi, depuis l'accablement total jusqu'à la satisfaction repue, sur quoi Dotty déclara Oh ça *va*, laisse-le, Colin – laisse-le là : monte, j'éteins les lumières et tout. Colin hocha la tête et se détourna, faisant une brève halte pour regarder son père, par terre : parce que, pour autant qu'un homme peut ressembler à autre chose qu'un homme, celui-là avait toutes les caractéristiques du lemming.

Norman avait réussi à planter tous les mâts en terre. En fait, l'opération s'était plutôt bien déroulée – parce que, mon Dieu, je n'ai encore jamais installé de tente de réception (d'ailleurs, je ne dois pas être le seul), et, *bien évidemment*, je m'attendais à toutes sortes d'horreurs : tempête déchaînée, grand coup de maillet sur la main, pelouse dure comme du béton – enfin, tous les trucs du genre *Trois Hommes dans un bateau*. Mais non. Une journée d'été absolument idéale. Et, il faut l'avouer, un jardin superbe ! Norman n'avait encore jamais vu le jardin (et n'était venu à la maison que deux fois au maximum). Regardez ça, ces espèces de... c'est quoi déjà, ces plantes à fleurs, là-bas, les rouges ? Et puis derrière, ces espèces de lilas ou un truc comme ça (ce n'est pas du lilas, hein ? Ça, je ne peux pas vous dire – je ne m'y connais absolument pas en plantes ; mais enfin, c'est joli, en tout cas). Howard venait de s'éclipser pour chercher des bières, lesquelles seraient les très bienvenues, croyez-en Norman. Donc – si je ne me trompe pas trop, ces grands panneaux rayés tout en longueur doivent se glisser ici... et ici... mais il va falloir que je prenne l'escabeau pour ça, donc il me faut quelqu'un pour... où est-il, ce Peter à la noix ? Il a passé la matinée à traîner là, à glander. Cela faisait deux heures que

Norman attendait que Howard intervienne, du style Bon, tu *bouges* ou quoi – allez, agite-toi un peu. Mais non, rien. C'était très étrange, cette façon qu'il avait de le considérer. Et Peter, cela dit, est décidément étrange : dès que je pose les yeux sur lui, je ressens un truc bizarre, une espèce de dégoût – enfin, il y a quelque chose de *pas net*, là. Et même quand il parle, il sort des trucs tordus, avec sa petite voix plaintive – pas les conneries habituelles que tout le monde dit, mais toujours des phrases sérieuses, ou des questions vachement directes, qu'il vous balance en pleine figure, sur quoi il vous *regarde*, comme ça, en train de vous débattre pour trouver une réponse.

« Accordez-vous de l'importance aux vêtements ? »

Tenez, voilà le genre – je veux dire, ça ressemble à quoi, une question pareille venant d'un petit mec de – quoi… seize ans ? Moins ? – et adressée à un homme de vingt-cinq ? Et puis, elle se passait *largement* de réponse, car Norman portait des frusques encore plus désastreuses que d'habitude (parce que mon Dieu, on ne va pas se mettre sur son trente et un pour faire l'andouille avec une tente par une étouffante journée d'été, hein ? Encore que Howard avait invité Norman à la réception, plus tard : Dieu seul sait si je vais réussir à dénicher un truc portable pour l'occasion). Enfin, c'est peut-être juste de l'insolence ? Il se moque peut-être des fringues de Norman ? Non, je ne pense pas – pas de demi-sourire, aucune ironie là-dedans. Peter, pour sa part, portait un pantalon blanc étroit et impeccablement repassé, qui épousait bizarrement ses hanches : *pas net*, je vous dis. Et Norman, pour quelque raison absolument inexplicable, de se creuser la tête pour répondre à cette question saugrenue que lui posait ce gamin.

« Mon Dieu… fit-il d'une voix lente. En fait – peux-tu me passer ce truc-là – ouais, non. Celui-là, ouais, celui-là. Bon. Ça dépend, en fait… ça dépend de ce que tu veux *dire* par là. »

Eh bien, non, ça ne dépend pas, pensait Norman à présent, à

huit barreaux d'échelle d'aluminium au-dessus du sol, en train de poser les œillets du panneau qui constituait la porte sur les crochets prévus sur la traverse : futé, ce système – ça s'ajuste au petit poil. Non – ça ne dépend pas du tout, mais pas du tout de ce que tu veux dire par là, quoi que ce soit, parce que la réponse est simplement Non, jamais et je m'en fous : comment diable peut-on accorder de l'importance aux *vêtements* ? L'unique fois qu'il ait jamais pensé à ce qu'il avait sur le dos, c'était quand Katie lui avait enjoint d'ajouter un « C » à son tee-shirt I LOVE HICAGO (lequel devait plus tard s'imbiber de son propre sang, après que Katie se fut enfuie avec… Oh nooon, nooon – je croyais en avoir fini avec tout ça, avec ces souvenirs-là, et voilà que ça revient : le soleil et les fleurs et tout, ça n'a plus aucune espèce d'importance, tout d'un coup).

« Ce que je veux dire, expliqua le jeune garçon, que seul Howard appelait Zouzou, c'est : y a-t-il certaines choses que vous aimez sentir contre votre peau ? »

Norman vacilla sur son échelle et manqua de perdre l'équilibre. Quelle réflexion proprement *incroyable* – est-ce qu'il était bien *sain d'esprit*, en fait ? La seule chose que j'aime sentir sur ma peau, c'est Katie, et plus jamais, jamais cela ne m'arrivera ! Mais qu'est-ce que je fais là, perché sur une échelle, à échanger des insanités avec un gamin peut-être psychopathe, alors que mon cœur saigne et que ma vie est en lambeaux ?

« Moi, reprit Zouzou, j'adore les sous-vêtements de soie crème. »

Norman descendit de l'échelle juste comme Howard arrivait tranquillement avec trois boîtes de bière. Norman aurait-il claqué le môme, aurait-il fait semblant de rien, ou l'aurait-il traité de petit merdeux pourri ? Allez savoir. Il se contenta de saisir la boîte glacée et luisante, d'arracher la capsule, et de se noyer voluptueusement la glotte. Que diable Howard trouvait-il à ce gamin ? Cinglé, complètement à la masse, voilà ce qu'en pensait Norman.

« Ça prend forme, dit Howard d'un ton approbateur. Elizabeth dit qu'elle veut commencer à s'occuper des chaises et du buffet dans une heure, donc on a intérêt à en mettre un coup. Oh, au fait, Katie a appelé, Norman – Elizabeth était ravie, je dois dire. Elle a téléphoné de l'aéroport, elle sera là d'ici une heure. Comme ça, la maisonnée sera au complet. »

Norman ne s'interrompit pas dans sa déglutition – il n'arrivait pas à savoir s'il se sentait épouvanté ou fou de joie : avait-il quelque chose à espérer ? Ou bien était-il définitivement rayé des listes ?

« Mr. Street, dit Norman avec précaution, s'essuyant la bouche d'un revers de main (est-ce de la sueur ou de la bière ? Sans doute un peu des deux – on s'en fiche), je me demandais si je pouvais vous parler un peu en privé, Howard ?

– Mon Dieu, ça ne peut pas *attendre*, Norman ? Il faut qu'on en finisse avec cette sacrée tente. »

Norman ne put que hocher la tête. Il se détourna et, sans un mot, se remit à la tâche. Howard jeta un coup d'œil à Zouzou, posa la main sur son épaule et lui demanda doucement : Tout va bien ? Sur quoi Zouzou baissa les paupières et lui répondit d'un sourire.

Guère plus d'une demi-heure plus tard, la tente était dressée : Splendide, déclara Howard – et une Elizabeth appelée en hâte se révéla également ravie en voyant cette superbe tente rayée de blanc et de jaune, avec un petit côté *moyenâgeux* (Tu ne trouves pas, Howard ?), bien campée sur ses pieux, en plein soleil, au milieu de son gazon idéalement anglais. Cela va être *la* réception des réceptions, s'exclama-t-elle en applaudissant littéralement. Et puis, pour la toute première fois, elle aperçut Zouzou : dieux du ciel, qui peut bien être ce jeune individu ? Et puis, l'idée lui vint :

« Vous êtes sans doute Peter, du bureau ?

– Oh mon Dieu, je suis *affreusement* navré, Elizabeth, fit aussitôt Howard, se frappant le front d'un geste peu convaincu. J'avais complètement oublié que vous ne vous connaissiez pas – je me disais, je ne sais pas... oui, c'est... et voilà Elizabeth. Mon épouse. »

Quelle drôle d'impression, se disait-il : mais j'aime bien, en fait.

Mais pourquoi me regarde-t-il ainsi, ce garçon ? se demandait Elizabeth. Et pourquoi regarde-t-il Howard comme ça, maintenant ? Timide, sans doute. Il doit être timide, c'est tout.

« Bien, Mr. Street. Howard, commença Norman. Je me demandais si je pourrais... vous savez... ?

– Oh oui, vous souhaitiez me parler en privé, c'est cela ? Très bien – rentrons, dans ce cas : il fait une chaleur à *crever*, ici, non ? Et puis je ferais bien de m'occuper un peu des boissons.

– À plus tard, fit Elizabeth, tandis que tous deux s'éloignaient. Et merci pour tous ces efforts, Norman. Le résultat est simplement *merveilleux*.

– Pas de problème, Mrs. Street. Elizabeth. Aucun problème.

– Bien, Peter, dit Elizabeth, voulez-vous être un amour, et m'aider à transporter les *assiettes* et tout ça ? »

En réponse, il la gratifia d'un hochement de tête accompagné d'un sourire. Charmant, ce sourire, d'ailleurs. Et ces yeux – ravissants, ma foi.

Norman ne savait pas trop ce qu'il avait l'intention de dire à Howard. Il savait juste qu'il lui fallait se soulager de certains de ses secrets, d'une part de sa culpabilité. La vie serait extraordinaire, si seulement j'étais l'homme que Mr. Street pense que je suis ; si j'étais ce que Howard croit. Oui...

« Bien, commença Howard, prenant un siège près de la fenêtre, dans la salle du petit déjeuner. Allez-y, Norman. Pfffuuu, qu'il fait donc chaud. Je vais devoir encore changer de chemise. Littéralement trempé.

– Écoutez, Howard. Oui, voilà, Howard… c'est à propos de Katie. »

Howard leva aussitôt les yeux : quel que fût le sujet abordé, il ne s'attendait certes pas à ce que cela concerne Katie.

« Katie ? Mais je vous l'ai dit, Norman – elle sera ici d'une minute à l'autre. Vous pouvez lui parler directement. Un truc qui concerne le bureau, c'est cela ? »

Norman secoua la tête. « Non. Rien à voir avec le bureau. C'est une histoire de… » Juste ciel, il allait dire de « sentiments » – il aurait tellement aimé pouvoir dire ce qu'il ressentait, mais non, impossible : ça ne vient pas.

« Bon, crachez le morceau, Norman, mon vieux ! » fit Howard, vaguement impatienté et se disant Vous savez, moi, je ne suis plus si jeune, et tant mieux : parce que s'ils sont tous comme ça, les jeunes, maintenant… infoutus de dire ce qu'ils ont à dire. D'ailleurs, je n'ai pas trop de temps à perdre avec tout ça : parce que je n'ai pas vérifié où on en est, du point de vue des glaçons, et si tout n'est pas absolument nickel pour la réception, Elizabeth ne manquera pas de me tomber sur… oh non – sur quoi déjà ? Sur quoi ? On vous tombe sur quoi ? Non, rien à faire : ma pauvre tête. Et il va se décider à parler, ce garçon ? Ah, ouais, ça vient : je vois ses lèvres qui remuent, en tout cas – tous les espoirs sont permis.

« Je l'aime », dit Norman. Voilà ce qu'il dit.

« Pardon, Norman ? Vous *quoi* !?

– Je l'aime énormément, soupira Norman. Plus que tout au monde. Je suis – mon Dieu, je suis tout simplement *fou* amoureux de Katie ! »

La seule chose qui vînt immédiatement à l'esprit de Howard, ce fut de dire à ce pauvre type d'arrêter de faire *l'andouille*, mais bon, regardez-le maintenant – il a l'air au bord des larmes. Le *poil*, voilà. C'est sur le poil qu'on vous tombe.

« Oh, mais arrêtez de faire *l'andouille*, Norman ! déclara

Howard d'un ton sec (il y des choses qu'il faut savoir assumer). Comment pourriez-vous *aimer* Katie, alors que vous ne la *connaissez* même pas!» Parce que non, tu ne la connais pas – et il n'est pas question que tu la connaisses. *Moi,* je connais Katie – c'est moi qui la connais, parce que je suis son père, bon Dieu, et quand un homme, si un homme vient un jour traîner autour d'elle, il n'aura strictement rien à voir avec *toi,* mon petit Furnish, parce que *toi,* mon petit père, tu n'as absolument aucun avenir, que tu le saches ou non (parce que, soyons franc, quel *avenir* existe-t-il pour un agent immobilier?).

«Je suis désolé! Je suis désolé, Mr. Street! Je n'y peux *rien*!» Norman avait à présent des yeux hagards, éperdus, et s'employait énergiquement à tirailler ses manches. Maintenant, il fallait *tout* avouer, pas le choix: «Ça a été superbe, magnifique jusqu'à la moitié des vacances, avant que je ne me fasse agresser et que...

– Des *vacances*? Mais qu'est-ce que ce délire imbécile que vous me faites là a à voir avec vos *vacances,* pour l'amour de Dieu?» Mais *qu'est-ce* qu'il raconte? Je me suis peut-être trompé sur le compte du jeune Mister Norman Furnish – j'ai bien l'impression qu'il est complètement fêlé, tout à coup.

«Mais parce qu'elle y *était.* En vacances. Katie était avec *moi*!»

Les yeux de Norman imploraient à présent, *écoutez-moi,* je vous en prie, je vous en prie, aidez-moi, ou alors donnez-moi le coup de grâce, et qu'on en finisse.

Howard se dressa. «Je crois bien que cette saloperie de soleil vous a tapé sur la tête, Norman!» Juste ciel, j'avais raison: complètement cinglé. «Katie n'était pas en *Cornouailles* – qu'est-ce que c'est que ces âneries? Elle rentre juste de *Chicago*!

– De Chicago, oui! répéta Norman, à tue-tête. De Chicago! J'étais avec elle à Chicago! Avec Katie! Moi. J'y *étais.*

– Norman, reprit Howard, plus calmement, je ne sais pas à

400

quel jeu vous jouez avec moi, mais je peux vous dire qu'on arrête, et *tout de suite*. C'est compris ? Vous n'êtes *pas* allé à Chicago et...

— Mais si ! Si ! J'en reviens.

— *Non*, Norman, vous ne revenez pas de – juste ciel, mais je *rêve* ! Vous rentrez de *Cornouailles*. »

Norman secouait désespérément la tête, comme s'il voulait s'en débarrasser.

« Non ! Non ! Jamais de ma *vie* je n'ai mis les pieds en Cornouailles !

— Mais vous m'avez *dit*...

— Oui, oui, oui, c'est bien ce que je vous ai *dit*, d'accord. Il fallait bien, non ? Je veux dire, je n'allais pas vous dire que j'étais parti à Chicago avec Katie, n'est-ce pas ?

— Mais c'est exactement ce que vous me *dites*, espèce de pauvre cinglé !

— Oui, mais je vous le dis *maintenant* – c'est maintenant que je vous le dis, parce que j'ai bien l'impression qu'elle ne veut plus *m'épouser* à présent, et...

— Vous *épouser* ! » fit Howard d'une voix étranglée, n'arrivant toujours pas à y croire. Puis il se fit sévère. « Bon. Norman, arrêtez. Arrêtez tout de suite. Je pense, sérieusement, que vous avez un problème mental, si vous voulez le savoir. Et cela ne vous ressemble vraiment *pas*. Vous avez pris quelque chose, de la *drogue*, je ne sais pas ?

— Non, dit Norman d'une voix pitoyable. Rien depuis Chicago – quand Katie m'a fait une ligne de coke. »

Moins une, et Howard lui flanquait son poing dans la figure. « *Bien*, Norman. Parfait. Dès que Katie sera là, nous débrouillerons ce sac de nœuds avec elle – d'accord ? J'ai l'impression que vous nous faites une espèce de dépression et – *non*, Norman – taisez-vous : plus un mot. Et maintenant, filez au jardin, et rendez-vous *utile*, bon Dieu. Mais si vous préférez rentrer chez vous et dormir un peu, histoire de vous remettre les idées en place, pas de problème. Parce que nous allons devoir sans tarder avoir une discussion sérieuse, Norman : et j'ai bien dit sérieuse. »

Norman soupira, comme s'il exhalait son dernier souffle. Il se leva, défait, vaincu. « Je suis tellement navré, dit-il, presque dans un chuchotement. Je vais rester ici, si ça ne vous ennuie pas. Je veux parler à Katie. Elle me manque affreusement. Oh mon Dieu, je suis *tellement* navré, Howard ! »

Howard le regarda. « Mister *Street*, corrigea-t-il d'un ton ferme. Essayons, pour l'instant, de rester digne et correct, vous voulez bien ? »

Les traits de Norman étaient comme figés par une attaque. Avec l'impression d'être hors de son propre corps, il sortit dans le jardin aveuglant de soleil. Je pose un pied devant l'autre. Je suis assis sur la pelouse. Je me lève. J'ai trop chaud. Là, je traîne à ne rien faire, tout blême (ceci sous la tente).

CHAPITRE VIII

Dotty ne put réprimer un hoquet de plaisir devant le spectacle ravissant, lumineux, qu'offrait la tente de réception, étincelante au soleil, ornée de deux petits fanions roses voletant dans le vent tiède sous leurs flèches miroitantes; ce devait être là, dans un tel décor (Dieu sait *comment* Elizabeth réussit à garder un jardin aussi impeccable. Ah oui – avec l'aide de deux jardiniers, ce n'est pas un problème), le symbole même de l'été anglais. Et, connaissant Elizabeth, la tente devait être pleine non seulement de choses délicieuses (et en quantité), mais aussi de ces détails dont d'autres qu'elle n'avaient sans doute pas le temps ni les moyens de s'occuper : des fleurs, bien sûr – mais regardez plutôt : des fontaines de lis jaunes, des myriades de gypsophile, comme une explosion de confettis immaculés, pour égayer deux rangées de sièges de metteur en scène en grosse toile d'un vert profond, de très ravissantes nappes et serviettes de guingan, d'une nuance bleu delphinium assez inhabituelle. Et cela ne jurait pas avec le vert? Cela ne faisait pas paraître le jaune trop acide? Eh bien non, justement, pas du tout, du tout : le mélange de couleurs crues s'harmonisait parfaitement. Et c'était là tout Elizabeth, dans son génie ô combien enviable.

Enviable, comme tout ce qu'elle *possédait*, d'ailleurs. *Certes,* elle en tirait le maximum (Howard devait être enchanté d'elle – une épouse et une mère idéale, n'est-ce pas ?), mais ce luxe d'avoir une idée, comme ça, et de la voir soudain transformée en une réalité somptueuse (par la grâce de l'un ou de l'autre, généralement celle de Howard), ce luxe-là faisait blêmir Dotty, à présent aussi verte que les chaises de toile (voire même plus verte encore) et, pour la toute première fois depuis que la petite Dawn lui était échue – elle la tenait sanglée contre sa poitrine, chaude comme un nuage d'été –, Dotty glissa, puis bascula tête la première dans la tristesse et le regret. Jamais elle n'aurait tout ce qu'avait Elizabeth ; et à présent, la maison – la maison aussi lui était enlevée, et avec elle tout espoir de la rendre presque aussi charmante que celle-ci. Un frisson d'angoisse la parcourut soudain (J'ai un enfant, un bébé ; que va-t-il advenir de nous ?), mais, pénétrant dans la fraîcheur lumineuse de la tente, elle fut aussitôt rassérénée à la vue de Lulu (j'ai l'impression que des *siècles* se sont écoulés depuis que je l'ai vue), et d'Elizabeth elle-même. Celle-ci rayonnait – il n'y a pas d'autre mot, elle rayonnait comme un feu de joie, et Lulu également. Dotty, elle, portait un vieux truc minable, et Dawn s'était révélée très utile pour dissimuler une tache d'époque, dont nul détachant super-actif et appliqué avec force jurons et prières n'avait jamais pu venir à bout.

Après un ouragan d'embrassades (et quelques rires, à cause de l'obstacle frontal que constituait Dawn – J'adore ça, j'adore ça, pensait Dotty : c'est comme si j'étais enceinte, mais elle est déjà née), il n'y eut plus qu'à se décider entre un Pimm's, une coupe de champagne, un Buck's Fizz, un kir, ou ce qui semblait bien être un punch aux fruits glacé absolument sublime (sombre comme un vin, et parsemé de zestes de mandarine en forme de tortillons). Tiens, là-bas, en train de parler avec Howard et un couple que je ne connais pas – ce doit être John, c'est cela ? Le mari de Lulu ? Celui qui veut tuer tout le monde ? Mon Dieu – que faire, avec un homme comme ça ? Il n'arrête pas de jeter des coups d'œil par ici, l'air mauvais : j'espère qu'il est *inof-*

fensif. Au moins, ce pauvre vieux Brian, lui, ne s'en prend qu'à *lui-même* : c'est préférable, somme toute. D'ailleurs, Brian était arrivé, à l'instant ; ne demandez pas à Dotty comment elle le savait – elle ne s'était pas retournée ni rien. Elle savait simplement qu'il était arrivé – et ce n'était pas d'avoir vu Lulu et Elizabeth se recomposer imperceptiblement un visage qui disait Oh là là mon Dieu quelle horreur oh Brian quelle joie de te revoir en forme – non pas du tout : Dotty le sentait, c'est tout. Cela vient avec les années, et ne vous abandonne peut-être plus jamais – ce sentiment qu'une personne si étrangère à vous, si parfaitement éloignée, au-delà de tout ce qui est *vous*, a néanmoins fini par faire partie de vous-même.

« Mon Dieu, *Brian* ! ne put s'empêcher de s'écrier Elizabeth, qu'est-ce qui se passe ? Enfin, je veux dire, ajouta-t-elle, se reprenant quelque peu, tu as l'air très en *forme*, Brian. Et ce cou ? » Puis, dans un bref aparté à l'intention de Dotty : « Il m'entend ? »

Dotty hocha la tête. « Oh oui – il n'est plus sourd. Ça n'a pas marché.

– Quoi ? fit Brian. Que dis-tu ? Je n'écoutais pas.

– Je *disais*, hurla Elizabeth – Brian faillit en tomber à la renverse – que tu as l'air très en… ! Oh, mais je ne savais pas que tu t'étais aussi blessé à la main, Brian… comment as-tu… ?

– Cela a dû être terrible, cette chute », intervint doucement Lulu. Elle ne connaissait pas Brian (pourquoi les femmes se *marient-elles*, en fait ?), mais elle sentait qu'il lui fallait dire quelque chose.

« Non, pas du tout, expliqua Dotty. Vous n'y êtes pas. Il s'est bel et bien abîmé le *cou* en tombant de la falaise…

– Pourquoi parlez-vous de moi comme si je n'étais pas là ? s'enquit Brian. J'ai des oreilles pour *entendre*, vous savez.

– … mais la *main*, continua Dotty – et l'on aurait réellement pu croire que Brian était à des milliers de kilomètres –, je dois dire que la *main,* ça date d'hier soir, quand il est tombé dans une bouche d'égout. »

Lulu cilla, mais Elizabeth crut comprendre ce qui s'était passé :

« Tu veux dire qu'il est tombé sur une de ses plaques d'égout ? Ou qu'il se l'est laissé tomber sur la main ?

– Non – il est tombé dans le trou. D'après lui, c'était une plaque très rare et très belle – je ne plaisante pas –, et comme ce pauvre idiot avait pris une cuite, il l'a arrachée de la chaussée, et à force de tourner et virer dans tous les sens, il est tombé dans le trou, imaginez-vous. »

Elizabeth cilla à son tour, puis se récupéra et déclara triomphalement, de sa plus pure voix de maîtresse de maison :

« Mon Dieu, ne t'inquiète pas, Brian – je vais te dire : ce genre de chose m'arrive *tout* le temps.

– Pourquoi, s'enquit Lulu auprès de Brian – oh, au fait, je suis Lulu – pourquoi avez-vous souhaité devenir sourd, en réalité ?

– *Quoi !?* » aboya Brian. Devenir *sourd*!? Mais de *quoi* cette bonne femme parle-t-elle, qui qu'elle soit ?

Lulu et Elizabeth tournèrent vers Dotty un même regard interrogateur, sur quoi Dotty déclara Mon Dieu, tout ce que je sais, c'est que ce matin il entendait parfaitement : peut-être que ça va et vient.

Brian s'éloigna, en quête d'un verre. Et Dotty peut bien rire – elle peut bien dire ce qu'elle veut –, mais c'était, véritablement, une plaque très belle et très rare, et le simple fait de la toucher avait quelque peu dispersé les vapeurs d'alcool qui le baignaient et le protégeaient de lui-même, ce soir-là. Titubant (en partie à cause du poids, mais surtout de la bibine), il avait été surpris soudain de ne plus sentir le sol sous ses pieds mais, au-delà même de cette douleur brutale, quand il s'était retrouvé coincé tête en bas, Brian s'efforçait de descendre encore, encore plus bas : il ne lui était pas venu à l'esprit de tenter de s'extirper du trou – il n'avait qu'une envie, tomber, tomber, tomber. En fait, il ne pouvait plus bouger d'un centimètre, ni dans un sens ni dans l'autre, et c'est pourquoi la police l'avait trouvé ainsi, dépassant du sol comme l'ogive de quelque missile endommagé, oublié là, et exprimant à petits sanglots le regret de son silo de lancement.

Première chose : un verre. Ensuite : un autre.

« Brian ! » Howard l'attrapa au passage.

Merde : c'est un verre que je veux, et ensuite, un verre. Mais bon – c'était quand même la réception de Howard.

« Voici des personnes que tu devrais peut-être rencontrer, maintenant que le mal est fait. Brian Morgan – Cyril Davies et son épouse, Edna. »

Brian dressa l'oreille. « Oh, c'est vous... » Il allait dire C'est vous l'enfoiré qui avez senti, je ne sais par quel sixième sens, que j'en étais là, prêt à accepter n'importe quoi, et qui avez ensuite baissé le prix de manière obscène, quand vous avez flairé que j'étais complètement pris à la gorge. Au lieu de quoi, il conclut : « ... l'acquéreur. »

Cyril lui tendit la main. « J'espère sincèrement que vous ne m'en voulez pas de... euh... de cette modification de dernière minute. Je dois dire que la visite de l'expert n'a pas été fameuse, loin de là. »

Brian se contenta de hocher la tête. Hoche, mon garçon, hoche. Un verre, s'il vous plaît.

« Nous avons beaucoup apprécié le jardin, pépia Edna. Ou du moins l'allure qu'il aura quand Cyril s'y sera attaqué. C'est un jardinier *hors pair* – n'est-ce pas, amour ? »

Cyril considéra ses doigts tendus. « Je dois avoir la main verte, dit-il. Mais cela risque de vous faire un rival, Howard. Adorable, ce jardin, il faut le reconnaître, vraiment superbe. Vous êtes un fanatique ? »

– Le jardin, c'est le territoire d'Elizabeth, répondit Howard en riant. Donc, c'est elle votre ennemie, dorénavant, pas moi.

– Et dans quoi êtes-vous, Mr. Morgan – Brian ? s'enquit Cyril.

– Dans la moquette. J'étais. Là, je suis en retraite. » Un verre, s'il vous plaît.

« Cyril est psychiatre, déclara Edna.

– *Vraiment ?* » C'était une nouvelle voix qui intervenait : celle de John. Il traînait là, aux aguets, surveillant Lulu moins que discrètement. Pour l'instant, cela allait, elle était occupée à bavasser avec cette fameuse Lizzie (en effet, elle *existait*, mais cela ne justifiait certes pas tout le reste, hein ?) et une autre bonne femme avec un bébé. Brian, l'infirme, était allé les voir aussi – évidemment que John avait repéré le manège – mais celui-là, il n'arrivait même pas à le voir comme une quelconque menace.

« Howard, dit Brian, je vais prendre un verre. »

Howard hocha la tête – et comme John semblait sur le point d'engager une conversation sérieuse avec Cyril, il proposa à Edna de lui remplir son verre, sur quoi elle dit que ce serait avec plaisir, et en fait, je ne détesterais pas goûter un peu de ce saumon fumé qui a l'air absolument délicieux, et le temps que Howard l'escorte jusqu'au buffet, tandis que Brian, à une autre table, s'envoyait un méchant gorgeon, John en était arrivé aux faits :

« Voyez-vous, euh… Cyril, je sais bien que nous ne nous connaissons pas, ni rien – et que les médecins, quels qu'ils soient, doivent ne plus en pouvoir de se faire harponner par de parfaits inconnus au cours d'une réception…

– Mais non, mais non, dit Cyril, pas du tout. » Mais si, si, un peu que si, on n'en peut *plus*, pensait-il. Dire que je n'arrête pas de répéter à Edna qu'il y a un moment précis, cela se sent, pour dévoiler quelle est ma profession – c'est-à-dire pas parmi des inconnus, à moins d'avoir tâté le terrain, et surtout pas histoire de moucher un pauvre ringard qui gagnait sa croûte en fourguant de la moquette, et n'y arrive même plus.

« C'est juste que... mon Dieu, reprit John... c'est à propos de mon épouse. »

Cyril hocha la tête. Oui – généralement, c'était ça. Discutez un peu avec ladite épouse, et vous apprendrez évidemment que la source du problème est tout autre.

« Hum hum », fit-il, automatiquement : le signal qui encourageait les gens à continuer, tandis que lui pouvait s'évader en esprit. D'autres invités arrivaient à présent – assez jeunes pour la plupart, enfin jeunes d'allure. *Je peux peut-être réussir à échapper à ce type, et faire la connaissance de quelques-uns d'entre eux.* Il avait déjà repéré une femme absolument superbe, là-bas, et ce depuis leur arrivée – elle portait des lunettes noires enveloppantes, et parlait avec animation à Elizabeth, l'épouse de Howard : remarquable, vraiment. Edna s'étant éloignée, Cyril n'avait sans doute plus qu'à émettre quelque diagnostic digne du *Reader's Digest* quant à ce qui troublait cet homme visiblement fort névrosé, et, avec un peu de chance, commencer à s'amuser. Le champagne était d'ailleurs excellent, il fallait le reconnaître.

« Vous savez, s'excusait John, je suis désolé de... enfin, de m'adresser à vous comme ça, mais j'ai réellement songé à... enfin... à *parler* à quelqu'un, mais je n'aurais sans doute jamais pu m'y résoudre. Ma femme – c'est elle, là-bas. Elle s'appelle Lulu. C'est son nom. »

Jetant un coup d'œil, Cyril aperçut trois femmes : ce n'était pas Elizabeth, bien évidemment. « C'est elle qui a le bébé ? »

John secoua la tête. « Non, l'autre. Avec les lunettes de soleil. »

Tiens tiens tiens, se dit Cyril : *qui l'eût cru ? Une femme pareille avec un type dont, plus je lui parle, plus je suis* convaincu qu'il est au bord de la démence. Il ne convenait pas, d'un point de vue professionnel, d'émettre le moindre commentaire – du genre « superbe créature », ou « quel goût, quelle élégance » (et encore moins « Puuuutain, regardez-moi cette paire de cannes ! Je vous jure, avec moi, ce serait quand elle veut où elle veut, hein ! » – évidemment), donc Cyril se tint sagement coi.

« Eh bien, le problème… reprit John, se faisant violence, c'est qu'elle est nymphomane.

– Vraiment ? » fit Cyril. *Vraiment ?* Bien sûr, n'oublions pas que le profane ne connaît presque jamais la définition clinique de la nymphomanie ; moi, par contre, je sais très exactement ce que veut dire le profane, de sorte qu'en l'occurrence tout cela n'est peut-être pas entièrement dénué d'intérêt.

« Mais le plus curieux, reprit John, chuchotant à présent (mon verre est vide – il faut que je le remplisse, encore et encore), non le plus *franchement* étrange, c'est que quand elle l'a *fait* – et quelquefois, c'est avec quelqu'un qu'elle vient de rencontrer dans *l'ascenseur*, vous vous rendez compte ? –, enfin, quand c'est terminé, vous voyez, c'est comme si elle perdait la mémoire – plus rien. Ou bien alors, elle en discute – avec *moi*, avec *moi* – comme si c'était la chose la plus naturelle au monde. Alors, j'y ai beaucoup réfléchi, et j'aimerais que vous me disiez si mon idée est cohérente – je veux dire, ce genre de cas est-il *connu* ? Une sorte de nymphomanie amnésique, ce serait cela ? Ou bien le contraire ? Elle fait d'autres trucs, aussi. L'autre jour – vous n'allez pas me croire –, elle s'est jetée sur un parfait inconnu et l'a frappé au visage parce que, selon elle, il mangeait des pastilles de menthe. »

Cyril eut un sourire – mélange de compassion médicale et de mépris sans nom pour ce connard. « Bien, fit-il, aimeriez-vous que je… que je parle un peu avec elle ? Histoire de me faire une opinion ?

– Oh mon Dieu, je ne voudrais *pas*…

– Non non, pas du tout. Une réception, c'est souvent le moment idéal. On obtient nombre d'indications, en parlant de choses et d'autres.

– Eh bien, je dois dire que c'est vraiment très, très aimable à vous, fit John avec ardeur et, pour la première fois depuis une éternité, un vague soulagement dissipait quelque peu les ténèbres où il se mouvait. Je vais chercher encore un peu de champagne – en prendrez-vous ?

– Tout à fait, approuva Cyril. Et ensuite, je file discrètement là-bas. »

Parfait, se dit John en se dirigeant vers tous ces merveilleux seaux à glace argentés, débordant de bouteilles de champ' au goulot doré – lui au moins me prend au *sérieux* : parce que bon Dieu, depuis combien de temps (dites-le-lui un peu), depuis combien de *temps* personne ne l'avait-il plus pris au *sérieux* ? Pas ma rédactrice en chef, en tout cas – pas elle : elle *adore* me mettre plus bas que terre. Je peux vous dire que si ce n'était pas pour le pognon... Tenez, regardez ce qu'on m'a donné aujourd'hui, par exemple. Vous savez sur quoi je suis censé pondre quinze cents mots ? Vous ne savez pas ? Eh bien voilà, accrochez-vous : le tartan. Ouais, le tissu, le tissu écossais. Et vous savez pourquoi ? Parce qu'ils sont déjà en train de préparer le numéro de novembre, n'est-ce pas, et que de mémoire d'homme, à chaque putain d'hiver, ces enfoirés de prétendus décorateurs d'intérieur réinventent le *tartan*, voilà pourquoi. Comme si on n'avait jamais *vu* ça auparavant. Vous pouvez y compter – dès que les vitrines commencent à déborder de feuilles mortes et de balais de sorcière, tout le monde se vautre dans le tartan et le velours rouge et le cuir brun – une fois de *plus*. Même chose au printemps – là, c'est les rayures acidulées (d'une fraîcheur... !) et les conneries de bleu et blanc, d'un charme tout balnéaire (combien de fois n'ai-je pas utilisé cette formule ?). Enfin bref, allons-y pour le tartan.

411

Et puis mon roman. Ils ne l'ont pas lu – ils ne l'ont même pas *lu*, John en mettrait sa main au feu. Et savez-vous ce qui est le plus humiliant? Ce qui l'a vraiment abattu? Un jeune mec quelconque, au magazine, avait dit, à Noël dernier, qu'il avait commencé un roman, sur quoi John avait répondu Ah bien? Vraiment? considérant non sans compassion une ambition aussi pitoyable, et fort de deux ans de labeur acharné pour presque quatre-vingt-dix mille mots. Ce petit enfoiré s'y était mis, et il avait été *accepté* – il l'avait torché en six semaines, et était allé trouver quelque agent véreux qui l'avait fait circuler en parlant de *stream of consciousness* et autre inoubliable puissance de langage, lesquels n'étaient pas sans rappeler Joyce – et cette saloperie d'éditeur l'avait pris! Et je parierais qu'ils ne l'ont pas lu *non plus*, parce que le petit mec, le petit enfoiré qui se faisait à présent passer pour *écrivain*, m'a dit qu'il s'était pissé dessus de rire parce que Joyce, en fait, est le nom de la belle-mère de son agent! Vous avez dit éditeurs? *Parlez-m'en*, des éditeurs.

John se détourna de la table des boissons (géniale, votre réception, Howard!), tenant fermement dans chaque main une flûte pleine de bulles à ras bord – ça épargne un autre voyage – et, s'il ne les laissa pas tomber au sol, ce fut vraiment moins une, tant les nerfs qui irriguaient ses doigts étaient ébranlés, tandis que les yeux lui sortaient littéralement de la tête : devant lui, se tenaient Miles et Melody, et même s'il ne se souvenait, et ne voulait plus se souvenir de leur nom, il ne se rappelait que trop bien de leurs sales gueules – et de tout le reste ou presque, parce que la dernière fois qu'il les avait eus sous les yeux, tous deux étaient nus comme des verres de lampe et encore fumants de sexe dans une chambre d'hôtel à cent cinquante kilomètres de là – et Miles, pour le moins, arborait un sourire mauvais – de sorte que ces deux monstres pervers, immondes, cyniques, l'avaient suivi, traqué jusqu'ici : ils sont peut-être là pour me tuer et emporter ma Lulu comme trophée, pour en faire leur esclave et leur bête de sexe. Qu'il était donc bienvenu, ce soupçon qui m'a envahi dès ce matin – et quelle chance j'ai de m'être préparé à toute éventualité.

Colin avait failli se heurter à Katie, dans le couloir. De toute évidence, elle venait de descendre après s'être changée, et hurlait de rire, comme le font les filles, avec une espèce de nana aux cheveux roux qui sautillait à ses côtés. Elle avait bonne allure, il fallait le reconnaître (d'ailleurs, Katie a toujours bonne allure), et sa copine n'était pas vilaine non plus, mais Colin s'aperçut, avec un immense soulagement, que son cœur ne réagissait pas, et qu'il ne se sentait nullement rougir. Jusqu'à la semaine dernière, un simple regard sur Katie, seule, aurait suffi à déclencher toutes sortes de désagréments, comme nous l'avons déjà constaté non sans chagrin – mais deux filles ensemble, liées par cette complicité effroyable des femmes pubères, cela l'aurait tué sur le coup. Mais non, plus maintenant – il n'était plus l'esclave des nichons de Katie : c'était là un autel devant lequel il ne se prosternerait plus. Non, Katie, non – tu as perdu ton pouvoir sur moi, parce que je suis passé au stade supérieur : les seins de ta mère.

« Alors, bonnes vacances, Colin ? sourit Katie.

– Très bonnes, merci », répondit Colin d'un ton léger. Très très agréables en effet : si tu veux le savoir, j'ai passé la meilleure partie du temps au lit avec ta mère. « Et toi ? »

Katie hocha la tête. « Super. » Super, en effet, et là, je n'ai qu'une envie, c'est de lézarder au soleil, parce que, si tu veux le savoir, de ma vie je n'ai jamais autant baisé que ces derniers jours, une véritable chienne.

Colin passa dans le jardin (Dieu qu'il fait chaud – j'ai une envie folle de champagne – que va penser Elizabeth si elle me voit en train d'en boire ? Je me demande si Carol est déjà là).

Katie lui emboîta le pas – Tiens, voilà papa! Il faut que je sois gentille avec papa – j'ai claqué tellement d'argent!

« Ah, Katie, te *voilà*, fit Howard. Je t'attendais depuis une heure. Tu as l'air en forme – alors, ça s'est bien passé?

– Mais *j'étais* arrivée, papa – je viens de prendre une douche et tout ça. Ça a été *génial.* Et toi? Tu m'as manqué, tu sais. »

Howard sourit : ce genre de phrase le touchait toujours. « Tu es un amour, Katie. Écoute, ma chérie, je sais bien que tu rentres à peine, et que c'est une réception et tout ça, mais il y a une chose que j'aimerais vraiment régler. C'est un peu – enfin, c'est complètement délirant, pour dire vrai, mais j'aimerais que tu me répondes, *toi* – d'accord? »

Katie prit l'air perplexe qui convenait – et ce n'était pas chez elle une expression habituelle : de quoi *diable* papa voulait-il parler?

« Bon, commença Howard, tu étais bien à *Chicago*, n'est-ce pas? »

Katie le regarda. « *Hein?* Tu dois bien *savoir* que j'étais à Chicago – j'ai rapporté la moitié de Chicago dans mes bagages. »

Howard hocha brièvement la tête. « Bon, bon – évidemment, oui. Parce que tu n'aurais pas du tout, du tout été en *Cornouailles*, n'est-ce pas?

– Papa – tu es encore tombé dans la bouteille de whisky, c'est ça? Mais de *quoi* parles-tu?

– Non, pas encore – plus tard, peut-être. Bien – écoute Katie. À Chicago… étais-tu avec un homme? »

Katie se figea. Donc, c'était *ça*. Oh nooon. Mais comment…? Enfin, puisqu'il savait, il savait : cela devait arriver un jour ou l'autre.

« Eh bien… oui, plus ou moins, papa. »

Howard ne s'attendait pas à cela. Il avait secoué la tête, doucement, comme pour lui suggérer une réponse négative. « Ah », fit-il. Et vous savez quoi, il pensait vraiment que la première fois

414

que ceci arriverait, il le sentirait, le saurait d'instinct. Qu'une inexplicable vague de consternation l'envahirait. Comme en cet instant.

« Mais il n'est pas question de… » Howard avait peine à parler maintenant, et devait se racler la gorge comme, croyait-il jusqu'alors, on ne le faisait que dans les pièces de théâtre. « Il n'a pas été question de *mariage*, dis-moi ? Mmmm ? » Son ton suggérait tant bien que mal que c'était là l'idée la plus saugrenue au monde.

« Eh bien… » fit Katie d'une voix lente – ce moment-là n'est jamais facile à vivre, n'est-ce pas ? « Ce n'est pas impossible. Il me l'a *demandé*… et vraiment, je le trouve merveilleux, papa. » Parce que bon – si elle décidait finalement de garder ce bébé (elle venait juste de découvrir cet aspect de la question) il allait bien falloir que *quelqu'un* soit là pour tout payer, évidemment. Maintenant, qui était le père ? Sans doute Norman, mais il y en avait eu un ou deux autres, brièvement, pas si longtemps auparavant. Donc ce n'était pas forcément lui non plus.

Howard se dirigea vers la fenêtre. « Tu n'as même pas dix-huit ans », soupira-t-il – mais déjà il adressait de grands signes à une silhouette indistincte, là-bas, sur la pelouse. Instantanément, Norman bondit, peut-être pas comme un retriever, mais plutôt comme un croisement entre un ratier et un kangourou. « Mais explique-moi, reprit Howard, comme pour lui-même à présent, tandis que Norman déboulait dans le couloir, hors d'haleine, pourquoi diable voudrais-tu épouser *Norman* ?

– *Norman ?!* s'exclama Katie d'une voix suraiguë.

– *Katie !* bêla Norman, manquant défaillir. Oh – tu es rentrée – tu es revenue vers moi ! Oh merci, merci mon Dieu ! »

Katie ne fut pas longue à saisir le vilain malentendu, et à lui couper le cou tout net. « *Norman*, papa ?! Mais qui a simplement prononcé le nom de *Norman* ?! Jamais je n'épouserai Norman, même si c'était le dernier hom…

– Mais, balbutia Howard (tout à la fois soulagé et ahuri, à parts égales), Norman m'a dit qu'il était à Chicago avec toi...

– Eh bien c'est *faux*, dit Katie d'un ton ferme. Je ne connais même *pas* Norman.

– C'est bien ce que je lui ai dit, reprit Howard, retrouvant son énergie et se tournant vers un Norman effondré, tout tremblant devant eux.

– Comment peux-tu *dire* ça? fit-il d'une voix étranglée. J'y étais – j'y *étais* – nous sommes partis *ensemble*...!»

Katie tapa du pied, et fit appel au juge de touche : «Mais *papaaaa*, je suis partie là-bas avec *Ellie*!

– Tout à fait, tout à fait! rugit Howard. Elle est partie avec *Ellie*!»

À présent, Norman n'avait plus que ses yeux pour pleurer, et ne s'en privait pas. «Non, articula-t-il entre deux sanglots – il n'y a pas de *Ellie* – Katie a tout inventé!

– Papa, fit Katie avec une méchanceté de scalpel, je crois vraiment que Norman est devenu *fou*.» Sur quoi elle appela quelqu'un dans le couloir, derrière elle.

«Moi aussi, grommela Howard.

– Bonjour tout le monde, fit une jeune fille aux cheveux roux, je ne crois pas que nous nous soyons déjà rencontrés. Je suis Ellie.»

Katie eut un large sourire, tandis que Howard saisissait la main tendue de la jeune fille (tout en se disant vaguement, dans un coin de sa tête, Attendez, qui est donc cet *homme*, alors, si ce n'est pas...?), et seul le craquement sinistre d'une chaise brisée et le bruit sourd, bien reconnaissable, d'une tête heurtant le parquet leur apprit que Norman venait de s'évanouir, de façon fort théâtrale.

Colin crut apercevoir l'extrémité de la queue de sirène de Carol, juste comme elle se glissait dans la tente : ce devait être elle, il en était presque sûr. Mais, tout en traversant la pelouse d'un pas dégagé, il se disait Bien, pourquoi ne suis-je pas plus pressé de la voir ? Qu'est-ce que je vais *faire* de Carol, en réalité ? Qu'est-ce que je veux ?

Oui – c'était bien elle. Colin, toutefois, n'était nullement préparé à trouver à ses côtés son frère, toujours aussi immense et dégingandé, horrible, avec son sourire sardonique.

« Tiens tiens, fit Terry. Mais voilà notre Superman. »

Colin se demanda s'il prenait toujours cette intonation ironique. Était-ce là son ton habituel, en toute occasion ? Ou bien le réservait-il tout spécialement à l'intention de Colin ? Quoi qu'il en soit, Terry se dirigeait déjà vers les rafraîchissements (tant mieux), tandis que Carol adressait à Colin tout un échantillons de mimiques sur le mode Je-suis-navrée-mais-je-n'ai-rien-pu-*faire*. C'était d'ailleurs la vérité – elle n'avait rien pu faire. Son père ne souhaitait pas venir (Je ne vais pas débarquer dans une garden-party chez des gens que je n'ai même jamais *rencontrés*), mais il n'était pas question de laisser Carol traverser Londres toute seule ; d'où la présence de Terry.

« Il fait chaud », dit Carol.

Colin hocha la tête ; ça, il faisait chaud.

« Je vais prendre un jus d'orange, continua-t-elle, rougissant à la simple inanité de ce qu'elle racontait. Tu m'as manqué. »

Cela aussi était assez vrai, même si ça ne l'avançait pas à grand-chose. Parce que regardez Colin ; Carol, elle, le regardait. Et ce qu'elle voyait ne la concernait pas du tout. Que lui est-il arrivé ? Je croyais vraiment qu'il avait un *truc* avec moi, et voilà qu'il ne me regarde même pas, enfin pas ce que l'on peut appeler regarder quelqu'un. Et puis, elle se sentit froissée. Il aurait pu dire que je lui ai manqué *aussi* – enfin, quelque chose, je ne sais pas. Et là, il se tord le cou pour regarder... qui ? Oh – Elizabeth. Et, sans savoir pourquoi, Carol eut soudain *les boules*, vraiment, et elle allait se détourner pour chercher son jus d'orange pourri quand tout à coup – là-bas, tout seul dans son coin – son regard tomba sur le garçon le plus magnifique qu'elle ait jamais vu ; assez grand, mince, et des yeux sublimes qui paraissaient rivés sur elle. Carol se dirigea droit vers lui, sans vraiment réfléchir. À plus tard, jeta-t-elle à Colin, par-dessus son épaule – peu importait qu'il eût entendu ou non, l'idée, c'était qu'il voie bien là où elle se dirigeait.

Il vit bien. Et soudain, toute l'indifférence hautaine, toute la supériorité imbécile qu'il ressentait envers cette fille géniale fondit comme neige au soleil. Il faillit la rappeler. Mais *qui* était ce type ? L'air vaguement étranger, un peu bizarre, mais aucun doute, il était beau mec. Il y avait comme ça deux ou trois salopards, à l'école, qui étaient beaux mecs, et c'étaient généralement eux les plus vaches. Colin avait l'intention d'aller retrouver Elizabeth, mais quelque chose le retint. Mon Dieu, mais *évidemment* que c'est Carol que je veux (elle est en train de lui parler maintenant, à ce type), parce que Elizabeth – eh bien, disons que ç'avait été une de ces choses vraiment *étranges* que l'on fait quelquefois, n'est-ce pas ? Enfin – c'était *génial* (le truc à ne pas manquer, et dont on se souviendra toujours), mais ce n'était pas *pour de vrai*, n'est-ce pas ? C'était *Elizabeth*, la voisine la plus proche, et la meilleure amie de sa *mère*. Colin frissonnait à présent, il frissonnait en plein soleil : il n'en croyait pas ses yeux : Carol rit – une légère cascade de notes délicates qui lui déchirait le cœur. Il faut que je l'arrache à ce type. Ouais – il faut que j'y aille (et tout de suite). Que je la prenne par le bras et que je l'emmène au loin, rapidement. Je ne peux pas. Pourquoi ? Oh, mais vous savez *bien* pourquoi – parce que je ne suis simplement pas fait pour *ça*. Je n'y arriverai pas. Je ne peux pas, je ne peux pas, je ne peux pas – et personne en cet instant ne peut haïr autant que je me hais moi-même.

Et soudain – comme ça, comme par pure magie – ils n'étaient plus là. Carol et le mec : disparus. La seconde précédente, ils étaient là, en train de… et puis plus rien. Et Colin aurait juré qu'il ne les avait pas quittés des yeux, pas un instant, mais bon, il avait quand même bien *dû*, de toute évidence. Ils s'étaient envolés. Affolé (trop tard ! trop tard !), Colin se rua vers l'endroit où ils s'étaient tenus, repéra aussitôt une sortie de la tente, juste là, fonça au-dehors et… *rien* – strictement rien : la pelouse, les fleurs, le murmure étouffé des conversations qui lui parvenait de l'intérieur. Il rentra d'un pas incertain – sans trop savoir pourquoi – et Howard l'appela de loin, Colin, fiston, viens par là ! Viens boire quelque chose ! Mais déjà Colin avait traversé la tente en trébuchant et filait par une autre sortie, pensant soudain La maison, la maison – ils sont peut-être allés dans la maison.

« Voilà un jeune homme bien pressé, commenta Cyril Davies, qui bavardait avec Howard.

– En effet, dit Howard. Il y a urgence, dirait-on. Ah, c'est un brave garçon, ce Colin – au fait, Colin est le fils de Brian Morgan.

– Ah, fit Cyril. Donc, je lui enlève sa maison, autrement dit. Ont-ils acheté autre chose ?

– Je ne pourrais pas vous dire », répondit Howard. Bonne question, d'ailleurs, pensa-t-il.

« En tout cas, vous avez aussi un type très bien, à l'agence. À propos de braves garçons. Furnish, c'est cela ?

– Oh, fit Howard, l'air sombre. Norman, oui. » Norman le cinglé, qui, en cet instant, dans la salle du petit déjeuner, n'en finissait pas de vagir et de sangloter, le pauvre bougre.

« Était-ce votre idée ou la sienne ? Le coup des vingt mille ? »

Howard leva les yeux. « Pardon ? le coup de quoi… ?

– Je ne pensais pas que Morgan marcherait. Je n'aurais pas osé, si Furnish ne m'avait pas assuré qu'il était complètement pris à la gorge. »

Howard, avec une immense subtilité doublée d'une remarquable ténacité, arracha à Cyril toute la vilaine histoire, en faisant mine d'être au courant. Bien. Faisons le point. Norman – qui croit avoir passé ses vacances à Chicago avec Katie (dont il est amoureux, ha ha) – a entubé Brian de vingt mille livres dans le but de s'en mettre dix mille dans la poche. Il est donc certain, à présent, que toutes les autres rumeurs étaient vraies. Norman est un escroc. Norman est un dingue. Norman est également au chômage, et il se pourrait fort bien qu'il se retrouve en plus avec un procès au derrière.

Les effluves, puis la vision d'une énorme dinde rôtie firent soudain prendre conscience à Lulu qu'elle avait l'estomac vide, et qu'il réclamait.

« Mon *Dieu*, Lizzie, mais ça a l'air absolument divin. Je *meurs* de faim, tout d'un coup. Je n'ai pas pris de petit déjeuner ni rien, pas même grignoté quelque chose. Tenez – laissez-moi vous aider. Juste ciel, mais elle pèse une tonne... »

Elizabeth sourit aux commentaires de Lulu, tout en faisant la grimace pour soulever ladite tonne et la sortir du four. La dinde bien dorée grésillait, avec de sombres éclats cuivrés.

« J'ai failli ne pas réussir à la mettre au four. Elle entrait tout juste. Les femelles sont généralement meilleures, plus tendres, mais on n'en trouve pas de vraiment grosses, donc cette année j'ai pris un mâle. J'adore préparer la dinde en été – ça a toujours un côté inattendu.

– En tout cas, elle sent merveilleusement bon, approuva Lulu.

– Mmm. Elle devrait être fameuse, franchement, parce que c'est ce qu'ils appellent un *bronze*, paraît-il. On le reconnaît aux plumes de la queue, quelque chose comme ça. On va la laisser reposer là une seconde.

— Oh, Lizzie, vous êtes extraordinaire, dans tout ce que vous faites. » Elle posa la main sur l'épaule d'Elizabeth, l'embrassa sur la joue. « Et vous êtes toujours tellement… je vous trouve – ça a l'air idiot de dire ça, mais je vous trouve tellement *attirante*, Lizzie. »

Elizabeth la regarda. « Ça n'a pas l'air idiot. Je comprends ce que vous voulez dire. Parce que c'est la même chose pour moi. »

Le baiser sur la bouche qu'elles échangèrent était franc, tendre et chaud, et ni l'une ni l'autre ne semblait vouloir l'interrompre. Quand elles se séparèrent enfin, c'est Lulu qui parla.

« Je hais les hommes », dit-elle.

Elizabeth hocha la tête. Moi aussi, je dois les haïr, d'une certaine manière, pensa-t-elle. Mais ce que j'aime en fait, c'est la jeunesse – la jeunesse et la beauté : et là, le sexe importe peu, finalement.

Toutes deux se retournèrent soudain, comme un léger froissement se faisait entendre derrière elles, et virent Colin qui les contemplait, bouche bée, avant de tourner les talons et de détaler vers le jardin.

Melody, les mains encore brûlantes d'avoir étreint le bras musculeux de son Miles adoré, se glissa auprès de Norman, à présent assis – encore sous le choc et abandonné de tous – sur un petit escalier de briques en demi-cercle, un peu à l'écart, dans un coin du jardin. Il portait sur le visage cette expression de vacuité qu'ont les exclus.

« Salut, Norman, fit-elle d'un ton léger. Ça fait longtemps qu'on n'a pas discuté tous les deux. Oh là là, tu as une sale mine. Katie m'a raconté un peu. »

Norman leva les yeux ; hocha la tête pour signaler qu'il avait noté sa présence. « Je l'aime, dit-il simplement. Mais ça n'a plus d'importance, maintenant. »

Melody s'assit à côté de lui. « On commence à étouffer, dans cette tente. Et j'ai abusé du champagne.

– *En plus*, soupira Norman, je viens de perdre mon boulot. À juste titre. Donc, je n'aurai plus jamais rien à faire avec personne, dans cette maison. Plus jamais.

– Comment vas-tu t'en sortir ?

– Je ne sais pas. Aucune importance, n'est-ce pas ? Je viens d'aller trouver Brian Morgan, à l'instant. Je voulais m'excuser pour ce que j'avais fait – je n'ai pas forcément envie d'entrer dans les détails : ce qui est fait est fait. En tout cas, il avait deux ou trois choses pas inintéressantes à dire à propos du suicide. Il est très pour. Je vais peut-être lui voler son idée. Qui sait ?

– Mais il est encore en *vie*, s'insurgea Melody. Qu'est-ce qu'on peut savoir du suicide ? Dieux du ciel, j'ai carrément *abusé* du champagne – parce que c'est vraiment des propos d'ivrogne, hein ?

– Oui, il est en vie – mais ce n'est pas faute d'avoir essayé. Il a vraiment tout tenté – le four, les cachets, le couteau. Et apparemment, il s'est même jeté d'une falaise, la semaine dernière.

– C'est comme ça qu'il s'est cassé le cou ?

– Je pense. Ça peut être assez dangereux, ce genre de truc. Quoi qu'il en soit, Melody – je n'ai plus aucune raison de rester à traîner ici. Je ne suis plus le bienvenu. Tu diras adieu à Katie de ma part, tu veux bien ? Dis-lui que je l'aime.

– Oh, mais tu ne l'aimes *pas*, Norman ! Elle était *là*, c'est tout. Si elle avait montré le moindre désir de s'engager, tu aurais fui, à toutes jambes – et tu le sais *très bien*.

– Non, pas du tout. Qu'est-ce que tu en sais, *toi* ? »

Melody laissa échapper un soupir. « Eh bien, c'est exactement ce que tu as fait avec moi, pas vrai ? Mmm ? Dès que tu as appris que j'étais enceinte, tu as disparu. C'est *toi*, Norman, ne cherche pas. C'est ta façon d'être. Au fait, je ne pense pas que ça t'intéresse beaucoup, mais dorénavant, Dawn va vivre avec Dotty et Brian ; c'est sans doute la meilleure solution. Je ne pense pas que cela ait grande importance, s'il se tue. »

Norman s'était redressé à présent, il tâtait la bosse douloureuse à l'arrière de son crâne. « Il faut que je parte. En fait, je vais peut-être quitter Londres. Ou pas, évidemment. Tu sais, je n'ai jamais vraiment aimé ce prénom, Dawn.

– Alors, il fallait être là pour en choisir un autre, sourit Melody. C'est drôle que tu me dises ça, en fait. Dotty a l'intention de l'appeler Maria. Oh, au fait – apparemment, je vais enfin me marier. Tu ne me souhaites pas bonne chance ? Allez, à bientôt Norman. On se voit, hein ? »

Norman eut un sourire blême et, juste avant de s'éloigner, pensa Non – non Melody, on ne se voit plus : parce que je ne serai plus là pour qu'on se voie. Et je n'ai *pas* présenté mes excuses à Brian Morgan – pas du tout. J'allais lui remettre les dix mille livres de Cyril Davies – cela compensait au moins la moitié de sa perte, mais Mr. Davies s'est approché et a dit Dix milles livres ? *Dix mille ?* Aucun souvenir d'un tel arrangement. Et Norman avait été assez sot pour insister encore quelques secondes, avant de se résigner à l'inévitable. Tout *par écrit*, avait repris Cyril Davies, lui enfonçant son index dans la poitrine – je traite toujours tout *par écrit*. À présent, Norman poussait un lourd soupir en abandonnant les parfums et les couleurs délicats de la garden-party de Howard : on ne peut plus avoir confiance en personne, par les temps qui courent. La garden-party de Mr. Street, devrais-je dire. Lequel, s'il me revoit, est capable de me tuer.

Et, à cet instant seulement, il se souvint de la petite cassette noire, la fameuse, la redoutable cassette vidéo qu'il avait glissée dans son grand sac brun, avant de filer. Quand le pire est arrivé, n'y a-t-il pas moyen de se venger du sort ?

Des chaises longues de résine blanche, garnies de coussins rayés blanc et bleu, avaient fait leur apparition au bas de la pelouse. Brian et Howard s'y étaient installés, côte à côte. Howard se sentait comblé, tout chaud de soleil et de whisky, bercé par les échos lointains des conversations et les allées et venues. Quelques invités étaient encore dans la tente – Elizabeth devait être en train de finir de préparer le plat de résistance, sans doute aidée par sa nouvelle amie Lulu ; l'air tout à fait bien, cette femme – et drôlement séduisante, si c'est ce que vous voulez savoir. Cela faisait un moment que l'on n'avait pas vu Dotty – mais où qu'elle soit, vous pouvez être sûr que la petite Dawn est avec elle. Colin venait de repasser en trombe, quelques minutes auparavant – je ne sais pas ce qui lui prend : ce n'est pas bon, de courir comme ça, par une telle chaleur. Il avait demandé à Howard, hors d'haleine, si par hasard il avait vu Carol, mais Howard, n'ayant pas la moindre idée de qui pouvait être cette Carol, n'avait pu lui répondre.

Pas mal de nouvelles têtes – tiens, voilà la fameuse Ellie, avec ses cheveux roux, à côté du bassin ; en grande conversation avec ce type que nous a amené Melody – sale genre, quelque chose d'hypocrite : Giles, c'est cela ? Je ne sais plus – ma pauvre tête. Enfin, si ce n'est pas Giles, c'est quelque chose d'approchant. Vous savez, je crois que j'ai eu le nez creux de mettre fin à cette histoire avec Melody : elle aurait pu se révéler dangereuse – beaucoup trop imprévisible. Et folle de son corps, selon Elizabeth, qui ne comprenait pas pourquoi tous ces types lui couraient après. Parce que *justement*, avait failli répondre Howard, c'est le coup le plus facile et le plus sympa dont on puisse rêver. Tout à fait. Mais à présent, bien sûr, Howard avait autre chose en tête. D'ailleurs, *où* était passé Zouzou ? Cela faisait des heures qu'il ne l'avait pas aperçu. Quant à *Norman* – eh bien, bon débarras. Cela dit, quelle barbe : il va falloir passer une annonce, trouver quelqu'un d'autre. Enfin…

« Alors, Brian, dit-il, ça a été un drôle d'été pour toi, n'est-ce pas ? Des hauts et des bas. »

Brian aurait bien hoché la tête, mais c'était là une des choses qu'il ne pouvait plus faire, et il continua de regarder fixement les arbres.

« J'ai quelque chose à te demander, Howard. Un service. J'ai horreur de ça – tu le sais – mais là, je n'ai vraiment pas le choix.

– Vas-y, annonce la couleur », fit Howard avec chaleur. Dieux du ciel, il ne va tout de même pas me demander de *l'argent* ? Comme tout le monde ?

« Eh bien, tu vois… enfin, tu sais bien que cette vente s'est faite très rapidement, et tout ça, et je n'ai pas eu le temps de chercher autre chose.

– Oui, dit Howard, je me posais la question, justement. » Dieux du ciel, il ne va tout de même pas me demander d'habiter *ici*, tout de même ? Avec tout le monde ?

« Donc, Howard, je vais être franc – je ne suis même pas serré, au niveau budget : il n'y a simplement *plus* de budget. Alors voilà ce que j'ai fait : j'ai loué une caravane.

– Une *caravane* ? Juste ciel. Et qu'en dit Dotty ?

– Elle n'est pas encore au courant. J'ai la vague intuition que ça ne va pas trop l'emballer. Mais bref, Howard, ce que je voulais te demander, c'est si je pouvais garer l'engin dans ton allée – enfin, sans du tout gêner l'accès au garage ni rien, hein, évidemment. Parce que je n'ai absolument aucun autre endroit où la poser. »

Howard se sentit soudain ému par son ton pitoyable, cette voix qu'il ne lui connaissait pas : pauvre Brian, quelle tristesse. Pourtant, il avait failli s'écrier Mais *bon Dieu*, Brian – Elizabeth va devenir *folle*, et pense un peu à la façon dont Dotty va supporter ça, et puis moi je ne veux pas de saloperie de caravane devant chez moi – tout le monde va croire que c'est un camp de romanichels, alors que je suis censé être le premier

agent immobilier du secteur, non, mais tu vois la *gueule* de tout
ça ?

« D'accord, dit-il. Pas de problème. » Puis, balayant d'un
revers de main les balbutiements de reconnaissance, il reprit :
« Brian – il y a une chose qui me tracasse : pourquoi as-tu voulu
te rendre *sourd* ? »

Vous savez quoi, se disait Brian, j'ai vraiment l'impression
que tout le monde est en train de péter doucement les boulons.
Pourquoi lui posait-on sans cesse cette question ? Il aurait bien
tourné la tête vers Howard, les yeux écarquillés par l'incrédulité,
mais tourner la tête était une des choses qu'il ne pouvait plus
faire, et il continua de regarder fixement les arbres.

Howard n'insista pas : peut-être n'avait-il pas entendu.

Lulu était revenue dans la tente pour se prendre encore un
petit verre de champagne et, bien qu'elle eût à peine deviné,
du coin de l'œil, cet inconnu qui se dirigeait vers elle, elle
priait déjà pour qu'il s'en aille, tout de suite : éloignez-vous –
ne m'approchez pas, ne me parlez pas, parce que sinon mon
époux va surgir tout à coup de nulle part, peut-être du ciel, en
crevant le toit de la tente, accroché à une liane, et très probablement vous poignarder là, sous mes yeux (mon époux est un peu
spécial). Évidemment, cela ne marcha pas – le voilà, arborant
déjà un sourire de circonstance.

« Bonjour, fit-il. Cyril, Cyril Davies – je viens d'acheter la
maison juste à côté. Êtes-vous aussi une voisine ?

– Non, non », répondit Lulu – jetant de brefs coups d'œil
à droite et à gauche : John ne peut pas être bien loin, il va
débarquer, et moi je mourrai de honte, et Dieu seul sait, cher
monsieur Davies, de quoi *vous* risquez de mourir : de mort
violente, très certainement. « Non, je suis une amie de Lizzie.
Elizabeth.

– Ah – notre hôtesse. Je dois dire qu'elle sait recevoir. »

La première impression de Cyril fut que cette femme ô combien désirable était parfaitement saine d'esprit : aucune trace apparente de manie ni de névrose. Encore qu'elle semble un peu nerveuse. Pourquoi est-elle ainsi nerveuse, je me le demande.

« Écoutez, dit-elle soudain (elle n'en pouvait plus de cette tension), je sais que ça va vous paraître un peu étrange, et vraiment, je n'ai pas envie d'expliquer davantage, mais mon mari – mon mari n'aimerait pas nous voir ensemble, comme cela. »

Ha ha ! Mon premier diagnostic était donc totalement erroné. La voilà déjà qui me parle comme si j'étais son amant secret. Il n'est pas impossible qu'elle se comporte ainsi avec tous les hommes qu'elle rencontre : il y aurait du vrai, dans ce que prétend son époux. Si l'on veut mettre au jour la vraie personnalité d'un individu, il est parfois payant de se montrer brutal. Voyons voir.

« Vous savez, dit Cyril d'une voix douce, je saurais bien m'occuper de vous. »

Lulu cilla, une fois, et le regarda bien en face.

« Je vous demande *pardon* ? » fit-elle d'une voix glaciale.

Cyril s'approcha ; le parfum de cette femme le bouleversait.

« Vous comprenez très bien. Vous satisfaire. M'occuper de vous. »

Lulu – écarlate de fureur – se détourna et sortit de la tente à grandes enjambées. Je n'arrive pas à croire qu'il ait pu dire *ça* ! À l'instant même où elle retrouvait la chaleur du dehors, elle sentit une main sur son épaule et, les nerfs à vif, se retourna brusquement pour découvrir, devinez qui ? Le sale type de l'Excelsior – cet affreux bonhomme, dans l'ascenseur.

« Je voulais juste vous faire un coucou », dit Miles.

Lulu le gratifia d'un regard à transformer les prunes en pruneaux – Dieux du ciel ! Ces hommes, quelle engeance abominable ! Je n'en peux plus, je ne les supporte plus ! Sur quoi un

John congestionné, trempé de sueur, la saisit par le bras et l'entraîna sans ménagement dans un coin écarté du jardin, à l'ombre.

« Encore ! » cracha-t-il entre ses dents serrées. « *Encore* en train de parler à ce salaud ! Pourquoi t'a-t-il suivie jusqu'ici ? »

Lulu en aurait *pleuré* de colère et d'impuissance.

« Je ne lui parlais *pas* – je le *déteste*, je le *déteste* – je les déteste *tous*.

– Tous ! *Tous !* Alors, c'est qui, les autres, hein ?

– John ! Tu es *fou* – tu es *cinglé*. Je déteste tous ces gens – combien de fois faudra-t-il te le répéter ? Et si tu veux t'en prendre à quelqu'un, va trouver ce Cyril Davies ! Il est répugnant ! Il est venu me trouver pour me proposer de… oh mon Dieu… de *s'occuper* de moi ! »

John parut se calmer provisoirement. « Oui, approuva-t-il d'une voix sereine. Je le lui ai demandé. Crois-moi Lulu, il faudrait qu'on s'occupe sérieusement de toi, c'est ce qu'il te *faut*. Tu ne t'en rends pas compte ? »

Lulu regarda John, le visage inexpressif. Cet homme, se disait-elle, est définitivement, complètement et totalement malade.

« *En plus*, reprenait John avec une ardeur renouvelée, inutile de me dire que tu ne parlais pas à ton *amant*, parce que je vous ai vus, de mes yeux vus – il t'a touché *l'épaule*. »

Lulu pleurait à présent : voilà qui j'ai *épousé*. Il faut, il faut que je me libère de tout cela.

« Écoute-moi ! Écoute-moi ! fit-elle d'une voix sifflante, les lèvres retroussées. J'étais dans la *maison* – d'accord ? Je bavardais avec Lizzie, dans la *cuisine*. Tu comprends ? Tu *comprends* ? »

John se faisait maintenant mielleux, sarcastique : « Oh, mais oui *bien sûr* – Lizzie. À chaque fois que je te crois avec ton amant, tu es avec *Lizzie*, en fait. Et qu'est-ce qu'elle avait à raconter, Lizzie, hein ? De quoi avez-vous parlé ? »

Lulu demeurait égarée, éperdue, devant une telle démence. Elle lutta pour se rappeler une chose que Lizzie aurait dite, n'importe quoi – cela réussirait peut-être à le calmer, en attendant qu'ils puissent décemment quitter la réception – après quoi, aucun doute, elle allait éjecter ce fou de sa vie.

« Mon Dieu, John, mais comment veux-tu que je me rappelle ce qu'elle a pu *dire*... » Et puis, histoire de moucher cette lueur de victoire dans ses yeux de dingue, elle fonça soudain : « Bon – elle m'a dit que, cet été, elle avait choisi un *mâle*, c'est cela – une histoire de *queue*, tu sais, et celle-ci était tellement grosse – franchement *énorme*, lourde comme tout – je l'ai vue, hein –, oui, si grosse, disais-je, qu'elle entrait à peine. Voilà ce qu'elle m'a dit. Tu vois, on *bavardait*, sans plus. »

John la regarda sans mot dire, stupéfait. Au moins, le voilà calmé, se dit Lulu. Et de reprendre tranquillement, sur le ton de la conversation :

« Énorme, franchement. Un bronze, m'a-t-elle dit. En tout cas, quelle odeur divine... En fait, je ne refuserais pas d'y goûter un peu – cela fait des siècles que je n'ai rien avalé. »

La décision de John était prise. C'était bien cet *homme-là* – cet *homme* avait rendu folle sa Lulu chérie. Comment peut-elle me dire de telles choses, à moi – John, son *mari*?!

Lulu sourit, passa la langue sur ses lèvres. « Finalement, j'aime bien m'en mettre plein le ventre », conclut-elle.

Une lumière s'éteignit dans le cerveau de John. Bien. Nous y voilà. Je vais le tuer. Maintenant. Et cette fois, c'est *sérieux*, putain.

Devant les yeux écarquillés de Lulu, John poussa un hurlement de loup furieux, et traversa la pelouse à petites foulées, se dirigeant vers Miles. Il passa à côté de lui, s'écriant Ne bouge pas, salopard, pénétra dans la tente, effectua un dérapage contrôlé à hauteur du buffet où, sous tous les regards, il s'empara d'une bouteille de champagne ouverte, la saisissant par son goulot doré, puis s'élança de nouveau vers Miles, brandissant à présent la bouteille au-dessus de sa tête, tandis que le champagne ruisselait le long de son bras et sur sa tête, jusque sur l'herbe où il formait un sillon glissant, sur quoi les pieds de John quittèrent le sol avant même que son corps n'y retombe lourdement, manquant se briser en deux et glissant sur le gazon jusqu'aux pieds de Miles, la bouteille lui ayant échappé des mains – pour atterrir Dieu sait où –, mais déjà il se redressait et, poussant des hululements de douleur, levait le poing, en arrière, puis le propulsait en avant, et c'est alors que le direct dévastateur de Miles l'atteignit en pleine figure, faisant naître une lueur de surprise dans ses yeux agrandis, tandis que le sang giclait de son nez, et juste avant de s'effondrer, il se jeta en avant, tête baissée, contre Miles, sur quoi tous deux roulèrent ensemble sur l'herbe, John rugissant Je vais te tuer Je vais te tuer Je vais te tuer, et Miles vagissant Regardez ce que vous avez fait de ma *chemise*, espèce d'andouille !

Quelques invités s'agitaient vaguement au bord du ring, sans trop savoir quoi faire. Howard, ayant perçu les échos de la rixe, s'approchait d'un pas vif. Colin – toujours en proie à la tourmente qui l'habitait – appréciait néanmoins le spectacle à sa juste valeur, quand une Carol en larmes, bouleversée, se jeta soudain sur lui, passant ses bras autour de son cou, alors il la tint toute tremblante contre lui puis, après un dernier coup d'œil sur les deux adversaires ensanglantés qui s'empoignaient sur la pelouse, lui prit la main et, plus excité, plus éperdu de désir qu'il ne l'avait jamais été, l'attira loin de tout cela, et ils s'élancèrent tous deux vers les arbres, et comme résonnait un *Hé ho !* sonore, puis un *Hé ho, vous deux !* Colin n'accéléra pas l'allure, ne chercha pas à se dissimuler, mais lâcha la main de Carol, revint sur ses pas, se dirigeant vers Terry qu'il savait juste là, et les yeux de Terry s'agrandirent en constatant que Colin n'allait pas s'arrêter, et déjà Colin fonçait sur lui, le souffle jaillissant de sa poitrine comme il lançait son poing droit sur la bouche ouverte de Terry qui chancela, mais cela ne suffisait pas, c'était du sang que voulait Colin, et il le frappa encore une fois, puis une autre, et voilà, le sang coulait à présent au coin de la bouche de Terry qui gémit avant de s'effondrer, alors Colin revint en courant vers Carol qui sautillait sur place en applaudissant, les yeux jetant des éclats de braise, et il sentait l'odeur du sang sur ses doigts, prenait les doigts de Carol entre les siens, et tous deux s'enfuirent à couvert, s'enfoncèrent entre les arbres, se jetèrent au sol et s'arrachèrent leurs vêtements, Colin haletant, Carol le souffle court, et il la baisa enfin, vraiment, vite et fort, puis roula sur le côté, comblé à en mourir, et plus désireux de vivre que jamais, car c'était la vie elle-même qu'il désirait à en mourir, maintenant.

Bon nombre d'invités s'étaient éclipsés, et la réception touchait à sa fin. Déjà, Miles était parti. Il venait de prendre une fameuse leçon, vous pouvez l'en croire : quand une aventure d'été est finie, elle est finie – terminé, *finito*, fermez le ban, à dégager. Parce que cette pauvre salope s'était montrée collante comme pas possible, et il s'était une fois de *plus* fait agresser par ce cinglé – d'ailleurs, regardez dans quel état sont ses fringues ! Je ne supporte pas que l'on me voie comme ça. Et pourquoi cette sublime connasse de Lulu fait-elle tant d'histoires, à propos de l'autre malade mental ? Je le croyais marié à la petite réceptionniste, là – comment s'appelle-t-elle déjà… Christine ? Un truc comme ça. Bon – je me tire d'ici, et de la vie merdique de Melody. Dieux du ciel, comment peut-elle vivre dans ce trou à rats qu'elle appelle son chez-soi, mystère…
« Au revoir, Miles, chuchotait-elle à présent. Je t'aime tant.
– Ouais… fit-il.

431

– Tu m'appelles quand, dis ? On a plein de projets à voir ensemble ! »

Miles hocha la tête. Grands dieux, ces bonnes femmes – croient-elles *tout* ce qu'on leur raconte ? « Bientôt, ma chérie, bientôt. »

Sur quoi Melody se jeta contre lui, et c'est ainsi qu'il sut que ses côtes en avaient pris un méchant coup. Heureusement, finalement, que quelqu'un l'avait tiré en arrière, sinon, il l'aurait massacré, ce pauvre maniaque.

« Mon Dieu, Miles, tu vas me manquer à un point ! C'était merveilleux, n'est-ce pas ? Et puis j'ai tellement l'habitude d'être toujours avec *toi*, maintenant.

– Ce ne sera pas long, ma chérie. Nous serons bientôt réunis. » *Lâche-moi.*

Il finit par s'arracher (Tu remercieras pour moi les gens qui nous ont reçus, n'est-ce pas ?) et jeta un dernier coup d'œil à Melody, dont le regard semblait comme pétrifié, agrandi par quelque chose qui tenait de l'adoration. Mon Dieu, se disait-elle en le voyant s'éloigner, quel *homme*. Bon Dieu, se disait-il en s'éloignant, quelle *chieuse*. Par contre, la petite rouquine n'était pas mal – jeunette, un fruit vert : j'ai pris son numéro – ça vaut peut-être le coup de voir.

Melody se dirigea pensivement vers Elizabeth, qui aidait Lulu à passer une veste de lin crème d'une coupe très simple, tandis que Lulu ajustait autour du cou de John une serviette dissimulant en partie sa chemise ensanglantée.

Melody laissa échapper un soupir. « Il est parti. Il me manque déjà. »

Lulu lui lança un regard. « Je ne vous connais pas très bien, Melody, mais je vais quand même vous dire : il m'apparaît comme l'homme le plus pourri que j'aie vu de ma vie. »

Déjà les yeux de Melody lançaient des éclairs, mais John intervint d'une voix suraiguë :

« Ça ne t'a quand même pas empêchée de baiser avec lui, n'est-ce pas ?

– Quoi ?! fit Melody d'une voix étranglée. Vous êtes fou, ce n'est pas possible ! Vous êtes complètement *dingue*. »

Lulu hocha la tête. « Vous avez raison – il est fou. Je le hais. »

John leva vers elle un regard douloureux : Je t'aime, Lulu – je *t'aime* : est-ce donc si difficile à voir ?

Lulu chuchota à l'oreille d'Elizabeth, qui chuchota en retour. On échangeait des projets, des arrangements pour se revoir – compassion et conseils seraient les bienvenus : je meurs d'impatience de me retrouver seule avec Lizzie – j'ai tant d'affection pour elle. Comme elle conduisait John hors du jardin, jusqu'à la rue (il avait les yeux fous, les cheveux en bataille), celui-ci, frôlant Cyril Davies, lui murmura à l'oreille, d'une voix rauque :

« Elle est *folle*, je vous dis. *Folle*. »

Cyril, franchement, n'en n'avait rien à foutre – jamais il ne les reverrait, ni l'un ni l'autre. Peut-être était-elle folle, en effet, qui sait ? Vraiment bandante, en tout cas.

« Eh bien, Elizabeth – Howard, dit-il soudain, serrant la main de ce dernier avec une force alarmante. Nous allons prendre congé. Cela a été… euh… fort intéressant. »

Edna Davies s'accrochait à son bras. Mais où es-tu *passée*, pendant tout ce temps ? lui avait-il demandé. Je visitais le jardin, avait-elle répondu – ils ont quelques très jolies plantes, mais ils vont voir, quand tu t'y mettras, à côté ! Cyril se demandait s'il convenait de saluer Brian et sa femme, compte tenu des circonstances, mais y renonça finalement – trop épuisant, tout ça. Juste ciel, pensa-t-il, comme Terry passait non loin : encore quelqu'un couvert de sang : dans quel genre de coin avons-nous donc acheté ?

« Je saigne du nez, dit Terry à Elizabeth, essayant de sourire – ce qui lui torturait la bouche (d'où provenait le sang, comme chacun pouvait le constater). Avez-vous vu Carol ? Il faut qu'on y aille. » Et avez-vous vu ce connard de *Colin* ? Parce qu'il faut que je lui mette une branlée. « Ah, Carol, te voilà ! Bon, tu viens, on y va. Il est passé où, ton petit copain ?

– Je ne sais pas, dit Carol. Bon, alors ? Si on y va, on y va. »

Connaissant son frère, Carol tenait énormément à ce qu'ils partent avant que Colin ne réapparaisse. Celui-ci ne voulait pas rester dissimulé à couvert, sous les arbres (je n'ai pas peur de *lui*), mais Carol avait fini par l'en convaincre.

« Bon, eh bien, tu lui diras une chose, la prochaine fois que tu le verras, déclara Terry, la mine sombre, d'une voix menaçante : tu lui diras qu'on a *rendez-vous*, lui et moi. »

Je sais exactement quand je le verrai. Demain. Je suis amoureuse, Colin m'aime, je n'ai jamais été aussi heureuse de toute ma vie. Mais par contre, oh là là, quelle drôle de chose, avec ce Peter – j'ai eu carrément peur. Si je suis partie avec lui, c'était uniquement pour rendre Colin jaloux, mais il s'est montré tellement fin, tellement convaincant – et puis ses yeux, ses yeux : tu fonds, devant des yeux pareils. Donc nous sommes descendus jusqu'au fond du jardin, là où il y a une espèce de serre-cabane à outils, et là, nous avons discuté – de quoi, je ne sais plus trop, rien d'important, et il a commencé à me caresser les cheveux, c'était vraiment très agréable, puis il est passé à mes seins, et cela me plaisait sans me plaire, parce que je commençais à penser à Colin – et c'était Colin dont j'avais réellement envie, mais si Colin, *lui*, n'avait pas envie de moi, alors pourquoi pas, mmmm ? Pourquoi pas ? Il faut bien que cela se fasse un jour, non ? Donc, on s'est embrassés un peu, on s'est touchés, et je me suis dit bon, et puis zut, j'y vais – cette fois, c'est la bonne. Donc, j'ai glissé ma main plus bas, et j'ai appuyé ma paume contre lui (j'adore ça), et puis je me suis dit Attends, il y a un truc, là – et à ce moment-là, il a dit À ta place, je ne me donnerais pas tant de mal (enfin je crois que c'est ce qu'il a dit – quelque chose comme ça en tout cas), et moi je tâtais, je tâtais, et il n'y avait rien à tâter, et je me sentais toute bizarre, et j'ai pris peur, je me suis redressée d'un bond en criant Mon Dieu, mais tu es une *fille* – alors, il a eu cette espèce de sourire nonchalant, et puis il a paru soudain d'une tristesse affreuse. Même pas, a-t-il dit, pas une fille, mais pas vraiment un garçon non plus. Je ne suis rien. Et tout d'un coup, tout cela m'a semblé trop bizarre et je me suis mise à courir, à courir, et puis j'ai aperçu Colin et je me suis jetée dans ses bras, et il m'a emportée, et il m'a prise – et c'était merveilleux – et maintenant nous ne nous séparerons plus jamais et je l'aime à en mourir.

Des ombres vertes s'étendaient paresseusement jusqu'au milieu de la pelouse ensoleillée quand Colin émergea finalement du couvert des arbres. Je ne me cache pas, se disait-il – plus jamais je ne me cacherai, devant rien ni personne. Les connards, à l'école ? Ils vont voir. Je les prends tous, d'une seule main. C'est le cadeau que m'a fait Carol. Je l'aime. Je suis amoureux, et je me rappellerai de cet été pour le restant de mes jours.

Il aperçut brièvement un éclat de ses cheveux d'ange, comme elle faisait un dernier signe à Howard et Elizabeth (laquelle avait d'ailleurs embrassé Lulu comme elle m'embrassait, moi – ce que je trouve parfaitement dégoûtant). Carol et sa saloperie de frère avaient à présent disparu. Peu importe. Je la vois demain. Vivement demain. Mon Dieu – vivement *demain* !

Dans la tente à présent toute nimbée d'une lumière dorée, Elizabeth avait déposé partout de petites bougies parfumées, dans des soucoupes de cuivre. La fragrance du mimosa, ajoutée à quelques verres pour finir la soirée, produisait son effet sédatif, et les conversations s'étaient faites sporadiques ; Howard, pour sa part, se sentait comblé, un whisky à la main, observant d'un œil vague les ombres qui tourbillonnaient derrière les panneaux de toile, tandis que la lueur des bougies gratifiait les lis eux-mêmes d'un éclat, d'une chaleur singuliers. Dotty faisait aller et venir la poussette devant elle, sans cesser de faire claquer sa langue à l'adresse du bébé déjà presque endormi. Katie ricanait dans un coin avec Ellie. Celle-ci ne s'appelait pas Ellie, mais Jane : une ancienne copine d'école, sur laquelle Katie était tombée, presque littéralement, à Heathrow, et qu'elle avait aussitôt invitée à la réception, lui racontant en chemin toute cette histoire abracadabrante d'une Ellie fantôme : Oh là là, vous auriez dû voir la tête qu'a faite Norman ! C'était à *hurler* de rire. Quel branleur. Je me demande si je vais épouser Rick ? Il est assez sublime, et extrêmement riche. Un peu vieux, cela dit. J'imagine que la première chose à savoir, c'est si je vais garder ce bébé ou non. Je pense que non, sans doute pas – aucune envie de me retrouver énorme, empotée : Rick n'aimerait pas. Je pense qu'*aucun* homme ne peut aimer ça. Comment pourraient-ils ? Parce que ça n'est pas naturel, n'est-ce pas ? C'est pour cela que je me suis débarrassée du dernier ; plus le fait que j'étais encore en première. D'un autre côté, ce doit être *adorable*, un bébé – regardez Dotty là-bas, complètement gâteuse. Ouais, mais moi, je ne suis pas Dotty, hein ? Donc, l'un dans l'autre, je crois que je vais faire passer le truc. *À moins* que je ne le garde quand même – ce qui serait assez classe en fait, parce qu'à l'âge que j'ai, dans dix ans, je serai la mère la plus jeune et la plus séduisante de toutes, à la sortie de l'école. Mais ça doit bouffer un maximum de temps, un bébé. Mmmm. Ouais, je ferais sans doute mieux de m'en débarrasser. Rick m'a dit qu'il arrivait dans une semaine : apparemment, il vient souvent à Londres. Je ne sais pas trop ce qu'il fait, d'ailleurs. Ça n'est pas vraiment mon problème. Une semaine, c'est long, vraiment. Il y a ce mec que Melody a amené – Miles. Il m'a demandé mon numéro, donc il devrait m'appeler bientôt, enfin je pense : sacrée belle gueule, franchement. Évidemment, Melody n'apprécierait pas, mais il n'est pas question qu'il la revoie : il me l'a dit. Hi hi – pauvre vieille Melody ! Je me demande ce qu'elle a dans la tête. (En fait, Melody, en cet instant, se demandait Est-ce que j'ai bien fait, pour Dawn ? Il n'est peut-être pas trop tard pour revenir sur ma décision. Et Miles – savez-vous qu'il ne m'a absolument rien laissé, pas même un numéro de téléphone ? Il m'a dit qu'il faisait poser une nouvelle ligne, un truc comme ça ; je ne sais pas trop si je l'ai vraiment cru – en tout cas, je lui ai piqué une carte dans son portefeuille, pendant qu'il était sous la douche. J'espère qu'il m'appellera bientôt, mais je sais que je n'aurai pas la patience d'attendre ; je l'appellerai avant. J'ai son numéro, c'est déjà quelque chose.) Oh noooon – voilà que Dawn, enfin Maria, enfin peu importe, le bébé, là, le machin, commence à pigner – quelle chiotte, franchement. Naaan – pas question de vivre ça : à dégager, voilà tout. Colin a l'air de planer complètement : il a dû trop boire, ce petit crétin. Et pourquoi maman discute-t-elle avec l'autre tache, là, Peter ? Bizarroïde, celui-là. Je n'ai *jamais* compris ce qu'il faisait au bureau – ni même pourquoi papa le laisse traîner là. Parce qu'il ne fout jamais *rien*. Enfin bref – maman a l'air plutôt contente. Et Brian. Regardez-moi ça. Putain – il avait déjà l'air grotesque *avant*, mais alors maintenant, avec ce col à tarte… D'après maman, il aurait sauté d'une falaise parce qu'il voulait se rendre sourd. On n'y croit pas, hein ? D'ailleurs, il pourrait *aussi bien* être sourd – parce qu'il a déjà perdu tous les autres sens. Regardez-moi ça – les yeux dans le vague, la tête vide, pas même l'ombre d'une pensée.

Erreur. Brian pensait. Il pensait : vous voyez la bouteille de champagne, là-bas ? La grosse ? Je crois qu'on appelle ça un magnum. Eh bien, en partant, je vais tâcher de l'emporter, parce qu'il y a de quoi en faire un très joli pied de lampe. C'est très simple : d'abord, vous passez bien la partie inférieure au Trois-en-un, sans lésiner (il n'est pas idiot de la chauffer au préalable), puis vous prenez la perceuse, vitesse maximum (la bouteille est bien calée dans l'étau, inutile de préciser), et vous faites un trou bien net pour le fil. À partir de là, c'est un jeu d'enfant. Vous passez votre fil, vous installez la douille de lampe, entourée d'une couche de liège pour que ça tienne bien dans le goulot, la prise à l'autre bout, et que la lumière soit! Pour apporter une touche finale d'élégance, on peut toujours décoller des étiquettes d'autres bouteilles et les coller partout sur un bête abat-jour en PQ : très classe, et ça fait quoi, un après-midi de boulot?

« Nous allons devoir y aller, Elizabeth, déclara Dotty. Maria commence à être un tout petit peu énervée. Et mon Dieu – j'ai vaguement l'idée que je vais devoir m'occuper de quelques *rangements*, demain. Quand je pense à tout ce qu'il y a à faire...

– Tu vas réussir à *tout* loger dans une caravane, Dotty?» s'enquit Howard – et Brian n'eut pas le temps d'aller se cacher. «Enfin – il y en a de très grandes, je sais bien, mais quand même...»

Dotty le regarda, figée.

«Oh, c'est pas vraaaaiiii! s'esclaffa Colin. Nous venons de passer toute la semaine dans une caravane, et maintenant, c'est carrément pour y *vivre*!

– Une caravane? fit Elizabeth, stupéfaite. Mais Dotty, il me semble que tu nous avais dit que...

– C'est un malentendu», coupa Dotty en toute hâte. Quel dommage, se disait-elle à présent, que Brian ne se soit pas tué en tombant de cette maudite falaise. Bien trop égoïste pour même y songer. Sourd, tu parles – c'est *mort* qu'il devrait être.

Dotty était pressée, très pressée de filer à présent (C'est quoi, cette histoire de *caravane*? siffla-t-elle entre ses dents à l'égard de Brian. Je te dirai plus tard, répondit-il. – Oh là là!) – mais déjà Elizabeth s'était dressée, et allait parler.

438

« Écoutez-moi, tous – je viens d'avoir une idée *extraordinaire*. »
Howard leva les yeux vers le toit de toile. Dieux du ciel,
quelle femme – parce que si je ne me trompe, nous sommes
encore en *plein* dans sa dernière idée, non ? Je crois que je vais
me prendre encore une petite goutte de scotch.

« Bien, écoutez, reprit Elizabeth avec animation. Je sais que ça
peut sembler idiot, parce qu'il fait beau et tout ça, mais nous
allons bientôt devoir ranger les affaires d'été...

– ... et sortir les affaires d'hiver, compléta Dotty, par pur
réflexe.

– ... exactement – et bon, je veux dire – à part le pauvre
mari de Lulu, qui est complètement dingue, nous avons tous
passé un été fantastique, n'est-ce pas ? je veux dire, je sais bien
qu'il n'est pas terminé, mais vous voyez ce que je veux dire. »

Chacun fit brièvement le point sur son obsession actuelle et,
oui, le consensus (Brian excepté) fut que, jusqu'à présent,
ç'avait été un bon été.

« Eh bien *voilà*, reprit Elizabeth, dans un élan incontrôlable.
Je pense que nous allons tous partir quelques jours cet hiver –
moi oui, en tout cas : Dieu sait si j'aurai besoin de faire un
break, d'ici là » – un break par rapport à *quoi*, Elizabeth ? pensa
Howard. Parce que, qu'est-ce que tu fais, en réalité ? je me suis
souvent posé la question – « et nous pourrions nous retrouver
tous pour *Noël*. Ici même – dans cette maison. Qu'en dites-
vous ? Ce serait vraiment adorable. Comme une réunion d'an-
ciens élèves. »

Nulle protestation ne s'éleva, même étouffée – tout cela
paraissait si lointain, si irréel : même à cette heure tardive de la
soirée, il faisait encore si bon dans le jardin odorant.

Bientôt, tout le monde se sépara. Dotty (ayant oublié les
caravanes, et aux petits soins pour Maria), Colin (illuminé d'un
éclat intérieur, et ne pensant qu'au lendemain) et Brian (soupe-
sant le magnum de champagne, la seule chose qu'il ne redoute

pas dans sa vie) regagnèrent la maison voisine, tandis que Katie montait dans sa chambre avec Jane (*alias* Ellie) pour une sérieuse séance de bavardage inepte, comme seules les filles peuvent en avoir. On vint à bout des au revoir et des bonne nuit, et il ne resta bientôt plus là que Elizabeth, Howard et Melody (elle traînait), vautrés sur les chaises de metteur en scène de toile verte – oh, et puis Zouzou aussi, l'œil vif, la mine fraîche.

« Est-ce que je peux *t'aider*, Elizabeth ? proposa Melody. Tu en as tellement fait aujourd'hui – c'était superbe. »

Elizabeth sourit, secoua la tête. « J'ai adoré ça – à part l'histoire de John. Je suis vraiment *navrée* qu'il se soit jeté comme ça sur Miles, Melody. Il faut absolument que Lulu se débarrasse de lui. Il est dangereux. J'espère qu'elle s'en est bien sortie. Et puis – j'ai *déjà* mon aide pour ce soir – n'est-ce pas, Peter ? Allez, viens – on va commencer par les verres. »

Elizabeth et Peter (*alias* Zouzou) quittèrent la tente, portant chacun un grand plateau chargé de flûtes à champagne et de verres à orangeade. Howard les regarda traverser la pelouse, en se disant Mon Dieu, comme tout cela est à la fois agréable et bizarre. La maison était brillamment éclairée, accueillante, leurs pas dessinaient des sillons bruissants dans l'herbe moelleuse.

« Pose-les là, dit Elizabeth, une fois dans la cuisine. C'est tellement *adorable* à toi de me proposer ton aide, Peter. »

Elle posa un rapide baiser sur ses cheveux, des cheveux doux comme de la soie, et propres, et jeunes.

« Bien, fit-elle d'un ton plus pragmatique. Moi, je serai le rangeur-de-vaisselle – et toi, que veux-tu être ? »

Le jeune garçon s'approcha d'Elizabeth et la fixa de ses yeux d'un noir liquide.

« Moi, je peux être tout ce que vous voudrez que je sois », dit-il d'une voix douce.

« Alors, Howard, tu es heureux ? fit Melody.

– Satisfait – satisfait, je crois que c'est le mot, Melody. Et toi ? »

Melody hocha la tête. « Très. C'est un nouveau départ. Dire que la semaine dernière, j'étais mère célibataire, et que maintenant, je vais me marier, et sans enfant ! Ça fait un sacré changement. C'est drôle, n'est-ce pas, la manière dont un truc imprévu peut transformer ta vie pour toujours ? On ne sait jamais, au grand jamais, ce qui peut arriver. C'est bien pourquoi les projets, c'est une perte de temps. »

J'espère, j'espère que je ne me trompe pas. Je me demande s'il est déjà rentré. Il va falloir que je l'appelle.

« Si tu es heureuse, je suis content, dit Howard. Ce n'est pas trop tôt. »

Melody sourit, se leva. « Je suis réellement épuisée, Howard. Juste ciel – quelle semaine… Je suis en morceaux. »

Howard se leva à son tour, puis se baissa pour finir son verre de whisky. L'alcool lui réchauffa l'intérieur en descendant. « En petits morceaux, hein ? Comme le facteur que l'on recolle avec du joli fil doré, dans… euh… c'est quoi, déjà, la chanson – le facteur qui s'est cassé le bout du nez… Oh, ma pauvre tête.

– Oh – Pirouette…

– *Cacahouète !* s'exclama Howard. C'est cela, évidemment. Ouais – Pirouette cacahouète. Dieu sait ce que ça vient *faire* là-dedans. Bon, allez, Melody – je te raccompagne.

– Il paraît que tu as viré Norman. Le pauvre.

– C'est un *enfoiré*, Norman. Et puis c'est du passé. Terminé. Tu avais une veste, quelque chose ? »

Melody secoua la tête. Et si ce n'était *réellement* qu'une aventure de vacances ? se disait-elle. Je fais quoi ? Vous savez – j'ai comme envie de reprendre mon bébé.

Hors de la tente, Howard la serra contre lui, brièvement,

441

en chuchotant : « Tu sais, je suis *vraiment* content que tu sois heureuse, Melody, vraiment. Parce que je t'aime toujours. »

C'est agréable, songea Melody, d'être prise dans les bras comme ça. L'ennui, c'est que, pour autant que je m'en souviens, personne ne m'a jamais pris dans ses bras à jeun.

« C'est drôle, la vie… » fit-elle d'une voix songeuse, avec une soudaine et évidente mélancolie. Puis, comme Howard manquait trébucher, tandis qu'ils traversaient la pelouse vers la voiture garée dans l'allée : « Oh, mon Dieu, Howard – tu crois que tu es vraiment en *état* de conduire ? Tu as quand même énormément picolé.

– 'videmment que je suis en *état*. Frais comme un… oh nooon – un *truc*, là – juste ciel, ma pauvre tête… un *gardon*, voilà. Mais tu as raison, pour la vie, Melody, reprit-il. Je pense que le truc, c'est de ne pas y *penser*. Si tu y penses, ça te déchire le cœur. Mais si tu la traverses en zigzaguant, comme moi – eh bien, oui, la vie, ce n'est pas drôle, c'est comique. »

Howard lui adressa un vague sourire, comme ils prenaient place dans la Jaguar, et, tout à coup, Melody ne trouva plus rien à dire.

RÉALISATION : PAO ÉDITIONS DU SEUIL
IMPRESSION : S.N. FIRMIN-DIDOT AU MESNIL-SUR-L'ESTRÉE
DÉPÔT LÉGAL : MAI 2000. N° 232 (51157)